FRENCH PROSE AND POETRY

1850–1900

EDITED BY

WALTER SCOTT HASTINGS

ASSOCIATE PROFESSOR OF FRENCH, PRINCETON UNIVERSITY

GINN AND COMPANY
BOSTON · NEW YORK · CHICAGO · LONDON
ATLANTA · DALLAS · COLUMBUS · SAN FRANCISCO

7840.8

H27f

29420

June '51

The Athenæum Press

GINN AND COMPANY · PRO-
PRIETORS · BOSTON · U.S.A.

FOREWORD

The particular aim of this anthology has been to present to students of literature and to the general reader certain phases of French life and thought during the latter half of the nineteenth century. To this end I have cautiously chosen from the great realm of poetry, fiction, and criticism the names of outstanding masters whose value as artists or whose influence upon the trend of literature, or both, are uncontested. No dramatic selections have been included, although the Second Empire and the first years of the Third Republic are rich in dramatic material; for I have felt that the charm of a comedy by Labiche or the strength of a social drama by the younger Dumas might be difficult to grasp from a few scattered scenes, and that the inclusion of them, as a consequence, might be pointless. With this thought again in mind, I have frequently chosen complete tales rather than detached pages from a novel to illustrate the literary significance of a writer of fiction.

Messrs. Paul Bourget, Francis Jammes, and Henri de Régnier have kindly granted permission to reprint the selections from their work which have been made for this volume.

In the preparation of the notes and in the proof revision I have been at many turns aided by friends, but I have especially to acknowledge the generous services of Messrs. James Donald MacWilliam of Kingston, Pennsylvania, William H. Royce of New York City, and Professor Frank L. Critchlow of Princeton University. I am especially grateful to my colleague, Professor Harvey W. Hewett-Thayer, for his repeated guidance and criticism during the making of this book.

W. S. H.

PRINCETON UNIVERSITY

iii

CONTENTS

CONTENTS

INTRODUCTION

I

Between the revolutionary years of 1830 and 1848, romanticism, as the prevailing factor in French literature, had its triumph and its decline. The victory of realism over imagination and sentiment comes with the early days of the Second Empire and dominates the latter half of nineteenth-century literature.

The Romantic movement was, by its very nature, destined to perish quickly. The conception of art as "sentiment,"—*et chacun sent à sa manière*, Musset once added to this definition,—the conception of art as produced primarily by the emotions, hence purely subjective, as passion expressed with exalted eloquence in defiance of classic discipline, could not outlive the generation which it so faithfully represented. On the night of February 25, 1830, when a young art student named Gautier, resplendent in water-green trousers and a red waistcoat, marched into the Théâtre-Français to applaud the new play *Hernani*, romanticism was firmly established. Less than fifteen years later middle-class prosperity following the wars had swept over France, and the fervid poets who had written their *Orientales* and their *Contes d'Espagne et d'Italie*, the passionate Corinnes, and the soul-sick Obermanns were beginning to pall. In 1843, on the eve of his *Burgraves*, Victor Hugo sent Gautier with a message to one of the long-haired supporters who had led the *claque* on the first night of *Hernani*. "Find me three hundred determined Spartans to applaud my new piece," begged Hugo. And the romantic disciple is reported to have replied significantly to Gautier: "Say to your master that there are no young men left!" Melancholy and consumptive heroes who had made their pilgrimage to Ermenonville and sighed over the last pages of Jean-Jacques's *Confessions*, disillusioned because life offered nothing in keeping with their superior and misunderstood selves; poets who on summer nights had communed familiarly with their muses; pallid youths nourished on the imperial dreams of an artillery lieutenant who had been crowned by the Vicar of Christ in Notre-Dame—this generation had either succumbed to their *mal du siècle* or had become prosperous bourgeois, taking a wholesome and sometimes a sordidly business-like interest in life's possibilities. The wars were over; and with them those glorious campaigns which had created field marshals at the age of twenty-five and had been the breeding-ground for exoticism and cosmopolitanism—dangerous germs for youth. The children who had been "conceived between two battles" and had fashioned their lives out of dream-stuff rather than realities were no longer young. In 1848, while General Cavaignac's guns thundered about Paris, the patriarch of romanticism, Chateaubriand, lay dying. Lamartine, poet of the *Méditations*, whose Elvire had been dead for some thirty years, was busy over political tasks; Vigny had retired from the world and published nothing; Musset was lost from sight in the library of the Ministry of the Interior; and Gautier was the slave of his daily column for a newspaper.

After the first years of the July monarchy industrial progress was solidly marked throughout France. Railroads were doubling the fortunes of the nation, new commercial enterprises flourished, and the "get-rich-quick" slogan was already abroad. A few pages from the novels of Balzac and a group of Daumier's drawings will enlighten us better than any other documents on the material prosperity and the smug hypocrisy of this age. Critics foresaw with trepidation the decline of pure art in the hands of thrifty, narrow-minded bourgeois. Men of letters were becoming dangerously practical and ambitious to succeed financially.

The whole tendency during the last years of the Orleanist monarchy was, then, a reaction against the subjectivity and the poetic color of romanticism. The change in point of view is first evidenced by the novels of Balzac, who set out upon the road of letters to be the impartial historian of his epoch; it was furthered by the positivist philosophy taught by Auguste Comte, and by a rise of interest in scientific discoveries and in the limitless possibilities of extending the application of scientific theories. The cumulative effect of these influences upon literature was the complete bankruptcy of romanticism and the gradual formation during the first years of the Second Empire of a group called realists, who later, because of their exaggerated employment of the methods of science, were known as naturalists.

II

A witty foreign ambassador at the court of Napoleon III once referred to the government of France as an "intermittent monarchy." This was, of course, before the disaster at Sedan, which put an end to monarchy, intermittent or otherwise, but only shortly after the sudden collapse of the Orleanist party, which gave to France a Second Republic, destined so quickly to ripen into a Second Empire.

In 1848 the House of Orleans, in the person of the "bourgeois" Louis-Philippe, had been presiding for eighteen years over the destinies of France. But for eighteen years, in the midst of apparent prosperity and material comforts, the country had been drifting steadily toward another revolution. Democratic spellbinders, visionaries, and idealists were carefully paving the road to radicalism, so that in February of 1848, while bonfires and state troops and barricades cluttered the streets of Paris, the old king abdicated and set out along the Normandy highroad for a Channel port. Lamartine, the author of a famous romantic lyric,—perhaps the most famous in nineteenth-century poetry,—but also the author of a *History of the Girondists,* assumed the leadership of a provisional government, and the Second Republic began its short life.

At the close of this momentous year several candidates for the presidency were offered: Lamartine; General Cavaignac, commander of the government troops; and Louis-Napoleon Bonaparte, son of the ex-king of Holland and Hortense Beauharnais. The Bonapartist candidate was elected by an overwhelming majority; nor was his success at the polls surprising, for Prince Louis-Napoleon, who had learned artillery tactics in Switzerland, who had been a French prisoner and an exile in England, was also the nephew of the first Napoleon, whose memory was still fanned into flame by song and poem and old grenadier.

The new president had many friends, both in the army and the Church. He was, moreover, shrewd enough to foster those friendships and clever enough to foresee the countless possibilities which an imperialistic attitude might bring him. He therefore chose his ministers with great skill; and when the new premier—a half-brother named Morny—assisted in the drawing up of a constitution, strong policies were advocated therein favorable both to army and Pope. The Republican power was swiftly undermined. In 1851 Louis-Napoleon's Eighteenth of Brumaire was safely passed, and together with the Duke de Morny he was building up his empire. In December the Prince-President, as he was already called throughout the provinces, was elected for ten years. Victor Hugo, rabidly republican, waved his umbrella in the streets and shouted undignified phrases. One year later, on the eve of the anniversary of Austerlitz, Louis-Napoleon was told that he was Emperor of the French, and the "gaslit tragedy of the Second Empire" began at the Tuileries.

III

Honoré de Balzac, who devoted so many of his pages to the memory of Napoleon Bonaparte, was destined never to see the nephew rise to imperial power. In August of 1850, while the Prince-President was greeted with flowers and cheers at Strasbourg and Colmar and Metz, Victor Hugo hastened one evening to the bedside of his dying friend, and a few days later declared at his grave: "The name of Balzac will form a part of the luminous path projected by our epoch into the future." The truth of these words can not be disputed, and no study of French literature during the second half of the century can be made without first reckoning with Balzac's powerful survey of contemporary life. These novels, hailed a few years later by Taine as the greatest known storehouse of documents on human nature, stood as guide and inspiration for a whole future generation of letters. Balzac depicted man not as a grandiose, egocentric creature, standing sadly aloof from the world, but as a bundle of instincts, a product of heredity and environment, hence morally without responsibility and capable of being studied from many angles and after methods differing in no wise from those of the natural scientist. In the remarkable preface to his *Human Comedy* he declares his intention to study the social species after the manner of a scientist observing zoölogical species, and he cites illustrious names of paleontologists and embryologists as the sources of his inspiration. His characters will be merely types of one species, and his novels a series of interrelated studies. This dependence upon science which forms the bony structure of the work of Balzac is of course not unprecedented in literary history. Two great scientists of the Golden Age— Descartes and Pascal—left their potent influence upon purely artistic literature, and the eighteenth century, from Fontenelle to Buffon, is impregnated with scientific interests. Romantic idealism for nearly a half-century had taken no stock in such problems. "The Republic has no need of savants and chemists," Lavoisier was told when he faced the guillotine and begged that his execution might be delayed until he had completed an important experiment. After 1850, however, literature became farther and farther removed from what Hugo had called a "condition of soul" and tended toward critical and historical studies of living beings, frequently marked by intellectual and artistic daring. Philology, philosophy, history, and criticism were the fields which especially interested men of letters; and in fiction a new hero appeared, delineated with due emphasis laid upon his material surroundings or the state of his health, his food or his linen, his club foot or his bank account. The microscope and the notebook entered the realm of the novel. In poetry the lyric outbursts of sentimental exaltation were dispelled by verses of unemotional serenity and scientific exactitude.

That the reaction against sentimentality and individualism was less marked in poetry than in fiction is due to the overwhelming prestige of Victor Hugo, who lived on in solitary glory long after his romantic brothers were hushed.

> Mais le Père est là-bas dans l'Ile,

sang the jingle of a ballad line; yet after the establishment of the Second Empire Hugo's lyricism was destined to be tinged with the bitterness of political exile and the passion of invective; and throughout all the idealism of his splendid *Légende des siècles* one notes a certain striving for precise lines, for plasticity of rhythm and language, which is new. In this Hugo was followed by Théophile Gautier, the poet "for whom the visible world existed"; and poetry in Gautier's superbly-wrought *Enamels and Cameos* consists in the expression of rich hues and lovely contours—light, color, rhythm, and music. Indifferent to morality, impersonal, plastic, obedient only to the dictates of beauty, art for the sake of art constitutes the stern creed of Gautier. Poetry, thus becoming more and more concerned with questions of taste and order, precision of language, and faultlessness of workmanship, reaches a point of almost unemotional perfection in the work of Leconte de Lisle, an erudite with gifts of vivid and accurate description, who did not hesitate, however, to utilize in his verse the new forces of scientific realism. Under the guidance of this faultless technician a new group of poets, representing, strangely enough, three generations, was formed about 1865; and when *Le Parnasse contemporain* —their first collection of verse—was published, its title gave a name to the school. Among the Parnassians who contributed to this first volume—men of varying talents and aims—were Gautier, Leconte de Lisle, Baudelaire, Heredia, Verlaine, and Mallarmé.

During the first years of the Second Empire, while Balzac's novels were read and discussed, while Courbet, *pour embêter les bourgeois*, painted his *Funeral at Ornans*, there succeeded an era of almost unprecedented scientific investigation and discovery. Darwin's *Origin of Species* then appeared in translation; Claude Bernard, eminent in the physiological world, published his epoch-making *Introduction to the Study of Experimental Medicine*; Pasteur began his studies in bacteriology which were destined to revolutionize chemistry. Observation and experimentation, faith in concrete facts, became the religion of this age; its philosophy found expression in the positivism of Auguste Comte, propagated by two great disciples, Taine and Renan. Positivism taught that true knowledge could be obtained only by an empirical verification of facts, and that to attain this the sciences—mathematics, astronomy, physics, chemistry, biology, and sociology—must be systematically coördinated. This doctrine was first applied to literary criticism and to history by Taine, who held that psychology and physiology were merely offshoots of the same trunk; that moral facts had their causes just as physical ones; and that such facts, carefully noted and classified, would serve to explain a writer and his work or the whole of a literature. Renan, not without a struggle, abandoned his studies for the priesthood to apply positive methods to history and to philology. Sainte-Beuve, once the great critic of the Romantic school, in later years called himself a "naturalist of temperaments," and studied men of letters as essentially products of heredity and environment. The boldness of positivist thought was not received without a vast amount of opposition from Church and State. After the appearance of Renan's *Life of Jesus* cathedral bells were tolled for its heretic author; Taine's doctoral thesis in psychology was not accepted; and in 1857 a novelist—the first after Balzac to view life primarily from a material standpoint—was put on trial for having offended public morals in a story called *Madame Bovary*. Gustave Flaubert was a thoroughgoing romanticist who, in order to cure himself of its taint, produced a sternly objective study of Norman country life which was all-powerful in orienting the novel in a realistic direction. *Madame Bovary* is a sober and artistically perfect tale marked by minute observation and documentation, and, as regards moral issues, shows the utter indifference of a physician treating his "case." Flaubert, however, with his cult of pure beauty handed down to him by romantic forbears, brusquely refused to allow his famous novel to be accepted as a realistic "miracle," and declared that he was no pontiff of this new school. It was between 1855 and 1865 that the philosopher Taine in a series of brilliant essays revealed himself the theorizer of realism, and that the school became conscious of a directed effort. During these years the gradations between the various forms of literary art were only slightly marked, novelist and historian and critic emulating one another, presenting human life with seriousness of method and rigor of analysis. Toward 1860 the Goncourt brothers, a curious pair of old bachelors, collectors of bric-à-brac and incessant note-takers, declared the novel to be merely "possible history"; and after the appearance of their *Germinie Lacerteux*, pretentiously called a "love clinic,"

realistic fiction began to take on more and more the aspect of a
scientific treatise, leading us into a field more pretentious still—
that of the *experimental novel*, undertaken by a confused though
serious genius, Émile Zola, who is the founder of naturalism.

IV

The reign of Napoleon III was one long series of grave blunders.
Yet court life was pleasant and gay during those first days of the
Empire; and while realistic novels and positivist methods of science
entertained or distressed the literary élite of France, the emperor
took his bronze-haired Spanish bride to the Tuileries. The young
queen of England came to Paris to visit her new "cousins," Eugénie
and Louis; Saint-Cloud, "filled with summer roses," Compiègne,
restored by Viollet-le-Duc, and Fontainebleau, redolent with
Napoleonic memories, echoed with balls and dinners and hunts.
The literary folk looked on, even participated in the gayeties.
Théophile Gautier, in correct evening coat, took the Austrian am-
bassadress down to dinner at Compiègne. Flaubert once startled
an imperial luncheon by uttering the forbidden name of Hugo,
shouting couplets from *Les Châtiments* across the table. Prosper
Mérimée read aloud a story called *Carmen* in Eugénie's boudoir.
A pale southern youth named Alphonse Daudet, who was never
able to spend the entire winter in Paris because of his cough, was
made secretary to the Duke de Morny; and each night the Cent-
Gardes, magnificent in their blue and gold, lined the staircase while
Eugénie received her dinner guests, or they would gallop ahead
of Louis when he drove forth to meet visiting royalty. It remained some years later for Zola, who had never dined at the
Tuileries, to give us a picture of those same splendid soldiers
become half-mad starving beasts and retreating after Metz. Across
the Channel the Orleanists held court at Twickenham—the Count
of Paris and the Duke of Chartres with their wives—and plotted
vague things for the future, while Baron Haussmann beautified the
city of Paris, and De Lesseps built the Suez Canal, and iron rails
and telegraph wires added boundless industrial expansion to the
Second Empire.

But Louis-Napoleon and his Cent-Gardes felt the need of military glory. He brought French armies into war, first in the Crimea as allies of his "cousin" Victoria of England. Before Sebastopol a future president of the Third Republic, named MacMahon, covered himself with glory. There was less glory a few years later when the emperor, an ally of Cavour and the Italian patriots, concluded a secret peace with their enemy Austria, and Italian sympathy was forever lost. There was still less glory when in 1863 a French army entered Mexico with Maximilian, brother of the Austrian emperor. Only a few years later Louis-Napoleon unexpectedly withdrew his military aid; Maximilian was shot; and Charlotte, empress of Mexico, went mad. Napoleon's prestige was already dimmed. While Victor Hugo, in exile on the little Channel island of Guernsey, poured forth his bitterest invective, warning his countrymen that the Napoleonic era was at an end, a new power began to loom upon the European horizon.

In 1870 Leopold of Hohenzollern, a nineteenth-century *Königliche Hoheit* and "cousin" of the king of Prussia, became a candidate for the throne of Spain. France, who had viewed with alarm the rapid growth of Prussian power, sent a vigorous note of protest and, after Prince Leopold withdrew his candidacy, demanded further guarantees that no Hohenzollern would ever seek to become France's southern neighbor. The affair was reopened at Ems, where William of Prussia was taking the waters. The king listened patiently to the French ambassador, but rejected his proposals. When this interview was dispatched to Berlin, the Prussian chancellor Bismarck, who wanted war, gave a modified version of the telegram to the press, making it appear that the French government had been insulted. On July 15 war was declared, and the emperor, with his young son, left for the front.

The enemy had a better organization, better maps, better staff officers, better matériel of war. Furthermore, their fighting units greatly outnumbered those of the French. A series of bitter defeats followed one another with tragic rapidity: after Reichshoffen, Alsace was invaded; after Forbach, Lorraine was invaded. As autumn days came on, Bazaine—who had been at Vera Cruz with Maximilian—allowed himself through incompetence to be

shut off in Metz. On September 2 MacMahon, wounded, surrendered at Sedan. On the following day the Empire was over-
thrown, and Napoleon, a very sick man and a prisoner, wrote
Eugénie that the king of Prussia—*monsieur mon frère*, he had
addressed him—had tears in his eyes when they met.

Less than two weeks later the Germans arrived under the walls
of Paris. In swift succession Maupassant's two gentle fishermen
crumpled under a German firing squad along the Seine, Zola's
peasant-soldier returned to Paris to face a Commune more ghastly
even than the sickening sights of eastern France, Daudet's little
Alsatian boy had his last lesson on the French participles.

V

While the last sad days of the Empire were being enacted, and
"intermittent monarchy" came to a devastating close, the older
generation of literary men paused only a moment in their work.
Taine applied the strictest of positive methods to an examination
of the Old Régime and the Revolution in his *Origins of Contemporary France*; Renan continued to reaffirm his faith in science as
the religion of the future. In fiction the younger men, discouraged
and depressed by war and the wake of war, as well as by the overwhelming fatalistic determinism which their age was forcing upon
them, began more and more to narrow their field of realistic observation, more and more to confuse the experiments of a physicist or
a physician with their imaginative efforts. This *reductio ad ab-
surdum* of the practices of realism is called naturalism. It is to
be noted first in the later work of the Goncourt brothers, and
comes to a startling climax in the novels of Émile Zola, who began
in 1871 to publish a series of studies, grouped under the title of
Les Rougon-Macquart, dealing with the history of a family under
the Second Empire. Zola and his school of naturalists, preoccupied
with laboratory methods, planned a very solemn inquest into contemporary society, but their *experiments* led them frequently to
confuse contemporary society with a few of its sick members. As
a result their fiction degenerated into a morbid and pessimistic
exposition of a very circumscribed portion of humanity, dispassion-

ately set forth in bulky volumes with no trace of sympathy or suggestion of cure. Dwelling constantly upon the exceptional and the pathological, Zola especially reduced his study of humanity to a study of *la bête humaine*, "seeing only the hog in nature," as George Meredith said scornfully of the naturalist, "then taking nature for the hog."

Two writers of fiction during the first years of the Third Republic escaped the darker taints of naturalism, although they practiced the most severe realistic methods of documentation and observation. Guy de Maupassant, who had learned a lesson of patience and style from his older master, Flaubert, produced a series of short stories which were arresting studies of human nature, told with all the dramatic swiftness, with all the color and movement of life. Less brutal than Maupassant, more inclined to lighten the shades of unerring reality with a poet's brush, Alphonse Daudet filled both short story and novel with his own sensitive, sympathetic personality. "Fiction has no business to exist unless it be more beautiful than reality," once wrote an English realist; and on another page Thackeray declared that the first quality of an artist is to have a large heart. In an age of impassive scientific method Alphonse Daudet created about the farmhouses of old Provence and the drawing-rooms of modern Paris figures of fiction more beautiful perhaps than reality; impregnated with the warmth of his own large heart, yet none the less startling in their correspondence to life.

VI

"The mud is not bottomless," wrote an enemy of Zola in the 8os. France, slowly rising out of a reign of terror called the Commune, recovered from the humiliation of Bismarck's Treaty of Frankfort; as the Third Republic she now resisted the lilies of Henry V, survived repeated monarchical crises, and sought to assume her place among European states. Literature for a time was not without its harsh note of depression or despair or longing for revenge. Maupassant's *Pierre et Jean* declared that "life was an ugly business," Daudet seemed to have lost no small part of his southern mirth, and Zola continued to write his drab "tales of mean streets." Renan was seized with a serious form of smiling skepticism frequently interpreted as mere flippancy; and a younger man, Paul Bourget, after a series of brilliant psychological essays on contemporary pessimism, took, for a time at least, Taine's determinism as his guide in the novel. But a reaction against the scientific certitude upon which Taine and Renan had pinned their faith was close at hand, and in 1887 the stern critic Brunetière pronounced the death sentence upon Zola and his school in a significant article called *The Bankruptcy of Naturalism*. Two years later, when Paul Bourget published his famous novel *Le Disciple*, frankly and vigorously warning the youth of France against the dangers of determinism, Taine wrote, "My generation is past." Idealism, assuming conflicting forms, it is true, once more penetrated literature.

In poetry a group of young men, claiming Verlaine and his evil genius, Rimbaud, as their masters, sick of the gloom cast by naturalism and satiated with the decorative impersonality of the Parnassians, broke with all schools. They declared themselves independents and, because of their tendency to confuse sensations, got for themselves the name of decadents or symbolists. They broke with Parnassian rhythmic exactitude and directness of expression; they strove to free verse from the objective world, to make of it what one of their leaders called a "personal song." Baudelaire, long since dead in his Wagnerian "forest of symbols," and Verlaine, still reciting to a charmed group his musical ariettes, were the acknowledged forerunners of symbolism; Mallarmé, especially because of his winning personality, became its chief representative and, toward the close of the century, Henri de Régnier its most brilliant one.

While the *Mercure de France*, stronghold of the symbolists, printed the first *vers libres* of these emancipated poets, impressionism had likewise invaded the fields of fiction and criticism. A skeptic and humanist of the pagan school of Voltaire and Renan— Anatole France—published his first work, in which delicate irony and seductive pyrrhonism are mingled with sheer beauty of style; Jules Lemaître, bewailing the evolutionary theories of Brunetière, sketched his first delightful impressions of contemporaries; Pierre

Loti the sailor reworked the exotic pages of his diaries into artistically perfect tales of far-away ports; Maurice Barrès, as yet untroubled by politics, imitated the decadent romanticism of a latter-day Renan.

Neither Maurice Barrès nor Anatole France, however, was destined to remain long in epicurean fields, for during the 90s a pregnant incident in national life roused these idlers in the realms of beauty to the fever-heat of activity. In 1894 a Jew, Captain Alfred Dreyfus, a capable officer attached to the General Staff, was accused of treason, tried behind the closed doors of a court-martial, convicted, and sentenced to life imprisonment in a dreary penal colony off the coast of South America. During the years which immediately followed his conviction Captain Dreyfus was found to have been the victim of a grave judicial error; and in the battle which ensued France was divided into two opposing camps: the one, conservative and traditional, represented by army and Church, which refused to recognize that an error had been committed; the other, representing free thought and socialism, seeking not only to establish the innocence of Dreyfus but to undermine the power of the clerical party. When the intellectuals entered the fray, Brunetière, Bourget, and Barrès fell into line behind tradition; Zola and Anatole France became the active champions of free thought and liberty of conscience. And thus we find Anatole France, an aggressive socialist, writing his *Histoire contemporaine* —loose, whimsical, ironical novels with burning condemnations of militarism and clericalism; Bourget the moralist preaching salvation in Catholicism and monarchy; Barrès, with a worship for national traditions, pleading eloquently for a defense of France's eastern bastions.

The worn and tawdry materialism of the naturalists, with their impersonal cross-sections of life, is finally discarded, and a breath of broader and truer realism, tempered by faith and charity and the brotherhood of man, blows westward into France from Tolstoy and Dostoevski. And on the eve of the new century we find men of letters seeking to express contemporary life and thought after certain ideals. Their ideal may be purely æsthetic: the miracle of music found in the rhythmic prose of Loti or in the subtly har-

xxiv ANTHOLOGY OF FRENCH PROSE AND POETRY

monious verse of Régnier; or it may be the ideal of Barrès and Bourget, founded upon deep-seated traditions of the past, Catholic and national; or, finally, it may be the ideal of that master of style and taste, Anatole France, who, with his "tender scorn for men," stands on the threshold of the twentieth century offering to a newer generation his Hellenic gifts of beauty, and with them his "two good counselors," irony and pity.

BIBLIOGRAPHICAL NOTE

BABBITT. The Masters of Modern French Criticism, 1912.

BAINVILLE. Histoire de France (72d edition), 1924.

BARRE. Le Symbolisme, 1911.

BODLEY. France (new and revised edition), 1902.

BRUNETIÈRE. L'Évolution de la poésie lyrique au XIXe siècle, 2 vols., 1894.

BRUNETIÈRE. Le Roman naturaliste, 1883.

CAFFIN. The Story of French Painting, 1915.

CUNLIFFE and DE BACOURT. French Literature during the Last Half-Century, 1923.

GUEDALLA. The Second Empire, 1922.

LALOU. Histoire de la littérature contemporaine (revised edition), 1924.

LEMAITRE. Les Contemporains, 7 vols., 1885-1899 (Vol. VIII posthumously published in 1918).

MARTINO. Le Naturalisme français, 1923.

MARTINO. Le Roman réaliste sous le Second Empire, 1913.

NITZE and DARGAN. History of French Literature (2d edition), 1923.

FRENCH PROSE AND POETRY

1850-1900

HONORÉ DE BALZAC

1799-1850

Nul ne pourra écrire plus tard une histoire complète de notre siècle sans consul-
ter Balzac.   HEREDIA

Honoré de Balzac died at the age of fifty-one, from overwork, a victim of the superhuman literary task which he had determined to achieve. In twenty years he had written and published his monumental *Comédie humaine*, comprising nearly a hundred novels and short stories; and this whole body of work had been revised and corrected a countless number of times with a seemingly ruthless hand. Had he been a weakling it is scarcely possible that his scheme of unification and consolidation, which is unique in the history of the novel, would ever have been accomplished.

Before his efforts were centered upon his one great masterpiece, Balzac's fertile imagination and speculative instinct had led him into other fields. As a young man he studied law, but he looked forward with no pleasure to a solicitor's practice, and after much parental objection he was finally allowed to experiment in the field of fiction. His first products were dismal failures. He then ventured into the publishing business and opened a printing-house; he founded a literary review; and he wrote plays, one of which, an excellent comedy called *Le Faiseur*, had a posthumous success. He composed in a Rabelaisian vein and an archaic language several series of tales called *Contes drolatiques*; he found time to criticize books and plays and was the only man of his day to appreciate the talent of the psychological novelist Stendhal. He thought of growing pineapples along the Seine and was enthusiastic over a more feasible scheme of reworking some abandoned Sardinian mines. But his powerful imaginative sense and his desire for fame in creative fields of art constantly brought him back into the realm of fiction.

I

For a number of years Balzac produced his novels with no unity of plan in mind, but toward the close of 1842 he conceived the idea of linking them in such a manner as to produce the complete history of contemporary society. This idea was a bold and original one. "I have undertaken the history of the whole of society," he writes later to a friend. "I have frequently expressed my purpose in one sentence: a generation is a drama of four or five thousand striking characters. This drama is my book." The title of his "book" is *La Comédie humaine*, a series of novels and short stories, interrelated and with reappearing characters. There are three divisions of the mammoth collection, which the author names, respectively: *Études de mœurs* (subdivided into various *scènes*: *Scènes de la vie privée, de province, parisienne, politique, militaire, de campagne*) ; *Études philosophiques*, and *Études analytiques*.

The idea of this complete picture of society is developed and explained in the preface to *La Comédie humaine*. Its origin is purely scientific, and Balzac has gone to eminent naturalists like Lamarck and Geoffroy Saint-Hilaire for his inspiration. Society resembles nature. He writes: "Does not society make of man, according to the environment in which his actions are produced, as many different men as there are zoölogical species?" Human beings are infinitely modified by their physical and social surroundings, and just as physical *milieux* tend to multiply different animal species, so social *milieux* will multiply the varieties of human types. Here is the germ of the theory which Taine will cultivate and which will be imitated thirty years later by the father of the Naturalistic school, Émile Zola.

This scientific background which Balzac proposes to give to his novels is something which is decidedly new, and it dominates the *Comédie humaine*. How does he proceed with this plan? He believes first of all in the unity of composition; he believes that isolated characters or an isolated life-history cannot be the full expression of reality. So he proposes to coördinate his characters and their lives into one complete history, each chapter of which is a novel, and each novel a period in the life of certain figures from contemporary society. For example, in *Le Père Goriot*, one of the greatest of the novels, Eugène de Rastignac is a young law student living miserably in a mean and dirty boarding-house and in love with the aristocratic daughter of old Goriot. In *Les Illusions perdues* Eugène reappears, older, more worldly-wise, though no longer the central figure. Later, in *La Maison Nucingen*, he has come into riches; and finally, in *La Cousine Bette* and the mediocre *Comédiens sans le savoir*, Rastignac appears a stout, middle-aged personage, count and peer of France.

In spite of certain well-marked romantic traits in character deline-ation and in description, the work of Balzac is soundly and conspicu-ously realistic. With an imaginative ardor which at times caused him to confuse real life with fiction, he has throughout given to his work an impression of truth. This verisimilitude is heightened by the rigid application of the theory of *milieux*; by the emphasis which he lays upon the material surroundings of his characters; by carefully prepared physi-cal portraits; by appropriate clothes and furniture, gestures and tricks of speech. The opening pages of *Le Père Goriot* contain a famous ex-ample of this realistic method, where, after a minute and searching picture of a sordid third-rate boarding-house, smelling of mildew and rancid grease, the author fits his figures, one by one, into this environ-ment and proceeds to show how it reacts upon their souls. Or, again, a tremendous realistic scene is evoked in the short novel called *Adieu*, where, in the setting of a bitter Russian winter, Napoleon's troopers take on the attributes of northern beasts. Balzac the business man is likewise apt to stress the power of money and to depict its unhealthy effect upon physical and moral life. Finance is frequently made the pivot of his story, and life becomes "a machine whose movement is furnished by money." Consequently we have in *Eugénie Grandet* and in *Gobseck*, two of his outstanding masterpieces, central characters who are misers, whose whole lives are devoted to the hoarding or the exploitation of *louis d'or*. *César Birotteau* is the story of a business man ruined by speculations and a prey in the hands of his creditors. Finally, Balzac has produced a powerful sense of reality by his development of char-acter around a definite keynote or central personal trait. This method of accumulation produces figures of startling truth. So the Breton peasant soldiers in the early historical novel *Les Chouans* are likened to beasts, have brute reactions, and live in our memories as beasts; Colonel Chabert, returning poor and broken from the wars long after his death has been reported to his wife, is represented as a ghost stalking the unfamiliar streets of Paris, and the novelist gives him no word or look or gesture which does not serve to impress this ghostlike quality upon his readers. So likewise Cousin Pons, isolated in the midst of his artistic treasures; the monomaniacal chemist Balthazar Claës, hero of *La Recherche de l'absolu*; the decrepit libertine Baron Hulot, of *La Cousine Bette*,—each is described in terms of his particular passion.*

*Professor E. Preston Dargan's chapter on Balzac in Nitze and Dargan's *History of French Literature*, 1923, as well as his important studies on Balzac and realism in *Modern Philology* (August, 1915; November, 1918; and July, 1919), are indispensable for any student of nineteenth-century realism.

Balzac is the indisputable founder of the Realistic school, and the shadow of the *Comédie humaine* stretches long and deep into the literature of the second half of the century. Other factors brought about the triumph of realism; but because of his interest in science, and because of the possibilities which were awakened by an application of scientific theories to literature, Balzac exerted a strong and far-reaching influence upon French fiction after 1850.

LE PASSAGE DE LA BÉRÉSINA

En quittant, sur les neuf heures du soir, les hauteurs de Studzianka, qu'il avait défendues pendant toute la journée du 28 novembre 1812, le maréchal Victor y laissa un millier d'hommes chargés de protéger jusqu'au dernier moment celui des deux ponts construits sur la Bérésina qui subsistait encore. Cette arrière-garde s'était dévouée pour tâcher de sauver une effroyable multitude de traînards engourdis par le froid, qui refusaient obstinément de quitter les équipages de l'armée. L'héroïsme de cette généreuse troupe devait être inutile. Les soldats qui affluaient par masses sur les bords de la Bérésina y trouvaient, par malheur, l'immense quantité de voitures, de caissons et de meubles de toute espèce que l'armée avait été obligée d'abandonner en effectuant son passage pendant les journées des 27 et 28 novembre. Héritiers de richesses inespérées, ces malheureux, abrutis par le froid, se logeaient dans les bivacs vides, brisaient le matériel de l'armée pour se construire des cabanes, faisaient du feu avec tout ce qui leur tombait sous la main, dépeçaient les chevaux pour se nourrir, arrachaient le drap ou les toiles des voitures pour se couvrir, et dormaient au lieu de continuer leur route et de franchir paisiblement pendant la nuit cette Bérésina qu'une incroyable fatalité avait déjà rendue si funeste à l'armée. L'apathie de ces pauvres soldats ne peut être comprise que par ceux qui se souviennent d'avoir traversé ces vastes déserts de neige, sans autre boisson que la neige, sans autre lit que la neige, sans autre perspective qu'un horizon de neige, sans autre aliment que la neige ou quelques betteraves gelées, quelques poignées de farine ou de la chair de cheval. Mourants de faim, de soif, de fatigue et de sommeil, ces infortunés arrivaient sur une plage où ils apercevaient du bois, des feux, des vivres, d'innombrables équipages abandonnés, des bivacs, enfin toute une ville improvisée. Le village de Studzianka avait été entièrement dépecé, partagé, transporté des hauteurs dans la plaine. Quelque *dolente*[1] et périlleuse que fût cette cité, ses misères et ses dangers souriaient à des gens qui ne voyaient devant eux que les épouvantables déserts de la Russie. Enfin, c'était un vaste hôpital qui n'eut pas vingt heures d'existence. La lassitude de la vie ou le sentiment d'un bien-être inattendu rendaient cette masse d'hommes inaccessible à toute pensée autre que celle du repos. Quoique l'artillerie de l'aile gauche des Russes tirât sans relâche sur cette masse, qui se dessinait comme une grande tache, tantôt noire, tantôt flamboyante, au milieu de la neige, ces infatigables boulets ne semblaient à la foule engourdie qu'une incommodité de plus. C'était comme un orage dont la foudre était dédaignée par tout le monde, parce qu'elle devait n'atteindre, çà et là, que des mourants, des malades ou des morts peut-être. A chaque instant, les traînards arrivaient par groupes. Ces espèces de cadavres ambulants se divisaient aussitôt, et allaient mendier une place de foyer en foyer; puis, repoussés le plus souvent, ils se réunissaient de nouveau pour obtenir de force l'hospitalité qui leur était refusée. Sourds à la voix de quelques officiers qui leur prédisaient la mort pour le lendemain, ils dépensaient la somme de courage nécessaire pour passer le fleuve à se construire un asile d'une nuit, à faire un repas souvent funeste; cette mort qui les attendait ne leur paraissait plus un mal, puisqu'elle leur laissait une heure de sommeil. Ils ne donnaient le nom de *mal* qu'à la faim, à la soif, au froid. Quand il ne se trouva plus ni bois, ni feu, ni toile, ni abris, d'horribles luttes s'établirent entre ceux qui survenaient dénués de tout et les riches qui possédaient une demeure. Les plus faibles succombèrent. Enfin, il arriva un moment où quelques hommes chassés par les Russes n'eurent plus que la neige pour bivac, et s'y couchèrent pour ne plus se relever. Insensiblement, cette masse d'êtres presque anéantis devint si compacte, si sourde, si stupide, ou si heureuse peut-être, que le maréchal Victor, qui en avait été l'héroïque défenseur en résistant à vingt mille Russes commandés par Wittgenstein,[2] fut obligé de s'ouvrir un passage, de vive force, à travers cette forêt d'hommes, afin de faire franchir la Bérésina aux cinq mille braves qu'il amenait à l'empereur. Ces infortunés se laissaient écraser plutôt que de bouger, et périssaient en silence, en souriant à leurs feux éteints, et sans penser à la France...

A dix heures du soir seulement, le duc de Bellune se trouva de l'autre côté du fleuve. Avant de s'engager sur les ponts qui menaient à Zembin, il confia le sort de l'arrière-garde de Studzianka à Éblé, ce sauveur de tous ceux qui survécurent aux calamités de la Bérésina. Ce fut environ vers minuit que ce grand général, suivi d'un officier de courage, quitta la petite cabane qu'il occupait auprès du pont, et se mit à contempler le spectacle que présentait le camp situé entre la rive de la Bérésina et le chemin de Borizof à Studzianka. Le canon des Russes avait cessé de tonner; des feux innombrables, qui, au milieu de cet amas de neige, pâlissaient et semblaient ne pas jeter de lueur, éclairaient çà et là des figures qui n'avaient rien d'humain. Des malheureux, au nombre de trente mille environ, appartenant à toutes les nations que Napoléon avait jetées sur la Russie, étaient là, jouant leur vie avec une brutale insouciance.

—Sauvons tout cela, dit le général à l'officier. Demain matin, les Russes seront maîtres de Studzianka. Il faudra donc brûler le pont au moment où ils paraîtront; ainsi, mon ami, du courage! Fais-toi jour jusqu'à la hauteur. Dis au général Fournier[3] qu'à peine a-t-il le temps d'évacuer sa position, de percer tout ce monde, et de passer le pont. Quand tu l'auras vu se mettre en marche tu le suivras. Aidé par quelques hommes valides, tu brûleras sans pitié les bivacs, les équipages, les caissons, les voitures, tout! Chasse ce monde-là sur le pont! Contrains tout ce qui a deux jambes à se réfugier sur l'autre rive. L'incendie est maintenant notre dernière ressource. Si Berthier[4] m'avait laissé détruire ces damnés équipages, ce fleuve n'aurait englouti personne que mes pauvres pontonniers, ces cinquante héros qui ont sauvé l'armée et qu'on oubliera!

Le général porta la main à son front et resta silencieux. Il sentait que la Pologne serait son tombeau, et qu'aucune voix ne s'élèverait en faveur de ces hommes sublimes qui se tinrent dans l'eau, l'eau de la Bérésina! pour y enfoncer les chevalets des ponts. Un seul d'entre eux vit encore, ou, pour être exact, souffre dans un village, ignoré! L'aide de camp partit. A peine ce généreux officier avait-il fait cent pas vers Studzianka, que le général Éblé réveilla plusieurs de ses pontonniers souffrants, et commença son œuvre charitable en brûlant les bivacs établis autour du pont, et obligeant ainsi les dormeurs qui l'entouraient à passer la Bérésina. Cependant, le jeune aide de camp était arrivé, non sans peine, à la seule maison de bois qui fût restée debout à Studzianka.

—Cette baraque est donc bien pleine, mon camarade? dit-il à un homme qu'il aperçut en dehors.

—Si vous y entrez, vous serez un habile troupier, répondit l'officier sans se détourner et sans cesser de démolir avec son sabre le bois de la maison.

—Est-ce vous, Philippe? dit l'aide de camp en reconnaissant au son de la voix l'un de ses amis.

—Oui... Ah! ah! c'est toi, mon vieux, répliqua M. de Sucy en regardant l'aide de camp, qui n'avait, comme lui, que vingt-trois ans. Je te croyais de l'autre côté de cette sacrée rivière. Viens-tu nous apporter des gâteaux et des confitures pour notre dessert? Tu seras bien reçu, ajouta-t-il en achevant de détacher l'écorce du bois qu'il donnait, en guise de provende, à son cheval.

—Je cherche votre commandant pour le prévenir, de la part du général Éblé, de filer sur Zembin. Vous avez à peine le temps de percer cette masse de cadavres, que je vais incendier tout à l'heure afin de les faire marcher...

—Tu me réchauffes presque! ta nouvelle me fait suer. J'ai deux amis à sauver! Ah! sans ces deux marmottes, mon vieux, je serais déjà mort! C'est pour eux que je soigne mon cheval,

et que je ne le mange pas. Par grâce, as-tu quelque croûte?
Voilà trente heures que je n'ai rien mis dans mon coffre, et je
me suis battu comme un enragé, afin de conserver le peu de
chaleur et de courage qui me restent.

—Pauvre Philippe, rien!... rien!... Mais votre général est
là?...

—N'essaye pas d'entrer! Cette grange contient nos blessés.
Monte encore plus haut! tu rencontreras, sur ta droite, une
espèce de toit à porc, le général est là! Adieu, mon brave. Si
jamais nous dansons la trénis[5] sur un parquet de Paris...

Il n'acheva pas, la bise souffla dans ce moment avec une telle
perfidie, que l'aide de camp marcha pour ne pas se geler et que
les lèvres du major Philippe se glacèrent. Le silence régna
bientôt. Il n'était interrompu que par les gémissements qui
partaient de la maison, et par le bruit sourd que faisait le cheval
de M. de Sucy en broyant, de faim et de rage, l'écorce glacée des
arbres avec lesquels la maison était construite. Le major remit
son sabre dans le fourreau, prit brusquement la bride du
précieux animal qu'il avait su conserver, et l'arracha, malgré sa
résistance, à la déplorable pâture dont il paraissait friand.

—En route, Bichette! en route! Il n'y a que toi, ma belle,
qui puisse sauver Stéphanie. Va, plus tard, il nous sera permis
de nous reposer, de mourir, sans doute.

Philippe, enveloppé d'une pelisse à laquelle il devait sa con-
servation et son énergie, se mit à courir en frappant de ses pieds
la neige durcie pour entretenir la chaleur. A peine le major
eut-il fait cinq cents pas, qu'il aperçut un feu considérable à la
place où, depuis le matin, il avait laissé sa voiture sous la garde
d'un vieux soldat. Une inquiétude horrible s'empara de lui.
Comme tous ceux qui, pendant cette déroute, furent dominés
par un sentiment puissant, il trouva, pour secourir ses amis, des
forces qu'il n'aurait pas eues pour se sauver lui-même. Il arriva
bientôt à quelques pas d'un pli formé par le terrain, et au fond
duquel il avait mis à l'abri des boulets une jeune femme, sa
compagne d'enfance et son bien le plus cher!

A quelques pas de la voiture, une trentaine de traînards

étaient réunis devant un immense foyer qu'ils entretenaient en y jetant des planches, des dessus de caissons, des roues et des panneaux de voitures. Ces soldats étaient, sans doute, les derniers venus de tous ceux qui, depuis le large sillon décrit par le terrain au bas de Studzianka jusqu'à la fatale rivière, formaient comme un océan de têtes, de feux, de baraques, une mer vivante agitée par des mouvements presque insensibles, et d'où il s'échappait un sourd bruissement, parfois mêlé d'éclats terribles. Poussés par la faim et par le désespoir, ces malheureux avaient probablement visité de force la voiture. Le vieux général et la jeune femme qu'ils y trouvèrent couchés sur des hardes, enveloppés de manteaux et de pelisses, gisaient en ce moment accroupis devant le feu. L'une des portières de la voiture était brisée. Aussitôt que les hommes placés autour du feu entendirent les pas du cheval et du major, il s'éleva parmi eux un cri de rage inspiré par la faim.

—Un cheval! un cheval!...

Les voix ne formèrent qu'une seule voix.

—Retirez-vous! gare à vous! s'écrièrent deux ou trois soldats en ajustant le cheval.

Philippe se mit devant sa jument en disant:

—Gredins! je vais vous culbuter tous dans votre feu. Il y a des chevaux morts là-haut: allez les chercher!

—Est-il farceur, cet officier-là!... Une fois, deux fois, te déranges-tu? répliqua un grenadier colossal. Non? Eh bien, comme tu voudras alors.

Un cri de femme domina la détonation. Philippe ne fut heureusement pas atteint; mais Bichette, qui avait succombé, se débattait contre la mort; trois hommes s'élancèrent et l'achevèrent à coups de baïonnette.

—Cannibales! laissez-moi prendre la couverture et mes pistolets, dit Philippe au désespoir.

—Va pour les pistolets, répliqua le grenadier. Quant à la couverture, voilà un fantassin qui depuis deux jours *n'a rien dans le fanal*,⁶ et qui grelotte avec son méchant habit de vinaigre. C'est notre général...

Philippe garda le silence en voyant un homme dont la chaus-
sure était usée, le pantalon troué en dix endroits, et qui n'avait
sur la tête qu'un mauvais bonnet de police chargé de givre. Il
s'empressa de prendre ses pistolets. Cinq hommes amenèrent
la jument devant le foyer, et se mirent à la dépecer avec autant
d'adresse qu'auraient pu le faire des garçons bouchers de Paris.
Les morceaux étaient miraculeusement enlevés et jetés sur des
charbons. Le major alla se placer auprès de la femme qui avait
poussé un cri d'épouvante en le reconnaissant; il la trouva
immobile, assise sur un coussin de la voiture et se chauffant;
elle le regarda silencieusement, sans lui sourire. Philippe aperçut alors près de lui le soldat auquel il avait confié la défense
de la voiture; le pauvre homme était blessé. Accablé par le
nombre, il venait de céder aux traînards qui l'avaient attaqué;
mais, comme le chien qui a défendu jusqu'au dernier moment
le dîner de son maître, il avait pris sa part du butin, et s'était
fait une espèce de manteau avec un drap blanc. En ce moment,
il s'occupait à retourner un morceau de la jument, et le major
vit sur sa figure la joie que lui causaient les apprêts du festin.
Le comte de Vandières, tombé depuis trois jours comme en
enfance, restait sur un coussin, près de sa femme, et regardait
d'un œil fixe ces flammes dont la chaleur commençait à dissiper
son engourdissement. Il n'avait pas été plus ému du danger et
de l'arrivée de Philippe que du combat par suite duquel sa
voiture venait d'être pillée. D'abord Sucy saisit la main de la
jeune comtesse, comme pour lui donner un témoignage d'affection et lui exprimer la douleur qu'il éprouvait de la voir ainsi
réduite à la dernière misère; mais il resta silencieux près d'elle,
assis sur un tas de neige qui ruisselait en fondant, et céda lui-
même au bonheur de se chauffer, en oubliant le péril, en oubliant
tout. Sa figure contracta malgré lui une expression de joie
presque stupide, et il attendit avec impatience que le lambeau
de jument donné à son soldat fût rôti. L'odeur de cette chair
charbonnée irritait sa faim, et sa faim faisait taire son cœur,
son courage et son amour. Il contempla sans colère les résultats
du pillage de sa voiture. Tous les hommes qui entouraient le

foyer s'étaient partagé les couvertures, les coussins, les pelisses, les robes, les vêtements d'homme et de femme appartenant au comte, à la comtesse et au major. Philippe se retourna pour voir si l'on pouvait encore tirer parti de la caisse. Il aperçut à la lueur des flammes l'or, les diamants, l'argenterie, éparpillés sans que personne songeât à s'en approprier la moindre parcelle. Chacun des individus réunis par le hasard autour de ce feu gardait un silence qui avait quelque chose d'horrible, et ne faisait que ce qu'il jugeait nécessaire à son bien-être. Cette misère était grotesque. Les figures, décomposées par le froid, étaient enduites d'une couche de boue sur laquelle les larmes traçaient, à partir des yeux jusqu'au bas des joues, un sillon qui attestait l'épaisseur de ce masque. La malpropreté de leur longue barbe rendait ces soldats encore plus hideux. Les uns étaient enveloppés dans des châles de femme ; les autres portaient des chabraques de cheval, des couvertures crottées, des haillons empreints de givre qui fondait ; quelques-uns avaient un pied dans une botte et l'autre dans un soulier ; enfin, il n'y avait personne dont le costume n'offrît une singularité risible. En présence de choses si plaisantes, ces hommes restaient graves et sombres. Le silence n'était interrompu que par le craquement du bois, par les pétillements de la flamme, par le lointain murmure du camp, et par les coups de sabre que les plus affamés donnaient à Bichette pour en arracher les meilleurs morceaux. Quelques malheureux, plus las que les autres, dormaient, et, si l'un d'eux venait à rouler dans le foyer, personne ne le relevait. Ces logiciens sévères pensaient que, s'il n'était pas mort, la brûlure devait l'avertir de se mettre en un lieu plus commode. Si le malheureux se réveillait dans le feu et périssait, personne ne le plaignait. Quelques soldats se regardaient, comme pour justifier leur propre insouciance par l'indifférence des autres. La jeune comtesse eut deux fois ce spectacle, et resta muette. Quand les différents morceaux que l'on avait mis sur des charbons furent cuits, chacun satisfit sa faim avec cette gloutonnerie qui, vue chez les animaux, nous semble dégoûtante.

—Voilà la première fois qu'on aura vu trente fantassins sur un cheval! s'écria le grenadier qui avait abattu la jument.

Ce fut la seule plaisanterie qui attestât l'esprit national.

Bientôt, la plupart de ces pauvres soldats se roulèrent dans leurs habits, se placèrent sur des planches, sur tout ce qui pouvait les préserver du contact de la neige, et dormirent, insoucieux du lendemain. Quand le major fut réchauffé et qu'il eut apaisé sa faim, un invincible besoin de dormir lui appesantit les paupières. Pendant le temps assez court que dura son débat contre le sommeil, il contempla cette jeune femme qui, s'étant tourné la figure vers le feu pour dormir, laissait voir ses yeux clos et une partie de son front; elle était enveloppée dans une pelisse fourrée et dans un gros manteau de dragon; sa tête portait sur un oreiller taché de sang; son bonnet d'astracan, maintenu par un mouchoir noué sous le menton, lui préservait le visage du froid autant que cela était possible; elle s'était caché les pieds dans le manteau. Ainsi roulée sur elle-même, elle ne ressemblait réellement à rien. Était-ce la dernière des vivandières? était-ce cette charmante femme, la gloire d'un amant, la reine des bals parisiens? Hélas! l'œil même de son ami le plus dévoué n'apercevait plus rien de féminin dans cet amas de linges et de haillons. L'amour avait succombé sous le froid dans le cœur d'une femme. A travers les voiles épais que le plus irrésistible de tous les sommeils étendait sur les yeux du major, il ne voyait plus le mari et la femme que comme deux points. Les flammes du foyer, ces figures étendues, ce froid terrible qui rugissait à trois pas d'une chaleur fugitive, tout était rêve. Une pensée importune effrayait Philippe:

—Nous allons tous mourir, si je dors! je ne veux pas dormir, se disait-il.

Il dormait. Une clameur terrible et une explosion réveillèrent M. de Sucy après une heure de sommeil. Le sentiment de son devoir, le péril de son amie retombèrent tout à coup sur son cœur. Il jeta un cri semblable à un rugissement. Lui et son soldat étaient seuls debout. Ils virent une mer de feu qui découpait devant eux, dans l'ombre de la nuit, une foule d'hommes, en dévorant les bivacs et les cabanes ; ils entendirent des cris de désespoir, des hurlements ; ils aperçurent des milliers de figures désolées et de faces furieuses. Au milieu de cet enfer, une colonne de soldats se frayaient un chemin vers le pont, entre deux haies de cadavres.

—C'est la retraite de notre arrière-garde, s'écria le major. Plus d'espoir !

—J'ai respecté votre voiture, Philippe, dit une voix amie.

En se retournant, Sucy reconnut le jeune aide de camp à la lueur des flammes.

—Ah ! tout est perdu, répondit le major. Ils ont mangé mon cheval... D'ailleurs, comment pourrai-je faire marcher ce stupide général et sa femme ?

—Prenez un tison, Philippe, et menacez-les !

—Menacer la comtesse ?...

—Adieu ! s'écria l'aide de camp. Je n'ai que le temps de passer cette fatale rivière, et il le faut : j'ai une mère en France !... Quelle nuit ! Cette foule aime mieux rester sur la neige, et la plupart de ces malheureux se laissent brûler plutôt que de se lever... Il est quatre heures, Philippe ! Dans deux heures, les Russes commenceront à se remuer. Je vous assure que vous verrez la Bérésina encore une fois chargée de cadavres. Philippe, songez à vous ! Vous n'avez pas de chevaux, vous ne pouvez pas porter la comtesse ; ainsi, allons, venez avec moi, dit-il en le prenant par le bras.

—Mon ami, abandonner Stéphanie !...

Le major saisit la comtesse, la mit debout, la secoua avec la rudesse d'un homme au désespoir, et la contraignit de se réveiller ; elle le regarda d'un œil fixe et mort.

—Il faut marcher, Stéphanie, ou nous mourons ici !

Pour toute réponse, la comtesse essayait de se laisser aller à terre pour dormir. L'aide de camp saisit un tison et l'agita devant la figure de Stéphanie.

—Sauvons-la malgré elle ! s'écria Philippe en soulevant la comtesse, qu'il porta dans la voiture.

Il revint implorer l'aide de son ami. Tous deux prirent le

vieux général, sans savoir s'il était mort ou vivant, et le mirent auprès de sa femme. Le major fit rouler avec le pied chacun des hommes qui gisaient à terre, leur reprit ce qu'ils avaient pillé, entassa toutes les hardes sur les deux époux, et jeta dans un coin de la voiture quelques lambeaux rôtis de sa jument.

—Que voulez-vous donc faire? lui dit l'aide de camp.

—La traîner! répondit le major.

—Vous êtes fou!

—C'est vrai! s'écria Philippe en se croisant les bras sur la poitrine.

Il parut tout à coup saisi par une pensée de désespoir.

—Toi, dit-il, en saisissant le bras valide de son soldat, je te la confie pour une heure! Songe que tu dois plutôt mourir que de laisser approcher qui que ce soit de cette voiture.

Le major s'empara des diamants de la comtesse, les tint d'une main, tira de l'autre son sabre, se mit à frapper rageusement ceux des dormeurs qu'il jugeait devoir être les plus intrépides, et réussit à réveiller le grenadier colossal et deux autres hommes dont il était impossible de connaître le grade.

—Nous sommes *flambés*![7] leur dit-il.

—Je le sais bien, répondit le grenadier, mais ça m'est égal.

—Eh bien, mort pour mort, ne vaut-il pas mieux vendre sa vie pour une jolie femme, et risquer de revoir encore la France?

—J'aime mieux dormir, dit un homme en se roulant sur la neige, et si tu me tracasses encore, major, je te *fiche* mon briquet dans le ventre![8]

—De quoi s'agit-il, mon officier? reprit le grenadier. Cet homme est ivre! C'est un Parisien, ça aime ses aises.

—Ceci sera pour toi, brave grenadier! s'écria le major en lui présentant une rivière de diamants, si tu veux me suivre et te battre comme un enragé. Les Russes sont à dix minutes d'ici; ils ont des chevaux; nous allons marcher sur leur première batterie et ramener deux lapins.

—Mais les sentinelles, major?

—L'un de nous trois..., dit-il au soldat.

Il s'interrompit, regarda l'aide de camp:

—Vous venez, Hippolyte, n'est-ce pas?

Hippolyte consentit par un signe de tête.

—L'un de nous, reprit le major, se chargera de la sentinelle. D'ailleurs, ils dorment peut-être aussi, ces sacrés Russes...

—Va, major, tu es un brave! Mais tu me mettras dans ton berlingot? dit le grenadier.

—Oui, si tu ne laisses pas ta peau là-haut.—Si je succombais, Hippolyte, et toi, grenadier, dit le major en s'adressant à ses deux compagnons, promettez-moi de vous dévouer au salut de la comtesse?

—Convenu, s'écria le grenadier.

Ils se dirigèrent vers la ligne russe, sur les batteries qui avaient si cruellement foudroyé la masse des malheureux gisant sur le bord de la rivière. Quelques moments après leur départ, le galop de deux chevaux retentissait sur la neige, et la batterie réveillée envoyait des volées qui passaient sur la tête des dormeurs; le pas des chevaux était si précipité, qu'on eût dit des maréchaux battant un fer. Le généreux aide de camp avait succombé... Le grenadier athlétique était sain et sauf. Philippe, en défendant son ami, avait reçu un coup de baïonnette dans l'épaule; néanmoins, il se cramponnait aux crins du cheval, et le serrait si bien avec ses jambes, que l'animal se trouvait pris comme dans un étau.

—Dieu soit loué! s'écria le major en retrouvant son soldat immobile et la voiture à sa place.

—Si vous êtes juste, mon officier, vous me ferez avoir la croix. Nous avons joliment joué de la clarinette et du bancal, hein?[9]

—Nous n'avons encore rien fait! Attelons les chevaux. Prenez ces cordes.

—Il n'y en a pas assez.

—Eh bien, grenadier, mettez-moi la main sur ces dormeurs, et servez-vous de leurs châles, de leur linge...

—Tiens, il est mort, ce farceur-là! s'écria le grenadier en dépouillant le premier auquel il s'adressa... Ah! c'te farce, ils sont morts!

—Tous?

—Oui, tous! Il paraît que le cheval est indigeste quand on le mange à la neige.

Ces paroles firent trembler Philippe. Le froid avait redoublé.

—Dieu, perdre une femme que j'ai déjà sauvée vingt fois!

Le major secoua la comtesse en criant:

—Stéphanie! Stéphanie!

La jeune femme ouvrit les yeux.

—Madame, nous sommes sauvés!

—Sauvés! répéta-t-elle en retombant.

Les chevaux furent attelés tant bien que mal. Le major, tenant son sabre de sa meilleure main, gardant les guides de l'autre, armé de ses pistolets, monta sur un des chevaux, et le grenadier sur le second. Le vieux soldat, dont les pieds étaient gelés, avait été jeté en travers de la voiture, sur le général et sur la comtesse. Excités à coups de sabre, les chevaux emportèrent l'équipage avec une sorte de furie dans la plaine, où d'innombrables difficultés attendaient le major. Bientôt il fut impossible d'avancer sans risquer d'écraser des hommes, des femmes et jusqu'à des enfants endormis, qui tous refusaient de bouger quand le grenadier les éveillait. En vain M. de Sucy chercha-t-il la route que l'arrière-garde s'était frayée naguère au milieu de cette masse d'hommes, elle s'était effacée comme s'efface le sillage du vaisseau sur la mer; il n'allait qu'au pas, le plus souvent arrêté par des soldats qui le menaçaient de tuer ses chevaux.

—Voulez-vous arriver? lui dit le grenadier.

—Au prix de tout mon sang! au prix du monde entier! répondit le major.

—Marche!... On ne fait pas d'omelette sans casser des œufs.

Et le grenadier de la garde poussa les chevaux sur les hommes, ensanglanta les roues, renversa les bivacs, en se traçant un double sillon de morts à travers ce champ de têtes. Mais rendons-lui la justice de dire qu'il ne se fit jamais faute de crier d'une voix tonnante:

—Gare donc, charognes!

—Les malheureux! s'écria le major.

—Bah! ça ou le froid, ça ou le canon! dit le grenadier en animant les chevaux et les piquant avec la pointe de son briquet.

Une catastrophe qui aurait dû leur arriver bien plus tôt, et dont un hasard fabuleux les avait préservés jusque-là, vint tout à coup les arrêter dans leur marche. La voiture versa.

—Je m'y attendais, s'écria l'imperturbable grenadier. Oh! oh! le camarade est mort.

—Pauvre Laurent! dit le major.

—Laurent! N'est-il pas du 5e chasseurs?

—Oui.

—C'est mon cousin... Bah! la chienne de vie n'est pas assez heureuse pour qu'on la regrette, par le temps qu'il fait.

La voiture ne fut pas relevée, les chevaux ne furent pas dégagés sans une perte de temps immense, irréparable. Le choc avait été si violent, que la jeune comtesse, réveillée et tirée de son engourdissement par la commotion, se débarrassa de ses couvertures et se leva.

—Philippe, où sommes-nous? s'écria-t-elle d'une voix douce, en regardant autour d'elle.

—A cinq cents pas du pont. Nous allons passer la Bérésina. De l'autre côté de la rivière, Stéphanie, je ne vous tourmenterai plus, je vous laisserai dormir; nous serons en sûreté; nous gagnerons tranquillement Vilna. Dieu veuille que vous ne sachiez jamais ce que votre vie aura coûté!

—Tu es blessé?

—Ce n'est rien.

L'heure de la catastrophe était venue. Le canon des Russes annonça le jour. Maîtres de Studzianka, ils foudroyèrent la plaine; et, aux premières lueurs du matin, le major aperçut leurs colonnes se mouvoir et se former sur les hauteurs. Un cri d'alarme s'éleva du sein de la multitude, qui fut debout en un moment. Chacun comprit instinctivement son péril, et tous se dirigèrent vers le pont par un mouvement de vague. Les Russes descendaient avec la rapidité de l'incendie. Hommes, femmes, enfants, chevaux, tout marcha vers le pont. Heureusement, le major et la comtesse se trouvaient encore éloignés de la

rive. Le général Éblé venait de mettre le feu aux chevalets de
l'autre bord. Malgré les avertissements donnés à ceux qui
envahissaient cette planche de salut, personne ne voulut reculer.
Non seulement le pont s'abîma chargé de monde, mais l'im-
pétuosité du flot d'hommes lancés vers cette fatale berge était
si furieuse, qu'une masse humaine fut précipitée dans les eaux
comme une avalanche. On n'entendit pas un cri, mais comme
le bruit sourd d'une énorme pierre qui tombe à l'eau; puis la
Bérésina fut couverte de cadavres. Le mouvement rétrograde
de ceux qui se reculèrent dans la plaine pour échapper à cette
mort fut si violent et leur choc contre ceux qui marchaient en
avant fut si terrible, qu'un grand nombre de gens moururent
étouffés. Le comte et la comtesse de Vandières durent la vie à
leur voiture. Les chevaux, après avoir écrasé, pétri une masse
de mourants, périrent écrasés, foulés aux pieds par une trombe
humaine qui se porta sur la rive. Le major et le grenadier
trouvèrent leur salut dans leur force. Ils tuaient pour n'être
pas tués. Cet ouragan de faces humaines, ce flux et reflux de
corps animés par un même mouvement eut pour résultat de
laisser pendant quelques moments la rive de la Bérésina déserte.
La multitude s'était rejetée dans la plaine. Si quelques hommes
se lancèrent à la rivière du haut de la berge, ce fut moins dans
l'espoir d'atteindre l'autre rive, qui pour eux était la France,
que pour éviter les déserts de la Sibérie. Le désespoir devint
une égide pour quelques gens hardis. Un officier sauta de
glaçon en glaçon jusqu'à l'autre bord; un soldat rampa miraculeusement sur un amas de cadavres et de glaçons. Cette immense population finit par comprendre que les Russes ne
tueraient pas vingt mille hommes sans armes, engourdis,
stupides, qui ne se défendaient pas, et chacun attendit son sort
avec une horrible résignation. Alors, le major, son grenadier,
le vieux général et sa femme restèrent seuls, à quelques pas de
l'endroit où était le pont. Ils étaient là, tous quatre debout, les
yeux secs, silencieux, entourés d'une masse de morts. Quelques
soldats valides, quelques officiers auxquels la circonstance
rendait toute leur énergie se trouvaient avec eux. Ce groupe

assez nombreux comptait environ cinquante hommes. Le major aperçut à deux cents pas de là les ruines du pont fait pour les voitures, et qui s'était brisé l'avant-veille.

—Construisons un radeau! s'écria-t-il.

A peine avait-il laissé tomber cette parole, que le groupe entier courut vers ces débris. Une foule d'hommes se mirent à ramasser des crampons de fer, à chercher des pièces de bois, des cordes, enfin tous les matériaux nécessaires à la construction du radeau. Une vingtaine de soldats et d'officiers armés formèrent une garde commandée par le major pour protéger les travailleurs contre les attaques désespérées que pourrait tenter la foule en devinant leur dessein. Le sentiment de la liberté qui anime les prisonniers et leur inspire des miracles ne peut pas se comparer à celui qui faisait agir en ce moment ces malheureux Français.

—Voilà les Russes! voilà les Russes! criaient aux travailleurs ceux qui les défendaient.

Et les bois criaient, le plancher croissait de largeur, de hauteur, de profondeur. Généraux, soldats, colonels, tous pliaient sous le poids des roues, des fers, des cordes, des planches: c'était une image réelle de la construction de l'arche de Noé. La jeune comtesse, assise auprès de son mari, contemplait ce spectacle avec le regret de ne pouvoir contribuer en rien à ce travail; cependant, elle aidait à faire des nœuds pour consolider les cordages. Enfin, le radeau fut achevé. Quarante hommes le lancèrent dans les eaux de la rivière, tandis qu'une dizaine de soldats tenaient les cordes qui devaient servir à l'amarrer près de la berge. Aussitôt que les constructeurs virent leur embarcation flottant sur la Bérésina, ils s'y jetèrent du haut de la rive avec un horrible égoïsme. Le major, craignant la fureur de ce premier mouvement, tenait Stéphanie et le général par la main; mais il frissonna quand il vit l'embarcation noire de monde et les hommes pressés dessus comme des spectateurs au parterre d'un théâtre.

—Sauvages! s'écria-t-il, c'est moi qui vous ai donné l'idée de faire le radeau; je suis votre sauveur, et vous me refusez une place!

Une rumeur confuse servit de réponse. Les hommes placés
au bord du radeau, et armés de bâtons qu'ils appuyaient sur
la berge, poussaient avec violence le train de bois, pour le
lancer vers l'autre bord et lui faire fendre les glaçons et les
cadavres.

—Tonnerre de Dieu! je vous *fiche* à l'eau si vous ne recevez
pas le major et ses deux compagnons, s'écria le grenadier, qui
leva son sabre, empêcha le départ, et fit serrer les rangs, malgré
des cris horribles.

—Je vais tomber!... Je tombe! criaient ses compagnons.
Partons! en avant!

Le major regardait d'un œil sec sa maîtresse, qui levait les
yeux au ciel par un sentiment de résignation sublime.

—Mourir avec toi! dit-elle.

Il y avait quelque chose de comique dans la situation des
gens installés sur le radeau. Quoiqu'ils fissent entendre des
rugissements affreux, aucun d'eux n'osait résister au grenadier;
car ils étaient si pressés, qu'il suffisait de pousser une seule personne pour tout renverser. Dans ce danger, un capitaine essaya
de se débarrasser du soldat, qui aperçut le mouvement hostile
de l'officier, le saisit et le précipita dans l'eau en lui disant:

—Ah! ah! canard, tu veux boire!... Va!—Voilà deux places!
s'écria-t-il. Allons, major, jetez-nous votre petite femme, et
venez! Laissez ce vieux roquentin, qui crèvera demain.

—Dépêchez-vous! cria une voix composée de cent voix.

—Allons, major! Ils grognent, les autres, et ils ont raison.

Le comte de Vandières se débarrassa de ses haillons et se
montra debout dans son uniforme de général.

—Sauvons le comte, dit Philippe.

Stéphanie serra la main de son ami, se jeta sur lui et
l'embrassa par une horrible étreinte.

—Adieu! dit-elle.

Ils s'étaient compris. Le comte de Vandières retrouva ses
forces et sa présence d'esprit pour sauter dans l'embarcation,
où Stéphanie le suivit après avoir donné un dernier regard à
Philippe.

—Major, voulez-vous ma place? Je me moque de la vie, s'écria le grenadier; je n'ai ni femme, ni enfant, ni mère...

—Je te les confie, cria le major en désignant le comte et sa femme.

—Soyez tranquille, j'en aurai soin comme de mon œil.

Le radeau fut lancé avec tant de violence vers la rive opposée à celle où Philippe restait immobile, qu'en touchant terre la secousse ébranla tout. Le comte, qui était au bord, roula dans la rivière. Au moment où il y tombait, un glaçon lui coupa la tête et la lança au loin, comme un boulet.

—Hein! major! cria le grenadier.

—Adieu! cria une voix de femme.

Philippe de Sucy tomba glacé d'horreur, accablé par le froid, par le regret et par la fatigue.

LA PENSION VAUQUER

La maison où s'exploite la pension bourgeoise appartient à Mᵐᵉ Vauquer. Elle est située dans le bas de la rue Neuve-Sainte-Geneviève, à l'endroit où le terrain s'abaisse vers la rue de l'Arbalète par une pente si brusque et si rude que les chevaux la montent ou la descendent rarement. Cette circonstance est favorable au silence qui règne dans ces rues serrées entre le dôme du Val-de-Grâce et le dôme du Panthéon,[10] deux monuments qui changent les conditions de l'atmosphère en y jetant des tons jaunes, en y assombrissant tout par les teintes sévères que projettent leurs coupoles. Là, les pavés sont secs, les ruisseaux n'ont ni boue ni eau, l'herbe croît le long des murs. L'homme le plus insouciant s'y attriste comme tous les passants, le bruit d'une voiture y devient un événement, les maisons y sont mornes, les murailles y sentent la prison. Un Parisien égaré ne verrait là que des pensions bourgeoises ou des institutions, de la misère ou de l'ennui, de la vieillesse qui meurt, de la joyeuse jeunesse contrainte à travailler. Nul quartier de Paris n'est plus horrible, ni, disons-le, plus inconnu. La rue Neuve-Sainte-Geneviève surtout est comme un cadre de bronze,

le seul qui convienne à ce récit, auquel on ne saurait trop préparer l'intelligence par des couleurs brunes, par des idées graves ;
ainsi que, de marche en marche, le jour diminue et le chant du
conducteur se creuse alors que le voyageur descend aux Cata-
combes. Comparaison vraie ! Qui décidera de ce qui est plus
horrible à voir, ou des cœurs desséchés, ou des crânes vides ?

La façade de la pension donne sur un jardinet, en sorte
que la maison tombe à angle droit sur la rue Neuve-Sainte-
Geneviève, où vous la voyez coupée dans sa profondeur. Le
long de cette façade, entre la maison et le jardinet, règne un
cailloutis en cuvette, large d'une toise, devant lequel est une
allée sablée, bordée de géraniums, de lauriers-roses et de grenadiers plantés dans de grands vases en faïence bleue et blanche.
On entre dans cette allée par une porte bâtarde surmontée d'un
écriteau sur lequel on lit : MAISON VAUQUER, et au-dessous :
Pension bourgeoise des deux sexes et autres. Pendant le jour,
une porte à claire-voie, armée d'une sonnette criarde, laisse
apercevoir au bout du petit pavé, sur le mur opposé à la rue,
une arcade peinte en marbre vert par un artiste du quartier.
Sous le renfoncement que simule cette peinture s'élève une
statue représentant l'Amour. A voir le vernis écaillé qui la
couvre, les amateurs de symboles y découvriraient peut-être
un mythe de l'amour parisien qu'on guérit à quelques pas de là.
Sous le socle, cette inscription à demi effacée rappelle le temps
auquel remonte cet ornement par l'enthousiasme dont il té-
moigne pour Voltaire, rentré dans Paris en 1777 :

> Qui que tu sois, voici ton maître :
> Il l'est, le fut, ou le doit être.

A la nuit tombante, la porte à claire-voie est remplacée par
une porte pleine. Le jardinet, aussi large que la façade est
longue, se trouve encaissé par le mur de la rue et par le mur
mitoyen de la maison voisine, le long de laquelle pend un
manteau de lierre qui la cache entièrement et attire les yeux
des passants par un effet pittoresque dans Paris. Chacun de
ces murs est tapissé d'espaliers et de vignes dont les fructifica-

tions grêles et poudreuses sont l'objet des craintes annuelles de Mme Vauquer et de ses conversations avec les pensionnaires. Le long de chaque muraille règne une étroite allée qui mène à un couvert de tilleuls, mot que Mme Vauquer, quoique née de Conflans, prononce obstinément *tieuilles*, malgré les observations grammaticales de ses hôtes. Entre les deux allées latérales est un carré d'artichauts flanqué d'arbres fruitiers en quenouille, et bordé d'oseille, de laitue ou de persil. Sous le couvert de tilleuls est plantée une table ronde peinte en vert, et entourée de sièges. Là, durant les jours caniculaires, les convives assez riches pour se permettre de prendre du café viennent le savourer par une chaleur capable de faire éclore des œufs. La façade, élevée de trois étages et surmontée de mansardes, est bâtie en moellons et badigeonnée avec cette couleur jaune qui donne un caractère ignoble à presque toutes les maisons de Paris. Les cinq croisées percées à chaque étage ont de petits carreaux et sont garnies de jalousies dont aucune n'est relevée de la même manière, en sorte que toutes leurs lignes jurent entre elles. La profondeur de cette maison comporte deux croisées qui, au rez-de-chaussée, ont pour ornement des barreaux en fer grillagés. Derrière le bâtiment est une cour large d'environ vingt pieds, où vivent en bonne intelligence des cochons, des poules, des lapins, et au fond de laquelle s'élève un hangar à serrer le bois. Entre ce hangar et la fenêtre de la cuisine se suspend le garde-manger, au-dessous duquel tombent les eaux grasses de l'évier. Cette cour a sur la rue Neuve-Sainte-Geneviève une porte étroite par où la cuisinière chasse les ordures de la maison en nettoyant cette sentine à grand renfort d'eau, sous peine de pestilence.

Naturellement destiné à l'exploitation de la pension bourgeoise, le rez-de-chaussée se compose d'une première pièce éclairée par les deux croisées de la rue, et où l'on entre par une porte-fenêtre. Ce salon communique à une salle à manger qui est séparée de la cuisine par la cage d'un escalier dont les marches sont en bois et en carreaux mis en couleur et frottés. Rien n'est plus triste à voir que ce salon meublé de fauteuils et de chaises en étoffe de crin à raies alternativement mates et luisantes. Au milieu se trouve une table ronde à dessus de marbre Sainte-Anne,[11] décorée de ce cabaret en porcelaine blanche ornée de filets d'or effacés à demi que l'on rencontre partout aujourd'hui. Cette pièce, assez mal planchéiée, est lambrissée à hauteur d'appui. Le surplus des parois est tendu d'un papier verni représentant les principales scènes de *Télémaque*, et dont les classiques personnages sont coloriés. Le panneau d'entre les croisées grillagées offre aux pensionnaires le tableau du festin donné au fils d'Ulysse par Calypso. Depuis quarante ans, cette peinture excite les plaisanteries des jeunes pensionnaires, qui se croient supérieurs à leur position en se moquant du dîner auquel la misère les condamne. La cheminée en pierre, dont le foyer toujours propre atteste qu'il ne s'y fait de feu que dans les grandes occasions, est ornée de deux vases pleins de fleurs artificielles, vieillies et encagées, qui accompagnent une pendule en marbre bleuâtre du plus mauvais goût. Cette première pièce exhale une odeur sans nom dans la langue, et qu'il faudrait appeler l'*odeur de pension*. Elle sent le renfermé, le moisi, le rance; elle donne froid, elle est humide au nez, elle pénètre les vêtements; elle a le goût d'une salle où l'on a dîné; elle pue le service, l'office, l'hospice. Peut-être pourrait-elle se décrire si l'on inventait un procédé pour évaluer les quantités élémentaires et nauséabondes qu'y jettent les atmosphères catarrhales et *sui generis* de chaque pensionnaire, jeune ou vieux. Eh bien, malgré ces plates horreurs, si vous le compariez à la salle à manger, qui lui est contiguë, vous trouveriez ce salon élégant et parfumé comme doit l'être un boudoir. Cette salle, entièrement boisée, fut jadis peinte en une couleur indistincte aujourd'hui, qui forme un fond sur lequel la crasse a imprimé ses couches de manière à y dessiner des figures bizarres. Elle est plaquée de buffets gluants sur lesquels sont des carafes échancrées, ternies, des ronds de moiré métallique, des piles d'assiettes en porcelaine épaisse, à bords bleus, fabriquées à Tournai. Dans un angle est placée une boîte à cases numérotées qui sert à garder les serviettes, ou tachées ou vineuses, de chaque pensionnaire. Il s'y rencontre de ces meubles indestructibles, proscrits partout, mais placés là comme le sont les débris de la civilisation aux Incurables. Vous y verriez un baromètre à capucin qui sort quand il pleut, des gravures exécrables qui ôtent l'appétit, toutes encadrées en bois noir verni à filets dorés; un cartel en écaille incrustée de cuivre; un poêle vert, des quinquets d'Argand[12] où la poussière se combine avec l'huile, une longue table couverte en toile cirée assez grasse pour qu'un facétieux externe y écrive son nom en se servant de son doigt comme de style, des chaises estropiées, de petits paillassons piteux en sparterie qui se déroule toujours sans se perdre jamais, puis des chaufferettes misérables à trous cassés, à charnières défaites, dont le bois se carbonise. Pour expliquer combien ce mobilier est vieux, crevassé, pourri, tremblant, rongé, manchot, borgne, invalide, expirant, il faudrait en faire une description qui retarderait trop l'intérêt de cette histoire, et que les gens pressés ne pardonneraient pas. Le carreau rouge est plein de vallées produites par le frottement ou par les mises en couleur. Enfin, là règne la misère sans poésie; une misère économe, concentrée, râpée. Si elle n'a pas de fange encore, elle a des taches; si elle n'a ni trous ni haillons, elle va tomber en pourriture.

Cette pièce est dans tout son lustre au moment où, vers sept heures du matin, le chat de Mme Vauquer précède sa maîtresse, saute sur les buffets, y flaire le lait que contiennent plusieurs jattes couvertes d'assiettes, et fait entendre son *ronron* matinal. Bientôt la veuve se montre, attifée de son bonnet de tulle sous lequel pend un tour de faux cheveux mal mis; elle marche en traînassant ses pantoufles grimacées. Sa face vieillotte, grassouillette, du milieu de laquelle sort un nez à bec de perroquet; ses petites mains potelées, sa personne dodue comme un rat d'église, son corsage trop plein et qui flotte, sont en harmonie avec cette salle où suinte le malheur, où s'est blottie la spéculation,[13] et dont Mme Vauquer respire l'air chaudement fétide sans en être écœurée. Sa figure fraîche comme une première gelée d'automne, ses yeux ridés, dont l'expression passe du sourire prescrit aux danseuses à l'amer renfrognement de l'escompteur, enfin toute sa personne explique la pension, comme la pension implique sa personne. Le bagne ne va pas sans l'argousin, vous n'imagineriez pas l'un sans l'autre. L'embonpoint blafard de cette petite femme est le produit de cette vie, comme le typhus est la conséquence des exhalaisons d'un hôpital. Son jupon de laine tricotée, qui dépasse sa première jupe faite avec une vieille robe, et dont la ouate s'échappe par les fentes de l'étoffe lézardée, résume le salon, la salle à manger, le jardinet, annonce la cuisine et fait pressentir les pensionnaires. Quand elle est là, ce spectacle est complet. Agée d'environ cinquante ans, Mme Vauquer ressemble à toutes les *femmes qui ont eu des malheurs*. Elle a l'œil vitreux, l'air innocent d'une entremetteuse qui va se gendarmer pour se faire payer plus cher, mais d'ailleurs prête à tout pour adoucir son sort, à livrer Georges ou Pichegru,[14] si Georges ou Pichegru étaient encore à livrer. Néanmoins, elle est *bonne femme au fond*, disent les pensionnaires, qui la croient sans fortune en l'entendant geindre et tousser comme eux. Qu'avait été M. Vauquer? Elle ne s'expliquait jamais sur le défunt. Comment avait-il perdu sa fortune? « Dans les malheurs », répondait-elle. Il s'était mal conduit envers elle, ne lui avait laissé que les yeux pour pleurer, cette maison pour vivre, et le droit de ne compatir à aucune infortune, parce que, disait-elle, elle avait souffert tout ce qu'il est possible de souffrir. En entendant trottiner sa maîtresse, la grosse Sylvie, la cuisinière, s'empressait de servir le déjeuner des pensionnaires internes.

Généralement, les pensionnaires externes ne s'abonnaient qu'au dîner, qui coûtait trente francs par mois. A l'époque où cette histoire commence, les internes étaient au nombre de sept. Le premier étage contenait les deux meilleurs appartements de la maison. Mme Vauquer habitait le moins considérable, et l'autre appartenait à Mme Couture, veuve d'un commissaire ordonnateur de la République française. Elle avait avec elle une très jeune personne, nommée Victorine Taillefer, à qui elle servait de mère. La pension de ces deux dames montait à dix-huit cents francs. Les deux appartements du second étaient occupés, l'un par un vieillard nommé Poiret; l'autre, par un homme âgé d'environ quarante ans, qui portait une perruque noire, se teignait les favoris, se disait ancien négociant, et s'appelait M. Vautrin. Le troisième étage se composait de quatre chambres, dont deux étaient louées, l'une par une vieille fille nommée Mlle Michonneau; l'autre, par un ancien fabricant de vermicelles, de pâtes d'Italie et d'amidon, qui se laissait nommer le père Goriot. Les deux autres chambres étaient destinées aux oiseaux de passage, à ces infortunés étudiants qui, comme le père Goriot et Mlle Michonneau, ne pouvaient mettre que quarante-cinq francs par mois à leur nourriture et à leur logement; mais Mme Vauquer souhaitait peu leur présence et ne les prenait que quand elle ne trouvait pas mieux: ils mangeaient trop de pain. En ce moment, l'une de ces deux chambres appartenait à un jeune homme venu des environs d'Angoulême à Paris pour y faire son droit, et dont la nombreuse famille se soumettait aux plus dures privations afin de lui envoyer douze cents francs par an. Eugène de Rastignac, ainsi se nommait-il, était un de ces jeunes gens façonnés au travail par le malheur, qui comprennent dès le jeune âge les espérances que leurs parents placent en eux, et qui se préparent une belle destinée en calculant déjà la portée de leurs études, et les adaptant par avance au mouvement futur de la société, pour être les premiers à la pressurer. Sans ses observations curieuses et l'adresse avec laquelle il sut se produire dans les salons de Paris, ce récit n'eût pas été coloré des tons vrais qu'il devra sans doute à son esprit sagace et à son désir de pénétrer les mystères d'une situation épouvantable aussi soigneusement cachée par ceux qui l'avaient créée que par celui qui la subissait.

Au-dessus de ce troisième étage étaient un grenier à étendre le linge et deux mansardes où couchaient un garçon de peine, nommé Christophe, et la grosse Sylvie, la cuisinière. Outre les sept pensionnaires internes, Mme Vauquer avait, bon an, mal an, huit étudiants en droit ou en médecine, et deux ou trois habitués qui demeuraient dans le quartier, abonnés tous pour le dîner seulement. La salle contenait à dîner dix-huit personnes et pouvait en admettre une vingtaine ; mais, le matin, il ne s'y trouvait que sept locataires, dont la réunion offrait pendant le déjeuner l'aspect d'un repas de famille. Chacun descendait en pantoufles, se permettait des observations confidentielles sur la mise ou sur l'air des externes, et sur les événements de la soirée précédente, en s'exprimant avec la confiance de l'intimité. Ces sept pensionnaires étaient les enfants gâtés de Mme Vauquer, qui leur mesurait avec une précision d'astronome les soins et les égards, d'après le chiffre de leurs pensions. Une même considération affectait ces êtres rassemblés par le hasard. Les deux locataires du second ne payaient que soixante-douze francs par mois. Ce bon marché, qui ne se rencontre que dans le faubourg Saint-Marcel, entre la Bourbe et la Salpêtrière,[15] et auquel Mme Couture faisait seule exception, annonce que ces pensionnaires devaient être sous le poids de malheurs plus ou moins apparents. Aussi le spectacle désolant que présentait l'intérieur de cette maison se répétait-il dans le costume de ses habitués, également délabré. Les hommes portaient des redingotes dont la couleur était devenue problématique, des chaussures comme il s'en jette au coin des bornes dans les quartiers élégants, du linge élimé, des vêtements qui n'avaient plus que l'âme. Les femmes avaient des robes passées, reteintes, déteintes, de vieilles dentelles raccommodées, des gants glacés par l'usage, des collerettes toujours rousses et des fichus éraillés. Si tels étaient les habits, presque tous montraient des corps solidement charpentés, des constitutions qui avaient résisté aux tempêtes de la vie, des faces froides, dures, effacées comme celles des écus démonétisés. Les bouches flétries étaient armées de dents avides. Ces pensionnaires faisaient pressentir des drames accomplis ou en action ; non pas de ces drames joués à la lueur des rampes, entre des toiles peintes, mais des drames vivants et muets, des drames glacés qui remuaient chaudement le cœur, des drames continus.

La vieille demoiselle Michonneau gardait sur ses yeux fatigués un crasseux abat-jour en taffetas vert, cerclé par du fil d'archal qui aurait effarouché l'ange de la pitié. Son châle à franges maigres et pleurardes semblait couvrir un squelette, tant les formes qu'il cachait étaient anguleuses. Quel acide avait dépouillé cette créature de ses formes féminines? elle devait avoir été jolie et bien faite: était-ce le vice, le chagrin, la cupidité? avait-elle trop aimé? avait-elle été marchande à la toilette, ou seulement courtisane? expiait-elle les triomphes d'une jeunesse insolente au-devant de laquelle s'étaient rués les plaisirs par une vieillesse que fuyaient les passants? Son regard blanc donnait froid, sa figure rabougrie menaçait. Elle avait la voix clairette d'une cigale criant dans son buisson aux approches de l'hiver. Elle disait avoir pris soin d'un vieux monsieur affecté d'un catarrhe à la vessie, et abandonné par ses enfants, qui l'avaient cru sans ressource. Ce vieillard lui avait légué mille francs de rente viagère, périodiquement disputés par les héritiers, aux calomnies desquels elle était en butte. Quoique le jeu des passions eût ravagé sa figure, il s'y trouvait encore certains vestiges d'une blancheur et d'une finesse dans le tissu qui permettaient de supposer que le corps conservait quelques restes de beauté.

M. Poiret était une espèce de mécanique. En l'apercevant s'étendre comme une ombre grise le long d'une allée au Jardin des Plantes, la tête couverte d'une vieille casquette flasque, tenant à peine sa canne à pomme d'ivoire jauni dans sa main, laissant flotter les pans flétris de sa redingote qui cachait mal une culotte presque vide, et des jambes en bas bleus qui flageolaient comme celles d'un homme ivre, montrant son gilet blanc sale et son jabot de grosse mousseline recroquevillée qui s'unissait imparfaitement à sa cravate cordée autour de son cou de dindon, bien des gens se demandaient si cette ombre chinoise appartenait à la race audacieuse des fils de Japhet qui papillonnent sur le boulevard Italien. Quel travail avait pu le ratatiner ainsi? quelle passion avait bistré sa face bulbeuse, qui, dessinée en caricature, aurait paru hors du vrai? Ce qu'il avait été? Mais peut-être avait-il été employé au ministère de la justice, dans le bureau où les exécuteurs des hautes-œuvres envoient leurs mémoires de frais, le compte des fournitures de voiles noirs pour

les parricides, de son pour les paniers, de ficelle pour les cou-
teaux. Peut-être avait-il été receveur à la porte d'un abattoir,
ou sous-inspecteur de la salubrité. Enfin, cet homme semblait
avoir été l'un des ânes de notre grand moulin social, l'un de ces
Ratons parisiens qui ne connaissent même pas leurs Bertrands,[16]
quelque pivot sur lequel avaient tourné les infortunes ou les
saletés publiques, enfin l'un de ces hommes dont nous disons,
en les voyant : « Il en faut pourtant comme ça. » Le beau Paris
ignore ces figures blêmes de souffrances morales ou physiques.
Mais Paris est un véritable océan. Jetez-y la sonde, vous n'en
connaîtrez jamais la profondeur. Parcourez-le, décrivez-le :
quelque soin que vous mettiez à le parcourir, à le décrire ; quelque nombreux et intéressés que soient les explorateurs de cette
mer, il s'y rencontrera toujours un lieu vierge, un antre inconnu,
des fleurs, des perles, des monstres, quelque chose d'inouï, oublié
par les plongeurs littéraires. La maison Vauquer est une de ces
monstruosités curieuses.

Deux figures y formaient un contraste frappant avec la masse
des pensionnaires et des habitués. Quoique Mlle Victorine
Taillefer eût une blancheur maladive semblable à celle des
jeunes filles attaquées de chlorose, et qu'elle se rattachât à la
souffrance générale qui faisait le fond de ce tableau par une
tristesse habituelle, par une contenance gênée, par un air pauvre
et grêle, néanmoins son visage n'était pas vieux, ses mouvements et sa voix étaient agiles. Ce jeune malheur ressemblait à
un arbuste aux feuilles jaunies, fraîchement planté dans un
terrain contraire. Sa physionomie roussâtre, ses cheveux d'un
blond fauve, sa taille trop mince, exprimaient cette grâce que
les poètes modernes trouvaient aux statuettes du moyen âge.
Ses yeux gris mélangés de noir exprimaient une douceur, une
résignation chrétiennes. Ses vêtements, simples, peu coûteux,
trahissaient des formes jeunes. Elle était jolie par juxtaposi-
tion. Heureuse, elle eût été ravissante : le bonheur est la poésie
des femmes, comme la toilette en est le fard. Si la joie d'un bal
eût reflété ses teintes rosées sur ce visage pâle ; si les douceurs
d'une vie élégante eussent rempli, eussent vermillonné ces joues

déjà légèrement creusées ; si l'amour eût ranimé ces yeux tristes, Victorine aurait pu lutter avec les plus belles jeunes filles. Il lui manquait ce qui crée une seconde fois la femme, les chiffons et les billets doux. Son histoire eût fourni le sujet d'un livre. Son père croyait avoir des raisons pour ne pas la reconnaître, refusait de la garder près de lui, ne lui accordait que six cents francs par an, et avait dénaturé sa fortune afin de pouvoir la transmettre en entier à son fils. Parente éloignée de la mère de Victorine, qui jadis était venue mourir de désespoir chez elle, Mme Couture prenait soin de l'orpheline comme de son enfant. Malheureusement, la veuve du commissaire ordonnateur des armées de la République ne possédait rien au monde que son douaire et sa pension ; elle pouvait laisser un jour cette pauvre fille, sans expérience et sans ressources, à la merci du monde. La bonne femme menait Victorine à la messe tous les dimanches, à confesse tous les quinze jours, afin d'en faire à tout hasard une fille pieuse. Elle avait raison. Les sentiments religieux offraient un avenir à cette enfant désavouée, qui aimait son père, qui tous les ans s'acheminait chez lui pour y apporter le pardon de sa mère ; mais qui, tous les ans, se cognait contre la porte de la maison paternelle, inexorablement fermée. Son frère, son unique médiateur, n'était pas venu la voir une seule fois en quatre ans, et ne lui envoyait aucun secours. Elle suppliait Dieu de dessiller les yeux de son père, d'attendrir le cœur de son frère, et priait pour eux sans les accuser. Mme Couture et Mme Vauquer ne trouvaient pas assez de mots dans le dictionnaire des injures pour qualifier cette conduite barbare. Quand elles maudissaient ce millionnaire infâme, Victorine faisait entendre de douces paroles, semblables au chant du ramier blessé, dont le cri de douleur exprime encore l'amour.

Eugène de Rastignac avait un visage tout méridional, le teint blanc, des cheveux noirs, des yeux bleus. Sa tournure, ses manières, sa pose habituelle, dénotaient le fils d'une famille noble, où l'éducation première n'avait comporté que des traditions de bon goût. S'il était ménager de ses habits, si les jours ordinaires il achevait d'user les vêtements de l'an passé, néan-

moins il pouvait sortir quelquefois mis comme l'est un jeune
homme élégant. Ordinairement, il portait une vieille redingote,
un mauvais gilet, la méchante cravate noire, flétrie, mal nouée
de l'étudiant, un pantalon à l'avenant et des bottes ressemelées.

Entre ces deux personnages et les autres, Vautrin, l'homme
de quarante ans, à favoris peints, servait de transition. Il était
un de ces gens dont le peuple dit : « Voilà un fameux gaillard ! »
Il avait les épaules larges, le buste bien développé, les muscles
apparents, des mains épaisses, carrées et fortement marquées
aux phalanges par des bouquets de poils touffus et d'un roux
ardent. Sa figure, rayée par des rides prématurées, offrait des
signes de dureté que démentaient ses manières souples et liantes.
Sa voix de basse taille, en harmonie avec sa grosse gaieté, ne
déplaisait point. Il était obligeant et rieur. Si quelque serrure
allait mal, il l'avait bientôt démontée, rafistolée, huilée, limée,
remontée, en disant : « Ça me connaît. » Il connaissait tout
d'ailleurs, les vaisseaux, la mer, la France, l'étranger, les affaires,
les hommes, les événements, les lois, les hôtels et les prisons. Si
quelqu'un se plaignait par trop, il lui offrait aussitôt ses services.
Il avait prêté plusieurs fois de l'argent à Mme Vauquer et à
quelques pensionnaires ; mais ses obligés seraient morts plutôt
que de ne pas le lui rendre, tant, malgré son air bonhomme, il
imprimait de crainte par un certain regard profond et plein de
résolution. A la manière dont il lançait un jet de salive, il
annonçait un sang-froid imperturbable qui ne devait pas le faire
reculer devant un crime pour sortir d'une position équivoque.
Comme un juge sévère, son œil semblait aller au fond de
toutes les questions, de toutes les consciences, de tous les sentiments. Ses mœurs consistaient à sortir après le déjeuner, à
revenir pour dîner, à décamper pour toute la soirée, et à rentrer
vers minuit, à l'aide d'un passe-partout que lui avait confié
Mme Vauquer. Lui seul jouissait de cette faveur. Mais aussi
était-il au mieux avec la veuve, qu'il appelait *maman* en la
saisissant par la taille, flatterie peu comprise ! La bonne femme
croyait la chose encore facile, tandis que Vautrin seul avait les
bras assez longs pour presser cette pesante circonférence. Un

trait de son caractère était de payer généreusement quinze francs par mois pour le *gloria* qu'il prenait au dessert.

Des gens moins superficiels que ne l'étaient ces jeunes gens emportés par les tourbillons de la vie parisienne, ou ces vieillards indifférents à ce qui ne les touchait pas directement, ne se seraient pas arrêtés à l'impression douteuse que leur causait Vautrin. Il savait ou devinait les affaires de ceux qui l'entouraient, tandis que nul ne pouvait pénétrer ni ses pensées ni ses occupations. Quoiqu'il eût jeté son apparente bonhomie, sa constante complaisance et sa gaieté comme une barrière entre les autres et lui, souvent il laissait percer l'épouvantable profondeur de son caractère. Souvent une boutade digne de Juvénal, et par laquelle il semblait se complaire à bafouer les lois, à fouetter la haute société, à la convaincre d'inconséquence avec elle-même, devait faire supposer qu'il gardait rancune à l'état social, et qu'il y avait au fond de sa vie un mystère soigneusement enfoui.

Attirée, peut-être à son insu, par la force de l'un ou par la beauté de l'autre, Mlle Taillefer partageait ses regards furtifs, ses pensées secrètes, entre ce quadragénaire et le jeune étudiant ; mais aucun d'eux ne paraissait songer à elle, quoique d'un jour à l'autre le hasard pût changer sa position et la rendre un riche parti. D'ailleurs, aucune de ces personnes ne se donnait la peine de vérifier si les malheurs allégués par l'une d'elles étaient faux ou véritables. Toutes avaient les unes pour les autres une indifférence mêlée de défiance qui résultait de leurs situations respectives. Elles se savaient impuissantes à soulager leurs peines, et toutes avaient, en se les contant, épuisé la coupe des condoléances. Semblables à de vieux époux, elles n'avaient plus rien à se dire. Il ne restait donc entre elles que les rapports d'une vie mécanique, le jeu de rouages sans huile. Toutes devaient passer droit dans la rue devant un aveugle, écouter sans émotion le récit d'une infortune, et voir dans une mort la solution d'un problème de misère qui les rendait froides à la plus terrible agonie. La plus heureuse de ces âmes désolées était Mme Vauquer, qui trônait dans cet hospice libre. Pour elle seule, ce petit jardin, que le silence et le froid, le sec et l'humide faisaient vaste comme un steppe, était un riant bocage. Pour elle seule cette maison jaune et morne, qui sentait le vert-de-gris du comptoir, avait des délices. Ces cabanons lui appartenaient. Elle nourrissait ces forçats acquis à des peines perpétuelles, en exerçant sur eux une autorité respectée. Où ces pauvres êtres auraient-ils trouvé dans Paris, au prix où elle les donnait, des aliments sains, suffisants, et un appartement qu'ils étaient maîtres de rendre, sinon élégant ou commode, du moins propre et salubre? Se fût-elle permis une injustice criante, la victime l'aurait supportée sans se plaindre.

VICTOR HUGO

AFTER 1850

Gautier parmi ces joailliers
Est prince, et Leconte de Lisle
Forge l'or dans ses ateliers;
Mais le Père est là-bas, dans l'Ile.
DE BANVILLE

In 1850 Victor Hugo, *le Père*, was forty-eight years old and the greatest literary figure in Europe. He was famous as poet and novelist and dramatist. He was a member of the Academy and a peer of France. He was wealthy, and his drawing-room was a center of artistic life. He had already poured the whole force of his lyricism into poems which commemorated a beloved leader who had been exiled and a beloved daughter who had been drowned. He had dominated the famous group of young reformers who called themselves Romantics. He had witnessed the battle over his *Hernani*, and had published his greatest historical romance, *Notre-Dame de Paris*.

After 1848, when the Orleanist monarchy came to an end, Hugo had rapidly developed republican tastes. When Prince Louis Bonaparte arrived in Paris to accept the presidency, and the poet of the *Ode à la colonne* heard the cries of *Vive Napoléon*, he began to shout angry words to the passing troops. On December 11, 1851, with a prince-president at the head of the government, with the barricades up and the jails crowded with deputies, an inseparable friend saw Victor Hugo aboard the Brussels train. His luggage consisted of a bulky package of manuscript, a novel which he had entitled *Le Livre des misères* and which later became *Les Misérables*. The creator of the Bishop of Digne and of Jean Valjean and of Cosette was not to return to Paris for eighteen years.

At Brussels Hugo penned the splendid chapters of his novel which describe the orchard of Hougomont, the sunken road, and the Guard's last stand. In August of 1852 he departed for the little rock-bound island of Jersey. At Marine Terrace, with the sea before him and quiet English lanes behind him, symbolic of the storm and peace within his soul, he began to write poetry.

After Hugo had settled in exile with his family, he learned that Louis Napoleon had gone to the Tuileries, that the Second Empire was a *fait*

35

accompli. The poet's anger was kindled to white-heat, and with a de-
cided lack of dignity he began to hurl opprobrious epithets at the
emperor, calling him the Corsican Dutchman, Tom Thumb the Hun, the
bareback rider of Beauharnais's Circus! Passionate anger and scorn
leaped into verse against this usurper on the throne of Napoleon the
First; satire and lyricism were fused into the poems which are collected
under the name of *Les Châtiments.* The giant picture of Napoleon's
retreat from Moscow, his Waterloo, his Saint-Helena, and finally the
sinister parody of his empire which are painted in *L'Expiation* approach
the proportions of an epic.

The height of Hugo's lyric skill was reached in his next volume of
poems, called *Les Contemplations,* some of which had been written
before he had left Paris. In these personal "contemplations" we discover a synthesis of all his disappointments and sorrows: the failure of
his last romantic plays, his daughter's death, his disillusionment in politics, Napoleon III and the Duke de Morny, exile and loneliness.

From Jersey the exiles went to Guernsey; and at Hauteville House,
with windows facing the sea, Hugo composed the first part of a cycle
of poems which he calls *La Légende des siècles.* In this enormous and
uneven work the poet proposes to relate after the manner of an epic
the history of mankind rising through the ages from darkness to light.
La Légende des siècles is "epic in form, with a lyric soul," declares
Lanson, who finds that each poem is sustained by a philosophic or social
idea, and that Hugo has merely expressed in a more objective manner
the same humanitarian and democratic conceptions that are to be found
in *Les Contemplations.* Many of the poems are of beautiful structure,
with visions as clear and as impersonal as those of Gautier or Leconte
de Lisle.

In 1862 *Les Misérables* was finished, a sentimental tract of many
hundreds of pages, yet one of the most striking products of the creative
imagination ever written. The high-water mark of Hugo's genius was
now reached. After 1871, and France's humiliating peace with Germany,
the poet once more settled in his Paris home. Once more he entered the
political world, and was elected a deputy and senator; yet Hugo the poet
was not idle. The last two series of *La Légende des siècles* were now
composed, and further collections added to his great body of verse:
*L'Année terrible, Les Chansons des rues et des bois, L'Art d'être grand-
père, Les Quatre Vents de l'esprit.* Once more he became the most celebrated literary figure in Europe, a democratic old gentleman with white
hair, frequently entertaining distinguished guests at his home on the
Avenue d'Eylau, frequently seen with his grandchildren atop a Passy

omnibus. At his death in 1885 France honored him with national obsequies. Hugo carried his love of antithesis to the very end. One of his last requests was that he be given a pauper's funeral; and it was a coffin of unpainted pine which rested in state beneath the Triumphal Arch of Napoleon I, until it was borne amidst a convoy of countless thousands across the Seine, into the winding streets of the left bank, and laid to rest within the Pantheon.

Hugo is a poet with a clear vision and an unlimited store of sensations. As many critics have pointed out, it was his ambition to be a *penseur*, to offer a philosophy to humanity. Hence we find him constantly flitting from some clear, exact picture to an abstract philosophic thought. A "thing seen" produces an idea. The ragged and dripping coat of *Le Mendiant*, when it is hung before a blazing hearth, quickly becomes a sky lit with stars, as the poet dreams over the beauty of poverty. In the sunlight of his Jersey terrace he catches certain impressions which make him close his eyes and dream. With two things before his vision—the sea and the afternoon light—he builds up the poem called *Éclaircie*, following no logical plan, passing rapidly from the concrete to the abstract, *le deuil, l'hiver, la nuit, l'envie*. Yet his energetic ideas are almost always clouded by his powerful sensations, making him rather a seer of splendid visions than a thinker. The clarity with which he visualizes frequently produces poems that are objective, far removed from his own personality. This quality, combined with his sense of the suggestiveness of words and forms, is admirably illustrated in a poem of his later years called *Saison des semailles—le Soir*, where the poet with admirable artistry has mingled the picture of twilight and the idea of toil, bringing his verses to a close with a grandiose vision of lengthening shadows and *le geste auguste du semeur*.

L'EXPIATION

Il neigeait. On était vaincu par sa conquête.
Pour la première fois l'aigle baissait la tête.
Sombres jours! l'empereur revenait lentement,
Laissant derrière lui brûler Moscou fumant.
Il neigeait. L'âpre hiver fondait en avalanche.
Après la plaine blanche une autre plaine blanche.
On ne connaissait plus les chefs ni le drapeau.
Hier la grande armée, et maintenant troupeau.

On ne distinguait plus les ailes ni le centre.
Il neigeait. Les blessés s'abritaient dans le ventre
Des chevaux morts; au seuil des bivouacs désolés
On voyait des clairons à leur poste gelés,
Restés debout, en selle et muets, blancs de givre,
Collant leur bouche en pierre aux trompettes de cuivre.
Boulets, mitraille, obus, mêlés aux flocons blancs,
Pleuvaient; les grenadiers, surpris d'être tremblants,
Marchaient pensifs, la glace à leur moustache grise.
Il neigeait, il neigeait toujours! La froide bise
Sifflait; sur le verglas, dans des lieux inconnus,
On n'avait pas de pain et l'on allait pieds nus.
Ce n'étaient plus des cœurs vivants, des gens de guerre:
C'était un rêve errant dans la brume, un mystère,
Une procession d'ombres sous le ciel noir.
La solitude vaste, épouvantable à voir,
Partout apparaissait, muette vengeresse.
Le ciel faisait sans bruit avec la neige épaisse
Pour cette immense armée un immense linceul.
Et, chacun se sentant mourir, on était seul.
—Sortira-t-on jamais de ce funeste empire?
Deux ennemis! le czar, le nord. Le nord est pire.
On jetait les canons pour brûler les affûts.
Qui se couchait, mourait. Groupe morne et confus,
Ils fuyaient; le désert dévorait le cortège.
On pouvait, à des plis qui soulevaient la neige,
Voir que des régiments s'étaient endormis là.
O chutes d'Annibal! lendemains d'Attila!
Fuyards, blessés, mourants, caissons, brancards, civières,
On s'écrasait aux ponts pour passer les rivières,
On s'endormait dix mille, on se réveillait cent.
Ney, que suivait naguère une armée, à présent
S'évadait, disputant sa montre à trois cosaques.[1]
Toutes les nuits, qui vive! alerte! assauts! attaques!
Ces fantômes prenaient leur fusil, et sur eux
Ils voyaient se ruer, effrayants, ténébreux,

Avec des cris pareils aux voix des vautours chauves,
D'horribles escadrons, tourbillons d'hommes fauves.
Toute une armée ainsi dans la nuit se perdait.
L'empereur était là, debout, qui regardait.
Il était comme un arbre en proie à la cognée.
Sur ce géant, grandeur jusqu'alors épargnée,
Le malheur, bûcheron sinistre, était monté;
Et lui, chêne vivant, par la hache insulté,
Tressaillant sous le spectre aux lugubres revanches,
Il regardait tomber autour de lui ses branches.
Chefs, soldats, tous mouraient. Chacun avait son tour.
Tandis qu'environnant sa tente avec amour,
Voyant son ombre aller et venir sur la toile,
Ceux qui restaient, croyant toujours à son étoile,
Accusaient le destin de lèse-majesté,
Lui se sentit soudain dans l'âme épouvanté.
Stupéfait du désastre et ne sachant que croire,
L'empereur se tourna vers Dieu; l'homme de gloire
Trembla; Napoléon comprit qu'il expiait
Quelque chose peut-être, et, livide, inquiet,
Devant ses légions sur la neige semées:
—Est-ce le châtiment, dit-il, Dieu des armées?—
Alors il s'entendit appeler par son nom
Et quelqu'un qui parlait dans l'ombre lui dit: —Non.

Waterloo! Waterloo! Waterloo! morne plaine!
Comme une onde qui bout dans une urne trop pleine,
Dans ton cirque de bois, de coteaux, de vallons,
La pâle mort mêlait les sombres bataillons.
D'un côté c'est l'Europe et de l'autre la France.
Choc sanglant! des héros Dieu trompait l'espérance;
Tu désertais, victoire, et le sort était las.
O Waterloo! je pleure et je m'arrête, hélas!
Car ces derniers soldats de la dernière guerre
Furent grands; ils avaient vaincu toute la terre,

Chassé vingt rois, passé les Alpes et le Rhin,
Et leur âme chantait dans les clairons d'airain!

Le soir tombait; la lutte était ardente et noire.
Il avait l'offensive et presque la victoire;
Il tenait Wellington acculé sur un bois.
Sa lunette à la main, il observait parfois
Le centre du combat, point obscur où tressaille
La mêlée, effroyable et vivante broussaille,
Et parfois l'horizon, sombre comme la mer.
Soudain, joyeux, il dit: Grouchy!—C'était Blücher.[2]
L'espoir changea de camp, le combat changea d'âme,
La mêlée en hurlant grandit comme une flamme.
La batterie anglaise écrasa nos carrés.
La plaine, où frissonnaient nos drapeaux déchirés,
Ne fut plus, dans les cris des mourants qu'on égorge,
Qu'un gouffre flamboyant, rouge comme une forge;
Gouffre où les régiments comme des pans de murs
Tombaient, où se couchaient comme des épis mûrs
Les hauts tambours-majors aux panaches énormes,
Où l'on entrevoyait des blessures difformes!
Carnage affreux! moment fatal! L'homme inquiet
Sentit que la bataille entre ses mains pliait.
Derrière un mamelon la garde était massée,
La garde, espoir suprême et suprême pensée!
—Allons! faites donner la garde! cria-t-il,—
Et, lanciers, grenadiers aux guêtres de coutil,
Dragons que Rome eût pris pour des légionnaires,
Cuirassiers, canonniers qui traînaient des tonnerres,
Portant le noir colback ou le casque poli,
Tous, ceux de Friedland et ceux de Rivoli,
Comprenant qu'ils allaient mourir dans cette fête,
Saluèrent leur dieu, debout dans la tempête.
Leur bouche, d'un seul cri, dit: vive l'empereur!
Puis, à pas lents, musique en tête, sans fureur,
Tranquille, souriant à la mitraille anglaise,

La garde impériale entra dans la fournaise.
Hélas! Napoléon, sur sa garde penché,
Regardait, et, sitôt qu'ils avaient débouché
Sous les sombres canons crachant des jets de soufre,
Voyait, l'un après l'autre, en cet horrible gouffre,
Fondre ces régiments de granit et d'acier
Comme fond une cire au souffle d'un brasier.
Ils allaient, l'arme au bras, front haut, graves, stoïques.
Pas un ne recula. Dormez, morts héroïques!
Le reste de l'armée hésitait sur leurs corps
Et regardait mourir la garde.—C'est alors
Qu'élevant tout à coup sa voix désespérée,
La Déroute, géante à la face effarée,
Qui, pâle, épouvantant les plus fiers bataillons,
Changeant subitement les drapeaux en haillons,
A de certains moments, spectre fait de fumées,
Se lève grandissante au milieu des armées,
La Déroute apparut au soldat qui s'émeut,
Et, se tordant les bras, cria: Sauve qui peut!
Sauve qui peut!—affront! horreur!—toutes les bouches
Criaient; à travers champs, fous, éperdus, farouches,
Comme si quelque souffle avait passé sur eux,
Parmi les lourds caissons et les fourgons poudreux,
Roulant dans les fossés, se cachant dans les seigles,
Jetant shakos, manteaux, fusils, jetant les aigles,
Sous les sabres prussiens, ces vétérans, ô deuil!
Tremblaient, hurlaient, pleuraient, couraient!—En un clin
    d'œil,
Comme s'envole au vent une paille enflammée,
S'évanouit ce bruit qui fut la grande armée,
Et cette plaine, hélas, où l'on rêve aujourd'hui,
Vit fuir ceux devant qui l'univers avait fui!
Quarante ans sont passés, et ce coin de la terre,
Waterloo, ce plateau funèbre et solitaire,
Ce champ sinistre où Dieu mêla tant de néants,
Tremble encor d'avoir vu la fuite des géants!

Napoléon les vit s'écouler comme un fleuve ;
Hommes, chevaux, tambours, drapeaux ; et dans l'épreuve
Sentant confusément revenir son remords,
Levant les mains au ciel, il dit :—Mes soldats morts,
Moi vaincu ! mon empire est brisé comme verre.
Est-ce le châtiment cette fois, Dieu sévère ?—
Alors parmi les cris, les rumeurs, le canon,
Il entendit la voix qui lui répondait : Non !

Il croula. Dieu changea la chaîne de l'Europe.

Il est, au fond des mers que la brume enveloppe,
Un roc hideux, débris des antiques volcans.[3]
Le Destin prit des clous, un marteau, des carcans,
Saisit, pâle et vivant, ce voleur du tonnerre,
Et, joyeux, s'en alla sur le pic centenaire
Le clouer, excitant par son rire moqueur
Le vautour Angleterre à lui ronger le cœur.

Évanouissement d'une splendeur immense !
Du soleil qui se lève à la nuit qui commence,
Toujours l'isolement, l'abandon, la prison,
Un soldat rouge au seuil, la mer à l'horizon,
Des rochers nus, des bois affreux, l'ennui, l'espace,
Des voiles s'enfuyant comme l'espoir qui passe,
Toujours le bruit des flots, toujours le bruit des vents !
Adieu, tente de pourpre aux panaches mouvants,
Adieu, le cheval blanc que César éperonne !
Plus de tambours battant aux champs, plus de couronne,
Plus de rois prosternés dans l'ombre avec terreur,
Plus de manteau traînant sur eux, plus d'empereur !
Napoléon était retombé Bonaparte.
Comme un Romain blessé par la flèche du Parthe,
Saignant, morne, il songeait à Moscou qui brûla.

Un caporal anglais lui disait : halte-là !
Son fils aux mains des rois ! sa femme aux bras d'un autre ! [4]
Plus vil que le pourceau qui dans l'égout se vautre,
Son sénat qui l'avait adoré l'insultait.
Au bord des mers, à l'heure où la bise se tait,
Sur les escarpements croulant en noirs décombres,
Il marchait, seul, rêveur, captif des vagues sombres.
Sur les monts, sur les flots, sur les cieux, triste et fier,
L'œil encore ébloui des batailles d'hier,
Il laissait sa pensée errer à l'aventure.
Grandeur, gloire, ô néant ! calme de la nature !
Les aigles qui passaient ne le connaissaient pas.
Les rois, ses guichetiers, avaient pris un compas
Et l'avaient enfermé dans un cercle inflexible.
Il expirait. La mort de plus en plus visible
Se levait dans sa nuit et croissait à ses yeux
Comme le froid matin d'un jour mystérieux.
Son âme palpitait, déjà presque échappée.
Un jour enfin il mit sur son lit son épée,
Et se coucha près d'elle, et dit : c'est aujourd'hui !
On jeta le manteau de Marengo sur lui.
Ses batailles du Nil, du Danube, du Tibre,
Se penchaient sur son front, il dit :—Me voici libre !
Je suis vainqueur ! je vois mes aigles accourir ! —
Et, comme il retournait sa tête pour mourir,
Il aperçut, un pied dans la maison déserte,
Hudson Lowe guettant par la porte entr'ouverte.
Alors, géant broyé sous le talon des rois,
Il cria :—La mesure est comble cette fois !
Seigneur ! c'est maintenant fini ! Dieu que j'implore,
Vous m'avez châtié !—La voix dit :—Pas encore !

Enfin, mort triomphant, il vit sa délivrance,
Et l'océan rendit son cercueil à la France.[5]

L'homme, depuis douze ans, sous le dôme doré
Reposait, par l'exil et par la mort sacré,
En paix ! — Quand on passait près du monument sombre,
On se le figurait, couronne au front, dans l'ombre,
Dans son manteau semé d'abeilles d'or, muet,
Couché sous cette voûte où rien ne remuait,
Lui, l'homme qui trouvait la terre trop étroite,
Le sceptre en sa main gauche et l'épée en sa droite,
A ses pieds son grand aigle ouvrant l'œil à demi,
Et l'on disait : C'est là qu'est César endormi !

Laissant dans la clarté marcher l'immense ville,
Il dormait ; il dormait confiant et tranquille.

Une nuit, — c'est toujours la nuit dans le tombeau, —
Il s'éveilla. Luisant comme un hideux flambeau,
D'étranges visions emplissaient sa paupière ;
Des rires éclataient sous son plafond de pierre ;
Livide, il se dressa ; la vision grandit ;
O terreur ! une voix qu'il reconnut, lui dit :

— Réveille-toi. Moscou, Waterloo, Sainte-Hélène,
L'exil, les rois geôliers, l'Angleterre hautaine
Sur ton lit accoudée à ton dernier moment,
Sire, cela n'est rien. Voici le châtiment ! —

La voix alors devint âpre, amère, stridente,
Comme le noir sarcasme et l'ironie ardente ;
C'était le rire amer mordant un demi-dieu.

— Sire ! on t'a retiré de ton Panthéon bleu !
Sire ! on t'a descendu de ta haute colonne !
Regarde. Des brigands, dont l'essaim tourbillonne,
D'affreux bohémiens, des vainqueurs de charnier

Te tiennent dans leurs mains et t'ont fait prisonnier.
A ton orteil d'airain leur patte infâme touche.
Ils t'ont pris. Tu mourus, comme un astre se couche,
Napoléon le Grand, empereur; tu renais
Bonaparte, écuyer du cirque Beauharnais.[6]
Te voilà dans leurs rangs, on t'a, l'on te harnache.
Ils t'appellent tout haut grand homme, entre eux, ganache.
Ils traînent, sur Paris qui les voit s'étaler,
Des sabres qu'au besoin ils sauraient avaler.
Aux passants attroupés devant leur habitacle,
Ils disent, entends-les:—Empire à grand spectacle!
Le pape est engagé dans la troupe; c'est bien,
Nous avons mieux; le czar en est; mais ce n'est rien,
Le czar n'est qu'un sergent, le pape n'est qu'un bonze.
Nous avons avec nous le bonhomme de bronze!
Nous sommes les neveux du grand Napoléon!—

L'horrible vision s'éteignit. L'empereur,
Désespéré, poussa dans l'ombre un cri d'horreur,
Baissant les yeux, dressant ses mains épouvantées.
Les Victoires de marbre à la porte sculptées,
Fantômes blancs debout hors du sépulcre obscur,
Se faisaient du doigt signe, et, s'appuyant au mur,
Écoutaient le titan pleurer dans les ténèbres.
Et lui, cria:—Démon aux visions funèbres,
Toi qui me suis partout, que jamais je ne vois,
Qui donc es-tu?—Je suis ton crime, dit la voix.—
La tombe alors s'emplit d'une lumière étrange
Semblable à la clarté de Dieu quand il se venge;
Pareils aux mots que vit resplendir Balthazar,[7]
Deux mots dans l'ombre écrits flamboyaient sur César;
Bonaparte, tremblant comme un enfant sans mère,
Leva sa face pâle et lut:—DIX-HUIT BRUMAIRE![8]

CHANSON

Nous nous promenions parmi les décombres,
    A Rozel-Tower,[9]
Et nous écoutions les paroles sombres
    Que disait la mer.

L'énorme Océan—car nous entendîmes
    Ses vagues chansons—
Disait, « Paraissez, vérités sublimes
    Et bleus horizons !

« Le monde captif, sans lois et sans règles,
    Est aux oppresseurs ;
Volez dans les cieux, ailes des grands aigles,
    Esprits des penseurs !

« Naissez, levez-vous sur les flots sonores,
    Sur les flots vermeils,
Faites dans la nuit poindre vos aurores,
    Peuples et soleils !

« Vous—laissez passer le foudre et la brume,
    Les vents et les cris,
Affrontez l'orage, affrontez l'écume,
    Rochers et proscrits ! »

LE MENDIANT

Un pauvre homme passait dans le givre et le vent,
Je cognai sur ma vitre ; il s'arrêta devant
Ma porte, que j'ouvris d'une façon civile.
Les ânes revenaient du marché de la ville,
Portant les paysans accroupis sur leurs bâts.
C'était le vieux qui vit dans une niche au bas
De la montée, et rêve, attendant, solitaire,

Un rayon du ciel triste, un liard de la terre,
Tendant les mains pour l'homme et les joignant pour Dieu.
Je lui criai :—Venez vous réchauffer un peu.
Comment vous nommez-vous ?—Il me dit :—Je me nomme
Le pauvre.—Je lui pris la main.—Entrez, brave homme.—
Et je lui fis donner une jatte de lait.
Le vieillard grelottait de froid ; il me parlait,
Et je lui répondais pensif et sans l'entendre.
—Vos habits sont mouillés, dis-je, il faut les étendre
Devant la cheminée.—Il s'approcha du feu.
Son manteau tout mangé des vers, et jadis bleu,
Étalé largement sur la chaude fournaise,
Piqué de mille trous par la lueur de braise,
Couvrait l'âtre, et semblait un ciel noir étoilé.
Et, pendant qu'il séchait ce haillon désolé
D'où ruisselaient la pluie et l'eau des fondrières,
Je songeais que cet homme était plein de prières.
Et je regardais, sourd à ce que nous disions,
Sa bure où je voyais des constellations.

ÉCLAIRCIE

L'océan resplendit[10] sous sa vaste nuée.
L'onde, de son combat sans fin exténuée,
S'assoupit, et, laissant l'écueil se reposer,
Fait de toute la rive un immense baiser.
On dirait qu'en tous lieux en même temps, la vie
Dissout le mal, le deuil, l'hiver, la nuit, l'envie,
Et que le mort couché dit au vivant debout :
Aime ! et qu'une âme obscure, épanouie en tout,
Avance doucement sa bouche vers nos lèvres.
L'être, éteignant dans l'ombre et l'extase ses fièvres,
Ouvrant ses flancs, ses seins, ses yeux, ses cœurs épars,
Dans ses pores profonds reçoit de toutes parts
La pénétration de la sève sacrée.
La grande paix d'en haut vient comme une marée.

Le brin d'herbe palpite aux fentes du pavé;
Et l'âme a chaud. On sent que le nid est couvé.
L'infini semble plein d'un frisson de feuillée.
On croit être à cette heure où la terre éveillée
Entend le bruit que fait l'ouverture du jour,
Le premier pas du vent, du travail, de l'amour,
De l'homme, et le verrou de la porte sonore,
Et le hennissement du blanc cheval aurore.
Le moineau d'un coup d'aile, ainsi qu'un fol esprit,
Vient taquiner le flot monstrueux qui sourit;
L'air joue avec la mouche, et l'écume avec l'aigle;
Le grave laboureur fait ses sillons et règle
La page où s'écrira le poème des blés;
Des pêcheurs sont là-bas sous un pampre attablés;
L'horizon semble un rêve éblouissant où nage
L'écaille de la mer, la plume du nuage,
Car l'océan est hydre et le nuage oiseau.
Une lueur, rayon vague, part du berceau
Qu'une femme balance au seuil d'une chaumière,
Dore les champs, les fleurs, l'onde, et devient lumière
En touchant un tombeau qui dort près du clocher.
Le jour plonge au plus noir du gouffre, et va chercher
L'ombre, et la baise au front sous l'eau sombre et hagarde.
Tout est doux, calme, heureux, apaisé; Dieu regarde.

BOOZ ENDORMI

Booz s'était couché de fatigue accablé;
Il avait tout le jour travaillé dans son aire,
Puis avait fait son lit à sa place ordinaire;
Booz dormait auprès des boisseaux pleins de blé.

Ce vieillard possédait des champs de blés et d'orge;
Il était, quoique riche, à la justice enclin;
Il n'avait pas de fange en l'eau de son moulin,
Il n'avait pas d'enfer dans le feu de sa forge.

Sa barbe était d'argent comme un ruisseau d'avril.
Sa gerbe n'était point avare ni haineuse ;
Quand il voyait passer quelque pauvre glaneuse :
—Laissez tomber exprès des épis, disait-il.

Cet homme marchait pur loin des sentiers obliques,
Vêtu de probité candide et de lin blanc ;
Et, toujours du côté des pauvres ruisselant,
Ses sacs de grains semblaient des fontaines publiques.

Booz était bon maître et fidèle parent ;
Il était généreux, quoiqu'il fût économe ;
Les femmes regardaient Booz plus qu'un jeune homme,
Car le jeune homme est beau, mais le vieillard est grand.

Le vieillard, qui revient vers la source première,
Entre aux jours éternels et sort des jours changeants ;
Et l'on voit de la flamme aux yeux des jeunes gens,
Mais dans l'œil du vieillard on voit de la lumière.

*

Donc, Booz dans la nuit dormait parmi les siens.
Près des meules, qu'on eût prises pour des décombres,
Les moissonneurs couchés faisaient des groupes sombres ;
Et ceci se passait dans des temps très anciens.

Les tribus d'Israël avaient pour chef un juge ;
La terre, où l'homme errait sous la tente, inquiet
Des empreintes de pieds de géant qu'il voyait,
Était encor mouillée et molle du déluge.

*

Comme dormait Jacob, comme dormait Judith,[11]
Booz, les yeux fermés, gisait sous la feuillée ;
Or, la porte du ciel s'étant entre-bâillée
Au-dessus de sa tête, un songe en descendit.

Et ce songe était tel, que Booz vit un chêne
Qui, sorti de son ventre, allait jusqu'au ciel bleu ;
Une race y montait comme une longue chaîne ;
Un roi chantait en bas, en haut mourait un dieu.[12]

Et Booz murmurait avec la voix de l'âme :
« Comment se pourrait-il que de moi ceci vînt ?
Le chiffre de mes ans a passé quatre-vingt,
Et je n'ai pas de fils, et je n'ai plus de femme.

« Voilà longtemps que celle avec qui j'ai dormi,
O Seigneur ! a quitté ma couche pour la vôtre ;
Et nous sommes encor tout mêlés l'un à l'autre,
Elle à demi vivante et moi mort à demi.

« Une race naîtrait de moi ! Comment le croire ?
Comment se pourrait-il que j'eusse des enfants ?
Quand on est jeune, on a des matins triomphants,
Le jour sort de la nuit comme d'une victoire ;

« Mais, vieux, on tremble ainsi qu'à l'hiver le bouleau ;
Je suis veuf, je suis seul, et sur moi le soir tombe,
Et je courbe, ô mon Dieu ! mon âme vers la tombe,
Comme un bœuf ayant soif penche son front vers l'eau. »

Ainsi parlait Booz dans le rêve et l'extase,
Tournant vers Dieu ses yeux par le sommeil noyés ;
Le cèdre ne sent pas une rose à sa base,
Et lui ne sentait pas une femme à ses pieds.

*

Pendant qu'il sommeillait, Ruth, une Moabite,
S'était couchée aux pieds de Booz, le sein nu,
Espérant on ne sait quel rayon inconnu,
Quand viendrait du réveil la lumière subite.

Booz ne savait point qu'une femme était là,
Et Ruth ne savait point ce que Dieu voulait d'elle.
Un frais parfum sortait des touffes d'asphodèle;
Les souffles de la nuit flottaient sur Galgala.[13]

L'ombre était nuptiale, auguste et solennelle;
Les anges y volaient sans doute obscurément,
Car on voyait passer dans la nuit, par moment,
Quelque chose de bleu qui paraissait une aile.

La respiration de Booz qui dormait,
Se mêlait au bruit sourd des ruisseaux sur la mousse.
On était dans le mois où la nature est douce,
Les collines ayant les lys sur leur sommet.

Ruth songeait et Booz dormait; l'herbe était noire;
Les grelots des troupeaux palpitaient vaguement;
Une immense bonté tombait du firmament;
C'était l'heure tranquille où les lions vont boire.

Tout reposait dans Ur et dans Jérimadeth;[14]
Les astres émaillaient le ciel profond et sombre;
Le croissant fin et clair parmi ces fleurs de l'ombre
Brillait à l'occident, et Ruth se demandait,

Immobile, ouvrant l'œil à moitié sous ses voiles,
Quel dieu, quel moissonneur de l'éternel été,
Avait, en s'en allant, négligemment jeté
Cette faucille d'or dans le champ des étoiles.

BIVAR

Bivar était, au fond d'un bois sombre, un manoir
Carré, flanqué de tours, fort vieux, et d'aspect noir.
La cour était petite et la porte était laide.
Quand le scheik Jabias, depuis roi de Tolède,
Vint visiter le Cid au retour de Cintra,
Dans l'étroit patio le prince maure entra;
Un homme, qui tenait à la main une étrille,
Pansait une jument attachée à la grille;
Cet homme, dont le scheik ne voyait que le dos,
Venait de déposer à terre des fardeaux,
Un sac d'avoine, une auge, un harnais, une selle;
La bannière arborée au donjon était celle
De don Diègue, ce père étant encor vivant;
L'homme, sans voir le scheik, frottant, brossant, lavant,
Travaillait, tête nue et bras nus, et sa veste
Était d'un cuir farouche, et d'une mode agreste;
Le scheik, sans ébaucher même un *buenos dias*,
Dit:—Manant, je viens voir le seigneur Ruy Diaz
Le grand campéador[15] des Castilles.—Et l'homme,
Se retournant, lui dit:—C'est moi.

                    —Quoi! vous qu'on nomme
Le héros, le vaillant, le seigneur des pavois,
S'écria Jabias, c'est vous qu'ainsi je vois!
Quoi! c'est vous qui n'avez qu'à vous mettre en campagne,
Et qu'à dire: Partons! pour donner à l'Espagne,
D'Avis à Gibraltar, d'Algarve à Cadafal,[16]
O grand Cid, le frisson du clairon triomphal,
Et pour faire accourir au-dessus de vos tentes,
Ailes au vent, l'essaim des victoires chantantes!
Lorsque je vous ai vu, seigneur, moi prisonnier,
Vous vainqueur, au palais du roi, l'été dernier,
Vous aviez l'air royal du conquérant de l'Èbre;
Vous teniez à la main la Tizona célèbre;[17]

Votre magnificence emplissait cette cour,
Comme il sied quand on est celui d'où vient le jour ;
Cid, vous étiez vraiment un Bivar très superbe ;
On eût dans un brasier cueilli des touffes d'herbe,
Seigneur, plus aisément, certes, qu'on n'eût trouvé
Quelqu'un qui devant vous prît le haut du pavé ;
Plus d'un richomme avait pour orgueil d'être membre
De votre servidumbre[18] et de votre antichambre ;
Le Cid dans sa grandeur allait, venait, parlait,
La faisant boire à tous, comme aux enfants le lait ;
D'altiers ducs, tous enflés de faste et de tempête,
Qui, depuis qu'ils avaient le chapeau sur la tête,
D'aucun homme vivant ne s'étaient souciés,
Se levaient, sans savoir pourquoi, quand vous passiez ;
Vous vous faisiez servir par tous les gentilshommes ;
Le Cid comme une altesse avait ses majordomes ;
Lerme était votre archer ; Gusman, votre frondeur ;
Vos habits étaient faits avec de la splendeur ;
Vous si bon, vous aviez la pompe de l'armure ;
Votre miel semblait or comme l'orange mûre ;
Sans cesse autour de vous vingt coureurs étaient prêts ;
Nul n'était au-dessus du Cid, et nul auprès ;
Personne, eût-il été de la royale estrade,
Prince, infant, n'eût osé vous dire : Camarade !
Vous éclatiez, avec des rayons jusqu'aux cieux,
Dans une préséance éblouissante aux yeux ;
Vous marchiez entouré d'un ordre de bataille ;
Aucun sommet n'était trop haut pour votre taille,
Et vous étiez un fils d'une telle fierté
Que les aigles volaient tous de votre côté.
Vous regardiez ainsi que néants et fumées
Tout ce qui n'était pas commandement d'armées,
Et vous ne consentiez qu'au nom de général ;
Cid était le baron suprême et magistral ;
Vous dominiez tout, grand, sans chef, sans joug, sans digue,
Absolu, lance au poing, panache au front.

Rodrigue

Répondit:—Je n'étais alors que chez le roi.

Et le scheik s'écria:—Mais, Cid, aujourd'hui, quoi,
Que s'est-il donc passé? quel est cet équipage?
J'arrive, et je vous trouve en veste, comme un page,
Dehors, bras nus, nu-tête, et si petit garçon
Que vous avez en main l'augé et le caveçon!
Et faisant ce qu'il sied aux écuyers de faire!

—Scheik, dit le Cid, je suis maintenant chez mon père.

LE CIMETIÈRE D'EYLAU

A mes frères aînés, écoliers éblouis,
Ce qui suit fut conté par mon oncle Louis,
Qui me disait à moi, de sa voix la plus tendre:
—Joue, enfant!—me jugeant trop petit pour comprendre.
J'écoutais cependant, et mon oncle disait:

—Une bataille, bah! savez-vous ce que c'est?
De la fumée. A l'aube on se lève, à la brune
On se couche; et je vais vous en raconter une.
Cette bataille-là se nomme Eylau; je crois
Que j'étais capitaine et que j'avais la croix;
Oui, j'étais capitaine. Après tout, à la guerre,
Un homme, c'est de l'ombre, et ça ne compte guère,
Et ce n'est pas de moi qu'il s'agit. Donc, Eylau
C'est un pays en Prusse; un bois, des champs, de l'eau,
De la glace, et partout l'hiver et la bruine.

Le régiment campa près d'un mur en ruine;
On voyait des tombeaux autour d'un vieux clocher.
Benigssen ne savait qu'une chose, approcher
Et fuir; mais l'empereur dédaignait ce manège.
Et les plaines étaient toutes blanches de neige.

Napoléon passa, sa lorgnette à la main.
Les grenadiers disaient : Ce sera pour demain.
Des vieillards, des enfants pieds nus, des femmes grosses
Se sauvaient ; je songeais ; je regardais les fosses.
Le soir on fit les feux, et le colonel vint ;
Il dit :—Hugo ?—Présent.—Combien d'hommes ?—Cent vingt.
—Bien. Prenez avec vous la compagnie entière,
Et faites-vous tuer.—Où ?—Dans le cimetière.
Et je lui répondis :—C'est en effet l'endroit.
J'avais ma gourde, il but et je bus ; un vent froid
Soufflait. Il dit :—La mort n'est pas loin. Capitaine,
J'aime la vie, et vivre est la chose certaine,
Mais rien ne sait mourir comme les bons vivants.
Moi, je donne mon cœur ; mais ma peau, je la vends.
Gloire aux belles ! Trinquons. Votre poste est le pire.—
Car notre colonel avait le mot pour rire.
Il reprit :—Enjambez le mur et le fossé,
Et restez là ; ce point est un peu menacé,
Ce cimetière étant la clef de la bataille.
Gardez-le.—Bien.—Ayez quelques bottes de paille.
—On n'en a point.—Dormez par terre.—On dormira.
—Votre tambour est-il brave ?—Comme Bara.[19]
—Bien. Qu'il batte la charge au hasard et dans l'ombre,
Il faut avoir le bruit quand on n'a pas le nombre.
Et je dis au gamin :—Entends-tu, gamin ?—Oui,
Mon capitaine, dit l'enfant, presque enfoui
Sous le givre et la neige, et riant.—La bataille,
Reprit le colonel, sera toute à mitraille ;
Moi, j'aime l'arme blanche, et je blâme l'abus
Qu'on fait des lâchetés féroces de l'obus ;
Le sabre est un vaillant, la bombe une traîtresse ;
Mais laissons l'empereur faire. Adieu, le temps presse.
Restez ici demain sans broncher. Au revoir.
Vous ne vous en irez qu'à six heures du soir.—
Le colonel partit. Je dis :—Par file à droite !

Et nous entrâmes tous dans une enceinte étroite;
De l'herbe, un mur autour, une église au milieu,
Et dans l'ombre, au-dessus des tombes, un bon Dieu.

Un cimetière sombre, avec de blanches lames.
Cela rappelle un peu la mer.[20] Nous crénelâmes
Le mur, et je donnai le mot d'ordre, et je fis
Installer l'ambulance au pied du crucifix.
—Soupons, dis-je, et dormons.—La neige cachait l'herbe;
Nos capotes étaient en loques; c'est superbe,
Si l'on veut, mais c'est dur quand le temps est mauvais.
Je pris pour oreiller une fosse; j'avais
Les pieds transis, ayant des bottes sans semelle;
Et bientôt, capitaine et soldats pêle-mêle,
Nous ne bougeâmes plus, endormis sur les morts.
Cela dort, les soldats; cela n'a ni remords,
Ni crainte, ni pitié, n'étant pas responsable;
Et, glacé par la neige ou brûlé par le sable,
Cela dort; et d'ailleurs, se battre rend joyeux.
Je leur criai: Bonsoir! et je fermai les yeux;
A la guerre on n'a pas le temps des pantomimes.
Le ciel était maussade, il neigeait, nous dormîmes.
Nous avions ramassé des outils de labour,
Et nous en avions fait un grand feu. Mon tambour
L'attisa, puis s'en vint près de moi faire un somme.
C'était un grand soldat, fils, que ce petit homme.
Le crucifix resta debout, comme un gibet.
Bref le feu s'éteignit; et la neige tombait.
Combien fut-on de temps à dormir de la sorte?
Je veux, si je le sais, que le diable m'emporte!
Nous dormions bien. Dormir, c'est essayer la mort.
A la guerre c'est bon. J'eus froid, très froid d'abord;
Puis je rêvai; je vis en rêve des squelettes
Et des spectres, avec de grosses épaulettes;
Par degrés, lentement, sans quitter mon chevet,
J'eus la sensation que le jour se levait,

Mes paupières sentaient de la clarté dans l'ombre;
Tout à coup, à travers mon sommeil, un bruit sombre
Me secoua, c'était au canon ressemblant;
Je m'éveillai; j'avais quelque chose de blanc
Sur les yeux; doucement, sans choc, sans violence,
La neige nous avait tous couverts en silence
D'un suaire, et j'y fis en me dressant un trou;
Un boulet, qui nous vint je ne sais trop par où,
M'éveilla tout à fait; je lui dis: Passe au large!
Et je criai:—Tambour, debout! et bats la charge!

Cent vingt têtes alors, ainsi qu'un archipel,
Sortirent de la neige; un sergent fit l'appel,
Et l'aube se montra, rouge, joyeuse et lente;
On eût cru voir sourire une bouche sanglante.
Je me mis à penser à ma mère; le vent
Semblait me parler bas; à la guerre souvent
Dans le lever du jour c'est la mort qui se lève.
Je songeais. Tout d'abord nous eûmes une trêve;
Les deux coups de canon n'étaient rien qu'un signal,
La musique parfois s'envole avant le bal
Et fait danser en l'air une ou deux notes vaines.
La nuit avait figé notre sang dans nos veines,
Mais sentir le combat venir nous réchauffait.
L'armée allait sur nous s'appuyer en effet;
Nous étions les gardiens du centre, et la poignée
D'hommes sur qui la bombe, ainsi qu'une cognée,
Va s'acharner; et j'eusse aimé mieux être ailleurs.
Je mis mes gens le long du mur; en tirailleurs.
Et chacun se berçait de la chance peu sûre
D'un bon grade à travers une bonne blessure;
A la guerre on se fait tuer pour réussir.
Mon lieutenant, garçon qui sortait de Saint-Cyr,
Me cria:—Le matin est une aimable chose;
Quel rayon de soleil charmant! La neige est rose!
Capitaine, tout brille et rit! Quel frais azur!

Comme ce paysage est blanc, paisible et pur !
—Cela va devenir terrible, répondis-je.
Et je songeais au Rhin, aux Alpes, à l'Adige,
A tous nos fiers combats sinistres d'autrefois.

Brusquement la bataille éclata. Six cents voix
Énormes, se jetant la flamme à pleines bouches,
S'insultèrent du haut des collines farouches,
Toute la plaine fut un abîme fumant,
Et mon tambour battait la charge éperdument.
Aux canons se mêlait une fanfare altière,
Et les bombes pleuvaient sur notre cimetière,
Comme si l'on cherchait à tuer les tombeaux ;
On voyait du clocher s'envoler les corbeaux ;
Je me souviens qu'un coup d'obus troua la terre,
Et le mort apparut stupéfait dans sa bière,
Comme si le tapage humain le réveillait.
Puis un brouillard cacha le soleil. Le boulet
Et la bombe faisaient un bruit épouvantable.
Berthier, prince d'empire et vice-connétable,
Chargea sur notre droite un corps hanovrien
Avec trente escadrons, et l'on ne vit plus rien
Qu'une brume sans fond, de bombes étoilées ;
Tant toute la bataille et toute la mêlée
Avaient dans le brouillard tragique disparu.
Un nuage tombé par terre, horrible, accru
Par des vomissements immenses de fumées,
Enfants, c'est là-dessous qu'étaient les deux armées ;
La neige en cette nuit flottait comme un duvet,
Et l'on s'exterminait, ma foi, comme on pouvait.
On faisait de son mieux. Pensif, dans les décombres,
Je voyais mes soldats rôder comme des ombres,
Spectres, le long du mur rangés en espalier ;
Et ce champ me faisait un effet singulier,
Des cadavres dessous et dessus des fantômes.
Quelques hameaux flambaient ; au loin brûlaient des chaumes.

Puis la brume où du Harz[21] on entendait le cor
Trouva moyen de croître et d'épaissir encor,
Et nous ne vîmes plus que notre cimetière ;
A midi nous avions notre mur pour frontière.
Comme par une main noire, dans de la nuit,
Nous nous sentîmes prendre, et tout s'évanouit.
Notre église semblait un rocher dans l'écume.
La mitraille voyait fort clair dans cette brume,
Nous tenait compagnie, écrasait le chevet
De l'église, et la croix de pierre, et nous prouvait
Que nous n'étions pas seuls dans cette plaine obscure.
Nous avions faim, mais pas de soupe ; on se procure
Avec peine à manger dans un tel lieu. Voilà
Que la grêle de feu tout à coup redoubla.
La mitraille, c'est fort gênant ; c'est de la pluie ;
Seulement ce qui tombe et ce qui vous ennuie,
Ce sont des grains de flamme et non des gouttes d'eau.
Des gens à qui l'on met sur les yeux un bandeau,
C'était nous. Tout croulait sous les obus, le cloître,
L'église et le clocher, et je voyais décroître
Les ombres que j'avais autour de moi debout ;
Une de temps en temps tombait.—On meurt beaucoup,
Dit un sergent pensif comme un loup dans un piège ;
Puis il reprit, montrant les fosses sous la neige :
—Pourquoi nous donne-t-on ce champ déjà meublé ?—
Nous luttions. C'est le sort des hommes et du blé
D'être fauchés sans voir la faulx. Un petit nombre
De fantômes rôdaient encor dans la pénombre ;
Mon gamin de tambour continuait son bruit ;
Nous tirions par-dessus le mur presque détruit.
Mes enfants, vous avez un jardin ; la mitraille
Était sur nous, gardiens de cette âpre muraille,
Comme vous sur les fleurs avec votre arrosoir.
« Vous ne vous en irez qu'à six heures du soir. »
Je songeais, méditant tout bas cette consigne.
Des jets d'éclair mêlés à des plumes de cygne,

Des flammèches rayant dans l'ombre les flocons,
C'est tout ce que nos yeux pouvaient voir.—Attaquons!
Me dit le sergent.—Qui? dis-je, on ne voit personne.
—Mais on entend. Les voix parlent; le clairon sonne,
Partons, sortons; la mort crache sur nous ici;
Nous sommes sous la bombe et l'obus.—Restons-y.
J'ajoutai:—C'est sur nous que tombe la bataille.
Nous sommes le pivot de l'action.—Je bâille,
Dit le sergent.—Le ciel, les champs, tout était noir;
Mais quoiqu'en pleine nuit, nous étions loin du soir,
Et je me répétais tout bas: Jusqu'à six heures.
—Morbleu! nous aurons peu d'occasions meilleures
Pour avancer! me dit mon lieutenant. Sur quoi,
Un boulet l'emporta. Je n'avais guère foi
Au succès; la victoire au fond n'est qu'une garce.
Une blême lueur, dans le brouillard éparse,
Éclairait vaguement le cimetière. Au loin
Rien de distinct, sinon que l'on avait besoin
De nous pour recevoir sur nos têtes les bombes.
L'empereur nous avait mis là, parmi ces tombes;
Mais, seuls, criblés d'obus et rendant coups pour coups,
Nous ne devinions pas ce qu'il faisait de nous.
Nous étions, au milieu de ce combat, la cible.
Tenir bon, et durer le plus longtemps possible,
Tâcher de n'être morts qu'à six heures du soir,
En attendant, tuer, c'était notre devoir.
Nous tirions au hasard, noirs de poudre, farouches;
Ne prenant que le temps de mordre les cartouches,
Nos soldats combattaient et tombaient sans parler.
—Sergent, dis-je, voit-on l'ennemi reculer?
—Non.—Que voyez-vous?—Rien.—Ni moi.—C'est le déluge,
Mais en feu.—Voyez-vous nos gens?—Non. Si j'en juge
Par le nombre de coups qu'à présent nous tirons,
Nous sommes bien quarante.—Un grognard à chevrons,
Qui tiraillait pas loin de moi, dit:—On est trente.
Tout était neige et nuit; la bise pénétrante

Soufflait, et, grelottants, nous regardions pleuvoir
Un gouffre de points blancs dans un abîme noir.
La bataille pourtant semblait devenir pire.
C'est qu'un royaume était mangé par un empire!
On devinait derrière un voile un choc affreux;
On eût dit des lions se dévorant entre eux;
C'était comme un combat des géants de la fable;
On entendait le bruit des décharges, semblable
A des écroulements énormes; les faubourgs
De la ville d'Eylau prenaient feu; les tambours
Redoublaient leur musique horrible, et sous la nue
Six cents canons faisaient la basse continue;
On se massacrait; rien ne semblait décidé;
La France jouait là son plus grand coup de dé;
Le bon Dieu de là-haut était-il pour ou contre?
Quelle ombre! et je tirais de temps en temps ma montre.
Par intervalle un cri troublait ce champ muet,
Et l'on voyait un corps gisant qui remuait.
Nous étions fusillés l'un après l'autre, un râle
Immense remplissait cette ombre sépulcrale.
Les rois ont les soldats comme vous vos jouets.
Je levais mon épée, et je la secouais
Au-dessus de ma tête, et je criais: Courage!
J'étais sourd et j'étais ivre, tant avec rage
Les coups de foudre étaient par d'autres coups suivis;
Soudain mon bras pendit, mon bras droit, et je vis
Mon épée à mes pieds, qui m'était échappée;
J'avais un bras cassé; je ramassai l'épée
Avec l'autre, et la pris dans ma main gauche:—Amis!
Se faire aussi casser le bras gauche est permis!
Criai-je, et je me mis à rire, chose utile,
Car le soldat n'est point content qu'on le mutile,
Et voir le chef un peu blessé ne déplaît point.
Mais quelle heure était-il? Je n'avais plus qu'un poing
Et j'en avais besoin pour lever mon épée;
Mon autre main battait mon flanc, de sang trempée,

Et je ne pouvais plus tirer ma montre. Enfin
Mon tambour s'arrêta:—Drôle, as-tu peur?—J'ai faim,
Me répondit l'enfant. En ce moment la plaine
Eut comme une secousse, et fut brusquement pleine
D'un cri qui jusqu'au ciel sinistre s'éleva.
Je me sentais faiblir; tout un homme s'en va
Par une plaie; un bras cassé, cela ruisselle;
Causer avec quelqu'un soutient quand on chancelle;
Mon sergent me parla; je dis au hasard: Oui,
Car je ne voulais pas tomber évanoui.
Soudain le feu cessa, la nuit sembla moins noire.
Et l'on criait: Victoire! et je criai: Victoire!
J'aperçus des clartés qui s'approchaient de nous.
Sanglant, sur une main et sur les deux genoux
Je me traînai; je dis:—Voyons où nous en sommes.
J'ajoutai:—Debout, tous! Et je comptai mes hommes.
—Présent! dit le sergent.—Présent! dit le gamin.
Je vis mon colonel venir, l'épée en main.
—Par qui donc la bataille a-t-elle été gagnée?
—Par vous, dit-il.—La neige étant de sang baignée,
Il reprit:—C'est bien vous, Hugo? c'est votre voix?
—Oui.—Combien de vivants êtes-vous ici?—Trois.[22]

SAISON DES SEMAILLES

Le Soir

C'est le moment crépusculaire.
J'admire, assis sous un portail,
Ce reste de jour dont s'éclaire
La dernière heure du travail.

Dans les terres, de nuit baignées,
Je contemple, ému, les haillons
D'un vieillard qui jette à poignées
La moisson future aux sillons.

Sa haute silhouette noire
Domine les profonds labours.
On sent à quel point il doit croire
A la fuite utile des jours.

Il marche dans la plaine immense,
Va, vient, lance la graine au loin,
Rouvre sa main, et recommence,
Et je médite, obscur témoin,

Pendant que, déployant ses voiles,
L'ombre, où se mêle une rumeur,
Semble élargir jusqu'aux étoiles
Le geste auguste du semeur.

THÉOPHILE GAUTIER

1811–1872

> Trois choses me plaisent: l'or, le marbre et
> la pourpre: éclat, solidité, couleur.
> *Mademoiselle de Maupin*

"Gold, marble, and purple," these are his three loves. Before 1850 Gautier had worked in gold and purple. It is only in later years that he turns to the plastic beauty of Paros and Carrara marble—*gardiens du contour pur.* Before 1850 his prose was already marked by the intensity of effects and the brilliant colors of his later work. He had painted the sunlight of Spain and the purple shadows of the Sierra Nevada in a marvelous group of poems called *España.* Zurbarán of Seville, Ribera, bull rings, damascene daggers, and the Escorial had all left their mark upon his artistic soul. He was frankly a romantic in those days. He had put on a red waistcoat and green trousers for the first night of *Hernani,* and had created a stir among the bourgeois, for whom he had the utmost scorn. He had remained faithful to the cult of the Middle Ages and to *sensibilité* in the days when fantastic and sensual Byrons and Goethes were the fashion. He had published a novel, *Mademoiselle de Maupin*—a hymn in praise of Beauty, Baudelaire called it—and had also begun his slavish trade as journalist, writing both art and dramatic criticism.

By 1852 Gautier was, in spite of his exacting journalistic labors, at the height of his power, a man in his forties, of great physical strength, given to bodily exercise, and an indefatigable worker—a sort of tranquil Titan the Goncourt brothers once described him. That year he published a volume called *Émaux et camées,* poems of elaborately delicate craftsmanship, made with a perfect sense for style and form. This slender volume of verse marks more firmly than any other the transition in French poetry from the subjective and personal romanticism of the 1830s to a more objective and impassive manner. Essentially an artist, æsthetically resenting the utilitarianism of the bourgeois mind and the mediocre tastes of the public, Gautier was absorbed in his love of beauty and devoted his life to the reproduction of art for art's sake. Art is not to be an imitation or interpretation of life, but something different from life. It is the poet's business to open for us gates leading into new realms and to take us, by means of his imagination, into the domain of Beauty.

What had the poets of the '30s to tell us? Lamartine called his first poems *Méditations*—a volume of "moods"; he is an improviser of songs; he writes only when the *mood* is upon him. Musset had merely one string to his lyre. When he tramped the bridle-paths through the woods of Fontainebleau, or when Lamartine revisited a lake in Savoy, they saw in the familiar landscapes only memories of dear, departed ladies. These poets related almost shamelessly their emotional experiences. But the "enamels and cameos" of Gautier show him indifferent to such sentimental revelations. He is merely intent upon describing objectively the beauties of reality. His emotional self may appear, though subdued in tone. It is the external world, colorful and plastic, which becomes the focus of his poetry, and the wings of his imagination will bear us away from our own petty selves into kingdoms of beauty, just as his swallows, fluttering about the drab and dripping chimney pots of a Paris autumn, dream of the blue sea at Malta and the minarets of Cairo. Poetry must be clothed with beauty, and this is the artist's task.

How can the poet attain this realization of beauty? For the answer we turn to Gautier's credo, the wonderfully wrought *Art*. The poet is to be a careful craftsman, a man given to hard study, for only by this means will "sturdy art survive" and "the bust outlive the citadel." Stern labor; attention to perfection of form; an attempt to reproduce color and light and plasticity, to imitate the work of the enameler or the jeweler,—such is Gautier's poetic ideal. There is danger of artificiality in such a creed, but his cult for beauty marks the end of romanticism and prepares the way for the sterner objectivity of Leconte de Lisle and the Parnassians.

ÉMAUX ET CAMÉES

SYMPHONIE EN BLANC MAJEUR

De leur col blanc courbant les lignes,
On voit dans les contes du Nord,
Sur le vieux Rhin, des femmes-cygnes[1]
Nager en chantant près du bord.

Ou, suspendant à quelque branche
Le plumage qui les revêt,
Faire luire leur peau plus blanche
Que la neige de leur duvet.

De ces femmes il en est une,
Qui chez nous descend quelquefois,
Blanche comme le clair de lune
Sur les glaciers dans les cieux froids;

Conviant la vue enivrée
De sa boréale fraîcheur
A des régals de chair nacrée,
A des débauches de blancheur!

Son sein, neige moulée en globe,
Contre les camélias blancs
Et le blanc satin de sa robe
Soutient des combats insolents.

Dans ces grandes batailles blanches,
Satins et fleurs ont le dessous,
Et, sans demander leurs revanches,
Jaunissent comme des jaloux.

Sur les blancheurs de son épaule,
Paros au grain éblouissant,[2]
Comme dans une nuit du pôle,
Un givre invisible descend.

De quel mica de neige vierge,
De quelle moelle de roseau,
De quelle hostie et de quel cierge
A-t-on fait le blanc de sa peau?

A-t-on pris la goutte lactée
Tachant l'azur du ciel d'hiver,
Le lis à la pulpe argentée,
La blanche écume de la mer ;

Le marbre blanc, chair froide et pâle,
Où vivent les divinités ;
L'argent mat, la laiteuse opale
Qu'irisent de vagues clartés ;

L'ivoire, où ses mains ont des ailes,
Et, comme des papillons blancs,
Sur la pointe des notes frêles
Suspendent leurs baisers tremblants ;

L'hermine vierge de souillure,
Qui, pour abriter leurs frissons,
Ouate de sa blanche fourrure
Les épaules et les blasons ;

Le vif-argent aux fleurs fantasques
Dont les vitraux sont ramagés ;
Les blanches dentelles des vasques,
Pleurs de l'ondine en l'air figés ;

L'aubépine de mai qui plie
Sous les blancs frimas de ses fleurs ;
L'albâtre où la mélancolie
Aime à retrouver ses pâleurs ;

Le duvet blanc de la colombe,
Neigeant sur les toits du manoir,
Et la stalactite qui tombe,
Larme blanche de l'antre noir ?

Des Groenlands et des Norvéges
Vient-elle avec Séraphita?[3]
Est-ce la Madone des neiges,
Un sphinx blanc que l'hiver sculpta,

Sphinx enterré par l'avalanche,
Gardien des glaciers étoilés,
Et qui, sous sa poitrine blanche,
Cache de blancs secrets gelés?

Sous la glace où calme il repose,
Oh! qui pourra fondre ce cœur!
Oh! qui pourra mettre un ton rose
Dans cette implacable blancheur!

L'AVEUGLE

Un aveugle au coin d'une borne,
Hagard comme au jour un hibou,
Sur son flageolet, d'un air morne,
Tâtonne en se trompant de trou,

Et joue un ancien vaudeville
Qu'il fausse imperturbablement;
Son chien le conduit par la ville,
Spectre diurne à l'œil dormant.

Les jours sur lui passent sans luire;
Sombre, il entend le monde obscur
Et la vie invisible bruire
Comme un torrent derrière un mur!

Dieu sait quelles chimères noires
Hantent cet opaque cerveau!
Et quels illisibles grimoires
L'idée écrit en ce caveau!

Ainsi dans les puits de Venise,
Un prisonnier à demi fou,
Pendant sa nuit qui s'éternise,
Grave des mots avec un clou.

Mais peut-être aux heures funèbres,
Quand la mort souffle le flambeau,
L'âme habituée aux ténèbres
Y verra clair dans le tombeau !

CE QUE DISENT LES HIRONDELLES

Chanson d'Automne

Déjà plus d'une feuille sèche
Parsème les gazons jaunis ;
Soir et matin, la brise est fraîche,
Hélas ! les beaux jours sont finis !

On voit s'ouvrir les fleurs que garde
Le jardin, pour dernier trésor :
Le dahlia met sa cocarde
Et le souci sa toque d'or.

La pluie au bassin fait des bulles ;
Les hirondelles sur le toit
Tiennent des conciliabules :
Voici l'hiver, voici le froid !

Elles s'assemblent par centaines,
Se concertant pour le départ.
L'une dit : « Oh ! que dans Athènes
Il fait bon sur le vieux rempart !

« Tous les ans j'y vais et je niche
Aux métopes du Parthénon.[4]
Mon nid bouche dans la corniche
Le trou d'un boulet de canon. »

L'autre : « J'ai ma petite chambre
A Smyrne, au plafond d'un café.
Les Hadjis[5] comptent leurs grains d'ambre
Sur le seuil, d'un rayon chauffé.

« J'entre et je sors, accoutumée
Aux blondes vapeurs des chibouchs,
Et parmi des flots de fumée
Je rase turbans et tarbouchs. »[6]

Celle-ci : « J'habite un triglyphe[7]
Au fronton d'un temple, à Balbeck.[8]
Je m'y suspends avec ma griffe
Sur mes petits au large bec. »

Celle-là : « Voici mon adresse :
Rhodes, palais des chevaliers ;[9]
Chaque hiver, ma tente s'y dresse
Au chapiteau des noirs piliers. »

La cinquième : « Je ferai halte,
Car l'âge m'alourdit un peu,
Aux blanches terrasses de Malte,
Entre l'eau bleue et le ciel bleu. »

La sixième : « Qu'on est à l'aise
Au Caire, en haut des minarets !
J'empâte un ornement de glaise,
Et mes quartiers d'hiver sont prêts. »

« A la seconde cataracte,
Fait la dernière, j'ai mon nid ;
J'en ai noté la place exacte,
Dans le pschent[10] d'un roi de granit. »

Toutes : « Demain combien de lieues
Auront filé sous notre essaim,
Plaines brunes, pics blancs, mers bleues
Brodant d'écume leur bassin ! »

Avec cris et battements d'ailes,
Sur la moulure aux bords étroits,
Ainsi jasent les hirondelles,
Voyant venir la rouille aux bois.

Je comprends tout ce qu'elles disent,
Car le poète est un oiseau ;
Mais, captif, ses élans se brisent
Contre un invisible réseau !

Des ailes ! des ailes ! des ailes !
Comme dans le chant de Rückert,[11]
Pour voler, là-bas avec elles
Au soleil d'or, au printemps vert !

L'ART

Oui, l'œuvre sort plus belle
D'une forme au travail
    Rebelle,
Vers, marbre, onyx, émail.

Point de contraintes fausses !
Mais que pour marcher droit
    Tu chausses,
Muse, un cothurne étroit.

Fi du rhythme commode,
Comme un soulier trop grand,
    Du mode
Que tout pied quitte et prend !

Statuaire, repousse
L'argile que pétrit
   Le pouce
Quand flotte ailleurs l'esprit ;

Lutte avec le carrare,
Avec le paros dur
   Et rare,[12]
Gardiens du contour pur ;

Emprunte à Syracuse
Son bronze où fermement
   S'accuse
Le trait fier et charmant ;

D'une main délicate
Poursuis dans un filon
   D'agate
Le profil d'Apollon.

Peintre, fuis l'aquarelle,
Et fixe la couleur
   Trop frêle
Au four de l'émailleur.

Fais les sirènes bleues,
Tordant de cent façons
   Leurs queues,
Les monstres des blasons ;

Dans son nimbe trilobe
La Vierge et son Jésus,
   Le globe
Avec la croix dessus.

Tout passe.—L'art robuste
Seul a l'éternité.
Le buste
Survit à la cité.

Et la médaille austère
Que trouve un laboureur
Sous terre
Révèle un empereur.

Les dieux eux-mêmes meurent.
Mais les vers souverains
Demeurent
Plus forts que les airains.

Sculpte, lime, cisèle ;
Que ton rêve flottant
Se scelle
Dans le bloc résistant !

VASSILI–BLAJENNOI DE MOSCOU

Moscou s'est formé par zones concentriques ; l'extérieure est
la plus moderne et la moins intéressante. Le Kremlin,[13] qui
était autrefois toute la ville, en présente le cœur et la moelle.

Au-dessus de maisons qui ne différaient pas beaucoup de
celles de Saint-Pétersbourg, s'arrondissaient parfois des coupoles
d'azur étoilées d'or, ou des clochers bulbeux revêtus d'étain ;
une église d'architecture rococo dressait sa façade coloriée d'un
rouge vif et bizarrement rehaussée de neige à toutes les saillies ;
d'autres fois l'œil était surpris par une chapelle peinte en bleu
Marie-Louise,[14] que l'hiver avait, çà et là, glacé d'argent. La
question de l'architecture polychrome, si vivement débattue
encore parmi nous, est depuis longtemps tranchée en Russie ;
on y dore, on y argente, on y peint de toutes couleurs les édifices
sans le moindre souci du bon goût et de la sobriété, comme

l'entendent les pseudo-classiques, car il est certain que les Grecs donnaient des teintes variées à leurs monuments et même à leurs statues. Rien de plus amusant que cette riche palette appliquée à l'architecture condamnée dans l'Occident aux gris blafards, aux jaunes neutres et aux blancs sales.

Comme on ne peut pas observer à son aise les détails d'une ville, emporté par un traîneau qui file comme l'éclair, au risque de passer pour un seigneur médiocre et de nous attirer le mépris des moujiks,[15] nous résolûmes de faire notre première excursion à pied, chaussé de fortes galoches fourrées destinées à séparer la semelle de nos bottes du trottoir glacial, et bientôt nous arrivâmes au Kitaï-Gorod, qui est le quartier des affaires, sur la Krasnaïa, la place rouge ou plutôt la belle place, car en russe les mots rouge et beau sont synonymes. Un des côtés de cette place est occupé par la longue façade du Gostinoi Dvor, immense bazar coupé de rues vitrées comme nos passages, et qui ne contient pas moins de six mille boutiques. Le mur d'enceinte du Kremlin ou Kreml s'élève à l'autre bout avec ses portes percées dans des tours à toits aigus et laissant voir par-dessus ses créneaux les coupoles, les clochers et les flèches des églises ou couvents qu'il renferme. A l'autre coin, étrange comme l'architecture du rêve, se dresse chimériquement l'impossible église de Vassili-Blajennoi, qui fait douter la raison du témoignage des yeux. On la voit avec toute l'apparence de la réalité, et l'on se demande si ce n'est pas un mirage fantastique, un édifice de nuées bizarrement coloré par le soleil et que le tremblement de l'air va déformer ou évanouir. C'est sans aucun doute le monument le plus original du monde, il ne rappelle rien de ce qu'on a vu et ne se rattache à aucun style : on dirait un gigantesque madrépore, une cristallisation colossale, une grotte à stalactites retournée. Mais ne cherchons pas de comparaisons pour donner l'idée d'une chose qui n'a ni prototype, ni similaire. Essayons plutôt de décrire Vassili-Blajennoi, si toutefois il existe un vocabulaire pour parler de ce qui n'a pas été prévu.

Il y a sur Vassili-Blajennoi une légende qui probablement n'est pas vraie, mais qui n'en exprime pas moins avec force et poésie le sentiment de stupeur admirative que dut produire, à l'époque demi-barbare où il s'éleva, cet édifice si singulier, si en dehors de toutes les traditions architecturales. Ivan le Terrible fit bâtir cette cathédrale en actions de grâces de la prise de Kazan,[16] et lorsqu'elle fut achevée il la trouva tellement belle, admirable et surprenante, qu'il ordonna de crever les yeux à l'architecte—un Italien, dit-on—pour que désormais il ne pût en édifier ailleurs de pareilles. Selon une autre version de la même légende, le tsar demanda à l'auteur de l'église s'il ne pourrait pas en élever une plus belle encore, et sur sa réponse affirmative il lui fit couper la tête pour que Vassili-Blajennoi restât un monument sans rival.[17] On ne saurait imaginer une cruauté plus flatteuse dans sa jalousie, et cet Ivan le Terrible était au fond un vrai artiste, un dilettante passionné. Cette férocité, en matière d'art, nous déplaît moins que l'indifférence. Toujours est-il que Vassili-Blajennoi n'a été tiré qu'à une épreuve.

Figurez-vous, sur une espèce de plate-forme qu'isolent des terrains en contre-bas, le plus bizarre, le plus incohérent, le plus prodigieux entassement de cabines, de logettes, d'escaliers projetés en dehors, de galeries à arcades, de retraits et de saillies inattendus, de porches sans symétrie, de chapelles juxtaposées, de fenêtres percées comme au hasard, de formes indescriptibles, relief des dispositions intérieures, comme si l'architecte, assis au centre de son œuvre, avait fait un édifice au *repoussé*.[18] Du toit de cette église, qu'on pourrait prendre pour une pagode indoue, chinoise ou thibétaine, jaillit une forêt de clochers du goût le plus étrange et d'une fantaisie dont rien n'approche. Celui du milieu, le plus élevé et le plus massif, présente trois ou quatre étages jusqu'à la base de sa flèche. Ce sont d'abord des colonnettes et des bandeaux denticulés, puis des pilastres encadrant de longues fenêtres à meneaux, ensuite un papelonnage d'arcatures superposées, et sur les côtes de la flèche des crosses verruqueuses dentelant chaque arête, le tout terminé par un lanternon que surmonte une bulbe d'or renversée portant la croix russe sur sa pointe. Les autres, de moindre dimension et de moindre hauteur, affectent des formes de minaret et leurs tourelles fantasquement ouvragées se terminent par les renflements bizarres de leurs coupoles à formes d'oignons. Les unes sont martelées à facettes, les autres côtelées, celles-ci taillées en pointe de diamant comme des ananas, celles-là rayées de stries en spirales, d'autres enfin imbriquées d'écailles, losangées, gaufrées en gâteau d'abeille, et toutes dressent à leur sommet la croix ornée de boules d'or.

Ce qui ajoute encore à l'effet fantastique de Vassili-Blajennoi, c'est qu'il est colorié de la base au faîte des tons les plus disparates qui cependant produisent un ensemble harmonieux et charmant pour l'œil. Le rouge, le bleu, le vert-pomme, le jaune y accusent tous les membres de l'architecture. Les colonnettes, les chapiteaux, les arcatures, les ornements sont peints de nuances diverses qui leur prêtent un puissant relief. Aux rares espaces planes on a simulé des divisions, des panneaux encadrant des pots de fleurs, des rosaces, des entrelacs, des chimères. L'enluminage a historié les dômes de clochetons de dessins pareils aux ramages des châles de l'Inde, et, ainsi posés sur le toit de l'église, ils ressemblent à des kiosques de sultans.

Pour que rien ne manquât à la magie du spectacle, des parcelles de neige, retenues par les saillies des toits, des frises et des ornements, semaient de paillettes d'argent la robe diaprée de Vassili-Blajennoi et piquaient de mille points étincelants cette décoration merveilleuse.

Remettant à plus tard notre visite au Kremlin, nous entrâmes tout de suite dans l'église de Vassili-Blajennoi, dont la bizarrerie excitait au plus haut point notre curiosité, pour voir si le dedans tenait les promesses du dehors. Le même génie fantasque avait présidé à la distribution et à l'ornementation intérieures. Une première chapelle basse, où tremblotaient quelques lampes, ressemblait à une caverne d'or; des luisants soudains y jetaient leurs éclairs parmi les ombres fauves et découpaient comme des fantômes les raides images des saints grecs. Les mosaïques de saint Marc à Venise peuvent donner une idée approximative de cet effet d'une étonnante richesse. Au fond, l'iconostase se dressait comme une muraille d'or et de pierreries entre les fidèles et les arcanes du sanctuaire, dans une demi-obscurité traversée de rayons. Vassili-Blajennoï n'offre pas comme les autres églises un vaisseau unique composé de plusieurs nefs communiquant entre elles et se coupant à certains points d'intersection d'après les lois du rite suivi dans le temple. Il est formé d'un faisceau d'églises ou de chapelles juxtaposées et indépendantes les unes des autres. Chaque clocher en contient une qui s'arrange comme elle peut dans ce moule. La voûte est la gaîne même de la flèche ou la bulbe de la coupole. On se croirait sous le casque démesuré de quelque géant circassien ou tartare. Ces calottes sont du reste merveilleusement peintes et dorées à l'intérieur. Il en est de même des murailles recouvertes de ces figures d'une barbarie hiératique voulue, dont les moines grecs du mont Athos[19] ont conservé le patron de siècle en siècle et qui, en Russie, trompent plus d'une fois l'observateur inattentif sur l'âge d'un monument. C'est une sensation étrange que de se trouver dans ces mystérieux sanctuaires où les personnages connus du culte catholique, se mêlant aux saints particuliers du calendrier grec, semblent avec leur tournure archaïque, byzantine et contrainte, traduits gauchement dans l'or par la dévotion enfantine de quelque peuplade primitive. Ces images à l'air d'idoles qui vous regardent à travers les découpures de vermeil des iconostases ou s'allongent symétriquement sur les parois dorées, ouvrant leurs grands yeux fixes, ouvrant leur main brune aux doigts repliés d'une façon diabolique, produisent par leur aspect farouche, extra-humain, immuablement traditionnel, une impression religieuse que n'obtiendraient pas les œuvres d'un art plus avancé. Ces figures, dans le miroitement de l'or, sous les clartés vacillantes des lampes, prennent aisément une vie fantasmatique capable de frapper les imaginations naïves et d'inspirer, quand le jour baisse, une certaine horreur sacrée.

D'étroits corridors, des galeries aux arcades basses dont chaque coude touche les murs et qui vous forcent à baisser la tête, circulent autour de ces chapelles et permettent d'aller de l'une à l'autre. Rien de plus fantasque que ces passages; l'architecte semble avoir pris plaisir à brouiller leur écheveau. Vous montez, vous descendez, vous sortez de l'édifice, vous y rentrez, contournant sur une corniche la rondeur d'un clocher, marchant dans l'épaisseur d'un mur par des tortuosités semblables aux tubes capillaires des madrépores ou aux chemins que les scotines[20] tracent sous l'écorce du bois. Après tant de toùrs et de détours la tête vous tourne, le vertige vous prend et l'on se croirait le mollusque d'un coquillage immense. Nous ne parlons pas des recoins mystérieux, des cæcums inexpliqués, des portes basses conduisant on ne sait où, des escaliers obscurs descendant vers les profondeurs, nous n'en finirions jamais sur cette architecture où l'on semble marcher dans un rêve.

GUSTAVE FLAUBERT

1821–1880

Plus on sent une chose, et moins on est
apte à l'exprimer telle qu'elle est.
Correspondance de Flaubert

Gustave Flaubert was born in Rouen, a Norman of a family of surgeons. He learned anatomy, he dissected, and he read law for a time in Paris, but his whole life was devoted to the perfection of a half-dozen masterpieces of fiction, a legacy of incomparable value. A man of tremendous literary vigor and artistic scrupulousness, his life is the story of a faithful and untiring quest for self-expression in literature.

The Goncourt brothers furnish us with perhaps the best physical portrait of Flaubert. They tell us that he was "very tall, very broad-shouldered, with fine eyes, prominent and large, with swollen lids, a fleshy face, a long and fierce moustache, high complexion splotched with red." He was fond of hearty laughter and huge jokes, and, with resounding voice, he liked to declaim passages from Chateaubriand, his master in style. Above all he loved to shock the bourgeois of Rouen, for whom he had an immense scorn. In his younger days he traveled extensively; but even exotic scenes of the Orient, which appealed to his strong romantic tastes, could not soothe a certain pang of homesickness which we find throughout his travel sketches.

In later years Flaubert was seen frequently at his home in Paris, a Hercules in eccentric dress, presiding over a brilliant gathering of men of letters, among whom were Taine, the Goncourts, Zola, Turgenev, Heredia, and Daudet. An affliction resembling apoplexy forced him, however, to spend the greater part of his time at his home at Croisset, near Rouen, where he lived alone with his art and his fears.

In spite of the exalted and exotic dreams of his youth Flaubert, with disciplinary insistence, forced himself to produce a severe and faithful representation of reality, until his first significant work proclaimed his realistic purpose: "to observe life with minuteness and fidelity," to present it without the slightest infiltration of personality, seeking constantly and restlessly both harmony of style and perfection of technique. These qualities were attained after seven long years of indefatigable toil when, in 1856, *Madame Bovary* appeared, a masterpiece of sober reality. The publication of the novel was followed by a stupid lawsuit in which the author was taxed with unwarranted eroticism. This scandal merely served to establish the fame of Flaubert and to fix the principles of the new school of realism, which claimed him as its chief.

In his illuminating correspondence Flaubert says repeatedly that art must be scientific and impersonal. "A book," he writes, "has never meant to me anything other than a certain manner of living in certain surroundings." Flaubert, son and brother of physicians, treats his heroine with the hard impersonality of a scientist; he carries the methods of the clinic and the laboratory into his novel. Emma Bovary, a country girl who is fond of "second-rate pleasures and second-hand ideals," is forced to live in an environment which is ill suited to her nature. Her destiny is determined not by the author, but by her romantic upbringing, the state of her health, the slow succession of events during her sordid married life in a dull village where her husband is a plodding country doctor. Physiology is the determining factor in bringing his heroine to her ultimate destruction.

The guiding principles of Flaubert's work, to observe reality minutely and exactly and to employ a scientific method in his observation, reappear in his second novel, *Salammbô*, written after a lapse of seven years; yet no two works of fiction could be more completely unlike in subject. After his story of commonplace society Flaubert now reproduces a brilliant and barbaric picture of ancient Carthage. Here his documentation cost him years of labor and research. In reply to Sainte-Beuve's criticism that in spite of a mass of erudition and the consummate workmanship of many passages the novel smelled too much of the oil and the lamp, Flaubert replied, "I believe that I have produced something that resembles Carthage." *Salammbô* was followed in 1869 by *L'Éducation sentimentale*, a picture of Paris in the '40s, and finally in 1874, after twenty years of toil, by *La Tentation de saint Antoine*, presenting the struggles of a saint who, in the wilderness, is subjected to the temptation of the flesh, a prose poem of faultless technique. Flaubert's last work, *Bouvard et Pécuchet*, was an unfinished diatribe against the bourgeois. In addition to these novels, he produced three short stories of impeccable workmanship: *Un Cœur simple, La Légende de saint Julien l'Hospitalier,* and *Hérodias.*

Flaubert believes that great art consists in an impersonal record of truth, noted with the exactness of a scientist, painting both *le dessus* and *le dessous*; he also believes that this impersonal and scientific material can be harmonized with beauty of style and perfection of literary workmanship.

DEUX PAYSAGES

I

Aujourd'hui je suis sur le Nil et nous venons de dépasser Memphis.[1]

Nous sommes partis du vieux Caire par un bon vent du Nord. Nos deux voiles, entre-croisant leurs angles, se gonflaient dans toute leur largeur, la *Cange*[2] allait penchée, sa carène fendait l'eau. Je l'entends maintenant qui coule plus doucement. A l'avant, notre raiz[3] Ibrahim, accroupi à la turque, regardait devant lui, et, sans se détourner, de temps à autre, criait la manœuvre à ses matelots. Debout sur la dunette qui fait le toit de notre chambre, le second tenait la barre tout en fumant son chibouk de bois noir. Il y avait beaucoup de soleil, le ciel était bleu. Avec nos lorgnettes nous avons vu, de loin en loin, sur la rive, des hérons ou des cigognes.

L'eau du Nil est toute jaune, elle roule beaucoup de terre, il me semble qu'elle est comme fatiguée de tous les pays qu'elle a traversés et de murmurer toujours la plainte monotone de je ne sais quelle lassitude de voyage. Si le Niger et le Nil ne sont qu'un même fleuve, d'où viennent ces flots? Qu'ont-ils vu? Ce fleuve-là, tout comme l'Océan, laisse donc remonter la pensée jusqu'à des distances presque incalculables; et puis ajoutez par là-dessus l'éternelle rêverie de Cléopâtre et comme un grand reflet de soleil, le soleil doré des Pharaons. A la tombée du jour le ciel est devenu tout rouge à droite et tout rose à gauche. Les pyramides de Sakkara tranchaient en gris dans le fond vermeil de l'horizon. C'était une incandescence qui tenait tout ce côté-là du ciel et le trempait d'une lumière d'or. Sur l'autre rive, à gauche, c'était une teinte rose; plus c'était rapproché de terre, plus c'était rose. Le rose allait montant et s'affaiblissant, il devenait jaune, puis un peu vert; le vert pâlissait et, par un blanc insensible, gagnait le bleu qui faisait la voûte sur nos têtes, où se fondait la transition (brusque) des deux grandes couleurs.

II

Là-bas, sur un fleuve plus doux, moins antique, j'ai quelque part une maison blanche dont les volets sont fermés, maintenant que je n'y suis pas. Les peupliers sans feuilles frémissent dans le brouillard froid, et les morceaux de glace que charrie la rivière viennent se heurter aux rives durcies. Les vaches sont à l'étable, les paillassons sur les espaliers, la fumée de la ferme monte lentement dans le ciel gris.

J'ai laissé la longue terrasse Louis XIV, bordée de tilleuls, où, l'été, je me promène en peignoir blanc. Dans six semaines déjà, on verra leurs bourgeons. Chaque branche alors aura des boutons rouges, puis viendront les primevères, qui sont jaunes, vertes, roses, iris. Elles garnissent l'herbe des cours. O primevères, mes petites, ne perdez pas vos graines, que je vous revoie à l'autre printemps.

J'ai laissé le grand mur tapissé de roses avec le pavillon au bord de l'eau. Une touffe de chèvrefeuille pousse en dehors sur le balcon de fer. A une heure du matin, en juillet, par le clair de lune, il y fait bon venir pêcher les caluyots.[4]

L'ARRIVÉE DES BOVARY A YONVILLE

Yonville-l'Abbaye (ainsi nommé, à cause d'une ancienne abbaye de Capucins dont les ruines n'existent même plus) est un bourg à huit lieues de Rouen, entre la route d'Abbeville et celle de Beauvais, au fond d'une vallée qu'arrose la Rieule, petite rivière qui se jette dans l'Andelle, après avoir fait tourner trois moulins vers son embouchure, et où il y a quelques truites, que les garçons, le dimanche, s'amusent à pêcher à la ligne.

On quitte la grande route à la Boissière et l'on continue à plat jusqu'au haut de la côte des Leux, d'où l'on découvre la vallée. La rivière qui la traverse en fait comme deux régions de physionomie distincte: tout ce qui est à gauche est en herbage, tout ce qui est à droite est en labour. La prairie s'allonge sous un bourrelet de collines basses pour se rattacher par derrière aux pâturages du pays de Bray, tandis que, du côté de l'est,

la plaine, montant doucement, va s'élargissant et étale à perte
de vue ses blondes pièces de blé. L'eau qui court au bord de
l'herbe sépare d'une raie blanche la couleur des prés et celle des
sillons, et la campagne ainsi ressemble à un grand manteau
déplié qui a un collet de velours vert, bordé d'un galon d'argent.

Au bout de l'horizon, lorsqu'on arrive, on a devant soi les
chênes de la forêt d'Argueil, avec les escarpements de la côte de
Saint-Jean, rayés du haut en bas par de longues traînées rouges,
inégales; ce sont les traces des pluies, et ces tons de brique,
tranchant en filets minces sur la couleur grise de la montagne,
viennent de la quantité de sources ferrugineuses qui coulent au
delà, dans le pays d'alentour.

On est ici sur les confins de la Normandie, de la Picardie, et
de l'Ile-de-France, contrée bâtarde où le langage est sans ac-
centuation, comme le paysage sans caractère. C'est là que l'on
fait les pires fromages de Neufchâtel de tout l'arrondissement,
et, d'autre part, la culture y est coûteuse, parce qu'il faut beaucoup de fumier pour engraisser ces terres friables pleines de
sable et de cailloux.

Jusqu'en 1835, il n'y avait point de route praticable pour arriver à Yonville; mais on a établi vers cette époque un chemin *de
grande vicinalité* qui relie la route d'Abbeville à celle d'Amiens,
et sert quelquefois aux rouliers allant de Rouen dans les
Flandres. Cependant, Yonville-l'Abbaye est demeuré station-
naire, malgré ses *débouchés nouveaux*. Au lieu d'améliorer les
cultures, on s'y obstine encore aux herbages, quelque dépréciés
qu'ils soient, et le bourg paresseux, s'écartant de la plaine, a con-
tinué naturellement à s'agrandir vers la rivière. On l'aperçoit
de loin, tout couché en long sur la rive, comme un gardeur de
vaches qui fait la sieste au bord de l'eau.

Au bas de la côte, après le pont, commence une chaussée
plantée de jeunes trembles, qui vous mène en droite ligne jusqu'aux premières maisons du pays. Elles sont encloses de haies,
au milieu de cours pleines de bâtiments épars, pressoirs, charret-
teries et bouilleries, disséminés sous les arbres touffus portant
des échelles, des gaules ou des faux accrochées dans leur bran-

chage. Les toits de chaume, comme des bonnets de fourrure ra-
battus sur des yeux, descendent jusqu'au tiers à peu près des
fenêtres basses, dont les gros verres bombés sont garnis d'un
nœud dans le milieu, à la façon des culs de bouteilles. Sur le
mur de plâtre, que traversent en diagonale des lambourdes
noires, s'accroche parfois quelque maigre poirier, et les rez-de-
chaussée ont à leur porte une petite barrière tournante pour les
défendre des poussins, qui viennent picorer, sur le seuil, des
miettes de pain bis trempées de cidre. Cependant les cours se
font plus étroites, les habitations se rapprochent, les haies disparaissent; un fagot de fougères se balance sous une fenêtre au
bout d'un manche à balai; il y a la forge d'un maréchal et ensuite
un charron avec deux ou trois charrettes neuves, en dehors, qui
empiètent sur la route. Puis, à travers une claire-voie, apparaît
une maison blanche au-delà d'un rond de gazon que décore un
Amour, le doigt posé sur la bouche; deux vases en fonte sont à
chaque bout du perron; des panonceaux brillent à la porte;
c'est la maison du notaire, et la plus belle du pays.

L'église est de l'autre côté de la rue, vingt pas plus loin, à
l'entrée de la place. Le petit cimetière qui l'entoure, clos d'un
mur à hauteur d'appui, est si bien rempli de tombeaux, que les
vieilles pierres à ras du sol font un dallage continu, où l'herbe a
dessiné de soi-même des carrés verts réguliers. L'église a été
rebâtie à neuf dans les dernières années du règne de Charles X.
La voûte en bois commence à se pourrir par le haut, et, de place
en place, a des enfonçures noires dans sa couleur bleue. Au-
dessus de la porte, où seraient les orgues, se tient un jubé
pour les hommes, avec un escalier tournant qui retentit sous
les sabots.

Le grand jour, arrivant par les vitraux tout unis, éclaire
obliquement les bancs rangés en travers de la muraille, que
tapisse çà et là quelque paillasson cloué, ayant au-dessous de
lui ces mots en grosses lettres: « Banc de M. un tel. » Plus
loin, à l'endroit où le vaisseau se rétrécit, le confessionnal fait
pendant à une statuette de la Vierge, vêtue d'une robe de satin,
coiffée d'un voile de tulle semé d'étoiles d'argent, et tout em-

pourprée aux pommettes comme une idole des îles Sandwich ; enfin une copie de la *Sainte Famille, envoi du ministre de l'Intérieur,* dominant le maître-autel entre quatre chandeliers, termine au fond la perspective. Les stalles du chœur, en bois de sapin, sont restées sans être peintes.

Les halles, c'est-à-dire un toit de tuiles supporté par une vingtaine de poteaux, occupent à elles seules la moitié environ de la grande place d'Yonville. La mairie, construite *sur les dessins d'un architecte de Paris,* est une manière de temple grec qui fait l'angle, à côté de la maison du pharmacien. Elle a, au rez-de-chaussée, trois colonnes ioniques et, au premier étage, une galerie à plein cintre, tandis que le tympan qui la termine est rempli par un coq gaulois, appuyé d'une patte sur la Charte et tenant de l'autre les balances de la justice.

Mais ce qui attire le plus les yeux, c'est, en face de l'auberge du *Lion d'or,* la pharmacie de M. Homais ! Le soir, principalement, quand son quinquet est allumé et que les bocaux rouges et verts qui embellissent sa devanture allongent au loin, sur le sol, leurs deux clartés de couleur, alors, à travers elles, comme dans des feux du Bengale, s'entrevoit l'ombre du pharmacien accoudé sur son pupitre. Sa maison, du haut en bas, est placardée d'inscriptions écrites en anglaise, en ronde, en moulée : « Eaux de Vichy, de Seltz et de Barèges, robs dépuratifs, médecine Raspail, racahout des Arabes, pastilles Darcet, pâte Regnault,⁵ bandages, bains, chocolats de santé, etc. » Et l'enseigne, qui tient toute la largeur de la boutique, porte en lettres d'or : *Homais, pharmacien.* Puis, au fond de la boutique, derrière les grandes balances scellées sur le comptoir, le mot *laboratoire* se déroule au-dessus d'une porte vitrée qui, à moitié de sa hauteur, répète encore une fois *Homais,* en lettres d'or, sur un fond noir.

Il n'y a plus ensuite rien à voir dans Yonville. La rue (la seule), longue d'une portée de fusil et bordée de quelques boutiques, s'arrête court au tournant de la route. Si on la laisse sur la droite et que l'on suive le bas de la côte Saint-Jean, bientôt on arrive au cimetière.

Lors du choléra, pour l'agrandir, on a abattu un pan de mur et acheté trois acres de terre à côté ; mais toute cette portion nouvelle est presque inhabitée, les tombes, comme autrefois, continuant à s'entasser vers la porte. Le gardien, qui est en même temps fossoyeur et bedeau à l'église (tirant ainsi des cadavres de la paroisse un double bénéfice), a profité du terrain vide pour y semer des pommes de terre. D'année en année, cependant, son petit champ se rétrécit, et, lorsqu'il survient une épidémie, il ne sait pas s'il doit se réjouir des décès ou s'affliger des sépultures.

—Vous vous nourrissez des morts, Lestiboudois ! lui dit enfin, un jour, M. le curé.

Cette parole sombre le fit réfléchir ; elle l'arrêta pour quelque temps ; mais, aujourd'hui encore, il continue la culture de ses tubercules, et même soutient avec aplomb qu'ils poussent naturellement.

Depuis les événements que l'on va raconter, rien, en effet, n'a changé à Yonville. Le drapeau tricolore de fer-blanc tourne toujours au haut du clocher de l'église ; la boutique du marchand de nouveautés agite encore au vent ses deux banderoles d'indienne ; les fœtus du pharmacien, comme des paquets d'amadou blanc, se pourrissent de plus en plus dans leur alcool bourbeux, et, au-dessus de la grande porte de l'auberge, le vieux lion d'or, déteint par les pluies, montre toujours aux passants sa frisure de caniche.

Le soir que les époux Bovary devaient arriver à Yonville, Mᵐᵉ veuve Lefrançois, la maîtresse de cette auberge, était si fort affairée, qu'elle suait à grosses gouttes en remuant ses casseroles. C'était le lendemain jour de marché dans le bourg. Il fallait d'avance tailler les viandes, vider les poulets, faire de la soupe et du café. Elle avait, de plus, le repas de ses pensionnaires, celui du médecin, de sa femme et de leur bonne ; le billard retentissait d'éclats de rire ; trois meuniers, dans la petite salle, appelaient pour qu'on leur apportât de l'eau-de-vie ; le bois flambait, la braise craquait, et, sur la longue table de la cuisine, parmi les quartiers de mouton cru, s'élevaient des piles d'assiettes qui tremblaient aux secousses du billot où l'on hachait des épinards. On entendait, dans la basse-cour, crier les volailles que la servante poursuivait pour leur couper le cou.

Un homme en pantoufles de peau verte, quelque peu marqué de petite vérole et coiffé d'un bonnet de velours à gland d'or, se chauffait le dos contre la cheminée. Sa figure n'exprimait rien que la satisfaction de soi-même, et il avait l'air aussi calme dans la vie que le chardonneret suspendu au-dessus de sa tête, dans une cage d'osier : c'était le pharmacien.

—Artémise ! criait la maîtresse d'auberge, casse de la bour-rée, emplis les carafes, apporte de l'eau-de-vie, dépêche-toi ! Au moins, si je savais quel dessert offrir à la société que vous atten-dez ! Bonté divine ! les commis du déménagement recom-mencent leur tintamarre dans le billard ! Et leur charrette qui est restée sous la grande porte ! *L'Hirondelle* est capable de la défoncer en arrivant ! Appelle Polyte pour qu'il la remise !... Dire que, depuis le matin, monsieur Homais, ils ont peut-être fait quinze parties et bu huit pots de cidre !... Mais ils vont me déchirer le tapis, continuait-elle en les regardant de loin, son écumoire à la main.

—Le mal ne serait pas grand, répondit M. Homais, vous en achèteriez un autre.

—Un autre billard ! exclama la veuve.

—Puisque celui-là ne tient plus, madame Lefrançois ; je vous le répète, vous vous faites tort ! vous vous faites grand tort ! Et puis les amateurs, à présent, veulent des blouses étroites et des queues lourdes. On ne joue plus la bille ; tout est changé ! Il faut marcher avec son siècle ! Regardez Tellier, plutôt...

L'hôtesse devint rouge de dépit. Le pharmacien ajouta :

—Son billard, vous avez beau dire, est plus mignon que le vôtre ; et qu'on ait l'idée, par exemple, de monter une poule patriotique pour la Pologne ou les inondés de Lyon...

—Ce ne sont pas des gueux comme lui qui nous font peur ! interrompit l'hôtesse, en haussant ses grosses épaules. Allez ! allez ! monsieur Homais, tant que le *Lion d'or* vivra, on y viendra. Nous avons du foin dans nos bottes, nous autres ! Au

lieu qu'un de ces matins vous verrez le *Café français* fermé, et
avec une belle affiche sur les auvents!... Changer mon billard,
continuait-elle en se parlant à elle-même, lui qui m'est si commode pour ranger ma lessive, et sur lequel, dans le temps de la
chasse, j'ai mis coucher jusqu'à six voyageurs!... Mais ce
lambin d'Hivert qui n'arrive pas!

—L'attendez-vous pour le dîner de vos messieurs? demanda
le pharmacien.

—L'attendre? Et M. Binet donc! A six heures battant vous
allez le voir entrer, car son pareil n'existe pas sur la terre
pour l'exactitude. Il lui faut toujours sa place dans la petite
salle! On le tuerait plutôt que de le faire dîner ailleurs!
et dégoûté qu'il est! et si difficile pour le cidre! Ce n'est
pas comme M. Léon; lui, il arrive quelquefois à sept heures,
sept heures et demie même; il ne regarde seulement pas à ce
qu'il mange. Quel bon jeune homme! Jamais un mot plus haut
que l'autre.

—C'est qu'il y a bien de la différence, voyez-vous, entre
quelqu'un qui a reçu de l'éducation et un ancien carabinier qui
est percepteur.

Six heures sonnèrent. Binet entra.

Il était vêtu d'une redingote bleue, tombant droit d'elle-
même tout autour de son corps maigre, et sa casquette de cuir,
à pattes nouées par des cordons sur le sommet de sa tête, laissait
voir, sous la visière relevée, un front chauve, qu'avait déprimé
l'habitude du casque. Il portait un gilet de drap noir, un col
de crin, un pantalon gris, et, en toute saison, des bottes bien
cirées qui avaient deux renflements parallèles, à cause de la
saillie de ses orteils. Pas un poil ne dépassait la ligne de son
collier blond, qui, contournant la mâchoire, encadrait comme
la bordure d'une plate-bande sa longue figure terne, dont les
yeux étaient petits et le nez busqué. Fort à tous les jeux de
cartes, bon chasseur et possédant une belle écriture, il avait
chez lui un tour, où il s'amusait à tourner des ronds de serviette
dont il encombrait sa maison, avec la jalousie d'un artiste et
l'égoïsme d'un bourgeois.

Il se dirigea vers la petite salle; mais il fallut d'abord en faire sortir les trois meuniers; et, pendant tout le temps que l'on fut à mettre son couvert, Binet resta silencieux à sa place, auprès du poêle; puis il ferma la porte et retira sa casquette, comme d'usage.

—Ce ne sont pas les civilités qui lui useront la langue! dit le pharmacien, dès qu'il fut seul avec l'hôtesse.

—Jamais il ne cause davantage, répondit-elle; il est venu ici, la semaine dernière, deux voyageurs en draps, des garçons pleins d'esprit qui contaient, le soir, un tas de farces que j'en pleurais de rire; eh bien, il restait là, comme une alose, sans dire un mot.

—Oui, fit le pharmacien, pas d'imagination, pas de saillies, rien de ce qui constitue l'homme de société!

—On dit pourtant qu'il a des moyens, objecta l'hôtesse.

—Des moyens! répliqua M. Homais; lui! des moyens? Dans sa partie, c'est possible, ajouta-t-il d'un ton plus calme.

Et il reprit:

—Ah! qu'un négociant qui a des relations considérables, qu'un jurisconsulte, un médecin, un pharmacien soient tellement absorbés, qu'ils en deviennent fantasques et bourrus même, je le comprends; on en cite des traits dans les histoires! Mais, au moins, c'est qu'ils pensent à quelque chose. Moi, par exemple, combien de fois m'est-il arrivé de chercher ma plume sur mon bureau pour écrire une étiquette, et de trouver, en définitive, que je l'avais placée à mon oreille!

Cependant, Mme Lefrançois alla sur le seuil regarder si l'*Hirondelle* n'arrivait pas. Elle tressaillit. Un homme vêtu de noir entra tout à coup dans la cuisine. On distinguait, aux dernières lueurs du crépuscule, qu'il avait une figure rubiconde et le corps athlétique.

—Qu'y a-t-il pour votre service, monsieur le curé? demanda la maîtresse d'auberge, tout en atteignant sur la cheminée un des flambeaux de cuivre qui s'y trouvaient rangés en colonnade avec leurs chandelles; voulez-vous prendre quelque chose? un doigt de cassis, un verre de vin?

L'ecclésiastique refusa fort civilement. Il venait chercher son parapluie, qu'il avait oublié l'autre jour au couvent d'Erne-mont, et, après avoir prié Mme Lefrançois de le lui faire remettre au presbytère dans la soirée, il sortit pour se rendre à l'église, où sonnait l'*Angélus*.

Quand le pharmacien n'entendit plus sur la place le bruit de ses souliers, il trouva fort inconvenante sa conduite de tout à l'heure. Ce refus d'accepter un rafraîchissement lui semblait une hypocrisie des plus odieuses; les prêtres godaillaient tous sans qu'on les vît, et cherchaient à ramener le temps de la dîme.

L'hôtesse prit la défense de son curé:

—Taisez-vous donc, monsieur Homais! vous êtes un impie! vous n'avez pas de religion!

Le pharmacien répondit:[6]

—J'ai une religion, ma religion, et même j'en ai plus qu'eux tous, avec leurs momeries et leurs jongleries! J'adore Dieu, au contraire! Je crois en l'Être suprême, à un Créateur, quel qu'il soit, peu m'importe, qui nous a placés ici-bas pour y remplir nos devoirs de citoyen et de père de famille; mais je n'ai pas besoin d'aller, dans une église, baiser des plats d'argent, et engraisser de ma poche un tas de farceurs qui se nourrissent mieux que nous! Car on peut l'honorer aussi bien dans un bois, dans un champ, ou même en contemplant la voûte éthérée, comme les anciens. Mon Dieu, à moi, c'est le Dieu de Socrate, de Franklin, de Voltaire et de Béranger! Je suis pour la *Profession de foi du vicaire savoyard* et les immortels principes de 89! Aussi, je n'admets pas un bonhomme de bon Dieu qui se promène dans son parterre la canne à la main, loge ses amis dans le ventre des baleines, meurt en poussant un cri et ressuscite au bout de trois jours: choses absurdes en elles-mêmes et complètement opposées, d'ailleurs, à toutes les lois de la physique; ce qui nous démontre, en passant, que les prêtres ont toujours croupi dans une ignorance turpide, où ils s'efforcent d'engloutir avec eux les populations.

Il se tut, cherchant des yeux un public autour de lui, car, dans son effervescence, le pharmacien, un moment, s'était cru en plein conseil municipal. Mais la maîtresse d'auberge ne l'écoutait plus : elle tendait son oreille à un roulement éloigné. On distingua le bruit d'une voiture mêlé à un claquement de fers lâches qui battaient la terre, et l'*Hirondelle* enfin s'arrêta devant la porte.

C'était un coffre jaune porté par deux grandes roues qui, montant jusqu'à la hauteur de la bâche, empêchaient les voyageurs de voir la route et leur salissaient les épaules. Les petits carreaux de ses vasistas étroits tremblaient dans leurs châssis quand la voiture était fermée, et gardaient des taches de boue, çà et là, parmi leur vieille couche de poussière, que les pluies d'orage même ne lavaient pas tout à fait. Elle était attelée de trois chevaux, dont le premier en arbalète, et, lorsqu'on descendait les côtes, elle touchait du fond en cahotant.

Quelques bourgeois d'Yonville arrivèrent sur la place ; ils parlaient tous à la fois, demandant des nouvelles, des explications et des bourriches : Hivert ne savait auquel répondre. C'était lui qui faisait à la ville les commissions du pays. Il allait dans les boutiques, rapportait des rouleaux de cuir au cordonnier, de la ferraille au maréchal, un baril de harengs pour sa maîtresse, des bonnets de chez la modiste, des toupets de chez le coiffeur ; et, le long de la route, en s'en revenant, il distribuait ses paquets, qu'il jetait par-dessus les clôtures des cours, debout sur son siège, et criant à pleine poitrine, pendant que ses chevaux allaient tout seuls...

Emma descendit la première, puis Félicité, M. Lheureux, une nourrice, et l'on fut obligé de réveiller Charles dans son coin, où il s'était endormi complètement, dès que la nuit était venue.

Homais se présenta ; il offrit ses hommages à Madame, ses civilités à Monsieur, dit qu'il était charmé d'avoir pu leur rendre quelque service, et ajouta d'un air cordial qu'il avait osé s'inviter lui-même, sa femme d'ailleurs étant absente.

Mme Bovary, quand elle fut dans la cuisine, s'approcha de la cheminée. Du bout de ses deux doigts elle prit sa robe à la hauteur du genou, et, l'ayant ainsi remontée jusqu'aux chevilles, elle tendit à la flamme, par-dessus le gigot qui tournait, son pied chaussé d'une bottine noire. Le feu l'éclairait en entier, pénétrant d'une lumière crue la trame de sa robe, les pores égaux de sa peau blanche et même les paupières de ses yeux qu'elle clignait de temps à autre. Une grande couleur rouge passait sur elle selon le souffle du vent qui venait par la porte entr'ouverte.

De l'autre côté de la cheminée, un jeune homme à chevelure blonde la regardait silencieusement.

Comme il s'ennuyait beaucoup à Yonville, où il était clerc chez maître Guillaumin, souvent M. Léon Dupuis (c'était lui, le second habitué du *Lion d'or*) reculait l'instant de son repos, espérant qu'il viendrait quelque voyageur à l'auberge avec qui causer dans la soirée. Les jours que sa besogne était finie, il lui fallait bien, faute de savoir que faire, arriver à l'heure exacte, et subir depuis la soupe jusqu'au fromage le tête-à-tête de Binet. Ce fut donc avec joie qu'il accepta la proposition de l'hôtesse de dîner en la compagnie des nouveaux venus, et l'on passa dans la grande salle où Mme Lefrançois, par pompe, avait fait dresser les quatre couverts.

Homais demanda la permission de garder son bonnet grec, de peur des coryzas.

Puis, se tournant vers sa voisine :

—Madame, sans doute, est un peu lasse ? on est si épouvantablement cahoté dans notre *Hirondelle* !

—Il est vrai, répondit Emma ; mais le dérangement m'amuse toujours : j'aime à changer de place.

—C'est une chose si maussade, soupira le clerc, que de vivre cloué aux mêmes endroits !

—Si vous étiez comme moi, dit Charles, sans cesse obligé d'être à cheval...

—Mais, reprit Léon s'adressant à Mme Bovary, rien n'est plus agréable, il me semble ; quand on le peut, ajouta-t-il.

—Du reste, disait l'apothicaire, l'exercice de la médecine n'est pas fort pénible dans nos contrées ; car l'état de nos routes permet l'usage du cabriolet, et, généralement, l'on paye assez bien, les cultivateurs étant aisés. Nous avons, sous le rapport médical, à part les cas ordinaires d'entérite, bronchite, affections bilieuses, etc., de temps à autre quelques fièvres intermittentes à la moisson, mais, en somme, peu de choses graves, rien de spécial à noter, si ce n'est beaucoup d'humeurs froides, et qui tiennent sans doute aux déplorables conditions hygiéniques de nos logements de paysans. Ah! vous trouverez bien des préjugés à combattre, monsieur Bovary; bien des entêtements de routine, où se heurteront quotidiennement tous les efforts de votre science; car on a recours encore aux neuvaines, aux reliques, au curé, plutôt que de venir naturellement chez le médecin ou chez le pharmacien. Le climat, pourtant, n'est point, à vrai dire, mauvais, et même nous comptons dans la commune quelques nonagénaires. Le thermomètre (j'en ai fait les observations) descend en hiver jusqu'à quatre degrés, et, dans la forte saison, touche vingt-cinq, trente centigrades tout au plus, ce qui nous donne vingt-quatre Réaumur au maximum, ou autrement cinquante-quatre Fahrenheit (mesure anglaise), pas davantage!—et, en effet, nous sommes abrités des vents du nord par la forêt d'Argueil d'une part, des vents d'ouest par la côte Saint-Jean de l'autre; et cette chaleur, cependant, qui à cause de la vapeur d'eau dégagée par la rivière et la présence considérable de bestiaux dans les prairies, lesquels exhalent, comme vous savez, beaucoup d'ammoniaque, c'est-à-dire azote, hydrogène et oxygène (non, azote et hydrogène seulement), et qui, pompant à elle l'humus de la terre, confondant toutes ces émanations différentes, les réunissant en un faisceau, pour ainsi dire, et se combinant de soi-même avec l'électricité répandue dans l'atmosphère, lorsqu'il y en a, pourrait à la longue, comme dans les pays tropicaux, engendrer des miasmes insalubres;—cette chaleur, dis-je, se trouve justement tempérée du côté où elle vient, ou plutôt d'où elle viendrait, c'est-à-dire du côté sud, par les vents de sud-est, lesquels s'étant rafraîchis d'eux-mêmes en passant sur la Seine, nous arrivent quelquefois tout d'un coup, comme des brises de Russie!

—Avez-vous du moins quelques promenades dans les environs? continuait Mme Bovary parlant au jeune homme.

—Oh! fort peu, répondit-il. Il y a un endroit que l'on nomme la Pâture, sur le haut de la côte, à la lisière de la forêt. Quelquefois, le dimanche, je vais là, et j'y reste avec un livre, à regarder le soleil couchant.

—Je ne trouve rien d'admirable comme les soleils couchants, reprit-elle, mais au bord de la mer, surtout.

—Oh! j'adore la mer, dit M. Léon.

—Et puis ne vous semble-t-il pas, répliqua Mᵐᵉ Bovary, que l'esprit vogue plus librement sur cette étendue sans limites, dont la contemplation vous élève l'âme et donne des idées d'infini, d'idéal?

—Il en est de même des paysages de montagnes, reprit Léon. J'ai un cousin qui a voyagé en Suisse l'année dernière, et qui me disait qu'on ne peut se figurer la poésie des lacs, le charme des cascades, l'effet gigantesque des glaciers. On voit des pins d'une grandeur incroyable, en travers des torrents, des cabanes suspendues sur des précipices, et, à mille pieds sous vous, des vallées entières, quand les nuages s'entr'ouvrent. Ces spectacles doivent enthousiasmer, disposer à la prière, à l'extase! Aussi je ne m'étonne plus de ce musicien célèbre qui, pour exciter mieux son imagination, avait coutume d'aller jouer du piano devant quelque site imposant.

—Vous faites de la musique? demanda-t-elle.

—Non, mais je l'aime beaucoup, répondit-il.

—Ah! ne l'écoutez pas, madame Bovary, interrompit Homais en se penchant sur son assiette, c'est modestie pure.—Comment, mon cher! Eh! l'autre jour, dans votre chambre vous chantiez l'*Ange gardien* à ravir. Je vous entendais du laboratoire; vous détachiez cela comme un acteur.

Léon, en effet, logeait chez le pharmacien, où il avait une petite pièce au second étage, sur la place. Il rougit à ce compliment de son propriétaire, qui déjà s'était tourné vers le médecin et lui énumérait les uns après les autres les principaux habitants d'Yonville. Il racontait des anecdotes, donnait des renseignements.

Emma reprit:

—Et quelle musique préférez-vous?

—Oh! la musique allemande, celle qui porte à rêver.

—Connaissez-vous les Italiens?

—Pas encore; mais je les verrai l'année prochaine, quand j'irai habiter Paris, pour finir mon droit.

—C'est comme j'avais l'honneur, dit le pharmacien, de l'exprimer à monsieur votre époux, à propos de ce pauvre Yanoda qui s'est enfui; vous vous trouverez, grâce aux folies qu'il a faites, jouir d'une des maisons les plus confortables d'Yonville. Ce qu'elle a principalement de commode pour un médecin, c'est une porte sur l'*Allée*, qui permet d'entrer et de sortir sans être vu. D'ailleurs, elle est fournie de tout ce qui est agréable à un ménage: buanderie, cuisine avec office, salon de famille, fruitier, etc. C'était un gaillard qui n'y regardait pas! Il s'était fait construire, au bout du jardin, à côté de l'eau, une tonnelle tout exprès pour boire de la bière en été, et si Madame aime le jardinage, elle pourra...

—Ma femme ne s'en occupe guère, dit Charles; elle aime mieux, quoiqu'on lui recommande l'exercice, toujours rester dans sa chambre, à lire.

—C'est comme moi, répliqua Léon; quelle meilleure chose, en effet, que d'être le soir au coin du feu avec un livre, pendant que le vent bat les carreaux, que la lampe brûle?...

—N'est-ce pas? dit-elle, en fixant sur lui ses grands yeux noirs tout ouverts.

—On ne songe à rien, continuait-il, les heures passent. On se promène immobile dans des pays que l'on croit voir, et votre pensée, s'enlaçant à la fiction, se joue dans les détails ou poursuit le contour des aventures. Elle se mêle aux personnages; il semble que c'est vous qui palpitez sous leurs costumes.

—C'est vrai! c'est vrai! disait-elle.

—Vous est-il arrivé parfois, reprit Léon, de rencontrer dans un livre une idée vague que l'on a eue, quelque image obscurcie qui revient de loin, et comme l'exposition entière de votre sentiment le plus délié?

—J'ai éprouvé cela, répondit-elle.

—C'est pourquoi, dit-il, j'aime surtout les poètes. Je trouve les vers plus tendres que la prose, et qu'ils font bien mieux pleurer.

—Cependant, ils fatiguent à la longue, reprit Emma; et maintenant, au contraire, j'adore les histoires qui se suivent tout d'une haleine, où l'on a peur. Je déteste les héros communs et les sentiments tempérés, comme il y en a dans la nature.

—En effet, observa le clerc, ces ouvrages ne touchant pas le cœur, s'écartent, il me semble, du vrai but de l'Art. Il est si doux, parmi les désenchantements de la vie, de pouvoir se reporter en idée sur de nobles caractères, des affections pures et des tableaux de bonheur. Quant à moi, vivant ici, loin du monde, c'est ma seule distraction; mais Yonville offre si peu de ressources!

—Comme Tostes,[7] sans doute, reprit Emma; aussi j'étais toujours abonnée à un cabinet de lecture.

—Si Madame veut me faire l'honneur d'en user, dit le pharmacien, qui venait d'entendre ces derniers mots, j'ai moi-même à sa disposition une bibliothèque composée des meilleurs auteurs: Voltaire, Rousseau, Delille, Walter Scott, *l'Écho des feuilletons*, etc., et je reçois, de plus, différentes feuilles périodiques, parmi lesquelles le *Fanal de Rouen*, quotidiennement, ayant l'avantage d'en être le correspondant pour les circonscriptions de Buchy, Forges, Neufchâtel, Yonville et les alentours.

Depuis deux heures et demie, on était à table; car la servante Artémise, traînant nonchalamment sur les carreaux ses savates de lisière, apportait les assiettes les unes après les autres, oubliait tout, n'entendait à rien et sans cesse laissait entre-bâillée la porte du billard, qui battait contre le mur du bout de sa clanche.

Sans qu'il s'en aperçût, tout en causant, Léon avait posé son pied sur un des barreaux de la chaise où Mme Bovary était assise. Elle portait une petite cravate de soie bleue, qui tenait droit comme une fraise un col de batiste tuyauté; et, selon les

mouvements de tête qu'elle faisait, le bas de son visage s'enfonçait dans le linge ou en sortait avec douceur. C'est ainsi,
l'un près de l'autre, pendant que Charles et le pharmacien de-
visaient, qu'ils entrèrent dans une de ces vagues conversations
où le hasard des phrases vous ramène toujours au centre fixe
d'une sympathie commune. Spectacles de Paris, titres de romans, quadrilles nouveaux, et le monde qu'ils ne connaissaient
pas, Tostes où elle avait vécu, Yonville où ils étaient, ils exa-
minèrent tout, parlèrent de tout jusqu'à la fin du dîner.

Quand le café fut servi, Félicité s'en alla préparer la chambre
dans la nouvelle maison, et les convives bientôt levèrent le siège.
Mme Lefrançois dormait auprès des cendres, tandis que le
garçon d'écurie, une lanterne à la main, attendait M. et Mme
Bovary pour les conduire chez eux. Sa chevelure rouge était
entremêlée de brins de paille, et il boitait de la jambe gauche.
Lorsqu'il eut pris de son autre main le parapluie de M. le curé,
l'on se mit en marche.

Le bourg était endormi. Les piliers des halles allongeaient
de grandes ombres. La terre était toute grise, comme par une
nuit d'été.

Mais, la maison du médecin se trouvant à cinquante pas de
l'auberge, il fallut presque aussitôt se souhaiter le bonsoir, et
la compagnie se dispersa.

Emma, dès le vestibule, sentit tomber sur ses épaules, comme
un linge humide, le froid du plâtre. Les murs étaient neufs, et
les marches de bois craquèrent. Dans la chambre, au premier,
un jour blanchâtre passait par les fenêtres sans rideaux. On
entrevoyait des cimes d'arbres, et plus loin la prairie, à demi
noyée dans le brouillard, qui fumait au clair de lune, selon le
cours de la rivière. Au milieu de l'appartement, pêle-mêle, il
y avait des tiroirs de commode, des bouteilles, des tringles, des
bâtons dorés avec des matelas sur des chaises et des cuvettes sur
le parquet,—les deux hommes qui avaient apporté les meubles
ayant tout laissé là, négligemment.

C'était la quatrième fois qu'elle couchait dans un endroit

inconnu. La première avait été le jour de son entrée au couvent, la seconde celle de son arrivée à Tostes, la troisième à la Vaubyessard,[8] la quatrième était celle-ci; et chacune s'était trouvée faire dans sa vie comme l'inauguration d'une phase nouvelle. Elle ne croyait pas que les choses pussent se représenter les mêmes à des places différentes, et, puisque la portion vécue avait été mauvaise, sans doute ce qui restait à consommer serait meilleur.

CHARLES BAUDELAIRE

1821–1867

> Thou sawest in thine old singing season, brother,
> Secrets and sorrows unbeheld by us,
> Fierce loves, and lovely leaf-buds poisonous,
> Bare to thy subtler eye, but for none other
> Blowing by night in some unbreathed-in clime.
>
> SWINBURNE

One day in the autumn of 1850 Flaubert and Maxime Du Camp called at the French Embassy in Constantinople. They were received by their hostess, Madame Aupick, with these words: "My son has talent, has he not?" Madame Aupick's son, Charles Baudelaire, had been living in Paris the life of a luxurious dandy—a sort of "Byron tailored by Brummel"—in the bosom of a group of literary folk inhabiting the famous Hôtel Pimodan. Some of them were eccentrics who occasionally shocked their neighbors when they had partaken of hashish, but they were much less wicked than they pretended. Théophile Gautier was among them, and Gautier, we know, had little time to indulge in such exotic stimulus.

Madame Aupick's son was soon to give an account of his talent, for on June 1, 1855, the *Revue des deux mondes* published a group of his poems. In view of the occasional novelty of theme, the *Revue des deux mondes*, being a conservative journal, thought fit to preface the verses of this unknown venturer by some manner of apology, and expressed the earnest hope that the young poet might mend his ways. Two years later the first volume of *Les Fleurs du mal* was published, and the author was summoned to court to answer charges of immorality. Flaubert was forced to defend his Emma Bovary that same year. Baudelaire's condemnation—a fine of three hundred francs, which he never paid—brought forth a letter from the exile at Hauteville House in which the author of *Les Châtiments* offered his congratulations to a poet who had received "one of those rare decorations which the present government is wont to confer!"—*Ce qu'il appelle sa justice vous a condamné au nom de ce qu'il appelle sa morale ; c'est là une couronne de plus. Je vous serre la main, poète !*

Baudelaire had chosen to astound the bourgeois, the "apes of senti-ment," all of whom he hated. With almost pious horror for the pseudo-democracy and humanitarianism of his generation, this poet, by temperament a mystifier and deplorably perverse in his behavior, had set out to create a scandal in verse. His success brought him into the salon of a reigning beauty, Madame Sabatier, and his eccentric legend began to take root.

A second edition of *Les Fleurs du mal* appeared, with numerous additional poems, in 1861. Baudelaire lived the remainder of his short life from the rather thin productivity of his pen — a life that was marked by financial hardships and a nervous malady which brought him into hospitals and to his grave.

About 1850 Baudelaire had become acquainted with the work of Edgar Allan Poe. His admiration for the American poet was so thor-oughly aroused that he spent a vast amount of energy in making beauti-ful translations from his works. In addition to this labor of love, under the fascination of De Quincey he wrote his *Paradis artificiels*, mingling strange sounds and tints and forms in his opium-soaked brain; a group of lovely though frequently ghastly *Poèmes en prose*; and finally several volumes of critical essays.

Artificiality and decadence are probably the most striking character-istics of *Les Fleurs du mal*. In them we no longer perceive Gautier's strict æsthetic code of art for the sake of art, but rather a striking dis-play of a doctrine of art for the sake of the artificial. Nature and the natural, the romantic ideals of beauty and virtue, are absent from his creations. There are few descriptions of normal landscapes or the normal sensations of man in his poems; yet his resonant verse, abound-ing in corpses and cats, "cracked souls" and "foolish sunsets," spleen and perverted religious emotion, is the work of a powerful artist. "He did not admit," writes Gautier in the preface to these Flowers of Evil, "that poetry had any mission to fulfill but to excite the reader's soul to a sensation of the beautiful. To this sensation he judged it desirable to add a certain element of the surprising and the unusual."

Coupled with his cult for the artificial is Baudelaire's unhealthy worship of death — death the consolation, the end of life, the only hope which supports our courage to go through life, *de marcher jusqu'au soir*. He is singularly attracted by misfortune and evil; by mysticism and carnal voluptuousness, which he constantly confuses. He loves to dwell upon imaginary ills:

> Et nous alimentons nos aimables remords,
> Comme les mendiants nourissent leur vermine.

Heaven becomes a

> couvercle noir de la grande marmite
> Où bout l'imperceptible et vaste Humanité.

And over his opium the poet's fruitless longing for a new sensation in this world of repulsive things merely leads him to extreme lassitude and the direst of all pains—ennui, the latest form of the *mal du siècle* and the most decadent.

Haunted by the shadow of death and revolting against the stupidity of nature, the poet seeks refuge in a strange realm of sense-transference. Color and sound and perfume become to his drug-incited mind symbols of far-off things that are real. A more direct application of this state of sensitiveness will be discovered in Verlaine and the later poets.

With his superlative gift of concentration and intensity of effect; with his elegance of style, from which all turgidness is absent; with his strange cult of beauty and his blending of sensations by means of striking and suggestive words, Baudelaire marks the decline and fall of romanticism and the first stirrings of that later school of poetry which will be called symbolism.

LES FLEURS DU MAL

CORRESPONDANCES

La Nature est un temple où de vivants piliers
Laissent parfois sortir de confuses paroles;
L'homme y passe à travers des forêts de symboles
Qui l'observent avec des regards familiers.

Comme de longs échos qui de loin se confondent
Dans une ténébreuse et profonde unité,
Vaste comme la nuit et comme la clarté,
Les parfums, les couleurs et les sons se répondent.

Il est des parfums frais comme des chairs d'enfants,
Doux comme les hautbois, verts comme les prairies,
— Et d'autres, corrompus, riches et triomphants,

Ayant l'expansion des choses infinies,
Comme l'ambre, le musc, le benjoin et l'encens,
Qui chantent les transports de l'esprit et des sens.

HARMONIE DU SOIR

Voici venir les temps où vibrant sur sa tige
Chaque fleur s'évapore ainsi qu'un encensoir ;
Les sons et les parfums tournent dans l'air du soir
—Valse mélancolique et langoureux vertige !—

Chaque fleur s'évapore ainsi qu'un encensoir,
Le violon frémit comme un cœur qu'on afflige ;
Valse mélancolique et langoureux vertige !
Le ciel est triste et beau comme un grand reposoir.

Le violon frémit comme un cœur qu'on afflige,
Un cœur tendre, qui hait le néant vaste et noir !
Le ciel est triste et beau comme un grand reposoir,
Le soleil s'est noyé dans son sang qui se fige.

Un cœur tendre, qui hait le néant vaste et noir,
Du passé lumineux recueille tout vestige !
Le soleil s'est noyé dans son sang qui se fige...
Ton souvenir en moi luit comme un ostensoir !

L'INVITATION AU VOYAGE

Mon enfant, ma sœur,
Songe à la douceur
D'aller là-bas vivre ensemble !
Aimer à loisir,
Aimer et mourir
Au pays qui te ressemble !
Les soleils mouillés
De ces ciels brouillés
Pour mon esprit ont les charmes
Si mystérieux
De tes traîtres yeux,
Brillant à travers leurs larmes.

Là, tout n'est qu'ordre et beauté,
Luxe, calme et volupté.

Des meubles luisants,
Polis par les ans,
Décoreraient notre chambre ;
Les plus rares fleurs
Mêlant leurs odeurs
Aux vagues senteurs de l'ambre,
Les riches plafonds,
Les miroirs profonds,
La splendeur orientale,
Tout y parlerait
A l'âme en secret
Sa douce langue natale.

Là, tout n'est qu'ordre et beauté,
Luxe, calme et volupté.

Vois sur ces canaux
Dormir ces vaisseaux
Dont l'humeur est vagabonde ;
C'est pour assouvir
Ton moindre désir
Qu'ils viennent du bout du monde.
—Les soleils couchants
Revêtent les champs,
Les canaux, la ville entière,
D'hyacinthe et d'or ;
Le monde s'endort
Dans une chaude lumière.

Là, tout n'est qu'ordre et beauté,
Luxe, calme et volupté.

CHANT D'AUTOMNE

I

Bientôt nous plongerons dans les froides ténèbres;
Adieu, vive clarté de nos étés trop courts!
J'entends déjà tomber avec des chocs funèbres,
Le bois retentissant sur le pavé des cours.

Tout l'hiver va rentrer dans mon être: colère,
Haine, frissons, horreur, labeur dur et forcé,
Et, comme le soleil dans son enfer polaire,
Mon cœur ne sera plus qu'un bloc rouge et glacé.

J'écoute en frémissant chaque bûche qui tombe;
L'échafaud qu'on bâtit n'a pas d'écho plus sourd.
Mon esprit est pareil à la tour qui succombe
Sous les coups du bélier infatigable et lourd.

Il me semble, bercé par ce choc monotone,
Qu'on cloue en grande hâte un cercueil quelque part...
Pour qui?—C'était hier l'été; voici l'automne!
Ce bruit mystérieux sonne comme un départ.

II

J'aime de vos longs yeux la lumière verdâtre,
Douce beauté, mais tout aujourd'hui m'est amer,
Et rien, ni votre amour, ni le boudoir, ni l'âtre,
Ne me vaut le soleil rayonnant sur la mer.

Et pourtant aimez-moi, tendre cœur! soyez mère,
Même pour un ingrat, même pour un méchant;
Amante ou sœur, soyez la douceur éphémère
D'un glorieux automne ou d'un soleil couchant.

Courte tâche! La tombe attend; elle est avide!
Ah! laissez-moi, mon front posé sur vos genoux,
Goûter, en regrettant l'été blanc et torride,
De l'arrière-saison le rayon jaune et doux!

SPLEEN

Je suis comme le roi d'un pays pluvieux,
Riche, mais impuissant, jeune et pourtant très vieux,
Qui, de ses précepteurs méprisant les courbettes,
S'ennuie avec ses chiens comme avec d'autres bêtes.
Rien ne peut l'égayer, ni gibier, ni faucon,
Ni son peuple mourant en face du balcon.
Du bouffon favori la grotesque ballade
Ne distrait plus le front de ce cruel malade;
Son lit fleurdelisé se transforme en tombeau,
Et les dames d'atour, pour qui tout prince est beau,
Ne savent plus trouver d'impudique toilette
Pour tirer un souris de ce jeune squelette.
Le savant qui lui fait de l'or n'a jamais pu
De son être extirper l'élément corrompu,
Et dans ces bains de sang qui des Romains nous viennent,
Et dont sur leurs vieux jours les puissants se souviennent,
Il n'a su réchauffer ce cadavre hébété
Où coule au lieu de sang l'eau verte du Léthé.

LES PETITES VIEILLES

A Victor Hugo

I

Dans les plis sinueux des vieilles capitales,
Où tout, même l'horreur, tourne aux enchantements,
Je guette, obéissant à mes humeurs fatales,
Des êtres singuliers, décrépits et charmants.

Ces monstres disloqués furent jadis des femmes,
Éponine ou Laïs![1]—Monstres brisés, bossus

Ou tordus, aimons-les ! Ce sont encor des âmes.
Sous des jupons troués et sous de froids tissus

Ils rampent, flagellés par les bises iniques,
Frémissant au fracas roulant des omnibus,
Et serrant sur leur flanc, ainsi que des reliques,
Un petit sac brodé de fleurs ou de rébus ;

Ils trottent, tout pareils à des marionnettes ;
Se traînent, comme font les animaux blessés,
Ou dansent, sans vouloir danser, pauvres sonnettes
Où se pend un Démon sans pitié ! Tout cassés

Qu'ils sont, il ont des yeux perçants comme une vrille,
Luisants comme ces trous où l'eau dort dans la nuit ;
Ils ont les yeux divins de la petite fille
Qui s'étonne et qui rit à tout ce qui reluit.

—Avez-vous observé que maints cercueils de vieilles
Sont presque aussi petits que celui d'un enfant ?
La Mort savante met dans ces bières pareilles
Un symbole d'un goût bizarre et captivant,

Et lorsque j'entrevois un fantôme débile
Traversant de Paris le fourmillant tableau,
Il me semble toujours que cet être fragile
S'en va tout doucement vers un nouveau berceau ;

A moins que, méditant sur la géométrie,
Je ne cherche, à l'aspect de ces membres discords,
Combien de fois il faut que l'ouvrier varie
La forme de la boîte où l'on met tous ces corps.

—Ces yeux sont des puits faits d'un million de larmes,
Des creusets qu'un métal refroidi pailleta...

Ces yeux mystérieux ont d'invincibles charmes
Pour celui que l'austère Infortune allaita !

De Frascati défunt Vestale enamourée ;
Prêtresse de Thalie, hélas ! dont le souffleur
Enterré sait le nom ; célèbre évaporée
Que Tivoli jadis ombragea dans sa fleur,[2]

Toutes m'enivrent ! Mais parmi ces êtres frêles
Il en est qui, faisant de la douleur un miel,
Ont dit au Dévouement qui leur prêtait ses ailes :
« Hippogriffe puissant, mène-moi jusqu'au ciel ! »

L'une, par sa patrie au malheur exercée,
L'autre, que son époux surchargea de douleurs,
L'autre, par son enfant Madone transpercée,
Toutes auraient pu faire un fleuve avec leurs pleurs.

II

Ah ! que j'en ai suivi, de ces petites vieilles !
Une, entre autres, à l'heure où le soleil tombant
Ensanglante le ciel de blessures vermeilles,
Pensive, s'asseyait à l'écart sur un banc,

Pour entendre un de ces concerts, riches de cuivre,
Dont les soldats parfois inondent nos jardins,
Et qui, dans ces soirs d'or où l'on se sent revivre,
Versent quelque héroïsme au cœur des citadins.

Celle-là, droite encor, fière et sentant la règle,
Humait avidement ce chant vif et guerrier ;
Son œil parfois s'ouvrait comme l'œil d'un vieil aigle ;
Son front de marbre avait l'air fait pour le laurier !

III

Telles vous cheminez, stoïques et sans plaintes,
A travers le chaos des vivantes cités,
Mères au cœur saignant, courtisanes ou saintes,
Dont autrefois les noms par tous étaient cités.

Vous qui fûtes la grâce ou qui fûtes la gloire,
Nul ne vous reconnaît ! Un ivrogne incivil
Vous insulte en passant d'un amour dérisoire ;
Sur vos talons gambade un enfant lâche et vil.

Honteuses d'exister, ombres ratatinées,
Peureuses, le dos bas, vous côtoyez les murs,
Et nul ne vous salue, étranges destinées !
Débris d'humanité pour l'éternité mûrs !

Mais moi, moi qui de loin tendrement vous surveille,
L'œil inquiet, fixé sur vos pas incertains,
Tout comme si j'étais votre père, ô merveille !
Je goûte à votre insu des plaisirs clandestins :

Je vois s'épanouir vos passions novices ;
Sombres ou lumineux, je vis vos jours perdus ;
Mon cœur multiplié jouit de tous vos vices !
Mon âme resplendit de toutes vos vertus !

Ruines ! ma famille ! ô cerveaux congénères !
Je vous fais chaque soir un solennel adieu !
Où serez-vous demain, Èves octogénaires,
Sur qui pèse la griffe effroyable de Dieu ?

HYMNE

A la très chère, à la très belle
Qui remplit mon cœur de clarté,

A l'ange, à l'idole immortelle,
Salut en immortalité !

Elle se répand dans ma vie
Comme un air imprégné de sel,
Et dans mon âme inassouvie
Verse le goût de l'éternel.

Sachet toujours frais qui parfume
L'atmosphère d'un cher réduit,
Encensoir oublié qui fume
En secret à travers la nuit,

Comment, amour incorruptible,
T'exprimer avec vérité ?
Grain de musc qui gis, invisible,
Au fond de mon éternité !

A la très bonne, à la très belle
Qui fait ma joie et ma santé,
A l'ange, à l'idole immortelle,
Salut en immortalité !

LA MORT DES PAUVRES

C'est la Mort qui console, hélas ! et qui fait vivre ;
C'est le but de la vie, et c'est le seul espoir
Qui, comme un élixir, nous monte et nous enivre,
Et nous donne le cœur de marcher jusqu'au soir ;

A travers la tempête, et la neige, et le givre,
C'est la clarté vibrante à notre horizon noir ;
C'est l'auberge fameuse inscrite sur le livre,
Où l'on pourra manger, et dormir, et s'asseoir ;

C'est un Ange qui tient dans ses doigts magnétiques
Le sommeil et le don des rêves extatiques,
Et qui refait le lit des gens pauvres et nus ;

C'est la gloire des Dieux, c'est le grenier mystique,
C'est la bourse du pauvre et sa patrie antique,
C'est le portique ouvert sur les Cieux inconnus !

LE VOYAGE

O Mort, vieux capitaine, il est temps ! levons l'ancre !
Ce pays nous ennuie, ô Mort ! Appareillons !
Si le ciel et la mer sont noirs comme de l'encre,
Nos cœurs que tu connais sont remplis de rayons !

Verse-nous ton poison pour qu'il nous réconforte !
Nous voulons, tant ce feu nous brûle le cerveau,
Plonger au fond du gouffre, Enfer ou Ciel, qu'importe ?
Au fond de l'Inconnu pour trouver du *nouveau !*

HIPPOLYTE TAINE

1828-1893

Le vice et la vertu sont des produits
comme le vitriol et comme le sucre. TAINE

Hippolyte Taine was born in 1828 at Vouziers in the Ardennes. At Paris he attended the Collège Bourbon and the famous École Normale, reading a vast amount of history and philosophy. In addition to his philosophical studies he applied himself especially to mathematics, physiology, chemistry, and zoölogy. In 1853 appeared his notable doctor's thesis, *La Fontaine et ses fables.* The French Academy crowned his work on Livy in 1855. His *Histoire de la littérature anglaise* and his *Philosophie de l'art* are his greatest critical works, and embody his system of scientific positivism. Besides his literary and philosophic criticism, Taine published after the war years of 1870–1871 *Les Origines de la France contemporaine,* a historical document of great stylistic beauty and philosophic insight.

In the field of criticism Taine is the leader of scientific positivism, making of literature what he calls *une psychologie vivante.* To a certain extent following Sainte-Beuve, who had styled himself the "naturalist of temperaments," he boldly advances a theory which the other critic approached without definitely formulating. A work of literature is a precipitate of an author's experiences in his own world, modified by his peculiar natural endowment, hence the literature of any country or period may be studied through a process of reconstructing the author from his work. "Beneath the shell there was an animal, and beneath the document there was a man." The shell—the literary document— has no value other than an indication of a living being. "You may consider man," he says again, "as an animal of superior species who produces philosophies and poems about as silkworms produce their cocoons and bees their cells." His starting-point is strictly deterministic. Civilization—man, his actions, his thoughts—is derived from certain simple forms, just as in mineralogy certain crystals are derived from simple bodies. All these forms are allied. "Just as in the animal the instincts, teeth, limbs, bony framework, muscular apparatus, are bound together in such a wise that a variation in one of them determines in each of the others a corresponding variation, and just as a skilled naturalist can, from a few fragments, reconstruct by reasoning almost the whole body; " just as the paleontologist, having one or more known parts before him and knowing the laws of variations, can reconstruct the whole animal, —so the historian, studying one part of a civilization—literature, for example—can reconstruct the whole of a civilization. "Little facts, carefully chosen, important, significant, abundantly particularized and minutely noted, such is today the substance of all knowledge," writes Taine in *De l'Intelligence*. Further, moral facts have causes just as physical ones; souls may be investigated according to laboratory method just as natural phenomena; and he formulates his famous maxim: *Vice and virtue are products like vitriol and sugar.* These little facts, classified according to their relative values and divided into groups with special formulas, will be made the basis of his criticism. Just as there are in animals certain characteristics of greater importance than others, so with writers, there is always an essential or dominant faculty which affects the whole mechanism and intellectual organism—a *faculté maîtresse*, which is subject to three controlling causes. These causes are *race*, a force which may be traced through all degrees of civilization, all religions, and all languages; *milieu*, which means environment in its broadest sense; *moment*, the momentum which has already been acquired along a certain line at the time of an author's appearance in literature.

Literature becomes a psychological study from these three angles. From them we can account for a system of German philosophy, or the age of Louis XIV, or the novels of Dickens.

The danger of this fascinating method of criticism is of course its incompleteness. Displaying frequently as it does Taine's remarkable gift of psychological portrait-painting, outrivaling Sainte-Beuve's, it also reveals him tied down to a system, if not actually its victim. We study the shell merely to know the oyster. The verse of Tennyson is accounted for by the fact that the poet was a well-bred Englishman plentifully supplied with this world's goods, cultured, fond of his lovely rose-gardens on the Isle of Wight, and of "dressing up lost epics" for prosperous and rosy-cheeked adherents to the Church of England. The fables of La Fontaine are the natural products of a native of Champagne who had a fund of Gallic wit and the moral and intellectual habits of seventeenth-century France. But this does not explain the universal and human appeal in the little poems of La Fontaine. Nor could we pin Shakespeare down to such a system, nor Molière. These poets cannot be explained as products of one race, of one particular moment, or of one particular group of surrounding influences. Their vices and virtues can not be measured as chemical products. Taine, as Sainte-Beuve has pointed out,* has not taken into consideration one rather elusive factor —an author's own individual genius, which may be something entirely different from that of his race, which may resist his environment and may not submit to the momentum which is bearing others along in his field. He has invented a system of exact weights and measures and has tried to apply it to literature. And herein he fails. "Literature for M. Taine," says Sainte-Beuve, "is really only a most delicate and sensitive apparatus to measure all the degrees and variations of one civilization."

Too much emphasis cannot be laid upon the purely scientific and the severely deterministic side of Taine's work, which furnished the model for a whole generation of literary folk to come. The poetic sensibility of the critic should not, however, be disregarded. This side of his genius is illustrated by descriptive passages of great beauty. Such, for example, is the haunting picture of the chalky plains of Champagne which produced a La Fontaine; or the picture of the modern poet, "never very gay because of his nerves," viewed from between the pretty glazed leaves of a book of verse; or that startling and vivid comparison of Alfred de Musset and Alfred Lord Tennyson which closes his *History of English Literature*.

Taine, one of the gentlest men by nature, has furnished Paul Bourget, in his brutal novel *Le Disciple*, with the subject of an interesting thesis: whether or not a philosopher may be held morally responsible for the practical consequences of his thinking. Bourget, painting Taine under the guise of his mild-mannered Adrien Sixte, has developed a rather exaggerated case, depicting the dangerous influence of master on disciple; yet it is true that Taine has laid the foundations of a school "which exalts the power of animal passions, proclaims the tyranny of temperament, and seeks the determining factors of conduct in the blood and nerves,"† and his teachings lead us directly to the crude naturalism of the school of Zola, to the determinism of Barrès's novels of national energy, and to the analytic psychology of the novels of Paul Bourget.

LA FONTAINE ET LA CHAMPAGNE

Je voudrais, pour parler de La Fontaine, faire comme lui quand il allait à l'Académie, « prendre le plus long. » Ce chemin-là lui a toujours plus agréé que les autres. Volontiers

* See pages 128–131.
† Babbitt, *The Masters of Modern French Criticism*.

il citerait Platon et remonterait au déluge pour expliquer les faits et les gestes d'une belette, et, si l'on juge par l'issue, bien des gens trouvent qu'il n'avait pas tort. Laissez-nous prendre comme lui le chemin des écoliers et des philosophes, raisonner à son endroit comme il faisait à l'endroit de ses bêtes, alléguer l'histoire et le reste. C'est le plus long si vous voulez: au demeurant, c'est peut-être le plus court.

Me voici donc à l'aise, libre de rechercher toutes les causes qui ont pu former mon personnage et sa poésie; libre de voyager et de conter mon voyage. J'en ai fait un l'an dernier par la mer et le Rhin, pour revenir par la Champagne. Partout, dans ce circuit, éclate la grandeur ou la force. Au nord, l'Océan bat les falaises blanchâtres ou noie les terres plates; les coups de ce bélier monotone qui heurte obstinément la grève, l'entassement de ces eaux stériles qui assiégent l'embouchure des fleuves, la joie des vagues indomptées qui s'entre-choquent follement sur la plaine sans limites, font descendre au fond du cœur des émotions tragiques; la mer est un hôte disproportionné et sauvage dont le voisinage laisse toujours dans l'homme un fond d'inquiétude et d'accablement.—En avançant vers l'est, vous rencontrez la grasse Flandre, antique nourrice de la vie corporelle, ses plaines immenses toutes regorgeantes d'une abondance grossière, ses prairies peuplées de troupeaux couchés qui ruminent, ses larges fleuves qui tournoient paisiblement à pleins bords sous les bateaux chargés, ses nuages noirâtres tachés de blancheurs éclatantes qui abattent incessamment leurs averses sur la verdure, son ciel changeant, plein de violents contrastes, et qui répand une beauté poétique sur sa lourde fécondité.— Au sortir de ce grand potager, le Rhin apparaît, et l'on remonte vers la France. Le magnifique fleuve déploie le cortège de ses eaux bleues entre deux rangées de montagnes aussi nobles que lui; leurs cimes s'allongent par étages jusqu'au bout de l'horizon dont la ceinture lumineuse les accueille et les relie; le soleil pose une splendeur sereine sur leurs vieux flancs tailladés, sur leur dôme de forêts toujours vivantes; le soir, ces grandes images flottent dans des ondulations d'or et de pourpre, et le fleuve couché dans la brume ressemble à un roi heureux et pacifique qui, avant de s'endormir, rassemble autour de lui les plis dorés de son manteau. Des deux côtés les versants qui le nourrissent se redressent avec un aspect énergique ou austère ; les pins couvrent les sommets de leurs draperies silencieuses, et descendent par bandes jusqu'au fond des gorges ; le puissant élan qui les dresse, leur roide attitude donne l'idée d'une phalange de jeunes héros barbares, immobiles et debout dans leur solitude que la culture n'a jamais violée. Ils disparaissent avec les roches rouges des Vosges. Vous quittez le pays à demi allemand qui n'est à nous que depuis un siècle. Un air nouveau moins froid vous souffle aux joues ; le ciel change et le sol aussi. Vous êtes entré dans la véritable France, celle qui a conquis et façonné le reste. Il semble que de tous côtés les sensations et les idées affluent pour vous expliquer ce que c'est que le Français.

Je revenais par ce chemin au commencement de l'automne, et je me rappelle combien le changement de paysage me frappa. Plus de grandeur ni de puissance ; l'air sauvage ou triste s'efface ; la monotonie et la poésie s'en vont ; la variété et la gaieté commencent. Point trop de plaines ni de montagnes ; point trop de soleil ni d'humidité. Nul excès et nulle énergie. Tout y semblait maniable et civilisé ; tout y était sur un petit modèle, en proportions commodes, avec un air de finesse et d'agrément. Les montagnes étaient devenues collines, les bois n'étaient plus guère que des bosquets, les ondulations du terrain recevaient, sans discontinuer, les cultures. De minces rivières serpentaient entre des bouquets d'aunes avec de gracieux sourires. Une raie de peupliers solitaires au bout d'un champ grisâtre, un bouleau frêle qui tremble dans une clairière de genêts, l'éclair passager d'un ruisseau à travers les lentilles d'eau qui l'obstruent, la teinte délicate dont l'éloignement revêt quelque bois écarté, voilà les beautés de notre paysage ; il paraît plat aux yeux qui se sont reposés sur la noble architecture des montagnes méridionales, ou qui se sont nourris de la verdure surabondante et de la végétation héroïque du nord ; les grandes lignes, les fortes

couleurs y manquent; mais les contours sinueux, les nuances
légères, toutes les grâces fuyantes y viennent amuser l'agile
esprit qui les contemple, le toucher parfois, sans l'exalter ni
l'accabler.— Si vous entrez plus avant dans la vraie Champagne,
ces sources de poésie s'appauvrissent et s'affinent encore. La
vigne, triste plante bossue, tord ses pieds entre les cailloux. Les
plaines crayeuses sous leurs moissons maigres s'étalent bariolées
et ternes comme un manteau de roulier. Çà et là un ligne
d'arbres marque sur la campagne la traînée d'un ruisseau
blanchâtre. On aime pourtant le joli soleil qui luit doucement
entre les ormes, le thym qui parfume les côtes sèches, les abeilles
qui bourdonnent au-dessus du sarrasin en fleur: beautés légères
qu'une race sobre et fine peut seule goûter. Ajoutez que le
climat n'est point propre à la durcir ni à la passionner. Il n'a
ni excès ni contrastes; le soleil n'est pas terrible comme au midi,
ni la neige durable comme au nord. Au plus fort de juin, les
nuages passent en troupes, et souvent dès février, la brume
enveloppe les arbres de sa gaze bleuâtre sans se coller en givre
autour de leurs rameaux. On peut sortir en toute saison, vivre
dehors sans trop pâtir; les impressions extrêmes ne viennent
point émousser les sens ou concentrer la sensibilité; l'homme
n'est point alourdi ni exalté; pour sentir, il n'a pas besoin de
violentes secousses et il n'est pas propre aux grandes émotions.
Tout est moyen ici, tempéré, plutôt tourné vers la délicatesse
que vers la force. La nature qui est clémente n'est point pro-
digue; elle n'empâte pas ses nourrissons d'une abondance brutale; ils mangent sobrement, et leurs aliments ne sont point
pesants. La terre, un peu sèche et pierreuse, ne leur donne
guère que du pain et du vin; encore ce vin est-il léger, si léger
que les gens du Nord, pour y prendre plaisir, le chargent d'eau-
de-vie. Ceux-ci n'iront pas, à leur exemple, s'emplir de viandes
et de boissons brûlantes pour inonder leurs veines par un afflux
soudain de sang grossier, pour porter dans leur cerveau la
stupeur ou la violence; on les voit à la porte de leur chaumière,
qui mangent debout un peu de pain et leur soupe; leur vin ne
met dans leurs têtes que la vivacité et la belle humeur.

Plus on les regarde, plus on trouve que leurs gestes, les formes de leurs visages annoncent une race à part. Il y a un mois, en Flandre, surtout en Hollande, ce n'étaient que grands traits mal agencés, osseux, trop saillants; à mesure qu'on avançait vers les marécages, le corps devenait plus lymphatique, le teint plus pâle, l'œil plus vitreux, plus engorgé dans la chair blafarde. En Allemagne, je découvrais dans les regards une expression de vague mélancolie ou de résignation inerte; d'autres fois, l'œil bleu gardait jusque dans la vieillesse sa limpidité virginale; et la joue rose des jeunes hommes, la vaillante pousse des corps superbes annonçait l'intégrité et la vigueur de la sève primitive. Ici, et à cinquante lieues alentour de Paris, la beauté manque, mais l'intelligence brille, non pas la verve pétulante et la gaieté bavarde des méridionaux, mais l'esprit leste, juste, avisé, malin, prompt à l'ironie, qui trouve son amusement dans les mécomptes d'autrui. Ces bourgeois, sur le pas de leur porte, clignent de l'œil derrière vous; ces apprentis derrière l'établi se montrent du doigt votre ridicule et vont gloser. On n'entre jamais ici dans un atelier sans inquiétude; fussiez-vous prince et brodé d'or, ces gamins en manches sales vous auront pesé en une minute, tout gros monsieur que vous êtes, et il est presque sûr que vous leur servirez de marionnette à la sortie du soir.

Ce sont là des raisonnements de voyageur, tels qu'on en fait en errant à l'aventure dans des rues inconnues ou en tournant le soir dans sa chambre d'auberge. Ces vérités sont littéraires, c'est-à-dire vagues; mais nous n'en avons pas d'autres à présent en cette matière, et il faut se contenter de celles-ci, telles quelles, en attendant les chiffres de la statistique et la précision des expériences. Il n'y a pas encore de science des races,* et on se risque beaucoup quand on essaye de se figurer comment le sol et le climat peuvent les façonner. Ils les façonnent pourtant, et les différences des peuples européens, tous sortis d'une même souche, le prouvent assez. L'air et les aliments font le corps

---

* Une société d'anthropologie vient de se fonder à Paris, par les soins de plusieurs anatomistes et physiologistes éminents, MM. Brown-Séquard, Béclard, Broca, Follin, Verneuil.—Note de Taine.

à la longue ; le climat, son degré et ses contrastes produisent les
sensations habituelles, et à la fin la sensibilité définitive : c'est là
tout l'homme, esprit et corps, en sorte que tout l'homme prend
et garde l'empreinte du sol et du ciel ; on s'en aperçoit en regardant les autres animaux, qui changent en même temps que
lui, et par les mêmes causes ; un cheval de Hollande est aussi
peu semblable à un cheval de Provence qu'un homme d'Amsterdam à un homme de Marseille. Je crois même que l'homme,
ayant plus de facultés, reçoit des impressions plus profondes ;
le dehors entre en lui davantage, parce que les portes chez lui
sont plus nombreuses. Imaginez le paysan qui vit toute la
journée en plein air, qui n'est point, comme nous, séparé de la
nature par l'artifice des inventions protectrices et par la préoccupation des idées ou des visites. Le ciel et le paysage lui
tiennent lieu de conversation ; il n'a point d'autres poèmes ; ce
ne sont point les lectures et les entretiens qui remplissent son
esprit, mais les formes et les couleurs qui l'entourent ; il y rêve,
la main appuyée sur le manche de la charrue ; il en sent la
sérénité ou la tristesse quand le soir il rentre assis sur son
cheval, les jambes pendantes, et que ses yeux suivent sans
réflexion les bandes rouges du couchant. Il n'en raisonne point,
il n'arrive point à des jugements nets ; mais toutes ces émotions
sourdes, semblables aux bruissements innombrables et imperceptibles de la campagne, s'assemblent pour faire ce ton habituel
de l'âme que nous appelons le caractère. C'est ainsi que l'esprit
reproduit la nature ; les objets et la poésie du dehors deviennent
les images et la poésie du dedans. Il ne faut pas trop se ha-
sarder en conjectures, mais enfin c'est parce qu'il y a une France,
ce me semble, qu'il y a eu un La Fontaine et des Français.

LA CRITIQUE APPLIQUÉE A L'HISTOIRE

La critique recueille tout le vrai, rien que le vrai. Cela est
bientôt dit ; mais quelles conséquences ! Considérez l'historien
qui traite l'histoire comme elle le mérite, c'est-à-dire en science.
Il ne songe ni à louer ni à blâmer ; il ne veut ni exhorter ses

auditeurs à la vertu, ni les instruire dans la politique. Ce n'est pas son affaire d'exciter la haine ou l'amour, d'améliorer les cœurs ou les esprits ; que les faits soient beaux ou laids, peu lui importe ; il n'a pas charge d'âmes ; il n'a pour devoir et pour désir que de supprimer la distance des temps, de mettre le lecteur face à face avec les objets, de le rendre concitoyen des personnages qu'il décrit, et contemporain des événements qu'il raconte. Que les moralistes viennent maintenant, et dissertent sur le tableau exposé ; sa tâche est finie ; il leur laisse la place et s'en va. Parce qu'il n'aime que le vrai absolu, il s'irrite contre les demi-vérités qui sont des demi-faussetés, contre les auteurs qui n'altèrent ni une date ni une généalogie, mais dénaturent les sentiments et les mœurs, qui gardent le dessin des événements et en changent la couleur, qui copient les faits et défigurent l'âme : il veut sentir en barbare, parmi les barbares, et parmi les anciens, en ancien. Le voilà donc qui sort de son siècle et de sa nation pour ressusciter en soi-même les passions originales, les croyances étranges, le caractère oublié des autres peuples et des autres âges. Sur toute la route du temps, il en suit les changements insensibles, et il se trouve à la fin qu'il a rassemblé et développé, dans l'enceinte étroite de son esprit, les sentiments et toute la vie d'une nation. Il est moins choqué d'une bataille supposée que d'un de ces détails faussés. Il les poursuit et les recueille comme la fleur la plus vivante et la plus précieuse du vrai. Mais il veut encore toutes les autres. Ne croyez pas le contenter en lui énumérant les faits qui semblent seuls intéresser les hommes, les changements de gouvernement, les intrigues des partis, les guerres des États, les renversements d'empires. Il vous interrogera encore sur la distribution de la richesse, sur les occupations des citoyens, sur la constitution des familles, sur les religions, les arts, les philosophies. A ses yeux, toutes les parties des institutions et des pensées humaines sont attachées les unes aux autres ; on n'en comprend aucune si on ne les connaît toutes ; c'est un édifice qu'une seule pièce ôtée fait chanceler tout entier. Il va donc par instinct et passion d'un fait à un autre, amassant sans cesse, inquiet et mécontent, tant qu'il n'a pas tout rassemblé, obsédé par le besoin des idées claires et complètes, apercevant toujours des vides dans l'image intérieure qu'il contemple, infatigable jusqu'à ce qu'il les ait comblés.

Comment les combler, sinon par des faits prouvés? Aussi est-ce un échafaudage infini qu'il faut à l'édifice. L'amour de la vérité enfante l'amour de la preuve, et voilà le critique qui la poursuit, non avec le zèle paisible d'un juge impartial, mais avec la sagacité et l'opiniâtreté d'un chercheur passionné. Il court aux sources les plus lointaines, parce qu'elles sont les plus pures; plus le texte est barbare, plus il est précieux; il donnerait la plus belle pièce d'éloquence pour un vieux livre d'un style in-forme, grossier comme son auteur, dont les épines blesseraient les mains d'un lettré délicat; c'est un trésor que Caton le campagnard, et son manuel, âpre fagot de formules rustiques.[1] Il va dans les archives déterrer les lois, les discours, les traités; se frayant un chemin dans l'illisible grimoire d'une écriture oubliée, à travers les phrases brutes et les mots inconnus; car alors ce sont les faits eux-mêmes qu'il touche, entiers et intacts, sans témoins entre eux et lui; c'est la propre voix de l'antiquité qu'il écoute, sans interprète qui en change l'accent; c'est le passé qui, sans être altéré par d'autres mains, est venu d'abord dans les siennes.—Il éclaire ces textes si frappants par des monuments plus expressifs encore; il sait que la nature subsiste pendant que les âmes changent, qu'à travers les révolutions civiles elle maintient les propriétés des climats et la figure du sol, et qu'en entourant l'homme d'objets invariables, elle nourrit en lui des pensées fixes. Il va prendre ces sentiments dans le pays qui les engendre, et, parce qu'il les éprouve, il les com-prend. Mais s'il traverse tous les documents pour aller d'abord aux sources incorruptibles, il ne laisse échapper aucun témoin récent, ancien, entier, mutilé, formules, monnaies, rituels, tradi-tions; le texte le plus ingrat dévoile souvent un trait d'un ca-ractère, ou les débris d'une institution. Ce n'est qu'en voyant tout qu'on peut saisir la vérité originale et tout prouver.

L'ANIMAL ET SA COQUILLE

Lorsque vous tournez les grandes pages roides d'un in-folio, les feuilles jaunies d'un manuscrit, bref un poème, un code, un symbole de foi, quelle est votre première remarque? C'est qu'il ne s'est point fait tout seul. Il n'est qu'un moule, pareil à une coquille fossile, une empreinte, pareille à l'une de ces formes déposées dans la pierre par un animal qui a vécu et qui a péri. Sous la coquille, il y avait un animal, et, sous le document, il y avait un homme. Pourquoi étudiez-vous la coquille, sinon pour vous figurer l'animal? De la même façon vous n'étudiez le document qu'afin de connaître l'homme; la coquille et le document sont des débris morts, et ne valent que comme indices de l'être entier et vivant. C'est jusqu'à cet être qu'il faut arriver; c'est lui qu'il faut tâcher de reconstruire. On se trompe lorsqu'on étudie le document comme s'il était seul. C'est traiter les choses en simple érudit, et tomber dans une illusion de bibliothèque. Au fond il n'y a ni mythologie, ni langues, mais seulement des hommes qui arrangent des mots et des images d'après les besoins de leurs organes et la forme originelle de leur esprit. Un dogme n'est rien par lui-même; voyez les gens qui l'ont fait, tel portrait du seizième siècle, la roide et énergique figure d'un archevêque ou d'un martyr anglais. Rien n'existe que par l'individu; c'est l'individu lui-même qu'il faut connaître. Quand on a établi la filiation des dogmes, ou la classification des poèmes, ou le progrès des constitutions, ou la transformation des idiomes, on n'a fait que déblayer le terrain; la véritable histoire s'élève seulement quand l'historien commence à démêler, à travers la distance des temps, l'homme vivant, agissant, doué de passions, muni d'habitudes, avec sa voix et sa physionomie, avec ses gestes et ses habits, distinct et complet comme celui que tout à l'heure nous avons quitté dans la rue. Tâchons donc de supprimer, autant que possible, ce grand intervalle de temps qui nous empêche d'observer l'homme avec nos yeux, *avec les yeux de notre tête*. Qu'y a-t-il sous les jolis feuillets satinés d'un poème moderne?

Un poète moderne, un homme comme Alfred de Musset, Hugo,
Lamartine ou Heine, ayant fait ses classes et voyagé, avec un
habit noir et des gants, bien vu des dames et faisant le soir
cinquante saluts et une vingtaine de bons mots dans le monde,
lisant les journaux le matin, ordinairement logé dans un second
étage, point trop gai parce qu'il a des nerfs, surtout parce que,
dans cette épaisse démocratie où nous nous étouffons, le dis-
crédit des dignités officielles a exagéré ses prétentions en re-
haussant son importance, et que la finesse de ses sensations
habituelles lui donne quelque envie de se croire Dieu. Voilà
ce que nous apercevons sous des *méditations* ou des *sonnets*
modernes.—De même, sous une tragédie du dix-septième siècle,
il y a un poète, un poète comme Racine, par exemple, élégant,
mesuré, courtisan, beau diseur, avec une perruque majestueuse
et des souliers à rubans, monarchique et chrétien de cœur,
« ayant reçu de Dieu la grâce de ne rougir en aucune compagnie,
ni du roi, ni de l'Evangile ; » habile à amuser le prince, à lui
traduire en beau français « le gaulois d'Amyot, » [2] fort respec-
tueux envers les grands, et sachant toujours, auprès d'eux, « se
tenir à sa place, » empressé et réservé à Marly comme à Versailles, au milieu des agréments réguliers d'une nature policée et
décorative, parmi les révérences, les grâces, les manèges et les
finesses des seigneurs brodés qui sont levés matin pour mériter
une survivance, et des dames charmantes qui comptent sur leurs
doigts les généalogies afin d'obtenir un tabouret. Là-dessus,
consultez Saint-Simon et les estampes de Pérelle, comme tout à
l'heure vous avez consulté Balzac et les aquarelles d'Eugène
Lami.[3]—Pareillement, quand nous lisons une tragédie grecque,
notre premier soin doit être de nous figurer des Grecs, c'est-à-
dire des hommes qui vivent à demi nus, dans des gymnases ou
sur des places publiques, sous un ciel éclatant, en face des plus
fins et des plus nobles paysages, occupés à se faire un corps agile
et fort, à converser, à discuter, à voter, à exécuter des pirateries
patriotiques, du reste oisifs et sobres, ayant pour ameublement
trois cruches dans leur maison, et pour provisions deux anchois
dans une jarre d'huile, servis par des esclaves qui leur laissent

le loisir de cultiver leur esprit et d'exercer leurs membres, sans autre souci que le désir d'avoir la plus belle ville, les plus belles processions, les plus belles idées et les plus beaux hommes. Là-dessus une statue comme le Méléagre ou le Thésée du Parthé-non,[4] ou bien encore la vue de cette Méditerranée lustrée et bleue comme une tunique de soie et de laquelle sortent les îles comme des corps de marbre, avec cela vingt phrases choisies dans Platon et Aristophane vous instruiront beaucoup plus que la multitude des dissertations et des commentaires.—Pareille-ment encore, pour entendre un Pourana indien,[5] commencez par vous figurez le père de famille qui, « ayant vu un fils sur les genoux de son fils, » se retire selon la loi dans la solitude, avec une hache et un vase, sous un bananier au bord d'un ruisseau, cesse de parler, multiplie ses jeûnes, se tient nu entre quatre feux, et sous le cinquième feu, c'est-à-dire le terrible soleil dévorateur et rénovateur incessant de toutes les choses vivantes ; qui, tour à tour, et pendant des semaines entières, maintient son imagination fixée sur le pied de Brahma, puis sur le genou, puis sur la cuisse, puis sur le nombril, et ainsi de suite jusqu'à ce que, sous l'effort de cette méditation intense, les hallucinations paraissent, jusqu'à ce que toutes les formes de l'être, brouillées et transformées l'une dans l'autre, oscillent à travers cette tête emportée par le vertige, jusqu'à ce que l'homme immobile, retenant sa respiration, les yeux fixes, voie l'univers s'évanouir comme une fumée au-dessus de l'Être universel et vide, dans lequel il aspire à s'abîmer. A cet égard, un voyage dans l'Inde serait le meilleur enseignement ; faute de mieux, les récits des voyageurs, des livres de géographie, de botanique et d'ethno-logie tiendront la place. En tout cas, la recherche doit être la même. Une langue, une législation, un catéchisme n'est jamais qu'une chose abstraite ; la chose complète, c'est l'homme agis-sant, l'homme corporel et visible, qui mange, qui marche, qui se bat, qui travaille ; laissez là la théorie des constitutions et de leur mécanisme, des religions et de leur système, et tâchez de voir les hommes à leur atelier, dans leurs bureaux, dans leurs champs, avec leur ciel, leur sol, leurs maisons, leurs habits, leurs cultures, leurs repas, comme vous le faites, lorsque, débarquant en Angleterre ou en Italie, vous regardez les visages et les gestes, les trottoirs et les tavernes, le citadin qui se promène et l'ouvrier qui boit. Notre grand souci doit être de suppléer, autant que possible, à l'observation présente, personnelle, directe et sensible, que nous ne pouvons plus pratiquer : car elle est la seule voie qui fasse connaître l'homme ; rendonsnous le passé présent ; pour juger une chose, il faut qu'elle soit présente ; il n'y a pas d'expérience des objets absents. Sans doute, cette reconstruction est toujours incomplète ; elle ne peut donner lieu qu'à des jugements incomplets ; mais il faut s'y résigner ; mieux vaut une connaissance mutilée qu'une connaissance nulle ou fausse, et il n'y a d'autre moyen pour connaître à peu près les actions d'autrefois, que de *voir* à peu près les hommes d'autrefois.

CHARLES AUGUSTIN SAINTE-BEUVE

1804–1869

Le vrai, le vrai seul.
Correspondance de Sainte-Beuve

Sainte-Beuve was the possessor of a mind so manifold, so mobile, and of such inextinguishable curiosity that he was frequently accused by his contemporaries of sudden conversions to certain intellectual movements in which he had for the moment steeped himself. From 1824, when his militant romanticism began, until his death in 1869, he published over fifty volumes which display a surprising development of critical faculties, a genius that was capable of making allowances and of altering points of view. "My literary opinions are not necessarily fixed," he declares; "I am very much accustomed to recast my judgments." During his early manhood he was a romanticist, wrote for the *Globe*, and dominated the group intellectually. He came under the spell of Hugo, and found time for the novel, and for poetry—the morbidly sentimental outcome of a love affair with Hugo's wife. During all these years he was without any central or dominating point of view, dealing with life and literature, as one of his fairest critics has said, "with a maximum of good sense and a minimum of mere logical exclusion."*

During the seventeen years of his contribution to the *Revue des deux mondes* and to other periodicals, from 1831 to 1848, Sainte-Beuve exhibits at times an excess of severity in his articles, and perhaps there are traces of malignity even in his praise. "God save me from being eulogized by you," one of the Goncourt brothers is said to have remarked to him one evening at dinner. In September of 1849 he returned to Paris from Belgium, where he had delivered a series of lectures at the University of Liége. He agreed henceforth to contribute one article a week for the Monday edition of the *Constitutionnel*, and the remainder of his life was devoted to rigorous journalism. His long sympathy with romanticism was now at an end. The decisive break came during his lectures in Belgium, in the course of which he launched a smashing attack against Chateaubriand—lecture notes which were later collected

*Babbitt, *The Masters of Modern French Criticism*.

into his two volumes called *Chateaubriand et son groupe littéraire*, and published in 1860. In these pages we notice also, in addition to a certain amount of bourgeois resentment, the severity of Sainte-Beuve's new method of biographical approach and a fierce desire to tell the truth. "If I had a motto, it would be *true*, the true alone. And as for the good and the beautiful, they might come off as best they could." His criticism now assumes a more judicial tone. With no sense of isolation in an age which he had outgrown, he faces with vigor and even with sympathy the materialism that followed in the wake of the Revolution of 1848 and the rising scientific interests. His method now becomes something of the method of the naturalist. What he will introduce into criticism is the relation between a work and its author; he will determine the author by means of his family, his race, and his age. He is careful, however, not to be drawn into the naturalistic welter too deeply. He does not wish to see the surgeon's knife dripping with blood and pus, yet he declares that no critic can disregard anatomy and physiology.

The articles which Sainte-Beuve contributed to the *Constitutionnel* and later to the *Moniteur*—*Les Causeries du lundi* and *Les Nouveaux Lundis*—are the most finished products from his pen. The former are chiefly a series of unidealized portraits of the widest range; works of literature are explained by the individual temperaments of the men who wrote them. For the living individual interests the critic above everything else. His most famous series of portraits is probably contained in the remarkable volumes on the *Port-Royal*, where the critic is "traversing an epoch" and presenting French society of the seventeenth century. In 1862, while Darwin's *Origin of Species* was making its first appearance in a French translation, and on the eve of Taine's *History of English Literature*, Sainte-Beuve states his method.* "The day will come," he writes, "when great families of intellectual kin—*familles d'esprit*—will be known and determined." He proposes to write a series of monographs, with detailed observations of certain literary figures, with their attitude expressed toward religion, nature, women, money; their habits, their virtues, and their vices. Since a work of literature is the expression of the man, let us know him in his relation to his heredity, his environment, and his temperament. In Sainte-Beuve's search for the aberration of genius, for the master passion, which is the governing element in every writer, he is following the same deterministic law as was laid down by the author of the *Human Comedy* and is touching the doctrine of Taine. Genius, however, he will not make absolutely a question of heredity and environment, nor something which can be tested like vit-

Nouveaux Lundis, article on Chateaubriand.

riol and sugar, as Taine would have it ; and he issues a solemn warning to the author of the *History of English Literature*, decrying the restrictions of his method.

A passion for truth, keen penetration, energetic self-surrender ; a style subordinated in a splendid way to subject, clear, subtle, and captivating, —these are the outstanding qualities of Sainte-Beuve's work. "A perfect critic," Matthew Arnold calls him ; and after a harsh though just word about his petty jealousies, his malicious contemporary judgments, and his gossip for the sake of biographical atmosphere, he is characterized by Lanson as the keenest and most flexible of critical minds.

LE VRAI RÉALISME

Si, en ressouvenir de toutes ces questions de réalité et de réalisme, on voulait de moi une conclusion plus générale et d'une portée plus étendue, je ne me refuserais pas à produire toute ma pensée, et je dirais encore :

Réalité, tu es le fond de la vie, et comme telle, même dans tes aspérités, même dans tes rudesses, tu attaches les esprits sérieux, et tu as pour eux un charme. Et pourtant, à la longue et toute seule, tu finirais par rebuter insensiblement, par rassasier ; tu es trop souvent plate, vulgaire et lassante. C'est bien assez de te rencontrer à chaque pas dans la vie ; on veut du moins dans l'Art, en te retrouvant et en te sentant présente ou voisine toujours, avoir affaire encore à autre chose que toi. Oui, tu as besoin, à tout instant, d'être renouvelée et rafraîchie, d'être relevée par quelque endroit, sous peine d'accabler et peut-être d'ennuyer comme trop ordinaire. Il te faut, pour le moins, posséder et joindre à tes mérites ce génie d'imitation si parfait, si animé, si fin, qu'il devient comme une création et une magie à son tour, cet emploi merveilleux des moyens et des procédés de l'art qui, sans s'étaler et sans faire montre, respire ou brille dans chaque détail comme dans l'ensemble. Il te faut le *style*, en un mot.

Il te faut encore, s'il se peut, le *sentiment*, un coin de sympathie, un rayon moral qui te traverse et qui te vienne éclairer, ne fût-ce que par quelque fente ou quelque ouverture : autrement, bientôt tu nous laisses froids, indifférents, et hommes que nous sommes, comme nous nous portons partout avec nous, et que nous ne nous quittons jamais, nous nous ennuyons de ne point trouver en toi notre part et notre place.

Il te faut encore, et c'est là le plus beau triomphe, il te faut, tout en étant observée et respectée, je ne sais quoi qui t'accomplisse et qui t'achève, qui te rectifie sans te fausser, qui t'élève sans te faire perdre terre, qui te donne tout l'esprit que tu peux avoir sans cesser un moment de paraître naturelle, qui te laisse reconnaissable à tous, mais plus lumineuse que dans l'ordinaire de la vie, plus adorable et plus belle,—ce qu'on appelle l'*idéal* enfin.

Que si tout cela te manque et que tu te bornes strictement à ce que tu es, sans presque nul choix et selon le hasard de la rencontre, si tu te tiens à tes pauvretés, à tes sécheresses, à tes inégalités et à tes rugosités de toutes sortes, eh bien! je t'accepterai encore, et, s'il fallait opter, je te préférerais même ainsi, pauvre et médiocre, mais prise sur le fait, mais sincère, à toutes les chimères brillantes, aux fantaisies, aux imaginations les plus folles ou les plus fines, parce qu'il y a en toi la source, le fond humain et naturel duquel tout jaillit à son heure, et un attrait de vérité, parfois un inattendu touchant, que rien ne vaut et ne rachète.

Je ne te demanderais alors, en me résignant et en m'accommodant à toi, que d'être d'un ton solide, ferme, juste, d'une conscience d'expression pleine et entière; car, selon que La Bruyère l'a remarqué, « un style grave, sérieux, scrupuleux, va fort loin. »

LA MÉTHODE CRITIQUE DE TAINE

La littérature n'est pour M. Taine qu'un appareil plus délicat et plus sensible qu'un autre pour mesurer tous les degrés et toutes les variations d'une même civilisation, pour saisir tous les caractères, toutes les qualités et les nuances de l'âme d'un peuple. Mais, en abordant directement et de front

l'histoire des œuvres littéraires et des auteurs, sa méthode
scientifique non ménagée a effarouché les timides et les a fait
trembler. Les rhétoriciens en désarroi se sont réfugiés derrière
les philosophes ou soi-disant tels, eux-mêmes ralliés pour plus
de sûreté sous le canon de l'orthodoxie; ils ont tous vu dans
la méthode de l'auteur je ne sais quelle menace apportée à la
morale, au libre arbitre, à la responsabilité humaine, et ils ont
poussé les hauts cris.

Il n'est pas douteux pourtant que, quoi que l'homme veuille
faire, penser ou *écrire* (puisqu'il s'agit ici de littérature), il
dépend d'une manière plus ou moins prochaine de la *race* dont
il est issu et qui lui a donné son fonds de nature; qu'il ne
dépend pas moins du *milieu* de société et de civilisation où il
s'est nourri et formé, et aussi du *moment* ou des circonstances
et des événements fortuits qui surviennent journellement dans
le cours de la vie. Cela est si vrai que l'aveu nous en échappe
à nous tous involontairement en nos heures de philosophie et
de raison, ou par l'effet du simple bon sens. Lamennais, le
fougueux, le personnel, l'obstiné,[1] celui qui croyait que la
volonté de l'individu suffit à tout, ne pouvait s'empêcher à
certain jour d'écrire: « Plus je vais, plus je m'émerveille de
voir à quel point les opinions qui ont en nous les plus profondes racines dépendent du temps où nous avons vécu, de la
société où nous sommes nés, et de mille circonstances également passagères. Songez seulement à ce que seraient les nôtres
si nous étions venus au monde dix siècles plus tôt, ou, dans le
même siècle, à Téhéran, à Bénarès, à Taïti. » C'est si évident,
qu'il semblerait vraiment ridicule de dire le contraire. Hippo-
crate, le premier, dans son immortel *Traité des Airs, des Eaux
et des Lieux*,[2] a touché à grands traits cette influence du milieu
et du climat sur les caractères des hommes et des nations.
Montesquieu l'a imité et suivi, mais de trop haut et comme
un philosophe qui n'est pas assez médecin de son métier ni
assez naturaliste.[3] Or, M. Taine n'a fait autre chose qu'essayer
d'étudier méthodiquement ces différences profondes qu'apportent les races, les milieux, les moments, dans la composition

des esprits, dans la forme et la direction des talents.—Mais il
n'y réussit pas suffisamment, dira-t-on; il a beau décrire à
merveille la race dans ses traits généraux et ses lignes fonda-
mentales, il a beau caractériser et mettre en relief dans ses
peintures puissantes les révolutions des temps et l'atmosphère
morale qui règne à de certaines saisons historiques, il a beau
démêler avec adresse la complication d'événements et d'aventures particulières dans lesquelles la vie d'un individu est
engagée et comme engrenée, il lui échappe encore quelque
chose, il lui échappe le plus vif de l'homme, ce qui fait que
de vingt hommes ou de cent, ou de mille, soumis en apparence
presque aux mêmes conditions intrinsèques ou extérieures, pas
un ne se ressemble, et qu'il en est un seul entre tous qui excelle
avec originalité. Enfin l'étincelle même du génie en ce qu'elle
a d'essentiel, il ne l'a pas atteinte, et il ne nous la montre pas
dans son analyse; il n'a fait que nous étaler et nous déduire
brin à brin, fibre à fibre, cellule par cellule, l'étoffe, l'organisme,
le parenchyme (comme vous voudrez l'appeler) dans lequel
cette âme, cette vie, cette étincelle, une fois qu'elle y est entrée,
se joue, se diversifie librement (ou comme librement) et
triomphe.—N'ai-je pas bien rendu l'objection, et reconnaissez-
vous là l'argument des plus sages adversaires? Eh bien!
qu'est-ce que cela prouve? C'est que le problème est difficile,
qu'il est insoluble peut-être dans sa précision dernière. Mais
n'est-ce donc rien, demanderai-je à mon tour, que de poser le
problème comme le fait l'auteur, de le serrer de si près, de le
cerner de toutes parts, de le réduire à sa seule expression finale
la plus simple, de permettre d'en mieux peser et calculer toutes
les données? Tout compte fait, toute part faite aux éléments
généraux ou particuliers et aux circonstances, il reste encore
assez de place et d'espace autour des hommes de talent pour
qu'ils aient toute liberté de se mouvoir et de se retourner. Et
d'ailleurs, le cercle tracé autour de chacun fût-il très étroit,
chaque talent, chaque génie, par cela même qu'il est à quelque
degré un magicien et un enchanteur, a un secret qui n'est qu'à
lui pour opérer des prodiges dans ce cercle et y faire éclore des

merveilles. Je ne vois pas que M. Taine, s'il a trop l'air de la négliger, conteste et nie absolument cette puissance : il la limite, et, en la limitant, il nous permet en maint cas de la mieux définir qu'on ne faisait. Certes, quoi qu'en disent ceux qui se contenteraient volontiers de l'état vague antérieur, M. Taine aura fait avancer grandement l'analyse littéraire, et celui qui après lui étudiera un grand écrivain étranger, ne s'y prendra plus désormais de la même manière ni aussi à son aise qu'il l'aurait fait à la veille de son livre.

EDMOND DE GONCOURT

1822–1896

JULES DE GONCOURT

1830–1870

Que de choses dans ce sacré xixe siècle!
Manette Salomon

The Goncourt brothers offer a most curious and striking example of literary partnership. "United by art and by blood," with common sympathies and antipathies, they merged even their individuality in a common devotion to letters.* Jules, the younger brother, died in 1870, a victim of overwrought nerves, bringing to a close a remarkable collaboration of more than eighteen years. Edmond de Goncourt was of an emotional, melancholy nature, more reserved and more theoretical; Jules was animated and expansive in temper and a more practiced stylist. "My brother," Edmond writes in their famous *Journal*, "more especially directed the style, and I the creation of the work." They were restless, sensitive creatures, *hommes de bibliothèques et de musées*, modern in their choice of subjects and more modern still in the style which they employed. This fondness and craving for the modern spirit, coupled with their self-cultivated neurasthenia, are well marked in their fiction.

They were ardent collectors, carrying their search for rarities in eighteenth-century engravings and Japanese curios to the verge of a mania. This taste for collecting bibelots they developed in their history and in their fiction. The best of the former work is probably *L'Histoire de la société française pendant la Révolution*, dated 1854, and followed the next year by a similar volume on the Directorate, and, in 1862, *La Femme au XVIIIe siècle*. Tremendous energy was expended in the preparation of these works,—*trois mille brochures et deux mille journaux* for one volume, they tell us,—but the authors have chiefly gathered

---

*More recent examples of a similar literary collaboration are furnished by Paul and Victor Margueritte; Joseph and Séraphim Boëx, whose work is signed "J. H. Rosny"; Jérome and Jean Tharaud.

trivial or frivolous details: they know the mistresses of Louis XV; they have caught the Revolutionary setting and the styles of the Directorate. They have indeed gathered abundant and characteristic traits illustrating the periods, but the work is singularly lacking in penetration and in soul. After the anecdotes have been told and the interior decorator's curiosity has been appeased, little of value remains. Likewise in their fiction the brothers have utilized masses of notes which they had preserved in a careful diary: things seen or overheard, anecdotes related by or about their distinguished colleagues at dinner and never meant for the ears of the public. Thus *Charles Demailly* and *Manette Salomon*—the tragic careers of artists whose lives are wrecked by women—contain evocations of the journalistic and artistic world of Paris and introduce portraits of real persons. In 1861 appeared *Sœur Philomène*, which is the touching story of a nurse and her unfortunate devotion to an interne, delicately and beautifully told in a setting of white hospital wards. Constant note-taking and a striving for exact detail, however, have left something of the smell and the taint of the clinic about the novel. *Renée Mauperin*, the study of a very modern young girl and her ultra-modern brother, is in technique the Goncourts' best piece of fiction.

Germinie Lacerteux was published in 1865, the harrowing picture of a hysterical servant girl with a dogged devotion to her mistress, who is brutalized by a ruffian of the boulevards. In the preface to this rather sensational novel the authors write: *ce roman est un roman vrai ... ce livre vient de la rue ... l'étude qui suit est la clinique de l'amour.* The latter phrase became after a fashion the watchword of the naturalists, for it is interesting to note that before Zola had begun to publish his famous Rougon-Macquart novels, in which he exemplifies extreme realism,—realism with scientific pretentions,—the Goncourts had paved the way for him with this "love clinic" of theirs. In the preparation of *Germinie Lacerteux* they merely used material which they had gathered from studying minutely the abnormal mind of their own servant. Their clinical methods are carried even further in *Madame Gervaisais*, the story of a nervous woman whose personality is absorbed by a religious mysticism at Rome. Still later Edmond de Goncourt claimed the right to consider and to analyze in the form of fiction any subject commonly treated under the title of *Étude*, or scientific treatise.* Granting that realism is in the best sense the depiction of normal human experience, these nerve-racked brothers have certainly gone far astray in their search for the exceptional and the abnormal. Their novels are all built upon the

*Preface to *La Fille Élisa*.

same plan: a collection of notes made from real *cases* concerning men and women whose personalities have become distorted or atrophied. Hospitals; the outer boulevards; newspaper offices; balls at the Opera; obscure corners of Paris, curious types, all modern and all morbid,—such are the materials with which their novels are fashioned.

For the adequate presentation of such material they invented a new and astonishing style. Since they were ever seeking the rare and the extravagant, their fiction required what Edmond called an *écriture artiste*, a new language. They try to translate into some new form what they see and feel; to reproduce the tones and shades and lines of the painter or etcher by use of words. *De la forme naît l'idée*, Flaubert had written. The Goncourts go far in advance of Flaubert in their aim to translate sensations by phrase. The result is an incorrect, negligent, and frequently bizarre style, what René Doumic has called a "new invasion of preciosity." The most remarkable work of the Goncourt brothers is their *Journal*, the first installment of which was published on December 25, 1885, in *Le Figaro*. These daily notes contain not only contemporary gossip overheard at the famous Restaurant Magny dinners, their own impressions of people and things, but also the preliminary crayon sketches of many of their novels. The *Journal* is of splendid anecdotic value, for the brothers have a real gift for rapid sketches, picturesque and forgotten details of private life, and a talent for silhouette-making. They have one fault, however, which cannot be overlooked: *ils voient en petit ; ils voient mesquins.** At those dinners, we must remember, their neighbors were Taine, Renan, Sainte-Beuve, Flaubert, and Gautier; yet, as the Goncourts describe these men, one might suppose they were striving only to discover all that was mediocre and base in genius.

After the death of Jules de Goncourt, Edmond symbolized the history of their lives in a prose poem of emotional beauty called *Les Frères Zemganno*. It is the pathetic story of two clowns who are brothers. They have devoted their lives to the perfection of their acrobatic art, and so closely knit have these dizzy, whirling bodies become that the difficult feats which they perform within the sawdust ring seem the response of one set of muscles in obedience to one intelligence. When Nello, the younger clown, falls and is injured, the older brother renounces his art to pursue with his crippled team-mate the humdrum trade of fiddle-scraper, *le derrière sur des chaises*.

Of that school of advanced realists, darkly pessimistic and pathological, who believe that reality consists in the reproduction within fic-

*Doumic, *Portraits d'écrivains*.

tional limits of their copious and overtechnical notes, the Goncourts, because they are artists, remain the best example. Their nervous and uneven style, with its attempt to reproduce plasticity in writing, is one of the foundations of impressionism and, as such, has remained a distinct influence in the history of literary style during the nineteenth century.

L'ENTRÉE DES CHAMPS

Quand le printemps fut venu:—Si nous allions à l'entrée des champs? disait presque tous les soirs Germinie à Jupillon.

Jupillon mettait sa chemise de flanelle à carreaux rouges et noirs, sa casquette en velours noir; et ils partaient pour ce que les gens du quartier appellent « l'entrée des champs. »

Ils montaient la chaussée Clignancourt, et avec le flot des Parisiens de faubourg se pressant à aller boire un peu d'air, ils marchaient vers ce grand morceau de ciel se levant tout droit des pavés, au haut de la montée, entre les deux lignes des maisons, et tout vide quand un omnibus n'en débouchait pas. La chaleur tombait, les maisons n'avaient plus de soleil qu'à leur faîte et à leurs cheminées. Comme d'une grande porte ouverte sur la campagne, il venait du bout de la rue, du ciel, un souffle d'espace et de liberté.

Au Château-Rouge,[1] ils trouvaient le premier arbre, les premières feuilles. Puis, à la rue du Château, l'horizon s'ouvrait devant eux dans une douceur éblouissante. La campagne, au loin, s'étendait, étincelante et vague, perdue dans le poudroiement d'or de sept heures. Tout flottait dans cette poussière de jour que le jour laisse derrière lui sur la verdure qu'il efface et les maisons qu'il fait roses.

Ils descendaient, suivaient le trottoir charbonné de jeux de *marelle*, de longs murs par-dessus lesquels passait une branche, des lignes de maisons brisées, espacées de jardins. A leur gauche, se levaient des têtes d'arbres toutes pleines de lumière, des bouquets de feuilles transpercées du soleil couchant qui mettait des raies de feu sur les barreaux des grilles de fer. Après les jardins, ils passaient les palissades, les enclos à vendre, les constructions jetées en avant dans les rues projetées

et tendant au vide leurs pierres d'attente, les murailles pleines
à leur pied de tas de culs de bouteille, de grandes et plates
maisons de plâtre, aux fenêtres encombrées de cages et de
linges, avec l'Y d'un plomb à chaque étage, des entrées de
terrains aux apparences de basse-cour avec des tertres broutés
par des chèvres.

Çà et là, ils s'arrêtaient, sentaient les fleurs, l'odeur d'un
maigre lilas poussant dans une étroite cour. Germinie cueillait
une feuille en passant et la mordillait.

Des vols d'hirondelles, joyeux, circulaires et fous, tournaient
et se nouaient sur sa tête. Les oiseaux s'appelaient. Le ciel
répondait aux cages. Elle entendait tout chanter autour d'elle,
et elle regardait d'un œil heureux les femmes en camisole aux
fenêtres, les hommes en manches de chemise dans les jardinets,
les mères, sur le pas des portes, avec de la marmaille entre
les jambes.

La descente finissait, le pavé cessait. A la rue succédait une
large route, blanche, crayeuse, poudreuse, faite de débris, de
platras, d'émiettements de chaux et de briques, effondrée, sil-
lonnée par les ornières, luisantes au bord, que font le fer de
grosses roues et l'écrasement des charrois de pierres de taille.
Alors commençait ce qui vient où Paris finit, ce qui pousse où
l'herbe ne pousse pas, un de ces paysages d'aridité que les
grandes villes créent autour d'elles, cette première zone de
banlieue *intra muros* où la nature est tarie, la terre usée, la
campagne semée d'écailles d'huîtres. Ce n'était plus que des
terrains à demi clos, montrant des charrettes et des camions les
brancards en l'air sur le ciel, des chantiers à scier des pierres,
des usines en planches, des maisons d'ouvriers en construction,
trouées et tout à jour, portant le drapeau des maçons, des landes
de sable gris et blanc, des jardins de maraîchers tirés au cordeau
tout en bas des fondrières vers lesquelles descend, en coulées de
pierrailles, le remblayage de la route.

Bientôt se dressait le dernier réverbère pendu à un poteau
vert. Du monde allait et venait toujours. La route vivait et
amusait l'œil. Germinie croisait des femmes portant la canne

de leur mari, des lorettes en soie au bras de leurs frères en
blouse, des vieilles en madras se promenant, avec le repos du
travail, les bras croisés. Des ouvriers tiraient leurs enfants dans
de petites voitures, des gamins revenaient, avec leurs lignes, de
pêcher à Saint-Ouen,[2] des gens traînaient au bout d'un bâton
des branches d'acacia en fleur.

Tous allaient tranquillement, bienheureusement, d'un pas qui
voulait s'attarder, avec le dandinement allègre et la paresse
heureuse de la promenade. Personne ne se pressait, et sur la
ligne toute plate de l'horizon, traversée de temps en temps par
la fumée blanche d'un train de chemin de fer, les groupes de
promeneurs faisaient des taches noires, presque immobiles,
au loin.

Ils arrivaient derrière Montmartre à ces espèces de grands
fossés, à ces carrés en contre-bas où se croisent de petits sentiers
foulés et gris. Un peu d'herbe était là, frisée, jaunie et veloutée
par le soleil qu'on apercevait se couchant tout en feu dans les
entre-deux des maisons. Et Germinie aimait à y retrouver les
cardeuses de matelas au travail, les chevaux d'équarrissage
pâturant la terre pelée, les pantalons garance des soldats jouant
aux boules, les enfants enlevant un cerf-volant noir dans le ciel
clair. Au bout de cela, l'on tournait, pour aller traverser le pont
du chemin de fer, par ce mauvais campement de chiffonniers, le
quartier des limousins[3] du bas de Clignancourt. Ils passaient
vite contre ces maisons bâties de démolitions volées, et suant les
horreurs qu'elles cachent ; ces huttes, tenant de la cabine et du
terrier, effrayaient vaguement Germinie : elle y sentait tapis
tous les crimes de la Nuit.

Mais aux fortifications, son plaisir revenait. Elle courait
s'asseoir avec Jupillon sur le talus. A côté d'elle, étaient des
familles en tas, des ouvriers couchés à plat sur le ventre, de
petits rentiers regardant les horizons avec une lunette d'approche, des philosophes de misère, arc-boutés des deux mains
sur leurs genoux, l'habit gras de vieillesse, le chapeau noir aussi
roux que leur barbe rousse. L'air était plein de bruits d'orgue.
Au-dessous d'elle, dans le fossé, des sociétés jouaient aux quatre

coins. Devant les yeux, elle avait une foule bariolée, des blouses blanches, des tabliers bleus d'enfants qui couraient, un jeu de bague qui tournait, des cafés, des débits de vin, des fritureries, des jeux de macarons,[4] des tirs à demi cachés dans un bouquet de verdure d'où s'élevaient des mâts aux flammes tricolores; puis au delà, dans une vapeur, dans une brume bleuâtre, une ligne de têtes d'arbres dessinait une route. Sur la droite, elle apercevait Saint-Denis et le grand vaisseau de sa basilique; sur la gauche, au-dessus d'une file de maisons qui s'effaçaient, le disque du soleil se couchant sur Saint-Ouen était d'un feu couleur cerise et laissait tomber dans le bas du ciel gris comme des colonnes rouges qui le portaient en tremblant. Souvent le ballon d'un enfant qui jouait passait une seconde sur cet éblouissement.

Ils descendaient, passaient la porte, longeaient les débits de saucisson de Lorraine, les marchands de gaufres, les cabarets en planches, les tonnelles sans verdure et au bois encore blanc où un pêle-mêle d'hommes, de femmes, d'enfants, mangeaient des pommes de terre frites, des moules et des crevettes, et ils arrivaient au premier champ, à la première herbe vivante: sur le bord de l'herbe, il y avait une voiture à bras chargée de pain d'épice et de pastilles de menthe, et une marchande de coco vendait à boire sur une table dans le sillon... Étrange campagne où tout se mêlait, la fumée de la friture à la vapeur du soir, le bruit des palets d'un jeu de tonneau au silence versé du ciel, l'odeur de la poudrette à la senteur des blés verts, la barrière à l'idylle, et la Foire à la Nature! Germinie en jouissait pourtant; et poussant Jupillon plus loin, marchant juste au bord du chemin, elle se mettait à passer, en marchant, ses jambes dans les blés pour sentir sur ses bas leur fraîcheur et leur chatouillement.

Quand ils revenaient, elle voulait remonter sur le talus. Il n'y avait plus de soleil. Le ciel était gris en bas, rose au milieu, bleuâtre en haut. Les horizons s'assombrissaient; les verdures se fonçaient, s'assourdissaient, les toits de zinc des cabarets prenaient des lumières de lune, des feux commençaient à piquer l'ombre, la foule devenait grisâtre, les blancs de linge devenaient bleus. Tout peu à peu s'effaçait, s'estompait, se perdait dans un reste mourant de jour sans couleur, et de l'ombre qui s'épaississait commençait à monter, avec le tapage des crécelles, le bruit d'un peuple qui s'anime à la nuit, et du vin qui commence à chanter. Sur le talus, le haut des grandes herbes se balançait sous la brise qui les inclinait. Germinie se décidait à partir. Elle revenait, toute remplie de la nuit tombante, s'abandonnant à l'incertaine vision des choses entrevues, passant les maisons sans lumière, revoyant tout sur son chemin comme pâli, lassée par la route dure à ses pieds, et contente d'être lasse, lente, fatiguée, défaillante à demi, et se trouvant bien.

Aux premiers réverbères allumés de la rue du Château, elle tombait d'un rêve sur le pavé.

PORTRAIT DE CHARLES DEMAILLY

C'est un des phénomènes de l'état de civilisation d'intervertir la nature primitive de l'homme, de transporter la sensation physique dans le *sensorium* moral,[5] et d'attribuer aux sens de l'âme les acuités et les finesses que l'état sauvage attribue à l'ouïe, à l'odorat, à tous les sens du corps. Charles Demailly en était un remarquable et malheureux exemple. Nature délicate et maladive, sorti d'une famille où s'étaient croisées les délicatesses maladives de deux races dont il était le dernier rejeton et la pleine expansion, Charles possédait à un degré suprême le tact sensitif de l'impressionnabilité. Il y avait en lui une perception aiguë, presque douloureuse de toutes choses et de la vie. Partout où il allait, il était affecté comme par une atmosphère des sentiments qu'il y rencontrait ou qu'il y dérangeait. Il sentait une scène, un déchirement, dans une maison où il trouvait des sourires sur toutes les bouches. Il sentait la pensée de sa maîtresse dans son silence; il sentait dans l'air les hostilités d'amis; les bonnes ou mauvaises nouvelles, il les sentait dans l'entrée, dans le pas, dans le je ne sais quoi de l'homme qui les lui apportait. Et toutes ces perceptions intérieures étaient si bien en lui sentiment et pressentiment, qu'elles précédaient les impressions et les remarques de la vue, et qu'elles le frappaient avant l'éveil de son observation. Un regard, un son de voix, un geste, lui parlaient et lui révélaient ce qu'ils cachaient à presque tout le monde ; si bien qu'il enviait de tout son cœur ces bien-heureux qui passent au travers de la vie, de l'amitié, de l'amour, de la société, des hommes et des femmes, sans rien voir que ce qu'on leur montre, et qui soupent toute leur vie avec une illusion qu'ils ne démasquent jamais.

Cela, qui agit si peu sur la plupart, les choses, avait une grande action sur Charles. Elles étaient pour lui parlantes et frappantes comme les personnes. Elles lui semblaient avoir une physionomie, une parole, cette particularité mystérieuse qui fait les sympathies ou les antipathies. Ces atomes invisibles, cette âme qui se dégage des milieux de l'homme, avait un écho au fond de Charles. Un mobilier lui était ami ou ennemi. Un vilain verre le dégoûtait d'un bon vin. Une nuance, une forme, la couleur d'un papier, l'étoffe d'un meuble le touchaient agré-ablement ou désagréablement, et faisaient passer les dispositions de son humeur par les mille modulations de ses impressions. Aussi, le plaisir ne durait-il pas pour lui : Charles lui demandait un ensemble trop complet, un accord trop parfait des créatures et des choses. C'était un charme bien vite rompu. Une note fausse dans un sentiment ou dans un opéra, une figure ennuyeuse, ou même un garçon de café déplaisant, suffisaient à le guérir d'un caprice, d'une admiration, d'une expansion ou d'un appétit.

Cette sensivité nerveuse, cette secousse continue des impres-sions, désagréables pour la plupart, et choquant les délicatesses intimes de Charles plus souvent qu'elles ne le caressaient, avait fait de Charles un mélancolique. Non pas que Charles fût mélancolique comme un livre, avec de grandes phrases : il était mélancolique comme un homme d'esprit, avec du savoir-vivre. A peine s'il semblait triste. L'ironie était sa façon de rire et de se consoler, une ironie si fine et si voilée, que souvent il était ironique pour lui-même et seul dans le secret de son rire intérieur.

Charles n'avait qu'un amour, qu'un dévouement, qu'une foi : les lettres. Les lettres étaient sa vie ; elles étaient tout son cœur. Il s'y était voué tout entier ; il y avait jeté ses passions, le feu de la fièvre d'une nature ardente, sous une apparence froide.

Au reste, Charles était un homme comme tous les autres hommes. Il n'échappait pas à la personnalité et à l'égoïsme de l'homme de lettres, aux rapides désenchantements de l'homme d'imagination, à ses inconstances de goûts et d'affections, à ses brusqueries et à ses changements. Charles était faible. Il manquait de cette énergie toujours prête, de l'énergie au saut du lit. Il lui fallait se préparer à une action vigoureuse, se monter à une résolution violente, s'y exciter, s'y entraîner lui-même. L'être physique ferait-il l'homme ? et nos qualités morales et spirituelles ne seraient-elles, ô misère ! que le développement d'un organe correspondant ou son état morbifique ? Charles devait peut-être tout son caractère, ses défaillances comme ses passions, à son tempérament, à son corps presque toujours souffrant. Peut-être aussi était-ce là qu'il fallait chercher le secret de son talent, de ce talent nerveux, rare et exquis dans l'observation, toujours artistique, mais inégal, plein de soubresauts, et incapable d'atteindre au repos, à la tranquillité de lignes, à la santé courante des œuvres véritablement grandes et véritablement belles.

LES FRÈRES ZEMGANNO

Le chirurgien, un genou en terre, était penché sur Nello couché sur le matelas de la *batoude*,[6] le grand matelas sur lequel saute toute la troupe dans les exercices de voltige qui terminent d'ordinaire le spectacle.

Autour du blessé tournoyaient des gens du personnel qui, après un regard jeté sur la pâleur de son visage, disparaissaient ou se mettaient à causer dans les coins, à voix basse, du public s'entêtant à ne pas sortir, de l'inopportune indisposition du médecin du théâtre, et encore de la substitution au tonneau de toile qui devait servir au tour des deux frères d'un tonneau de bois venu on ne savait d'où; et cela coupé des exclamations: « C'est étrange!... C'est bizarre!... C'est incompréhensible!... »

Au bout d'un temps assez long, lâchant de ses mains tâtonnantes une jambe au bout de laquelle, à travers le maillot fendu, un pied pendillait inerte et tout de travers, le chirurgien relevait la tête, s'adressant au Directeur debout devant lui:

—Oui, les deux jambes sont fracturées... et à la jambe droite, outre une fracture du péroné, il existe une fracture *comminutive* à la base du tibia... Je vais vous donner un mot pour mon hôpital... Je ferai moi-même la réduction... car ses jambes... c'est le pain de ce garçon!

—Monsieur, disait Gianni, agenouillé de l'autre côté du matelas, c'est mon... vrai frère, et je l'aime assez pour vous payer... autant qu'un riche... avec du temps.

Le chirurgien regarda un moment Gianni, de ses grands yeux doux et tristes et comme lentement entrant dans les choses et dans les êtres; et devant la douleur contenue et le profond désespoir de cet homme faisant, sous son costume et le paillon de ses oripeaux, mal à voir, il lui jetait:

—Où demeurez-vous?

—Ah, bien loin, monsieur!

—Mais où, je vous le demande? fit le chirurgien presque brutalement.

—C'est bien, reprit-il, quand Gianni lui eut donné son adresse, j'ai une visite ce soir dans le haut du faubourg Saint-Honoré!... je serai chez vous sur les minuit... munissez-vous de planchettes, d'alèses, de cordons... le premier pharmacien vous dira ce qui vous est nécessaire... mais il doit y avoir dans quelque coin un brancard... ça fait partie des accessoires d'ici, ça... le blessé souffrirait moins dans le transport.

Le chirurgien aidait à charger le jeune clown sur le brancard, soutenait, pendant qu'on le portait, avec toutes sortes de précautions, la jambe cassée en deux endroits, et la plaçait et l'arrangeait lui-même en disant à Nello : « Mon enfant, encore deux heures de courage, et je suis à vous ! »

Gianni, dans un mouvement de bonheur reconnaissant, se baissait vers la main du chirurgien qu'il cherchait à baiser.

Dans la nuit, au milieu des passants le suivant un instant des yeux, en ce long trajet du Cirque aux Ternes, Gianni marchait à côté de son frère, avec ce quelque chose d'automatique et de pétrifié, que montre par les rues de Paris, en plein jour, sur l'anéantissement de toute sa personne, l'accompagnateur d'un brancard s'acheminant vers l'hôpital.

Nello était monté dans sa petite chambre et le chirurgien arrivait presque au moment où Gianni et les deux hommes de peine du Cirque venaient de le placer sur son lit.

La réduction fut horriblement douloureuse. Il fallut pratiquer l'extension du membre dont les os avaient légèrement remonté les uns sur les autres. Gianni dut aller réveiller un voisin, et l'on se mit à tirer à deux sur la jambe.

Nello ne laissait rien voir de ce qu'il souffrait que par des crispations de la figure, et au milieu des atroces douleurs, ses regards avec toutes sortes de tendres encouragements semblaient dire à son frère, très pâle, de n'avoir pas peur de lui faire du mal.

Enfin les fragments de l'os du tibia ramenés à leur position, et les attelles posées, et le bandage commencé, le dur et peu sensible Gianni, qui s'était raidi jusque-là, tombait tout à coup en faiblesse, ainsi que ces militaires qui ont vu nombre de champs de bataille, et qui s'évanouissent devant une palette de sang tirée à leur femme pendant une grossesse.

Le pansement terminé, le chirurgien parti, un seau d'eau placé au-dessus du lit, et versant goutte à goutte de la fraîcheur sur les deux jambes, le premier mot de Nello dans l'apaisement de ses souffrances fut :

—Dis donc, Gianni, combien t'a-t-il dit que cela durerait?

—Mais il ne l'a pas dit... je ne sais pas... attends... il me semble que lorsqu'à Midlesborough... tu te rappelles... le grand Adams s'est cassé la jambe... il en a eu pour six semaines.

—Autant que ça!

—Voyons, ne vas-tu pas t'occuper maintenant...

—J'ai soif... donne-moi à boire.

Alors commençait chez Nello une fièvre qui lui brûlait tout le corps, et dans laquelle succédaient aux douleurs aiguës de la fracture des douleurs autres, mais quelquefois tout aussi insupportables: des crampes, des soubresauts qui donnent un moment l'impression d'une nouvelle cassure dans des membres cassés; la simple portée du talon immobile sur le coussin, qui, à la longue, fait l'effet dans votre chair et vos nerfs du vrillement d'un corps dur: le froid même du pied, un froid intolérable produit par cet égouttement continu d'eau. Et cette fièvre et ces douleurs, qui prenaient une singulière intensité tous les soirs, privaient Nello de tout sommeil pendant une semaine.

Le chirurgien pris de sympathie pour les deux frères et leur touchante fraternité, et qui était venu tous les jours de cette première semaine, lever l'appareil, le relâcher, le resserrer, disait à Gianni, lors de sa dernière visite:

—Il n'y a pas de dérangement dans la position du membre... tout gonflement a disparu... le *cal*[7] se fait normalement... et ses nuits sont toujours mauvaises, dites-vous?... il n'y a plus de fièvre cependant... voyons, puisque vous le désirez, je vais toujours vous donner quelque chose pour le faire dormir.

Et il écrivit un bout d'ordonnance.

—Cela est visible, reprit le chirurgien, votre frère a l'ennui de son immobilité... de la malheureuse interruption de ses exercices... il se mange, il se dévore, le jeune garçon!... mais l'état général, soyez-en bien persuadé, n'a rien d'inquiétant... et d'ici à quelques jours, cet état nerveux, cette excitation, ces in-

somnies auront disparu... ah, pour les jambes par exemple, ce
sera plus long!

—Qu'est-ce que vous croyez, monsieur, qu'il sera obligé de
rester comme cela?

—Je crois qu'il ne pourra prendre les béquilles qu'au bout de
deux mois... dans une cinquantaine de jours d'ici... du reste, les
béquilles, commandez-les... lorsqu'il les verra, ce sera pour lui
l'espérance de prochainement marcher.

—Et quand, monsieur...

—Ah, vous allez me demander sans doute, mon pauvre ami,
quand il sera à même de reprendre son métier... s'il n'y avait que
la fracture de la jambe gauche, mais ce sont les fractures de la
jambe droite... de bien graves fractures qui intéressent l'articulation... Ah, parbleu,—continua-t-il, voyant la tristesse venue
sur la figure de Gianni,—il marchera, il marchera sans béquilles,
mais... Enfin la nature fait quelquefois des miracles... voyons,
avez-vous encore quelque chose à me demander?

—Non, fit Gianni.

—Tu souffres, tu as encore souffert cette nuit? dit Gianni en
entrant dans la chambre de son frère.

—Non... fit Nello, se réveillant, non... mais j'ai eu, je crois,
une fièvre de cheval... puis des rêves imbéciles.

Et Nello raconta le songe qu'il venait de faire à son frère.

—Oui, reprenait-il, figure-toi... je me retrouvais assis là justement, dans cette place où j'étais, tu te souviens, le premier soir
de notre arrivée à Paris... la place à gauche en bas tout contre
la sortie... c'est singulier, hein?... mais le curieux n'est pas cela...
c'est quand tout ce monde rentrait dans l'intérieur du Cirque...
il me regardait alors avec cet air, tu sais... l'air sérieux, sur leurs
figures effacées, des gens qui veulent vous faire du mal dans les
rêves... attends encore... et tous ces drôles de bonshommes, lorsqu'ils passaient tout près de moi, me montraient à demi,—ça
durait un instant,—un espèce d'écriteau que je me penchais
pour voir... et que je ne pouvais que très mal voir... mais que

je vois maintenant... un écriteau où c'était moi dans mon costume de clown... avec les béquilles que tu m'as commandées hier.

Et Nello s'arrêta brusquement dans son récit, et son frère resta, un grand et triste moment, sans trouver rien à lui dire.

Le jour impatiemment attendu, où Nello devait enfin sortir de l'immobilité et de l'horizontalité gardées pendant près de deux mois, Gianni faisait la remarque que leurs chambres étaient bien petites, qu'il faisait un beau soleil dehors, et lui proposait de tenter son premier essai de marche dans le pavillon de musique. Gianni allait le balayer lui-même, le débarrassait de toute herbe, de toute pierre, de tout gravier, sur lesquels son frère pouvait glisser. Alors seulement il apportait Nello là, où tous deux, l'été passé, s'étaient donné de si charmants concerts. Et le jeune frère commençait à marcher, son aîné à côté de lui, et le suivant pas à pas, et prêt à l'enlever dans ses bras, si les pieds de Nello venaient à faiblir, à tourner.

—Est-ce drôle tout de même, s'exclamait Nello sur ses béquilles, il me semble que je suis un tout petit enfant... que je commence à marcher... là, pour la première fois... mais c'est vraiment très difficile de marcher, Gianni... comme c'est bête... ça paraît si naturel... quand on ne les a pas eu cassées... les jambes!... Et puis, tu crois peut-être que c'est commode à manœuvrer ces machines?... oh, mais non!... quand je suis monté sur des échasses, sans savoir... ça allait mieux... c'est moi, par exemple, que cela gênerait, s'il y avait du monde pour me regarder... dois-je avoir l'air assez chose... oh! ah! ah! oh! diable! diable!... on dirait que la terre n'est pas solide... attends, ça va se remettre... ça ne fait rien... c'est du coton, mes pauvres jambes!

Et c'était vraiment pénible de voir l'effort et la difficulté de ce jeune corps pour se tenir en équilibre sur ses pieds maladroits, et les timidités et les hésitations et les petites peurs qui lui venaient dans le travail pénible et basculant de mettre un pied devant l'autre, ou plutôt de faire un pas avec toujours le pied de la jambe la plus malade en avant.

Mais Nello s'entêtait à marcher quand même, et ses pieds, malgré leur manque d'aplomb, reprenaient un peu leur habitude d'être des pieds, et cette petite victoire amenait la joie dans les yeux du blessé, et le rire dans sa bouche. « A moi, Gianni, je vais tomber! » s'écriait-il tout à coup en plaisantant, et quand le grand frère effrayé l'entourait de ses bras, approchant la joue de sa bouche, il embrassait cette joue avec un petit mordillement de jeune chien.

La soirée fut toute rieuse, tout égayée du bavardage joliment jaseur de Nello, qui disait qu'avant quinze jours, il irait jeter ses béquilles dans la Seine, au pont de Neuilly.

Les deux frères finissaient leur petit dîner, quand le plus jeune dit à l'aîné:

—Gianni, avant que ça finisse aux Champs-Élysées, je veux aller une fois au Cirque?

Gianni, songeant à l'amertume que devait rapporter son frère de cette soirée, lui répondait:

—Eh bien! quand tu voudras... mais dans quelques jours.

—Non, c'est ce soir, ce soir que je veux y aller, oui, ce soir, reprit Nello, prenant ce ton subjuguant de la parole, avec lequel, autrefois, il entraînait l'indécision de son frère à faire quelque chose qu'il désirait.

—Allons-y, dit Gianni d'un air résigné, je vais dire à la vacherie qu'on aille nous chercher un fiacre.

Et il aida son frère à s'habiller, mais en lui tendant ses béquilles, il ne put s'empêcher de lui dire:

—Tu t'es déjà pas mal fatigué aujourd'hui, tu devrais attendre un autre jour.

Nello de sa bouche moitié rieuse, moitié tendre, fit la moue d'un enfant dont le caprice demande à n'être pas grondé.

En voiture il était joyeux, parleur et plein de gaietés amusantes qu'il interrompait par d'aimables et ironiques : « Voyons, dis-le, ça te fait de la peine de me voir comme ça ? »

On arriva devant le Cirque, Gianni prit son frère dans ses bras, le descendit, et quand celui-ci se fut établi sur ses béquilles et que tous deux allaient se diriger vers la porte :

—Pas encore, fit Nello, devenu tout à coup sérieux à la vue du bâtiment aux rosaces flamboyantes et d'où s'échappaient de sonores bouffées de musique.

—Oui, pas encore, voilà des chaises, asseyons-nous un instant.

C'était un jour de la fin d'octobre, pendant lequel il avait plu toute la journée, et à la fin duquel on ne savait pas bien s'il ne pleuvait pas encore, de ces jours d'automne de Paris, où son ciel, sa terre, ses murailles semblent se fondre en eau, et où, à la nuit, les lueurs du gaz sur les trottoirs sont comme des flammes promenées sur des rivières. Dans l'allée déserte, aux deux ou trois silhouettes noires noyées dans le lointain aqueux, des feuilles crottées, soulevées par les rafales, accouraient vers les deux frères, et tout autour de leurs pieds, les rondes ombres des sièges d'innombrables chaises de fer, projetaient, sur le sol mouillé, l'apparence d'une de ces inquiétantes légions de crabes escaladant le bas d'une page d'un album japonais.

Soudain se fit entendre dans l'intérieur du Cirque un bruit d'applaudissements, de ces applaudissements de peuples qui font l'effet de piles d'assiettes cassées dégringolant des cintres aux galeries des premières.

Nello tressaillit, et son frère vit ses yeux se porter sur les deux béquilles placées à côté de lui.

—Mais il pleut ! fit Gianni.

—Non, répondit Nello comme un homme qui est à sa pensée et qui répond sans avoir entendu.

—Eh bien ! frérot, voyons, entrons-nous enfin ? dit Gianni au bout de quelques minutes.

—Tiens, mon envie est passée... oui, j'aurais honte de moi auprès des autres... appelle une voiture... et retournons.

Pendant le retour, il fut impossible à Gianni d'arracher une parole à son frère.

Nello était étendu sur son lit, couché tout de son long, une couverture brune jetée sur ses jambes raides, et, triste et muet, ne répondait pas aux paroles de son frère, assis à côté de lui.

—Tu es jeune, tout jeune, lui disait Gianni, ça reviendra, mon enfant... et puis s'il fallait passer un an, deux ans sans exercer... eh bien! nous attendrons... il nous en restera encore pas mal... des années pour faire des tours.

Nello continuait à ne pas répondre.

En la chambre, tout était effacé autour des deux frères par la nuit doucement venue dans le jour tombé, et parmi les ténèbres de l'heure mélancolique, ne se distinguaient plus guère que comme de pâles taches, leurs deux visages, les mains croisées du plus jeune sur la couverture, et dans un coin l'argent de son costume de clown accroché à une patère.

Gianni se leva pour allumer une bougie.

—Laisse-nous encore là dedans, fit Nello.

Gianni vint se rasseoir près de son frère et se remit à lui parler de nouveau, voulant enfin obtenir de Nello une parole qui espérât dans l'avenir, dans un avenir même lointain.

—Non,—c'était Nello qui interrompait son frère tout à coup, —je sens que je ne pourrai plus jamais *travailler*... plus jamais, entends-tu, plus jamais...

Et le désespéré « plus jamais » répété par le jeune frère, montait à chaque fois sur une note plus irritée, dans une espèce de crise de sourde colère. Puis finissant par frapper ses cuisses avec la douloureuse amertume de l'artiste qui a la conscience de son talent tué en lui de son vivant : « Je te le dis, s'écriait le malheureux jeune homme, ça c'est maintenant des jambes fichues pour le métier ! »

Alors il se retournait vers la ruelle comme s'il voulait dormir, comme s'il voulait empêcher son frère de lui parler encore. Mais bientôt de ce corps retourné, et le nez dans le mur, s'échappait

une voix, où en dépit d'une volonté d'homme, il y avait comme
la filtration de pleurs de femme.

—La belle salle cependant!... le Cirque était-il plein, ce
soir-là?... ah, tous ces yeux, comme ils étaient attachés sur
nous!... et cela qui battait dans notre poitrine et dont les autres
avaient un peu... et la queue du dehors... et sur les affiches nos
noms en grandes lettres... te rappelles-tu, Gianni, quand tu me
disais tout petit... un tour nouveau, un tour inventé par nous...
tu croyais que je ne comprenais pas... mais si, je comprenais, et
j'attendais comme tu attendais, toi... et malgré ce que je disais
pour te taquiner, aussi pressé que toi, va... et voilà au moment
que ça y était... eh bien! voilà que c'est fini pour moi...
les bravos!

Alors se retournant brusquement et prenant les mains de
son frère: « Mais, tu le sais bien, disait Nello avec une intona-
tion de caresse, je resterai heureux des tiens, ce sera toujours ça... »

Et Nello ne lâchait pas les mains de Gianni qu'il pressait,
comme s'il avait à lui faire une confidence qui avait de la difficulté à sortir de sa bouche.

—Frère, soupirait-il enfin, je ne te demande qu'une chose...
mais il faut me la promettre... tu ne travailleras plus que tout
seul... un autre avec toi... non, ça me ferait trop de peine... tu
me le jures, hein?... n'est-ce pas, jamais un autre...

—Moi, dit simplement Gianni, si tu ne guérissais pas tout à
fait, je ne travaillerais plus avec un autre, ni tout seul.

—Je ne t'en demande pas tant, pas tant, s'écria le jeune frère
dans un mouvement de joie qui démentait sa phrase.

A partir de cette soirée, à propos des choses et des exercices
de son métier, dans les conversations avec son frère, avec
les camarades qui venaient parfois le voir, Nello ne se servit
plus jamais du présent. Il ne dit plus jamais: « Je fais cela
comme cela... J'arrive à la chose ainsi... Je prépare la machinette de cette manière, » mais il dit: *je faisais cela comme cela...*

J'arrivais à la chose ainsi... Je préparais la machinette de cette manière... Et ce cruel imparfait, revenant dans chacune de ses phrases, semblait dans sa bouche comme la froide reconnaissance de la mort du clown, et en quelque sorte son billet d'enterrement.

Une nuit Nello s'éveilla.

Par la porte qui restait toujours ouverte entre les deux chambres, de sorte que lorsque l'un des deux frères ne dormait pas, il pouvait entendre la respiration de l'autre, Nello n'entendit rien.

Il se souleva sur son séant, tendit l'oreille. Encore rien. Il n'y avait dans la chambre de son frère, que le bruit de la vieille et grosse montre de leur père qui faisait le bruit des montres d'autrefois.

Sous le coup d'une de ces alarmes irraisonnées, qui viennent pendant les heures nocturnes aux soudains réveils, il appela une fois, deux fois Gianni. Pas de réponse.

Nello se jeta à bas de son lit, et sans prendre ses béquilles, et s'accrochant aux meubles, et marchant comme il pouvait, alla jusqu'au lit de son frère. Il était vide, et les couvertures défaites et rejetées en tas disaient que Gianni s'était relevé après qu'il s'était endormi, lui! « C'était bien nouveau... pourquoi son frère, qui lui disait tout, lui confiait tout... s'était-il caché de lui pour sortir?... » Une idée lui traversa la cervelle, et se dirigeant vers la fenêtre, ses yeux fouillèrent l'obscurité de l'ancien atelier du menuisier. « Oui, ça éclairait bien peu..., mais il y avait une lumière là dedans. »

Alors il descendit l'escalier, traversa la cour, se traînant sur les mains, sur les genoux.

La porte était entre-bâillée; à la lueur d'un bout de chandelle posé à terre, Gianni s'exerçait sur le trapèze.

Nello entra si doucement que le gymnaste ne s'aperçut pas qu'il était là. Et agenouillé, le jeune frère regardait son aîné volant dans l'air avec l'agilité furieuse d'un corps vaillant et de membres intacts. Il le regardait, et, en le voyant si souple et si adroit et si fort, il se disait qu'il ne pourrait jamais renoncer aux exercices du Cirque, et cette pensée tout à coup lui fit monter aux lèvres un déchirant sanglot.

L'aîné, surpris par ce sanglot au milieu de son tourbillonnement, retomba assis sur la trapèze, pencha en avant la tête vers l'espèce de paquet douloureux rampant dans l'ombre, par une secousse violente détacha le trapèze qu'il lança au travers de la baie vitrée, volant en éclats, courut à son frère, le souleva contre sa poitrine.

Et tous deux, dans les bras l'un de l'autre, se mirent à pleurer, à pleurer longtemps, sans se dire une parole.

Puis l'aîné, jetant un regard qui enveloppa toutes les choses de son métier et leur dit adieu dans un renoncement suprême, s'écria : « Enfant, embrasse-moi... les frères Zemganno sont morts... il n'y a plus ici que deux racleurs de violon... et qui maintenant en joueront... le derrière sur des chaises. »

GUY DE MAUPASSANT

1850–1893

> C'est mon disciple, et je l'aime comme
> un fils.   FLAUBERT

Flaubert's disciple and literary godson, Guy de Maupassant, was born in Normandy and spent his youth at Étretat on the coast. He was a robust lad, fond of sea and cliffs, Fécamp pilots and trawlers in a choppy Channel, apple orchards, country fairs, autumn hunts, and the blazing hearths of farmhouses. His work is steeped in reminiscences of this Norman boyhood, and it was with bitter nostalgia that he left his home to accept a clerkship in the Navy Department at Paris. Here the young athlete, with his slight country accent, was forced to transfer his allegiance from the Channel surf to the Seine, and all his holidays were spent in canoeing or swimming. Sunrise on the river ; morning mists or moonlight against the slender poplars ; boating parties after the style of Renoir, with stalwart oarsmen and ladies in cool muslin,—many are the picturesque visions which Maupassant has reconstructed of the Seine.

For seven years, from 1873 to 1880, Gustave Flaubert, "the irreproachable master," watched carefully over the young clerk's literary activities. He taught him first the great lesson of patience and of careful and elaborate preparation of his materials. He constantly advised his disciple against publishing prematurely. He taught him also the value of direct observation and of precise documentation—a debt which Maupassant has acknowledged with feeling and dignity in the preface to his novel *Pierre et Jean*. On those delightful Sundays when Maupassant could escape from the office to visit Flaubert's Norman home at Croisset —in those days it was the rendezvous of a whole galaxy of famous men—the older novelist literally corrected his "exercises in observation" and slowly formed his talent. Maupassant also frequented Zola's Thursday gatherings, and joined the group of novelists who in 1880 published a collection of short stories called *Les Soirées de Médan*, each one treating some phase of the Franco-German War. Maupassant's contribution to this volume was *Boule de suif*, his greatest story. The dying Flaubert greeted the work of his pupil with critical admiration, and the literary world perceived that French fiction was enriched by a new masterpiece.

The next ten years, from 1880 to 1890, mark the period of Maupassant's greatest activity. During this time he published six novels, sixteen volumes of short stories, as well as several books of travel. These were years of incessant labor; but despite the number of his published works, there is no lessening of his artistic standards. At last his health was seriously impaired by cerebral fatigue, developing rapidly into a nervous disease which brought him to the insane hospital and to his death.

Of his novels *Une Vie*, remarkable for its pathetic simplicity, the cynical *Bel-Ami*, and *Pierre et Jean* are the best; but it is as a short-story writer that Maupassant excels. "Each of us," he writes in the noteworthy preface to *Pierre et Jean*, "has his own illusions of this world. . . . A writer has no other mission than to reproduce faithfully this illusion with all the artist's methods at his disposal." A work of art must not photograph life, but must give us a picture which is more seizing than reality itself. Unlike the naturalists, who overburden us with their note-taking, or the psychologists, with their constant interruptions, Maupassant learned from Flaubert how to conceal his preparatory work. He will sketch his rough drafts carefully; but these preliminary studies, which the Goncourts and Zola were so prone to retain in the completed work, are all discarded when the story has assumed its final shape, and only the essential traits of character or details of landscape are presented. No French prose writer has ever developed such exactitude of description in so few words or fixed a character with such concise precision. Such, for example, are the remarkable opening pages of stories like *Boule de suif* or *En Famille*, or the striking and rapid setting for *La Ficelle*. His repertory is vast. There are of course the canny and full-blooded peasants of Normandy, with always the odor of ripe apples or manure clinging to them; with rapid flashes he presents the poor government clerks bent over their desks while their silly wives in the suburbs invent schemes to dress more prettily; he gives us Corsican bandits and vendettas, a strange drama aboard the Riviera express, a tale of death and fear told from the deck of a Mediterranean yacht. There are many pictures of France at war, in which the brutality and bestiality of Prussian nature are comprehended; finally, as insanity began to seize hold upon him, tales of nightmares and hallucinations when the drug had been cocaine, terribly clear visions of nameless horrors when the brain had been exalted by ether.

Maupassant's spirits are exuberant and sometimes brutal. Materialism and the pleasures of the senses play a large part in his work. His

observations are frequently made without sympathy, and his skepticism
is constantly merging into pessimism, just as his cult of the supernatural
merges at times into morbidity. Because of his sense of just proportion,
however, his clear, sober, and harmonious style, his splendid gifts of
concise observation and justness of expression, Maupassant is the greatest story-teller of the realistic school and ranks with the greatest the
world has produced.

DEUX AMIS

Paris était bloqué, affamé et râlant. Les moineaux se faisaient bien rares sur les toits, et les égouts se dépeuplaient. On
mangeait n'importe quoi.

Comme il se promenait tristement par un clair matin de
janvier le long du boulevard extérieur, les mains dans les poches
de sa culotte d'uniforme et le ventre vide, M. Morissot, horloger
de son état et pantouflard par occasion, s'arrêta net devant un
confrère qu'il reconnut pour un ami. C'était M. Sauvage, une
connaissance du bord de l'eau.

Chaque dimanche, avant la guerre, Morissot partait dès
l'aurore, une canne en bambou d'une main, une boîte en fer-
blanc sur le dos. Il prenait le chemin de fer d'Argenteuil,
descendait à Colombes, puis gagnait à pied l'île Marante. A
peine arrivé en ce lieu de ses rêves, il se mettait à pêcher; il
pêchait jusqu'à la nuit.

Chaque dimanche, il rencontrait là un petit homme replet et
jovial, M. Sauvage, mercier, rue Notre-Dame-de-Lorette, autre
pêcheur fanatique. Ils passaient souvent une demi-journée
côte à côte, la ligne à la main et les pieds ballants au-dessus du
courant, et ils s'étaient pris d'amitié l'un pour l'autre.

En certains jours, ils ne parlaient pas. Quelquefois ils
causaient; mais ils s'entendaient admirablement sans rien dire,
ayant des goûts semblables et des sensations identiques.

Au printemps, le matin, vers dix heures, quand le soleil
rajeuni faisait flotter sur le fleuve tranquille cette petite buée
qui coule avec l'eau, et versait dans le dos des deux enragés
pêcheurs une bonne chaleur de saison nouvelle, Morissot parfois

disait à son voisin : « Hein ! quelle douceur ! » et M. Sauvage
répondait : « Je ne connais rien de meilleur. » Et cela leur suffisait pour se comprendre et s'estimer.

A l'automne, vers la fin du jour, quand le ciel ensanglanté
par le soleil couchant jetait dans l'eau des figures de nuages
écarlates, empourprait le fleuve entier, enflammait l'horizon,
faisait rouges comme du feu les deux amis, et dorait les arbres
roussis déjà, frémissants d'un frisson d'hiver, M. Sauvage regardait en souriant Morissot et prononçait : « Quel spectacle ! »
Et Morissot émerveillé répondait, sans quitter des yeux son
flotteur : « Cela vaut mieux que le boulevard, hein ? »

Dès qu'ils se furent reconnus, ils se serrèrent les mains énergiquement, tout émus de se retrouver en des circonstances si
différentes. M. Sauvage, poussant un soupir, murmura : « En
voilà des événements. » Morissot, très morne, gémit : « Et
quel temps ! C'est aujourd'hui le premier beau jour de l'année. »

Le ciel était, en effet, tout bleu et plein de lumière.

Ils se mirent à marcher côte à côte, rêveurs et tristes. Morissot
reprit : « Et la pêche ? hein ! quel bon souvenir ! »

M. Sauvage demanda : « Quand y retournerons-nous ? »

Ils entrèrent dans un petit café et burent ensemble une absinthe ; puis ils se remirent à se promener sur les trottoirs.

Morissot s'arrêta soudain : « Une seconde verte, hein ? »
M. Sauvage y consentit : « A votre disposition. » Et ils péné-
trèrent chez un autre marchand de vins.

Ils étaient fort étourdis en sortant, troublés comme des gens
à jeun dont le ventre est plein d'alcool. Il faisait doux. Une
brise caressante leur chatouillait le visage.

M. Sauvage, que l'air tiède achevait de griser, s'arrêta : « Si
on y allait ?

—Où çà ?

—A la pêche, donc.

—Mais où ?

—Mais à notre île. Les avant-postes français sont auprès de

Colombes. Je connais le colonel Dumoulin; on nous laissera passer facilement. »

Morissot frémit de désir: « C'est dit. J'en suis. » Et ils se séparèrent pour prendre leurs instruments.

Une heure après, ils marchaient côte à côte sur la grand'-route. Puis ils gagnèrent la villa qu'occupait le colonel. Il sourit de leur demande et consentit à leur fantaisie. Ils se remirent en marche, munis d'un laissez-passer.

Bientôt ils franchirent les avant-postes, traversèrent Colombes abandonné, et se trouvèrent au bord des petits champs de vigne qui descendent vers la Seine. Il était environ onze heures.

En face, le village d'Argenteuil semblait mort. Les hauteurs d'Orgemont et de Sannois dominaient tout le pays. La grande plaine qui va jusqu'à Nanterre était vide, toute vide, avec ses cerisiers nus et ses terres grises.

M. Sauvage, montrant du doigt les sommets, murmura: « Les Prussiens sont là-haut! » Et une inquiétude paralysait les deux amis devant ce pays désert.

« Les Prussiens! » Ils n'en avaient jamais aperçu, mais ils les sentaient là depuis des mois, autour de Paris, ruinant la France, pillant, massacrant, affamant, invisibles et tout-puissants. Et une sorte de terreur superstitieuse s'ajoutait à la haine qu'ils avaient pour ce peuple inconnu et victorieux.

Morissot balbutia: « Hein! si nous allions en rencontrer? »

M. Sauvage répondit, avec cette gouaillerie parisienne reparaissant malgré tout: « Nous leur offririons une friture. »

Mais ils hésitaient à s'aventurer dans la campagne, intimidés par le silence de tout l'horizon.

A la fin M. Sauvage se décida: « Allons, en route! mais avec précaution. » Et ils descendirent dans un champ de vigne, courbés en deux, rampant, profitant des buissons pour se couvrir, l'œil inquiet, l'oreille tendue.

Une bande de terre nue restait à traverser pour gagner le bord du fleuve. Ils se mirent à courir; et dès qu'ils eurent atteint la berge, ils se blottirent dans les roseaux secs.

Morissot colla sa joue par terre pour écouter si on ne marchait pas dans les environs. Il n'entendit rien. Ils étaient bien seuls, tout seuls.

Ils se rassurèrent et se mirent à pêcher.

En face d'eux, l'île Marante abandonnée les cachait à l'autre berge. La petite maison du restaurant était close, semblait délaissée depuis des années.

M. Sauvage prit le premier goujon, Morissot attrapa le second, et d'instant en instant ils levaient leurs lignes avec une petite bête argentée frétillant au bout du fil; une vraie pêche miraculeuse.

Ils introduisaient délicatement les poissons dans une poche de filet à mailles très serrées, qui trempait à leurs pieds. Et une joie délicieuse les pénétrait, cette joie qui vous saisit quand on retrouve un plaisir aimé dont on est privé depuis longtemps.

Le bon soleil leur coulait sa chaleur entre les épaules; ils n'écoutaient plus rien; ils ne pensaient plus à rien; ils ignoraient le reste du monde; ils pêchaient.

Mais soudain un bruit sourd qui semblait venir de sous terre fit trembler le sol. Le canon se remettait à tonner.

Morissot tourna la tête, et par-dessus la berge il aperçut, là-bas, sur la gauche, la grande silhouette du mont Valérien,[1] qui portait au front une aigrette blanche, une buée de poudre qu'il venait de cracher.

Et aussitôt un second jet de fumée partit du sommet de la forteresse, et quelques instants après une nouvelle détonation gronda.

Puis d'autres suivirent, et de moment en moment la montagne jetait son haleine de mort, soufflait ses vapeurs laiteuses qui s'élevaient lentement dans le ciel calme, faisaient un nuage au-dessus d'elle.

M. Sauvage haussa les épaules: «Voilà qu'ils recommencent,» dit-il.

Morissot, qui regardait anxieusement plonger coup sur coup la plume de son flotteur, fut pris soudain d'une colère d'homme paisible contre ces enragés qui se battaient ainsi, et il grommela : « Faut-il être stupide pour se tuer comme ça. »

M. Sauvage reprit : « C'est pis que des bêtes. »

Et Morissot, qui venait de saisir une ablette, déclara : « Et dire que ce sera toujours ainsi tant qu'il y aura des gouvernements. »

M. Sauvage l'arrêta : « La République n'aurait pas déclaré la guerre... »

Morissot l'interrompit : « Avec les rois on a la guerre au dehors ; avec la République on a la guerre au dedans. »

Et tranquillement ils se mirent à discuter, débrouillant les grands problèmes politiques avec une raison saine d'hommes doux et bornés, tombant d'accord sur ce point, qu'on ne serait jamais libres. Et le mont Valérien tonnait sans repos, démolissant à coups de boulets des maisons françaises, broyant des vies, écrasant des êtres, mettant fin à bien des rêves, à bien des joies attendues, à bien des bonheurs espérés, ouvrant en des cœurs de femmes, en des cœurs de filles, en des cœurs de mères, là-bas, en d'autres pays, des souffrances qui ne finiraient plus.

« C'est la vie, déclara M. Sauvage.

—Dites plutôt que c'est la mort, » reprit en riant Morissot.

Mais ils tressaillirent effarés, sentant bien qu'on venait de marcher derrière eux, et, ayant tourné les yeux, ils aperçurent, debout contre leurs épaules, quatre hommes, quatre grands hommes armés et barbus, vêtus comme des domestiques en livrée et coiffés de casquettes plates, les tenant en joue au bout de leurs fusils.

Les deux lignes s'échappèrent de leurs mains et se mirent à descendre la rivière.

En quelques secondes, ils furent saisis, attachés, emportés, jetés dans une barque et passés dans l'île.

Et derrière la maison qu'ils avaient crue abandonnée, ils aperçurent une vingtaine de soldats allemands.

Une sorte de géant velu, qui fumait, à cheval sur une chaise, une grande pipe de porcelaine, leur demanda, en excellent français : « Eh bien, messieurs, avez-vous fait bonne pêche ? »

Alors un soldat déposa aux pieds de l'officier le filet plein de poissons qu'il avait eu soin d'emporter. Le Prussien sourit : « Eh ! eh ! je vois que ça n'allait pas mal. Mais il s'agit d'autre chose. Écoutez-moi et ne vous troublez pas.

« Pour moi, vous êtes deux espions envoyés pour me guetter. Je vous prends et je vous fusille. Vous faisiez semblant de pêcher, afin de mieux dissimuler vos projets. Vous êtes tombés entre mes mains, tant pis pour vous ; c'est la guerre.

« Mais comme vous êtes sortis par les avant-postes, vous avez assurément un mot d'ordre pour rentrer. Donnez-moi ce mot d'ordre et je vous fais grâce. »

Les deux amis, livides, côte à côte, les mains agitées d'un léger tremblement nerveux, se taisaient.

L'officier reprit : « Personne ne le saura jamais, vous rentrerez paisiblement. Le secret disparaîtra avec vous. Si vous refusez, c'est la mort, et tout de suite. Choisissez. »

Ils demeuraient immobiles sans ouvrir la bouche.

Le Prussien, toujours calme, reprit en étendant la main vers la rivière : « Songez que dans cinq minutes vous serez au fond de cette eau. Dans cinq minutes ! Vous devez avoir des parents ? »

Le mont Valérien tonnait toujours.

Les deux pêcheurs restaient debout et silencieux. L'Allemand donna des ordres dans sa langue. Puis il changea sa chaise de place pour ne pas se trouver trop près des prisonniers ; et douze hommes vinrent se placer à vingt pas, le fusil au pied.

L'officier reprit : « Je vous donne une minute, pas deux secondes de plus. »

Puis il se leva brusquement, s'approcha des deux Français, prit Morissot sous le bras, l'entraîna plus loin, lui dit à voix basse : « Vite, ce mot d'ordre ? votre camarade ne saura rien, j'aurai l'air de m'attendrir. »

Morissot ne répondit rien.

Le Prussien entraîna alors M. Sauvage et lui posa la même question.

M. Sauvage ne répondit pas.

Ils se retrouvèrent côte à côte.

Et l'officier se mit à commander. Les soldats élevèrent leurs armes.

Alors le regard de Morissot tomba par hasard sur le filet plein de goujons, resté dans l'herbe, à quelques pas de lui.

Un rayon de soleil faisait briller le tas de poissons qui s'agitaient encore. Et une défaillance l'envahit. Malgré ses efforts, ses yeux s'emplirent de larmes.

Il balbutia : « Adieu, monsieur Sauvage. »

M. Sauvage répondit : « Adieu, monsieur Morissot. »

Ils se serrèrent la main, secoués des pieds à la tête par d'invincibles tremblements.

L'officier cria : Feu !

Les douze coups n'en firent qu'un.

M. Sauvage tomba d'un bloc sur le nez. Morissot, plus grand, oscilla, pivota et s'abattit en travers sur son camarade, le visage au ciel, tandis que des bouillons de sang s'échappaient de sa tunique crevée à la poitrine.

L'Allemand donna de nouveaux ordres.

Ses hommes se dispersèrent, puis revinrent avec des cordes et des pierres qu'ils attachèrent aux pieds des deux morts, puis ils les portèrent sur la berge.

Le mont Valérien ne cessait pas de gronder, coiffé maintenant d'une montagne de fumée.

Deux soldats prirent Morissot par la tête et par les jambes ; deux autres saisirent M. Sauvage de la même façon. Les corps, un instant balancés avec force, furent lancés au loin, décrivirent une courbe, puis plongèrent, debout, dans le fleuve, les pierres entraînant les pieds d'abord.

L'eau rejaillit, bouillonna, frissonna, puis se calma, tandis que de toutes petites vagues s'en venaient jusqu'aux rives.

Un peu de sang flottait.

L'officier, toujours serein, dit à mi-voix : « C'est le tour des poissons maintenant. »

Puis il revint vers la maison.

Et soudain il aperçut le filet aux goujons dans l'herbe. Il le ramassa, l'examina, sourit, cria : « Wilhem ! »

Un soldat accourut, en tablier blanc. Et le Prussien, lui jetant la pêche des deux fusillés, commanda : « Fais-moi frire tout de suite ces animaux-là pendant qu'ils sont encore vivants. Ce sera délicieux. »

Puis il se remit à fumer sa pipe.

LA FICELLE

Sur toutes les routes autour de Goderville, les paysans et leurs femmes s'en venaient vers le bourg ; car c'était jour de marché. Les mâles allaient, à pas tranquilles, tout le corps en avant à chaque mouvement de leurs longues jambes torses, déformées par les rudes travaux, par la pesée sur la charrue qui fait en même temps monter l'épaule gauche et dévier la taille, par le fauchage des blés qui fait écarter les genoux pour prendre un aplomb solide, par toutes les besognes lentes et pénibles de la campagne. Leur blouse bleue, empesée, brillante, comme vernie, ornée au col et aux poignets d'un petit dessin de fil blanc, gonflée autour de leur torse osseux, semblait un ballon prêt à s'envoler, d'où sortaient une tête, deux bras et deux pieds.

Les uns tiraient au bout d'une corde une vache, un veau. Et leurs femmes, derrière l'animal, lui fouettaient les reins d'une branche encore garnie de feuilles, pour hâter sa marche. Elles portaient au bras de larges paniers d'où sortaient des têtes de poulets par-ci, des têtes de canards par-là. Et elles marchaient d'un pas plus court et plus vif que leurs hommes, la taille sèche, droite et drapée dans un petit châle étriqué, épinglé sur leur poitrine plate, la tête enveloppée d'un linge blanc collé sur les cheveux et surmontée d'un bonnet.

Puis, un char à bancs passait, au trot saccadé d'un bidet, secouant étrangement deux hommes assis côte à côte et une femme dans le fond du véhicule, dont elle tenait le bord pour atténuer les durs cahots.

Sur la place de Goderville, c'était une foule, une cohue d'humains et de bêtes mélangés. Les cornes des bœufs, les hauts chapeaux à longs poils des paysans riches et les coiffes des paysannes émergeaient à la surface de l'assemblée. Et les voix criardes, aiguës, glapissantes, formaient une clameur continue et sauvage que dominait parfois un grand éclat poussé par la robuste poitrine d'un campagnard en gaieté, ou le long meuglement d'une vache attachée au mur d'une maison.

Tout cela sentait l'étable, le lait et le fumier, le foin et la sueur, dégageait cette saveur aigre, affreuse, humaine et bestiale, particulière aux gens des champs.

Maître Hauchecorne,[2] de Bréauté, venait d'arriver à Goderville, et il se dirigeait vers la place, quand il aperçut par terre un petit bout de ficelle. Maître Hauchecorne, économe en vrai Normand, pensa que tout était bon à ramasser qui peut servir; et il se baissa péniblement, car il souffrait de rhumatismes. Il prit, par terre, le morceau de corde mince, et il se disposait à le rouler avec soin, quand il remarqua, sur le seuil de sa porte, maître Malandain, le bourrelier, qui le regardait. Ils avaient eu des affaires ensemble au sujet d'un licol, autrefois, et ils étaient restés fâchés, étant rancuniers tous deux. Maître Hauchecorne fut pris d'une sorte de honte d'être vu ainsi, par son ennemi, cherchant dans la crotte un bout de ficelle. Il cacha brusquement sa trouvaille sous sa blouse, puis dans la poche de sa culotte; puis il fit semblant de chercher encore par terre quelque chose qu'il ne trouvait point, et il s'en alla vers le marché, la tête en avant, courbé en deux par ses douleurs.

Il se perdit aussitôt dans la foule criarde et lente, agitée par les interminables marchandages. Les paysans tâtaient les vaches, s'en allaient, revenaient, perplexes, toujours dans la crainte d'être mis dedans, n'osant jamais se décider, épiant l'œil du vendeur, cherchant sans fin à découvrir la ruse de l'homme et le défaut de la bête.

Les femmes, ayant posé à leurs pieds leurs grands paniers, en avaient tiré leurs volailles qui gisaient par terre, liées par les pattes, l'œil effaré, la crête écarlate.

Elles écoutaient les propositions, maintenaient leurs prix, l'air sec, le visage impassible, ou bien tout à coup, se décidant au rabais proposé, criaient au client qui s'éloignait lentement:

—C'est dit, maît' Anthime. J' vous l' donne.

Puis, peu à peu, la place se dépeupla, et l'angelus sonnant midi, ceux qui demeuraient trop loin se répandirent dans les auberges.

Chez Jourdain, la grande salle était pleine de mangeurs, comme la vaste cour était pleine de véhicules de toute race, charrettes, cabriolets, chars à bancs, tilburys, carrioles innombrables, jaunes de crotte, déformées, rapiécées, levant au ciel, comme deux bras, leurs brancards, ou bien le nez par terre et le derrière en l'air.

Tout contre les dîneurs attablés, l'immense cheminée, pleine de flamme claire, jetait une chaleur vive dans le dos de la rangée de droite. Trois broches tournaient, chargées de poulets, de pigeons et de gigots; et une délectable odeur de viande rôtie et de jus ruisselant sur la peau rissolée, s'envolait de l'âtre, allumait les gaietés, mouillait les bouches.

Toute l'aristocratie de la charrue mangeait là, chez maît' Jourdain, aubergiste et maquignon, un malin qui avait des écus.

Les plats passaient, se vidaient comme les brocs de cidre jaune. Chacun racontait ses affaires, ses achats et ses ventes. On prenait des nouvelles des récoltes. Le temps était bon pour les verts, mais un peu mucre[3] pour les blés.

Tout à coup, le tambour roula, dans la cour, devant la maison. Tout le monde aussitôt fut debout, sauf quelques indifférents, et on courut à la porte, aux fenêtres, la bouche encore pleine et la serviette à la main.

Après qu'il eut terminé son roulement, le crieur public lança d'une voix saccadée, scandant ses phrases à contretemps:

—Il est fait assavoir[4] aux habitants de Goderville, et en général à toutes—les personnes présentes au marché, qu'il a été perdu ce matin, sur la route de Beuzeville, entre—neuf heures et dix heures, un portefeuille en cuir noir, contenant cinq cents francs et des papiers d'affaires. On est prié de le rapporter—à la mairie, incontinent, ou chez maître Fortuné Houlbrèque, de Manneville. Il y aura vingt francs de récompense.

Puis l'homme s'en alla. On entendit encore une fois au loin des battements sourds de l'instrument et la voix affaiblie du crieur.

Alors on se mit à parler de cet événement en énumérant les chances qu'avait maître Houlbrèque de retrouver ou de ne pas retrouver son portefeuille.

Et le repas s'acheva.

On finissait le café, quand le brigadier de gendarmerie parut sur le seuil :

Il demanda :

—Maître Hauchecorne, de Bréauté, est-il ici ?

Maître Hauchecorne, assis à l'autre bout de la table, répondit :

—Me v'là.

Et le brigadier reprit :

—Maître Hauchecorne, voulez-vous avoir la complaisance de m'accompagner à la mairie. M. le maire voudrait vous parler.

Le paysan, surpris, inquiet, avala d'un coup son petit verre, se leva et, plus courbé encore que le matin, car les premiers pas après chaque repos étaient particulièrement difficiles, il se mit en route en répétant :

—Me v'là, me v'là.

Et il suivit le brigadier.

Le maire l'attendait, assis dans un fauteuil. C'était le notaire de l'endroit, homme gros, grave, à phrases pompeuses.

—Maître Hauchecorne, dit-il, on vous a vu ce matin ramasser, sur la route de Beuzeville, le portefeuille perdu par maître Houlbrèque, de Manneville.

Le campagnard, interdit, regardait le maire, apeuré déjà par ce soupçon qui pesait sur lui, sans qu'il comprît pourquoi.

—Mé, mé, j'ai ramassé çu portafeuille ?[5]

—Oui, vous-même.

—Parole d'honneur, je n'en ai seulement point eu connaissance.

—On vous a vu.

—On m'a vu, mé ? Qui ça qui m'a vu ?

—M. Malandain, le bourrelier.

Alors le vieux se rappela, comprit et, rougissant de colère :

—Ah! i m'a vu, çu manant! I m'a vu ramasser ct'e ficelle-là, tenez, m'sieu le maire.

Et, fouillant au fond de sa poche, il en retira le petit bout de corde.

Mais le maire, incrédule, remuait la tête.

—Vous ne me ferez pas accroire, maître Hauchecorne, que M. Malandain, qui est un homme digne de foi, a pris ce fil pour un portefeuille.

Le paysan, furieux, leva la main, cracha de côté pour attester son honneur, répétant:

—C'est pourtant la vérité du bon Dieu, la sainte vérité, m'sieu le maire. Là, sur mon âme et mon salut, je l' répète.

Le maire reprit:

—Après avoir ramassé l'objet, vous avez même encore cherché longtemps dans la boue, si quelque pièce de monnaie ne s'en était pas échappée.

Le bonhomme suffoquait d'indignation et de peur.

—Si on peut dire!... si on peut dire... des menteries comme ça pour dénaturer un honnête homme! Si on peut dire!...

Il eut beau protester, on ne le crut pas.

Il fut confronté avec M. Malandain, qui répéta et soutint son affirmation. Ils s'injurièrent une heure durant. On fouilla, sur sa demande, maître Hauchecorne. On ne trouva rien sur lui.

Enfin, le maire, fort perplexe, le renvoya, en le prévenant qu'il allait aviser le parquet et demander des ordres.

La nouvelle s'était répandue. A sa sortie de la mairie, le vieux fut entouré, interrogé avec une curiosité sérieuse ou goguenarde, mais où n'entrait aucune indignation. Et il se mit à raconter l'histoire de la ficelle. On ne le crut pas. On riait.

Il allait, arrêté par tous, arrêtant ses connaissances, recommençant sans fin son récit et ses protestations, montrant ses poches retournées, pour prouver qu'il n'avait rien.

On lui disait:

—Vieux malin, va!

Et il se fâchait, s'exaspérant, enfiévré, désolé de n'être pas cru, ne sachant que faire, et contant toujours son histoire.

La nuit vint. Il fallait partir. Il se mit en route avec trois voisins à qui il montra la place où il avait ramassé le bout de corde; et tout le long du chemin il parla de son aventure.

Le soir, il fit une tournée dans le village de Bréauté, afin de la dire à tout le monde. Il ne rencontra que des incrédules.

Il en fut malade toute la nuit.

Le lendemain, vers une heure de l'après-midi, Marius Paumelle, valet de ferme de maître Breton, cultivateur à Ymauville, rendait le portefeuille et son contenu à maître Houlbrèque, de Manneville.

Cet homme prétendait avoir, en effet, trouvé l'objet sur la route; mais, ne sachant pas lire, il l'avait rapporté à la maison et donné à son patron.

La nouvelle se répandit aux environs. Maître Hauchecorne en fut informé. Il se mit aussitôt en tournée et commença à narrer son histoire complétée du dénouement. Il triomphait.

—C' qui m' faisait deuil,[6] disait-il, c'est point tant la chose, comprenez-vous; mais c'est la menterie. Y a rien qui vous nuit comme d'être en réprobation pour une menterie.

Tout le jour il parlait de son aventure, il la contait sur les routes aux gens qui passaient, au cabaret aux gens qui buvaient, à la sortie de l'église le dimanche suivant. Il arrêtait des inconnus pour la leur dire. Maintenant, il était tranquille, et pourtant quelque chose le gênait sans qu'il sût au juste ce que c'était. On avait l'air de plaisanter en l'écoutant. On ne paraissait pas convaincu. Il lui semblait sentir des propos derrière son dos.

Le mardi de l'autre semaine, il se rendit au marché de Goderville, uniquement poussé par le besoin de conter son cas.

Malandain, debout sur sa porte, se mit à rire en le voyant passer. Pourquoi?

Il aborda un fermier de Criquetot, qui ne le laissa pas achever et, lui jetant une tape dans le creux de son ventre, lui cria par la figure : « Gros malin, va ! » Puis lui tourna les talons.

Maître Hauchecorne demeura interdit et de plus en plus inquiet. Pourquoi l'avait-on appelé « gros malin » ?

Quand il fut assis à table, dans l'auberge de Jourdain, il se remit à expliquer l'affaire.

Un maquignon de Montivilliers lui cria :

—Allons, allons, vieille pratique, je la connais, ta ficelle ![7]

Hauchecorne balbutia :

—Puisqu'on l'a retrouvé, çu portafeuille !

Mais l'autre reprit :

—Tais-té, mon pé, y en a un qui trouve, et y en a un qui r'porte. Ni vu ni connu, je t'embrouille.

Le paysan resta suffoqué. Il comprenait enfin. On l'accusait d'avoir fait reporter le portefeuille par un compère, par un complice.

Il voulut protester. Toute la table se mit à rire.

Il ne put achever son dîner et s'en alla, au milieu des moqueries.

Il rentra chez lui, honteux et indigné, étranglé par la colère, par la confusion, d'autant plus atterré qu'il était capable, avec sa finauderie de Normand, de faire ce dont on l'accusait, et même de s'en vanter comme d'un bon tour. Son innocence lui apparaissait confusément comme impossible à prouver, sa malice étant connue. Et il se sentait frappé au cœur par l'injustice du soupçon.

Alors il recommença à conter l'aventure, en allongeant chaque jour son récit, ajoutant chaque fois des raisons nouvelles, des protestations plus énergiques, des serments plus solennels qu'il imaginait, qu'il préparait dans ses heures de solitude, l'esprit uniquement occupé de l'histoire de la ficelle. On le croyait d'autant moins que sa défense était plus compliquée et son argumentation plus subtile.

—Ça, c'est des raisons d'menteux, disait-on derrière son dos.

Il le sentait, se rongeait les sangs,[8] s'épuisait en efforts inutiles.

Il dépérissait à vue d'œil.

Les plaisants maintenant lui faisaient conter « la Ficelle » pour s'amuser, comme on fait conter sa bataille au soldat qui a fait campagne. Son esprit, atteint à fond, s'affaiblissait.

Vers la fin de décembre, il s'alita.

Il mourut dans les premiers jours de janvier, et, dans le délire de l'agonie, il attestait son innocence, répétant :

—Une 'tite ficelle... une 'tite ficelle... t'nez, la voilà, m'sieu le maire.

ALPHONSE DAUDET

1840–1897

Là-bas, dans les casernes de Paris, nous
regrettions nos Alpilles bleues et l'odeur
sauvage des lavandes; maintenant, ici, en
pleine Provence, la caserne nous manque,
et tout ce qui la rappelle nous est cher!
Nostalgies de caserne

A southerner of almost feminine sensibility, but with a southerner's
ardor and a quizzical appreciation of "life's little ironies," Alphonse
Daudet came north to Paris, a boy of eighteen, with a slender volume
of poetry to publish and an empty purse. He shared lodgings with his
brother Ernest almost against the old belfry of Saint-Germain-des-Prés,
and the affection of this older brother went far toward fanning the boy's
genius into flame. An autobiographical novel, *Le Petit Chose*, is filled
with reminiscences of his childhood—unhappy schooldays for the most
part, boyish difficulties with life, poverty and humiliation. These early
days were soon forgotten in the vastly different world of Paris. Though
he obtained employment in the Palais Bourbon as secretary to the Duke
de Morny, Louis-Napoleon's half-brother, he found time to write
stories for *Le Figaro*. Because of his extremely delicate constitution
Daudet obtained leave for several winter excursions to the south of
France; and from a deserted mill near Arles, where he had lived and
collected his Provençal impressions, he brought back to Paris the finest
of his stories, *Lettres de mon moulin*, which were published in 1869. It
is in these tales that we find the real Daudet, the Daudet whom Zola
declared a "kindly nature placed at that exquisite point where poetry
ends and reality begins." From his native Provence Daudet caught
both poetry and reality and blended them into marvelous sketches of
the sweet, warm south: fierce meridional passions; dreams; flowering
lavender and the odor of thyme; Arles in the dazzling sunlight; papal
Avignon, with farandoles danced upon its bridge; the heights of Mont
Ventoux; olive groves dusty green in the wind from the Rhône; red-
tiled roofs of farmhouses against a background of black cypresses;
humor; gentle irony; always a vein of sympathy and love.

In 1872 *Le Figaro* published serially Daudet's *Tartarin de Tarascon*, the first part of a trilogy dealing with his most famous hero.* Tartarin, the man from the Midi, a characteristic combination of Don Quixote and Sancho Panza, timid and boastful, whose lying is not lying but a "mirage," is a product of this "devil of a country where the sun transfigures everything," where the little slopes seem gigantic, and the Maison Carrée at Nîmes—a diminutive Roman temple—as lofty as Notre-Dame de Paris! Tartarin's adventures are told with boisterous laughter or with a form of mockery so gentle in touch that it could not offend even a southerner, whether the hero invades Algeria to kill lions or prepares to ascend the Rigi-Kulm.

Daudet's second volume of stories, *Les Contes du lundi*, appeared in 1873, following the catastrophe of the Franco-German War and the horrors of the Commune. They are sober little tales, impregnated with a sense of great pity for France's disasters; and one of them, *La Dernière Classe*, in brevity and simplicity and restraint is one of the most eloquently beautiful stories ever told.

After the war, when Paris claimed Daudet completely, it seemed as if the joyousness of his Provençal nature had been stifled; his novels from that time bore something of the imprint of naturalism and, for the most part, dealt solely with phases of Parisian manners. The first of importance is *Froment jeune et Risler aîné*, in which, against a background of the old Marais quarter, he places two excellently drawn figures—a little maker of artificial flowers and a seedy actor. *Jack*, whose mother is a woman of the streets, is perhaps the most pathetic picture of a boy in all fiction. *Le Nabab* relates the story of a millionaire parvenu in politics and presents a startlingly exact picture of society at the end of the Second Empire, introducing figures from real life: Napoleon's bastard brother the Duke de Morny, the Empress Eugénie, Sarah Bernhardt. *Les Rois en exil* is a powerful picture of the loss of dignity, the crumbling away of regal grandeur, when dethroned royalty grows weak and meaningless in an atmosphere of Parisian salons, today perhaps more pertinent even than when the novel was first published. *Numa Roumestan* depicts the political life of a southern deputy in Paris. *L'Évangéliste*, a rather poorly conceived story of religious fanaticism, was followed by *Sapho*, another masterpiece,—*pour mes fils quand ils auront vingt ans*,—the tale of a Southern youth who wastes his life and effort in the toils of a sculptor's model. Finally, in *L'Immortel* the au-

*The other novels in which Tartarin figures are *Tartarin sur les Alpes*, 1885, and *Port-Tarascon*, 1890.

thor gives vent to a certain amount of spite against Academicians; the book contains too much invective to be characteristic of Daudet's sympathetic nature.

Like the Goncourts and Zola, Daudet builds up his novel from a collection of notes drawn from nature. Unlike the naturalists, however, he allows his personality to permeate his work ; and because he has gayety and sympathy, tender irony, fantasy, and humor—because of all these natural qualities—he shared neither that passion for modernity which the Goncourts exalt nor the overwhelming brutality of Zola. In his pages we have none of the impassiveness of the scientific novelists, but sympathy. He is captivated by the characters of his own creating. His pages are filled with himself, his family, his friends. He has made portraits of real people, *croquis pris sur le vif.* "To invent, for him, is to remember."* He has a poet's gift of imagination and vision.

During my walks, a great diversion was to choose a passer-by and to follow him through the streets of Lyons, whether he was merely sauntering or was going about his business, in order to try to identify myself with his life, to understand his preoccupations intimately.†

And Daudet's realism consists in just this identification of himself with his characters, in creating them under sudden inspiration, with the breath of life still about them, weaving his story with simplicity and with ease. His notebooks are filled with bits of accurate observation: outlines of faces seen in the streets ; witticisms overheard in cafés ; little acts and gestures subtly revealing the character of persons whom he has chanced to see; his stories are true, his people are real. He has given us marvelous pictures of the last fever-flushed days of the Second Empire. His pages teem with nabobs, royal highnesses in exile, sculptors' models, and statesmen ; with petty politics as well as the great ; with the artist's Bohemia, the business world, and the crowded garret. All this is told with truth, wit, gayety or melancholy, and back of it all, as in the nature of that blind and cynical Bixiou,—*cheveux de Céline, coupés le 13 mai!* —an undercurrent of tender sentimentality. After all has been said, however, perhaps the most durable and certainly the most delightful pages from the pen of this realist are those which contain the impress of his native soil, the enthusiasm and mirth and song of the south.

* Doumic, *Portraits d'écrivains.*
† From *Trente Ans de Paris.*

L'ARLÉSIENNE

Pour aller au village, en descendant de mon moulin, on passe
devant un *mas*[1] bâti près de la route au fond d'une grande cour
plantée de micocouliers. C'est la vraie maison du *ménager*[2] de
Provence, avec ses tuiles rouges, sa large façade brune irrégu-
lièrement percée, puis tout en haut la girouette du grenier, la
poulie pour hisser les meules, et quelques touffes de foin brun
qui dépassent...

Pourquoi cette maison m'avait-elle frappé? Pourquoi ce portail fermé me serrait-il le cœur? Je n'aurais pas pu le dire, et
pourtant ce logis me faisait froid. Il y avait trop de silence
autour... Quand on passait, les chiens n'aboyaient pas, les
pintades s'enfuyaient sans crier... A l'intérieur, pas une voix!
Rien, pas même un grelot de mule... Sans les rideaux blancs des
fenêtres et la fumée qui montait des toits, on aurait cru l'endroit inhabité.

Hier, sur le coup de midi, je revenais du village, et, pour
éviter le soleil, je longeais les murs de la ferme, dans l'ombre
des micocouliers... Sur la route, devant le *mas*, des valets
silencieux achevaient de charger une charrette de foin... Le
portail était resté ouvert. Je jetai un regard en passant, et je
vis, au fond de la cour, accoudé—la tête dans ses mains—sur
une large table de pierre, un grand vieux tout blanc, avec une
veste trop courte et des culottes en lambeaux... Je m'arrêtai.
Un des hommes me dit tout bas:

—Chut! c'est le maître... Il est comme ça depuis le malheur de son fils.

A ce moment une femme et un petit garçon, vêtus de noir,
passèrent près de nous avec de gros paroissiens dorés, et entrèrent à la ferme.

L'homme ajouta:

—La maîtresse et Cadet qui reviennent de la messe. Ils y
vont tous les jours, depuis que l'enfant s'est tué... Ah! monsieur,
quelle désolation!... Le père porte encore les habits du mort;
on ne peut pas les lui faire quitter... Dia! hue! la bête!

La charrette s'ébranla pour partir. Moi, qui voulais en savoir plus long, je demandai au voiturier de monter à côté de lui, et c'est là-haut, dans le foin, que j'appris toute cette navrante histoire...

Il s'appelait Jan. C'était un admirable paysan de vingt ans, sage comme une fille, solide et le visage ouvert. Comme il était très beau, les femmes le regardaient; mais lui n'en avait qu'une en tête,—une petite Arlésienne, toute en velours et en dentelles, qu'il avait rencontrée sur la Lice d'Arles,³ une fois.— Au *mas,* on ne vit pas d'abord cette liaison avec plaisir. La fille passait pour coquette, et ses parents n'étaient pas du pays. Mais Jan voulait son Arlésienne à toute force. Il disait: « Je mourrai si on ne me la donne pas. » Il fallut en passer par là. On décida de les marier après la moisson.

Donc, un dimanche soir, dans la cour du *mas,* la famille achevait de dîner. C'était presque un repas de noces. La fiancée n'y assistait pas, mais on avait bu en son honneur tout le temps... Un homme se présente à la porte, et, d'une voix qui tremble, demande à parler à maître Estève, à lui seul. Estève se lève et sort sur la route.

—Maître, lui dit l'homme, vous allez marier votre enfant à une coquine, qui a été ma maîtresse pendant deux ans. Ce que j'avance, je le prouve: voici des lettres!... Les parents savent tout et me l'avaient promise; mais, depuis que votre fils la recherche, ni eux ni la belle ne veulent plus de moi... J'aurais cru pourtant qu'après ça elle ne pouvait pas être la femme d'un autre.

—C'est bien! dit maître Estève quand il a regardé les lettres; entrez boire un verre de muscat.

L'homme répond:

—Merci! j'ai plus de chagrin que de soif.

Et il s'en va. .

Le père rentre, impassible; il reprend sa place à table; et le repas s'achève gaiement...

Ce soir-là, maître Estève et son fils s'en allèrent ensemble dans les champs. Ils restèrent longtemps dehors; quand ils revinrent, la mère les attendait encore.

—Femme, dit le *ménager*, en lui amenant son fils, embrasse-le! il est malheureux...

Jan ne parla plus de l'Arlésienne. Il l'aimait toujours cependant, et même plus que jamais, depuis qu'on la lui avait montrée dans les bras d'un autre. Seulement il était trop fier pour rien dire; c'est ce qui le tua, le pauvre enfant!... Quelquefois il passait des journées entières seul dans un coin, sans bouger. D'autres jours, il se mettait à la terre avec rage et abattait à lui seul le travail de dix journaliers... Le soir venu, il prenait la route d'Arles et marchait devant lui jusqu'à ce qu'il vît monter dans le couchant les clochers grêles de la ville. Alors il revenait. Jamais il n'alla plus loin.

De le voir ainsi, toujours triste et seul, les gens du *mas* ne savaient plus que faire. On redoutait un malheur... Une fois, à table, sa mère, en le regardant avec des yeux pleins de larmes, lui dit:

—Eh bien! écoute, Jan, si tu la veux tout de même, nous te la donnerons...

Le père, rouge de honte, baissait la tête...

Jan fit signe que non, et il sortit...

A partir de ce jour, il changea sa façon de vivre, affectant d'être toujours gai, pour rassurer ses parents. On le revit au bal, au cabaret, dans les ferrades. A la vote[4] de Fonvieille, c'est lui qui mena la farandole.

Le père disait: « Il est guéri. » La mère, elle, avait toujours des craintes et plus que jamais surveillait son enfant... Jan couchait avec Cadet, tout près de la magnanerie; la pauvre vieille se fit dresser un lit à côté de leur chambre... Les magnans pouvaient avoir besoin d'elle, dans la nuit.

Vint la fête de saint Éloi, patron des ménagers.

Grande joie au *mas*... Il y eut du châteauneuf[5] pour tout le monde et du vin cuit comme s'il en pleuvait. Puis des pétards, des feux sur l'aire, des lanternes de couleur plein les micocouliers... Vive saint Éloi! On farandola à mort. Cadet brûla sa blouse neuve... Jan lui-même avait l'air content; il voulut faire danser sa mère; la pauvre femme en pleurait de bonheur.

A minuit, on alla se coucher. Tout le monde avait besoin de dormir... Jan ne dormit pas, lui. Cadet a raconté depuis que toute la nuit il avait sangloté... Ah! je vous réponds qu'il était bien mordu, celui-là...

Le lendemain, à l'aube, la mère entendit quelqu'un traverser sa chambre en courant. Elle eut comme un pressentiment:

—Jan, c'est toi?

Jan ne répond pas; il est déjà dans l'escalier.

Vite, vite la mère se lève:

—Jan, où vas-tu?

Il monte au grenier; elle monte derrière lui:

—Mon fils, au nom du ciel!

Il ferme la porte et tire le verrou.

—Jan, mon Janet, réponds-moi. Que vas-tu faire?

A tâtons, de ses vieilles mains qui tremblent, elle cherche le loquet... Une fenêtre qui s'ouvre, le bruit d'un corps sur les dalles de la cour, et c'est tout...

Il s'était dit, le pauvre enfant: « Je l'aime trop... Je m'en vais... » Ah! misérables cœurs que nous sommes! C'est un peu fort pourtant que le mépris ne puisse pas tuer l'amour!...

Ce matin-là, les gens du village se demandèrent qui pouvait crier ainsi, là-bas, du côté du *mas* d'Estève...

C'était, dans la cour, devant la table de pierre couverte de rosée et de sang, la mère toute nue qui se lamentait, avec son enfant mort sur ses bras.

LE PORTEFEUILLE DE BIXIOU

Un matin du mois d'octobre, quelques jours avant de quitter Paris, je vis arriver chez moi—pendant que je déjeunais—un vieil homme en habit râpé, cagneux, crotté, l'échine basse, grelottant sur ses longues jambes comme un échassier déplumé. C'était Bixiou. Oui, Parisiens, votre Bixiou, le féroce et charmant Bixiou, ce railleur enragé qui vous a tant réjouis depuis quinze ans avec ses pamphlets et ses caricatures... Ah! le malheureux, quelle détresse! Sans une grimace qu'il fit en entrant, jamais je ne l'aurais reconnu.

La tête inclinée sur l'épaule, sa canne aux dents comme une clarinette, l'illustre et lugubre farceur s'avança jusqu'au milieu de la chambre et vint se jeter contre ma table en disant d'une voix dolente:

—Ayez pitié d'un pauvre aveugle!...

C'était si bien imité que je ne pus m'empêcher de rire. Mais lui, très froidement:

—Vous croyez que je plaisante... regardez mes yeux.

Et il tourna vers moi deux grandes prunelles blanches sans regard.

—Je suis aveugle, mon cher, aveugle pour la vie... Voilà ce que c'est que d'écrire avec du vitriol. Je me suis brûlé les yeux à ce joli métier; mais là, brûlé à fond... jusqu'aux bobèches! ajouta-t-il en me montrant ses paupières calcinées où ne restait plus l'ombre d'un cil.

J'étais si ému que je ne trouvai rien à lui dire. Mon silence l'inquiéta.

—Vous travaillez?

—Non, Bixiou, je déjeune. Voulez-vous en faire autant?

Il ne répondit pas; mais, au frémissement de ses narines, je vis bien qu'il mourait d'envie d'accepter. Je le pris par la main, et je le fis asseoir près de moi.

Pendant qu'on le servait, le pauvre diable flairait la table avec un petit rire:

« Ça a l'air bon, tout ça. Je vais me régaler; il y a si long-

temps que je ne déjeune plus! Un pain d'un sou tous les
matins, en courant les ministères... car, vous savez, je cours les
ministères maintenant; c'est ma seule profession. J'essaye d'ac-
crocher un bureau de tabac... Qu'est-ce que vous voulez? il faut
qu'on mange à la maison. Je ne peux plus dessiner; je ne peux
plus écrire... Dicter?... mais quoi?... Je n'ai rien dans la tête,
moi; je n'invente rien. Mon métier, c'était de voir les grimaces
de Paris et de les faire; à présent, il n'y a plus moyen... Alors
j'ai pensé à un bureau de tabac; pas sur les boulevards, bien
entendu. Je n'ai pas droit à cette faveur, n'étant ni mère de
danseuse, ni veuve d'officier sperrior.[6] Non! simplement un
petit bureau de province, quelque part bien loin, dans un coin
des Vosges. J'aurai une forte pipe en porcelaine; je m'appelle-
rai Hans ou Zébédé, comme dans Erckmann-Chatrian,[7] et je
me consolerai de ne plus écrire en faisant des cornets de tabac
avec les œuvres de mes contemporains.

« Voilà tout ce que je demande. Pas grand'chose, n'est-ce
pas?... Eh bien, c'est le diable pour y arriver... Pourtant les
protections ne devraient pas me manquer. J'étais très lancé
autrefois. Je dînais chez le maréchal, chez le prince, chez les
ministres; tous ces gens-là voulaient m'avoir parce que je les
amusais ou qu'ils avaient peur de moi. A présent, je ne fais
plus peur à personne.—O mes yeux! mes pauvres yeux! Et
l'on ne m'invite nulle part. C'est si triste une tête d'aveugle
à table... Passez-moi le pain, je vous prie... Ah! les bandits!
ils me l'auront fait payer cher ce malheureux bureau de tabac.
Depuis six mois, je me promène dans tous les ministères avec
ma pétition. J'arrive le matin, à l'heure où l'on allume les
poêles et où l'on fait faire un tour aux chevaux de Son Excellence sur le sable de la cour; je ne m'en vais qu'à la nuit,
quand on apporte les grosses lampes et que les cuisines commencent à sentir bon...

« Toute ma vie se passe sur les coffres à bois des antichambres.
Aussi les huissiers me connaissent, allez! A l'Intérieur, ils m'appellent: « Ce bon monsieur! » Et moi, pour gagner leur pro-
tection, je fais des calembours, ou je dessine d'un trait sur un

coin de leurs buvards de grosses moustaches qui les font rire...
Voilà où j'en suis arrivé après vingt ans de succès tapageurs,
voilà la fin d'une vie d'artiste!... Et dire qu'ils sont en France
quarante mille galopins à qui notre profession fait venir l'eau
à la bouche! Dire qu'il y a tous les jours, dans les départements, une locomotive qui chauffe pour nous apporter des
panerées d'imbéciles affamés de littérature et de bruit imprimé!... Ah! province romanesque, si la misère de Bixiou
pouvait te servir de leçon! »

Là-dessus il se fourra le nez dans son assiette et se mit à
manger avidement, sans dire un mot... C'était pitié de le voir
faire. A chaque minute, il perdait son pain, sa fourchette,
tâtonnait pour trouver son verre... Pauvre homme! il n'avait
pas encore l'habitude.

Au bout d'un moment, il reprit :

« Savez-vous ce qu'il y a encore de plus horrible pour moi?
C'est de ne plus pouvoir lire mes journaux. Il faut être du
métier pour comprendre cela... Quelquefois le soir, en rentrant,
j'en achète un, rien que pour sentir cette odeur de papier humide
et de nouvelles fraîches... C'est si bon!... Et personne pour me
les lire! Ma femme pourrait bien, mais elle ne veut pas : elle
prétend qu'on trouve dans les faits divers des choses qui ne sont
pas convenables... Depuis que j'en ai fait Mme Bixiou, celle-là
s'est crue obligée de devenir bigote, mais à un point!... Est-ce
qu'elle ne voulait pas me faire frictionner les yeux avec l'eau
de la Salette![8] Et puis, le pain bénit, les quêtes, la Sainte-
Enfance, les petits Chinois, que sais-je encore?... Nous sommes
dans les bonnes œuvres jusqu'au cou... Ce serait cependant une
bonne œuvre de me lire mes journaux. Eh bien, non, elle ne
veut pas... Si ma fille était chez nous, elle me les lirait, elle;
mais, depuis que je suis aveugle, je l'ai fait entrer à Notre-
Dame-des-Arts, pour avoir une bouche de moins à nourrir...

« Encore une qui me donne de l'agrément, celle-là! Il n'y a
pas neuf ans qu'elle est au monde, elle a déjà eu toutes les

maladies... Et triste! et laide! plus laide que moi, si c'est possible... un monstre!... Que voulez-vous? je n'ai jamais su faire
que des charges... Ah çà, mais je suis bon, moi, de vous raconter
mes histoires de famille. Qu'est-ce que cela peut vous faire à
vous?... Allons, donnez-moi encore un peu de cette eau-de-vie.
Il faut que je me mette en train. En sortant d'ici je vais à
l'Instruction publique, et les huissiers n'y sont pas faciles à
dérider. C'est tous d'anciens professeurs. »

Je lui versai son eau-de-vie. Il commença à la déguster par
petites fois, d'un air attendri... Tout à coup, je ne sais quelle
fantaisie le piquant, il se leva, son verre à la main, promena un
instant autour de lui sa tête de vipère aveugle, avec le sourire
aimable du monsieur qui va parler, puis, d'une voix stridente,
comme pour haranguer un banquet de deux cents couverts:

—Aux arts! Aux lettres! A la presse!

Et le voilà parti sur un toast de dix minutes, la plus folle et
la plus merveilleuse improvisation qui soit jamais sortie de
cette cervelle de pitre.

Figurez-vous une revue de fin d'année intitulée: *Le Pavé des
lettres en* 186*; nos assemblées soi-disant littéraires, nos papo-
tages, nos querelles, toutes les cocasseries d'un monde excentrique,
fumier d'encre, enfer sans grandeur, où l'on s'égorge, où l'on
s'étripe, où l'on se détrousse, où l'on parle intérêts et gros sous
bien plus que chez les bourgeois, ce qui n'empêche pas qu'on y
meure de faim plus qu'ailleurs; toutes nos lâchetés, toutes nos
misères; le vieux baron T... de la Tombola s'en allant faire
« gna... gna... gna... » aux Tuileries avec sa sébile et son habit
barbeau; puis nos morts de l'année, les enterrements à réclames,
l'oraison funèbre de monsieur le délégué toujours la même:
« Cher et regretté! pauvre cher! » à un malheureux dont on refuse de payer la tombe; et ceux qui se sont suicidés, et ceux
qui sont devenus fous; figurez-vous tout cela, raconté, détaillé,
gesticulé par un grimacier de génie, vous aurez alors une idée
de ce que fut l'improvisation de Bixiou.

Son toast fini, son verre bu, il me demanda l'heure et s'en alla, d'un air farouche, sans me dire adieu... J'ignore comment les huissiers de M. Duruy⁹ se trouvèrent de sa visite ce matin-là ; mais je sais bien que jamais de ma vie je ne me suis senti si triste, si mal en train qu'après le départ de ce terrible aveugle. Mon encrier m'écœurait, ma plume me faisait horreur. J'aurais voulu m'en aller loin, courir, voir des arbres, sentir quelque chose de bon... Quelle haine, grand Dieu ! que de fiel ! quel besoin de baver sur tout, de tout salir ! Ah ! le misérable...

Et j'arpentais ma chambre avec fureur, croyant toujours entendre le ricanement de dégoût qu'il avait eu en me parlant de sa fille.

Tout à coup, près de la chaise où l'aveugle s'était assis, je sentis quelque chose rouler sous mon pied. En me baissant, je reconnus son portefeuille, un gros portefeuille luisant, à coins cassés, qui ne le quitte jamais et qu'il appelle en riant sa poche à venin. Cette poche, dans notre monde, était aussi renommée que les fameux cartons de M. de Girardin.¹⁰ On disait qu'il y avait des choses terribles là-dedans... L'occasion se présentait belle pour m'en assurer. Le vieux portefeuille, trop gonflé, s'était crevé en tombant, et tous les papiers avaient roulé sur le tapis ; il me fallut les ramasser l'un après l'autre...

Un paquet de lettres écrites sur du papier à fleurs, commençant toutes : *Mon cher papa*, et signées : *Céline Bixiou des Enfants de Marie.*

D'anciennes ordonnances pour des maladies d'enfants : croup, convulsions, scarlatine, rougeole... (la pauvre petite n'en avait pas échappé une !).

Enfin une grande enveloppe cachetée d'où sortaient, comme d'un bonnet de fillette, deux ou trois crins jaunes tout frisés ; et sur l'enveloppe, en grosse écriture tremblée, une écriture d'aveugle :

Cheveux de Céline, coupés le 13 mai, le jour de son entrée là-bas.

Voilà ce qu'il y avait dans le portefeuille de Bixiou.

Allons, Parisiens, vous êtes tous les mêmes. Le dégoût, l'ironie, un rire infernal, des blagues féroces, et puis pour finir :... *Cheveux de Céline coupés le 13 mai.*

LA DERNIÈRE CLASSE

Récit d'un petit Alsacien

Ce matin-là j'étais très en retard pour aller à l'école, et j'avais grand'peur d'être grondé, d'autant que M. Hamel nous avait dit qu'il nous interrogerait sur les participes, et je n'en savais pas le premier mot. Un moment l'idée me vint de manquer la classe et de prendre ma course à travers champs.

Le temps était si chaud, si clair!

On entendait les merles siffler à la lisière du bois, et dans le pré Rippert, derrière la scierie, les Prussiens qui faisaient l'exercice. Tout cela me tentait bien plus que la règle des participes; mais j'eus la force de résister, et je courus bien vite vers l'école.

En passant devant la mairie, je vis qu'il y avait du monde arrêté près du petit grillage aux affiches. Depuis deux ans, c'est de là que nous sont venues toutes les mauvaises nouvelles, les batailles perdues, les réquisitions, les ordres de la commandature; et je pensai sans m'arrêter:

—Qu'est-ce qu'il y a encore?

Alors, comme je traversais la place en courant, le forgeron Wachter, qui était là avec son apprenti en train de lire l'affiche, me cria:

—Ne te dépêche pas tant, petit; tu y arriveras toujours assez tôt à ton école!

Je crus qu'il se moquait de moi, et j'entrai tout essoufflé dans la petite cour de M. Hamel.

D'ordinaire, au commencement de la classe, il se faisait un grand tapage qu'on entendait jusque dans la rue, les pupitres ouverts, fermés, les leçons qu'on répétait très haut tous ensemble en se bouchant les oreilles pour mieux apprendre, et la grosse règle du maître qui tapait sur les tables:

—Un peu de silence!

Je comptais sur tout ce train pour gagner mon banc sans être vu; mais justement ce jour-là tout était tranquille, comme un

matin de dimanche. Par la fenêtre ouverte, je voyais mes
camarades déjà rangés à leurs places, et M. Hamel, qui passait
et repassait avec la terrible règle en fer sous le bras. Il fallut
ouvrir la porte et entrer au milieu de ce grand calme. Vous
pensez, si j'étais rouge et si j'avais peur!

Eh bien, non. M. Hamel me regarda sans colère et me dit
très doucement:

—Va vite à ta place, mon petit Franz; nous allions commencer sans toi.

J'enjambai le banc et je m'assis tout de suite à mon pupitre.
Alors seulement, un peu remis de ma frayeur, je remarquai que
notre maître avait sa belle redingote verte, son jabot plissé fin
et la calotte de soie noire brodée qu'il ne mettait que les jours
d'inspection ou de distribution de prix. Du reste, toute la classe
avait quelque chose d'extraordinaire et de solennel. Mais ce
qui me surprit le plus, ce fut de voir au fond de la salle, sur les
bancs qui restaient vides d'habitude, des gens du village assis
et silencieux comme nous, le vieux Hauser avec son tricorne,
l'ancien maire, l'ancien facteur, et puis d'autres personnes encore. Tout ce monde-là paraissait triste; et Hauser avait apporté un vieil abécédaire mangé aux bords qu'il tenait grand
ouvert sur ses genoux, avec ses grosses lunettes posées en
travers des pages.

Pendant que je m'étonnais de tout cela, M. Hamel était monté
dans sa chaire, et de la même voix douce et grave dont il m'avait
reçu, il nous dit:

« Mes enfants, c'est la dernière fois que je vous fais la classe.
L'ordre est venu de Berlin de ne plus enseigner que l'allemand
dans les écoles de l'Alsace et de la Lorraine... Le nouveau
maître arrive demain. Aujourd'hui c'est votre dernière leçon de
français. Je vous prie d'être bien attentifs. »

Ces quelques paroles me bouleversèrent. Ah! les misérables,
voilà ce qu'ils avaient affiché à la mairie.

Ma dernière leçon de français!...

Et moi qui savais à peine écrire! Je n'apprendrais donc
jamais! Il faudrait donc en rester là!... Comme je m'en voulais

maintenant du temps perdu, des classes manquées à courir les nids ou à faire des glissades sur la Saar ! Mes livres que tout à l'heure encore je trouvais si ennuyeux, si lourds à porter, ma grammaire, mon histoire sainte me semblaient à présent de vieux amis qui me feraient beaucoup de peine à quitter. C'est comme M. Hamel. L'idée qu'il allait partir, que je ne le verrais plus, me faisait oublier les punitions, les coups de règle.

Pauvre homme !

C'est en l'honneur de cette dernière classe qu'il avait mis ses beaux habits du dimanche, et maintenant je comprenais pourquoi ces vieux du village étaient venus s'asseoir au bout de la salle. Cela semblait dire qu'ils regrettaient de ne pas y être venus plus souvent, à cette école. C'était aussi comme une façon de remercier notre maître de ses quarante ans de bons services, et de rendre leurs devoirs à la patrie qui s'en allait...

J'en étais là de mes réflexions, quand j'entendis appeler mon nom. C'était mon tour de réciter. Que n'aurais-je pas donné pour pouvoir dire tout au long cette fameuse règle des participes, bien haut, bien clair, sans une faute ; mais je m'embrouillai aux premiers mots, et je restai debout à me balancer dans mon banc, le cœur gros, sans oser lever la tête. J'entendais M. Hamel qui me parlait :

« Je ne te gronderai pas, mon petit Franz, tu dois être assez puni... voilà ce que c'est. Tous les jours on se dit : Bah ! j'ai bien le temps. J'apprendrai demain. Et puis tu vois ce qui arrive... Ah ! ç'a été le grand malheur de notre Alsace de toujours remettre son instruction à demain. Maintenant ces gens-là sont en droit de nous dire : Comment ! Vous prétendiez être Français, et vous ne savez ni parler ni écrire votre langue !... Dans tout ça, mon pauvre Franz, ce n'est pas encore toi le plus coupable. Nous avons tous notre bonne part de reproches à nous faire.

« Vos parents n'ont pas assez tenu à vous voir instruits. Ils aimaient mieux vous envoyer travailler à la terre ou aux filatures pour avoir quelques sous de plus. Moi-même n'ai-je rien à me reprocher ? Est-ce que je ne vous ai pas souvent fait

arroser mon jardin au lieu de travailler? Et quand je voulais
aller pêcher des truites, est-ce que je me gênais pour vous
donner congé?... »

Alors, d'une chose à l'autre, M. Hamel se mit à nous parler
de la langue française, disant que c'était la plus belle langue
du monde, la plus claire, la plus solide; qu'il fallait la garder
entre nous et ne jamais l'oublier, parce que, quand un peuple
tombe esclave, tant qu'il tient bien sa langue, c'est comme s'il
tenait la clef de sa prison*... Puis il prit une grammaire et nous
lut notre leçon. J'étais étonné de voir comme je comprenais.
Tout ce qu'il disait me semblait facile, facile. Je crois aussi que
je n'avais jamais si bien écouté, et que lui non plus n'avait
jamais mis autant de patience à ses explications. On aurait dit
qu'avant de s'en aller, le pauvre homme voulait nous donner
tout son savoir, nous le faire entrer dans la tête d'un seul coup.

La leçon finie, on passa à l'écriture. Pour ce jour-là, M.
Hamel nous avait préparé des exemples tout neufs, sur lesquels
était écrit en belle ronde : *France, Alsace, France, Alsace*. Cela
faisait comme des petits drapeaux qui flottaient tout autour de
la classe pendus à la tringle de nos pupitres. Il fallait voir
comme chacun s'appliquait, et quel silence! On n'entendait
rien que le grincement des plumes sur le papier. Un moment
des hannetons entrèrent; mais personne n'y fit attention, pas
même les tout petits qui s'appliquaient à tracer leurs *bâtons*,
avec un cœur, une conscience, comme si cela encore était du
français... Sur la toiture de l'école, des pigeons roucoulaient tout
bas, et je me disais en les écoutant :

—Est-ce qu'on ne va pas les obliger à chanter en allemand,
eux aussi?

De temps en temps, quand je levais les yeux de dessus ma
page, je voyais M. Hamel immobile dans sa chaire et fixant les
objets autour de lui, comme s'il avait voulu emporter dans son
regard toute sa petite maison d'école... Pensez! depuis quarante
ans, il était là à la même place, avec sa cour en face de

* « S'il tient sa langue,—il tient la clé qui de ses chaînes le délivre. »
                                                              F. Mistral

lui et sa classe toute pareille. Seulement les bancs, les pupitres
s'étaient polis, frottés par l'usage ; les noyers de la cour avaient
grandi, et le houblon qu'il avait planté lui-même enguirlandait
maintenant les fenêtres jusqu'au toit. Quel crève-cœur ça devait être pour ce pauvre homme de quitter toutes ces choses, et
d'entendre sa sœur qui allait, venait, dans la chambre au-dessus,
en train de fermer leurs malles ! car ils devaient partir le lendemain, s'en aller du pays pour toujours.

Tout de même il eut le courage de nous faire la classe jusqu'au
bout. Après l'écriture, nous eûmes la leçon d'histoire ; ensuite
les petits chantèrent tous ensemble le BA BE BI BO BU. Là-bas
au fond de la salle, le vieux Hauser avait mis ses lunettes, et,
tenant son abécédaire à deux mains, il épelait les lettres avec
eux. On voyait qu'il s'appliquait lui aussi ; sa voix tremblait
d'émotion, et c'était si drôle de l'entendre, que nous avions tous
envie de rire et de pleurer. Ah ! je m'en souviendrai de cette
dernière classe...

Tout à coup l'horloge de l'église sonna midi, puis l'Angelus.
Au même moment, les trompettes des Prussiens qui revenaient
de l'exercice éclatèrent sous nos fenêtres... M. Hamel se leva,
tout pâle, dans sa chaire. Jamais il ne m'avait paru si grand.

—Mes amis, dit-il, mes amis, je... je...

Mais quelque chose l'étouffait. Il ne pouvait pas achever
sa phrase.

Alors il se tourna vers le tableau, prit un morceau de craie,
et, en appuyant de toutes ses forces, il écrivit aussi gros
qu'il put :

« VIVE LA FRANCE ! »

Puis il resta là, la tête appuyée au mur, et, sans parler, avec
sa main il nous faisait signe :

—C'est fini... allez-vous-en.

ÉMILE ZOLA

1840–1902

> Une œuvre d'art est un coin de la créa-
> tion vu à travers un tempérament. ZOLA

Émile Zola was brought up in Aix-en-Provence, where his Italian father was employed as an engineer. He began his literary career in poverty as a Paris journalist. With persistent bourgeois regularity he set out to fulfill a new conception of fiction; and from 1871 to 1893, working regularly and systematically producing his "line a day," he published a score of novels. *Les Rougon-Macquart, l'histoire naturelle et sociale d'une famille sous le Second Empire,* as he rather pretentiously calls the series, proclaims him the leader and the most fervent advocate of that advanced school of realists, the naturalists. After the completion of this huge task Zola set to work on a trilogy—*Lourdes, Rome,* and *Paris,* novels advocating the possibilities of a new religion which he calls Christian socialism. When he entered the Dreyfus fray with his open letter addressed to the president of the Republic, accusing the whole War Department of having conspired to "railroad" an innocent man to prison, Zola renounced fiction for a time. Later, after he had fled to England to escape arrest in connection with his vigorous and fearless attacks upon the clerical party, he wrote three of his four Gospels According to Tolstoy: *Fécondité, Travail,* and *Vérité,* symbolic novels, highly tinged with romantic socialism.

It has been said that Zola is slave to a doctrine, a family, and a method. His doctrine was in part derived from Taine and Balzac and in part his own. From Balzac he conceived the plan of a series of interrelated contemporary histories, but he has radically departed from the author of the *Human Comedy* by regarding fiction merely as an adjunct to science. From Taine he has appropriated the theory that vice and virtue are products, like vitriol and sugar, but he has neglected to test any sugar in his retort, his men and women exhibiting at best only modifications of the basest of brute instincts. Zola has expressed his doctrine in the preface to one of his earlier novels, *Thérèse Raquin,* where he writes, "I have simply performed upon two living bodies the analytic dissection which surgeons perform upon cadavers." Later his theories are crystallized in a vigorous volume of naturalistic propaganda which he entitles *Le Roman expérimental*. This work is merely a tissue of citations from the *Introduction à l'étude de la médecine expérimentale* of Claude Bernard. Zola suggests that in the world of fiction the word *romancier* may henceforth be substituted for *médecin*, the word *roman* for *médecine*; that is to say, he has conceived the idea of assimilating literary and scientific methods, of annexing the novel to natural history and to medicine. In addition to the realist's close observation of actual life, he would insist upon a rigid application of inductive science to the novel, even to the extent of regarding his characters as subjects for experimentation. Unfortunately, in actual practice Zola is not a profound observer, but essentially a man of unbridled imagination. As for his pretended experiments upon living bodies, it is clear that there can be no parallel between the work of the scientist, who observes in his laboratory the actions and reactions of certain compounds and tabulates his findings, and the novelist, whose chemical or physiological tests must take place within his own fertile brain. The novelist imagines; he never experiments in the sense in which Zola employs the term.

Of the characters which people his fiction Zola writes: "Physiologically the Rougon-Macquart family is a slow procession of irregularities of nerves and blood which as the result of some primal lesion become gradually and variously manifest in members of the family." By *primal lesion* we are to understand, of course, the principle of heredity. Irregularities of nerves and blood have furnished him with a plentiful supply of criminals, drunkards, and epileptics; victims of religious or homicidal mania; degenerates and brutes. But however much his theories might be universally applicable, Zola rarely introduces men and women leading normal human lives. Men of genius or women whose lives are not atrophied by the fumes of lye and alcohol, by the damp mines or the brothel; youths who face life with health and courage,—these people are rare within the pages of Zola's novels. The various ramifications of this unhappy family afford him ample opportunity for discussing life in widely divergent spheres; but he is really more interested in depicting a mode of living characteristic of a class or a profession than in studying individual characters, even though they be the natural product of the environment which he so laboriously portrays. His conception of the family as the focus of interest suffers in this shifting of attention. *Son Excellence Eugène Rougon* deals with the political world; *Le Ventre de Paris*, with the central markets of Paris; *Au Bonheur des dames* describes the daily activity of a great department store; *Germinal*, life in the coal mines; *La Terre* is a revolting, untrue picture of the peasants.

Railroads are studied in *La Bête humaine*, artists in *L'Œuvre*, and the horrors of war in *La Débâcle*.

Zola is also the victim of his naturalistic method. In the preparation of his novel he was an overzealous note-taker, diffuse in his dossiers for each character and lavish in his use of technical terms. His method was to collect newspaper clippings, especially those dealing with morbid psychology and hallucinations. All those things which the careful realist would put in the background, he brings to the fore, as if unnatural exceptions made up the whole of society. Instead of presenting alcoholism or neurasthenia scientifically, he forces us to believe that Parisian society is made up of victims of *eau-de-vie* or of nerves. He is fond of profuse portraits, laboriously constructed out of his mountainous notes, but he seldom gets below the surface of his characters, for his psychology is faulty. We must paint what we see, he exclaims. Unfortunately his vision is restricted, and nature seen through his temperament is the saddest of spectacles.

What is the result of this doctrine and family and method? The doctrine is fundamentally false—dangerous even, for fiction cannot be reduced to scientific laws. Zola is taking himself too seriously when he dabbles merely in hypotheses. His family is uninteresting, psychologically unsound, and his method leads him into pretentiousness and a welter of materialism. The elements which make the novels of Zola live are not their naturalism, but their romantic symbolism, their lurid coloring, the power of individual and often sensational scenes. When his scientific experimenting is subjected to examination it is found to be only the normal creative process on the part of the novelist, and at heart he is "a great romanticist gone astray," who has merely determined that "man should be a brute at any cost."* In spite of his debt to Balzac, Zola frequently sees with the eyes of Hugo. And his world is a storehouse of vast symbols. He has the gift of giving soul to his inanimate creations. Such are the dark and twisting coal mines in *Germinal*, or the sinister grogshop in *L'Assommoir* which lures into its stinking coils an honest workman and his wife, or the bestial picture of the central markets in *Le Ventre de Paris*. His pictures of great masses, such as the mob of maddened strikers in *Germinal*, are moving and full of power. *La Débâcle* is filled with bewildered masses of desperate men at war. The rout after Sedan, with a sad-eyed emperor in the foreground, whose face is rouged to conceal his pallor, moving away with his starving soldiers who have been made brutes by fear and hunger, is one of the most gruesome scenes in fiction.

*Ludwig Lewisohn, *The Spirit of Modern German Literature*.

Zola has been the object of much scathing criticism, particularly from Brunetière, who finds in him a pretentious romanticist, lacking in literary education and philosophic culture. He was not a deep thinker, his knowledge of art and literature was always limited, and his psychology was lacking in finer shades. Many of his novels are powerful works of art; many of them are repellent and grossly obscene; all are conscientiously conceived by a sincere artist with splendid imaginative faculties. It is wrong to attribute to him a morbid love of ugliness and disease for its own sake. He was a victim of his own theories, promulgating a principle and a method of procedure which fettered his own natural capacities and, through his influence, marred the work of his disciples; yet he had strength of conception and vision, he had imagination, and he was fundamentally sincere in his naturalistic belief.

UNE NOCE PARISIENNE

La noce tourna à droite, descendit dans Paris par le faubourg Saint-Denis. Coupeau et Gervaise marchaient de nouveau en tête, courant, devançant les autres. M. Madinier donnait maintenant le bras à madame Lorilleux, maman Coupeau étant restée chez le marchand de vin, à cause de ses jambes. Puis venaient Lorilleux et madame Lerat, Boche et madame Fauconnier, Bibi-la-Grillade et mademoiselle Remanjou, enfin le ménage Gaudron. On était douze. Ça faisait encore une jolie queue sur le trottoir.

—Oh! nous n'y sommes pour rien, je vous jure, expliquait madame Lorilleux à M. Madinier. Nous ne savons pas où il l'a prise, ou plutôt nous ne le savons que trop; mais ce n'est pas à nous de parler, n'est-ce pas?... Mon mari a dû acheter l'alliance. Ce matin, au saut du lit, il a fallu leur prêter dix francs, sans quoi rien ne se faisait plus... Une mariée qui n'amène seulement pas un parent à sa noce! Elle dit avoir à Paris une sœur charcutière. Pourquoi ne l'a-t-elle pas invitée, alors?...

La noce, débouchant de la rue Saint-Denis, traversa le boulevard. Elle attendit un moment, devant le flot des voitures; puis, elle se risqua sur la chaussée, changée par l'orage en une mare de boue coulante. L'ondée reprenait, la noce venait d'ouvrir les parapluies; et, sous les riflards lamentables, ba-

lancés à la main des hommes, les femmes se retroussaient, le
défilé s'espaçait dans la crotte, tenant d'un trottoir à l'autre.
Alors, deux voyous crièrent à la chienlit; des promeneurs ac-
coururent; des boutiquiers, l'air amusé, se haussèrent derrière
leurs vitrines. Au milieu du grouillement de la foule, sur les
fonds gris et mouillés du boulevard, les couples en procession
mettaient des taches violentes, la robe gros bleu de Gervaise,
la robe écrue à fleurs imprimées de madame Fauconnier, le
pantalon jaune-canari de Boche; une raideur de gens endi-
manchés donnait des drôleries de carnaval à la redingote luisante de Coupeau et à l'habit carré de M. Madinier; tandis
que la belle toilette de madame Lorilleux, les effilés de madame
Lerat, les jupes fripées de mademoiselle Remanjou, mêlaient les
modes, traînaient à la file les décrochez-moi ça[1] du luxe des
pauvres. Mais c'étaient surtout les chapeaux des messieurs qui
égayaient, de vieux chapeaux conservés, ternis par l'obscurité
de l'armoire, avec des formes pleines de comique, hautes,
évasées, en pointe, des ailes extraordinaires, retroussées, plates,
trop larges ou trop étroites. Et les sourires augmentaient encore, quand, tout au bout, pour clore le spectacle, madame
Gaudron, la cardeuse, s'avançait dans sa robe d'un violet cru,
avec son ventre de femme enceinte, qu'elle portait énorme, très
en avant. La noce, cependant, ne hâtait point sa marche, bonne
enfant, heureuse d'être regardée, s'amusant des plaisanteries...

Enfin, après avoir descendu la rue Croix-des-Petits-Champs,
on arriva au Louvre.

M. Madinier, poliment, demanda à prendre la tête du cortège.

C'était très grand, on pouvait se perdre; et lui, d'ailleurs, connaissait les beaux endroits, parce qu'il était souvent venu avec
un artiste, un garçon bien intelligent, auquel une grande maison
de cartonnage achetait des dessins, pour les mettre sur des
boîtes. En bas, quand la noce se fut engagée dans le musée
assyrien, elle eut un petit frisson. Fichtre! il ne faisait pas
chaud; la salle aurait fait une fameuse cave. Et, lentement, les
couples avançaient, le menton levé, les paupières battantes,
entre les colosses de pierre, les dieux de marbre noir muets

dans leur raideur hiératique, les bêtes monstrueuses, moitié
chattes et moitié femmes, avec des figures de mortes, le nez
aminci, les lèvres gonflées. Ils trouvaient tout ça très vilain.
On travaillait joliment mieux la pierre au jour d'aujourd'hui.
Une inscription en caractères phéniciens les stupéfia. Ce n'était
pas possible, personne n'avait jamais lu ce grimoire. Mais M.
Madinier, déjà sur le premier palier avec madame Lorilleux, les
appelait, criant sous les voûtes :

—Venez donc. Ce n'est rien, ces machines... C'est au premier
qu'il faut voir.

La nudité sévère de l'escalier les rendit graves. Un huissier
superbe, en gilet rouge, la livrée galonnée d'or, qui semblait les
attendre sur le palier, redoubla leur émotion. Ce fut avec
respect, marchant le plus doucement possible, qu'ils entrèrent
dans la galerie française.

Alors, sans s'arrêter, les yeux emplis de l'or des cadres, ils
suivirent l'enfilade des petits salons, regardant passer les images,
trop nombreuses pour être bien vues. Il aurait fallu une heure
devant chacune, si l'on avait voulu comprendre. Que de tableaux, sacredié! ça ne finissait pas. Il devait y en avoir pour
de l'argent. Puis, au bout, M. Madinier les arrêta brusquement
devant le *Radeau de la Méduse*;[2] et il leur expliqua le sujet.
Tous, saisis, immobiles, se taisaient. Quand on se remit à
marcher, Boche résuma le sentiment général : c'était tapé.

Dans la galerie d'Apollon,[3] le parquet surtout émerveilla la
société, un parquet luisant, clair comme un miroir, où les pieds
des banquettes se reflétaient. Mademoiselle Remanjou fermait
les yeux, parce qu'elle croyait marcher sur de l'eau. On criait à
madame Gaudron de poser ses souliers à plat, à cause de sa
position. M. Madinier voulait leur montrer les dorures et les
peintures du plafond; mais ça leur cassait le cou, et ils ne distinguaient rien. Alors, avant d'entrer dans le salon carré, il
indiqua une fenêtre du geste, en disant :

—Voilà le balcon d'où Charles IX a tiré sur le peuple.[4]

Cependant, il surveillait la queue du cortège. D'un geste, il
commanda une halte, au milieu du salon carré. Il n'y avait là

que des chefs-d'œuvre, murmurait-il à demi-voix, comme dans une église. On fit le tour du salon. Gervaise demanda le sujet des *Noces de Cana*;⁵ c'était bête de ne pas écrire les sujets sur les cadres. Coupeau s'arrêta devant la Joconde,⁶ à laquelle il trouva une ressemblance avec une de ses tantes. Boche et Bibi-la-Grillade ricanaient, en se montrant du coin de l'œil les femmes nues; les cuisses de l'Antiope⁷ surtout leur causèrent un saisissement. Et, tout au bout, le ménage Gaudron, l'homme la bouche ouverte, la femme les mains sur son ventre, restaient béants, attendris et stupides, en face de la Vierge de Murillo.

Le tour du salon terminé, M. Madinier voulut qu'on recommençât; ça en valait la peine. Il s'occupait beaucoup de madame Lorilleux, à cause de sa robe de soie; et, chaque fois qu'elle l'interrogeait, il répondait gravement, avec un grand aplomb. Comme elle s'intéressait à la maîtresse du Titien, dont elle trouvait la chevelure jaune pareille à la sienne, il la lui donna pour la belle Ferronnière,⁸ une maîtresse d'Henri IV, sur laquelle on avait joué un drame, à l'Ambigu.

Puis, la noce se lança dans la longue galerie où sont les écoles italiennes et flamandes. Encore des tableaux, toujours des tableaux, des saints, des hommes et des femmes avec des figures qu'on ne comprenait pas, des paysages tout noirs, des bêtes devenues jaunes, une débandade de gens et de choses dont le violent tapage de couleurs commençait à leur causer un gros mal de tête. M. Madinier ne parlait plus, menait lentement le cortège, qui le suivait en ordre, tous les cous tordus et les yeux en l'air. Des siècles d'art passaient devant leur ignorance ahurie, la sécheresse fine des primitifs, les splendeurs des Vénitiens, la vie grasse et belle de lumière des Hollandais. Mais ce qui les intéressait le plus, c'étaient encore les copistes, avec leurs chevalets installés parmi le monde, peignant sans gêne; une vieille dame, montée sur une grande échelle, promenant un pinceau à badigeon dans le ciel tendre d'une immense toile, les frappa d'une façon particulière. Peu à peu, pourtant, le bruit avait dû se répandre qu'une noce visitait le Louvre; des peintres accouraient, la bouche fendue d'un rire; des curieux s'asseyaient

à l'avance sur des banquettes, pour assister commodément au
défilé; tandis que les gardiens, les lèvres pincées, retenaient des
mots d'esprit. Et la noce, déjà lasse, perdant de son respect,
traînait ses souliers à clous, tapait ses talons sur les parquets
sonores, avec le piétinement d'un troupeau débandé, lâché au
milieu de la propreté nue et recueillie des salles.

—Allons-nous-en, dit M. Madinier. Il n'y a plus rien à voir
de ce côté.

La noce retourna sur ses pas, traversa de nouveau le salon
carré et la galerie d'Apollon. Madame Lerat et mademoiselle
Remanjou se plaignaient, déclarant que les jambes leur ren-
traient dans le corps. Mais le cartonnier voulait montrer à
Lorilleux les bijoux anciens. Ça se trouvait à côté, au fond
d'une petite pièce, où il serait allé les yeux fermés. Pourtant, il
se trompa, égara la noce le long de sept ou huit salles, désertes,
froides, garnies seulement de vitrines sévères où s'alignaient une
quantité innombrable de pots cassés et de bonshommes très
laids. La noce frissonnait, s'ennuyait ferme. Puis, comme elle
cherchait une porte, elle tomba dans les dessins. Ce fut une
nouvelle course immense: les dessins n'en finissaient pas, les
salons succédaient aux salons, sans rien de drôle, avec des
feuilles de papier gribouillées, sous des vitres, contre les murs.
M. Madinier, perdant la tête, ne voulant point avouer qu'il était
perdu, enfila un escalier, fit monter un étage à la noce. Cette
fois, elle voyageait au milieu du musée de marine, parmi des
modèles d'instruments et de canons, des plans en relief, des
vaisseaux grands comme des joujoux. Un autre escalier se rencontra, très loin, au bout d'un quart d'heure de marche. Et,
l'ayant descendu, elle se retrouva en plein dans les dessins.
Alors, le désespoir la prit, elle roula au hasard des salles, les
couples toujours à la file, suivant M. Madinier, qui s'épongeait
le front, hors de lui, furieux contre l'administration, qu'il accusait d'avoir changé les portes de place. Les gardiens et les
visiteurs la regardaient passer, pleins d'étonnement. En moins
de vingt minutes, on la revit au salon carré, dans la galerie
française, le long des vitrines où dorment les petits dieux de

l'Orient. Jamais plus elle ne sortirait. Les jambes cassées,
s'abandonnant, la noce faisait un vacarme énorme, laissant dans
sa course le ventre de madame Gaudron en arrière.

—On ferme! on ferme! crièrent les voix puissantes des
gardiens.

Et elle faillit se laisser enfermer. Il fallut qu'un gardien se
mît à sa tête, la reconduisît jusqu'à une porte. Puis, dans la
cour du Louvre, lorsqu'elle eut repris ses parapluies au ves-
tiaire, elle respira. M. Madinier retrouvait son aplomb; il avait
eu tort de ne pas tourner à gauche; maintenant, il se souvenait
que les bijoux étaient à gauche. Toute la société, d'ailleurs,
affectait d'être contente d'avoir vu ça.

LA GRÈVE DE GERMINAL

En deux minutes, Jean-Bart[9] se vida. Jeanlin, qui avait
trouvé une corne d'appel, soufflait, poussait des sons rauques,
comme s'il avait rassemblé des bœufs. Les femmes, la Brûlé, la
Levaque, la Mouquette relevaient leurs jupes pour courir;
tandis que Levaque, une hache à la main, la manœuvrait ainsi
qu'une canne de tambour-major. D'autres camarades arrivaient
toujours, on était près de mille, sans ordre, coulant de nouveau
sur la route en un torrent débordé. La voie de sortie était trop
étroite, des palissades furent rompues.

—Aux fosses! à bas les traîtres! plus de travail!

Et Jean-Bart tomba brusquement à un grand silence. Pas un
homme, pas un souffle. Deneulin sortit de la chambre des
porions,[10] et tout seul, défendant du geste qu'on le suivît, il visita
la fosse. Il était pâle, très calme. D'abord, il s'arrêta devant
le puits, leva les yeux, regarda les câbles coupés: les bouts
d'acier pendaient inutiles, la morsure de la lime avait laissé une
blessure vive, une plaie fraîche qui luisait dans le noir des
graisses. Ensuite, il monta à la machine, en contempla la bielle
immobile, pareille à l'articulation d'un membre colossal frappé
de paralysie, en toucha le métal refroidi déjà, dont le froid lui
donna un frisson, comme s'il avait touché un mort. Puis, il

descendit aux chaudières, marcha lentement devant les foyers
éteints, béants et inondés, tapa du pied sur les générateurs qui
sonnèrent le vide. Allons! c'était bien fini, sa ruine s'achevait.
Même s'il raccommodait les câbles, s'il rallumait les feux, où
trouverait-il des hommes? Encore quinze jours de grève, il était
en faillite. Et, dans cette certitude de son désastre, il n'avait
plus de haine contre les brigands de Montsou, il sentait la com-
plicité de tous, une faute générale, séculaire. Des brutes sans
doute, mais des brutes qui ne savaient pas lire et qui crevaient
de faim.

Et la bande, par la plaine rase, toute blanche de gelée, sous
le pâle soleil d'hiver, s'en allait, débordait de la route, au travers
des champs de betteraves.

Dès la Fourche-aux-Bœufs, Étienne en avait pris le commandement. Sans qu'on s'arrêtât, il criait des ordres, il organi-
sait la marche. Jeanlin, en tête, galopait en sonnant dans sa
corne une musique barbare. Puis, aux premiers rangs, les
femmes s'avançaient, quelques-unes armées de bâtons, la
Maheude avec des yeux ensauvagés qui semblaient chercher au
loin la cité de justice promise; la Brûlé, la Levaque, la Mouquette, allongeant toutes leurs jambes sous leurs guenilles,
comme des soldats partis pour la guerre. En cas de mauvaise
rencontre, on verrait bien si les gendarmes oseraient taper sur
des femmes. Et les hommes suivaient, dans une confusion de
troupeau, en une queue qui s'élargissait, hérissée de barres de
fer, dominée par l'unique hache de Levaque, dont le tranchant
miroitait au soleil. Des têtes nues s'échevelaient au grand air,
on n'entendait que le claquement des sabots, pareil à un galop
de bétail lâché, emporté dans la sonnerie sauvage de Jeanlin.

Mais, tout de suite, un nouveau cri s'éleva.

—Du pain! du pain! du pain!

Il était midi, la faim des six semaines de grève s'éveillait dans
les ventres vides, fouettée par cette course en pleins champs.
Les croûtes rares du matin, les quelques châtaignes de la Mou-

quette, étaient loin déjà ; et les estomacs criaient, et cette souffrance s'ajoutait à la rage contre les traîtres.

—Aux fosses ! plus de travail ! du pain !

La bande traversa la route de Joiselle, suivit un instant celle
de Cron, remonta ensuite vers Cougny. De ce côté, des
cheminées d'usine rayaient l'horizon plat, des hangars de bois,
des ateliers de briques, aux larges baies poussiéreuses, défilaient
le long du pavé. On passa coup sur coup près des maisons
basses de deux corons,[11] celui des Cent-Quatre-Vingts, puis celui
des Soixante-Seize ; et, de chacun, à l'appel de la corne, à la
clameur jetée par toutes les bouches, des familles sortirent, des
hommes, des femmes, des enfants, galopant eux aussi, se joignant
à la queue des camarades. Quand on arriva devant Madeleine,
on était bien quinze cents. La route dévalait en pente douce,
le flot grondant des grévistes dut tourner le terri, avant de se
répandre sur le carreau de la mine.

A ce moment, il n'était guère plus de deux heures. Mais les
porions, avertis, venaient de hâter la remonte ; et, comme la
bande arrivait, la sortie s'achevait, il restait au fond une vingtaine d'hommes, qui débarquèrent de la cage. Ils s'enfuirent,
on les poursuivit à coups de pierre. Deux furent battus, un
autre y laissa une manche de sa veste. Cette chasse à l'homme
sauva le matériel, on ne toucha ni aux câbles ni aux chaudières.
Déjà le flot s'éloignait, roulait sur la fosse voisine.

Sans qu'on sût d'où il partait, un nouveau mot d'ordre les
lança sur une autre fosse.

—A la Victoire ! à la Victoire !

Il n'y avait donc ni dragons ni gendarmes, à la Victoire ? On
l'ignorait. Tous semblaient rassurés. Et, faisant volte-face, ils
descendirent du côté de Beaumont, ils coupèrent à travers
champs, pour rattraper la route de Joiselle. La voie du chemin
de fer leur barrait le passage, ils la traversèrent en renversant
les clôtures. Maintenant, ils se rapprochaient de Montsou,
l'ondulation lente des terrains s'abaissait, élargissait la mer des
pièces de betteraves, très loin, jusqu'aux maisons noires de
Marchiennes.

C'était, cette fois, une course de cinq grands kilomètres. Un
élan tel les charriait, qu'ils ne sentaient pas la fatigue atroce,
leurs pieds brisés et meurtris. Toujours la queue s'allongeait,
s'augmentait des camarades racolés en chemin, dans les corons.
Quand ils eurent passé le canal au pont Magache, et qu'ils se
présentèrent devant la Victoire, ils étaient deux mille. Mais
trois heures avaient sonné, la sortie était faite, plus un homme
ne restait au fond. Leur déception s'exhala en menaces vaines,
ils ne purent que recevoir à coups de briques cassées les ouvriers
de la coupe à terre, qui arrivaient prendre leur service. Il y eut
une débandade, la fosse déserte leur appartint. Et, dans leur
rage de n'avoir pas une face de traître à gifler, ils s'attaquèrent
aux choses. Une poche de rancune crevait en eux, une poche
empoisonnée, grossie lentement. Des années et des années de
faim les torturaient d'une fringale de massacre et de destruction.

Derrière un hangar, Étienne aperçut des chargeurs qui rem-
plissaient un tombereau de charbon.

—Voulez-vous foutre le camp! cria-t-il. Pas un morceau ne
sortira!

Sous ses ordres, une centaine de grévistes accouraient; et les
chargeurs n'eurent que le temps de s'éloigner. Des hommes
dételèrent les chevaux qui s'effarèrent et partirent, piqués aux
cuisses; tandis que d'autres, en renversant le tombereau, cas-
saient les brancards.

Levaque, à violents coups de hache, s'était jeté sur les tré-
teaux, pour abattre les passerelles. Ils résistaient, et il eut l'idée
d'arracher les rails, de couper la voie, d'un bout à l'autre du
carreau. Bientôt, la bande entière se mit à cette besogne.
Maheu fit sauter des coussinets de fonte, armé de sa barre de
fer, dont il se servait comme d'un levier. Pendant ce temps, la
Brûlé, entraînant les femmes, envahissait la lampisterie, où les
bâtons, à la volée, couvrirent le sol d'un carnage de lampes.

Mais ces vengeances ne donnaient pas à manger. Les ventres
criaient plus haut. Et la grande lamentation domina encore:

—Du pain! du pain! du pain!

Justement, à la Victoire, un ancien porion tenait une cantine.

Sans doute il avait pris peur, sa baraque était abandonnée.
Quand les femmes revinrent et que les hommes eurent achevé
de défoncer la voie, ils assiégèrent la cantine, dont les volets
cédèrent tout de suite. On n'y trouva pas de pain, il n'y avait
là que deux morceaux de viande crue et un sac de pommes de
terre. Seulement, dans le pillage, on découvrit une cinquantaine
de bouteilles de genièvre, qui disparurent comme une goutte
d'eau bue par du sable.

La bande, de nouveau, sillonna la plaine rase. Elle revenait
sur ses pas, par les longues routes droites, par les terres sans
cesse élargies. Il était quatre heures, le soleil, qui baissait à
l'horizon, allongeait sur le sol glacé les ombres de cette horde,
aux grands gestes furieux.

On évita Montsou, on retomba plus haut dans la route de
Joiselle; et, pour s'épargner le détour de la Fourche-aux-Bœufs,
on passa sous les murs de la Piolaine. Les Grégoire, précisément, venaient d'en sortir... La propriété semblait dormir, avec
son avenue de tilleuls déserte, son potager et son verger dénudés
par l'hiver. Rien ne bougeait dans la maison, dont les fenêtres
closes se ternissaient de la chaude buée intérieure; et, du profond silence, sortait une impression de bonhomie et de bien-
être, la sensation patriarcale des bons lits et de la bonne table,
du bonheur sage, où coulait l'existence des propriétaires.

Sans s'arrêter, la bande jetait des regards sombres à travers
les grilles, le long des murs protecteurs, hérissés de culs de
bouteille. Le cri recommença:

—Du pain! du pain! du pain!

Seuls, les chiens répondirent par des abois féroces, une paire
de grands danois au poil fauve, qui se dressaient debout, la
gueule ouverte. Et, derrière une persienne fermée, il n'y avait
que les deux bonnes, Mélanie, la cuisinière, et Honorine, la
femme de chambre, attirées par ce cri, suant la peur, toutes
pâles de voir défiler ces sauvages. Elles tombèrent à genoux,
elles se crurent mortes, en entendant une pierre, une seule, qui
cassait un carreau d'une fenêtre voisine. C'était une farce de
Jeanlin: il avait fabriqué une fronde avec un bout de corde, il

laissait en passant un petit bonjour aux Grégoire. Déjà, il s'était remis à souffler dans sa corne, la bande se perdait au loin, avec le cri affaibli :

—Du pain! du pain! du pain!

On arriva à Gaston-Marie, en une masse grossie encore, plus de deux mille cinq cents forcenés, brisant tout, balayant tout, avec la force accrue du torrent qui roule. Des gendarmes y avaient passé une heure plus tôt, et s'en étaient allés du côté de Saint-Thomas, égarés par des paysans, sans même avoir la précaution, dans leur hâte, de laisser un poste de quelques hommes, pour garder la fosse. En moins d'un quart d'heure, les feux furent renversés, les chaudières vidées, les bâtiments envahis et dévastés. Mais c'était surtout la pompe qu'on menaçait. Il ne suffisait pas qu'elle s'arrêtât au dernier souffle expirant de la vapeur, on se jetait sur elle comme sur une personne vivante, dont on voulait la vie.

—A toi le premier coup! répétait Étienne, en mettant un marteau au poing de Chaval. Allons! tu as juré avec les autres!

Chaval tremblait, se reculait; et, dans la bousculade, le marteau tomba, pendant que les camarades, sans attendre, massacraient la pompe à coups de barre de fer, à coups de brique, à coups de tout ce qu'ils rencontraient sous leurs mains. Quelques-uns même brisaient sur elle des bâtons. Les écrous sautaient, les pièces d'acier et de cuivre se disloquaient, ainsi que des membres arrachés. Un coup de pioche à toute volée fracassa le corps de fonte, et l'eau s'échappa, se vida, et il y eut un gargouillement suprême, pareil à un hoquet d'agonie. C'était la fin... Mais la bande s'était remise en marche. Cinq heures allaient sonner, le soleil d'une rougeur de braise, au bord de l'horizon, incendiait la plaine immense. Un colporteur qui passait leur apprit que les dragons descendaient du côté de Crèvecœur. Alors, ils se replièrent, un ordre courut.

—A Montsou! à la Direction!... Du pain! du pain! du pain!

ERNEST RENAN

1823–1892

Je meurs dans la religion de l'avenir.
Ernest et Béatrix

"Formerly," writes Renan in his *Dialogues philosophiques*, "every man had a system ; he lived and died by it ; now we must pass successively through all systems or, better still, understand them all at once." In this phrase there is disclosed the essence of his subtle, many-sided, and extremely flexible criticism. A Celt with a poetic imagination ; a man of "vast intellectual hospitality" who absorbed many philosophies and many literatures ; a priest who kept his *feeling* for faith and considerable priestly unction, yet turned ruthlessly to scientific skepticism ; in his later years an "elderly and benevolent butterfly"* seen about the flowers of fashionable drawing-rooms, still smilingly skeptical,—such is the enigmatic figure of Renan.

He was born in Brittany, a country of cold winds and heather and granite cliffs. He inherited the sentimental imagination characteristic of the Celts ; his nature was timid and reserved, deeply sensitive, with delicate religious instincts. He studied for the priesthood in the seminary of Saint-Nicolas in Paris and later in the seminary of Saint-Sulpice. After a thorough classical education he devoted himself to Semitic philology and German philosophy. These studies served completely to shatter his faith, and he turned, not without a struggle, from religion to science. It is important to remember that his skeptical evolution was accomplished with sincerity and with fervor. Renan's whole life and literary labors result from this energetic act. When it came to a choice between revelation and determinism he chose the latter. To him an experimental search for truth involved the negation of the supernatural, but permitted and fostered his endeavor to establish new bases for human ideals. After leaving Saint-Sulpice he developed a great friendship for the distinguished chemist Berthelot. Through the influence of this friend he began to devote himself to scientific interests, though he continued at the same time his philological studies. In 1848 and 1849

*Andrew Lang.

he wrote his famous *Avenir de la science,*—unpublished until 1890,—the product of the most troubled period of his life, and remarkable because it contains Renan's whole doctrine. "A book of faith," Jules Lemaître calls it, because of the energetic manner with which Renan relinquished a cherished and consoling tradition in order to become the champion of a new gospel—his "religion of the future."

Science is a religion; science alone in the future will make creeds; science can alone solve for man the everlasting problems the solutions of which his nature imperiously demands.

In statements such as these Renan discloses the scientific foundation upon which his thought is built. His *Essais de morale et de critique,* which appeared in 1859, contain among others the famous study emphasizing the race element in Celtic poetry and urging his Breton compatriots to cling to their imaginative interpretation of life, love, and religion. In 1861 he was made professor of Hebrew in the Collège de France, a post from which he was forced to withdraw later.

Renan held that history and philology will serve to explain Christianity; and in 1863 appeared his celebrated *Vie de Jésus,* forming the first volume of *Les Origines du christianisme,* which in turn was followed by the five volumes of *L'Histoire du peuple d'Israël.* In this giant labor (Renan devoted over thirty years to these two works) the historian makes war upon the mysteries of religion by abolishing altogether the distinctions between sacred and profane learning, treating the Bible not as an inspired document but purely as a historical compilation. The storm of indignation which was produced by *La Vie de Jésus* brought down upon its author's head the epithet of an "unctuous Voltaire" and, because of his somewhat delicate and effeminate æstheticism, the vigorous phrase by the valetudinarian critic Doudan: *il donne aux hommes de sa génération ce qu'ils désirent, des bonbons qui sentent l'infini.*

After the Franco-German War, Renan published his beautiful *Dialogues philosophiques* and his *Souvenirs d'enfance et de jeunesse.* The latter is an account of his Breton boyhood and the story of his young manhood at the seminary. In 1879 he was elected to the Academy to succeed the famous physician Claude Bernard. During the 80s Renan was a prominent figure in Parisian society, and the side of his nature which has been too frequently emphasized—his dilettantism—became then apparent. In a celebrated essay Paul Bourget has shown how Renan was the representative of the generation of 1880: how the mind of this student of many languages and philosophies and theologies, like a "mosaic of complicated sensations," reflected the fashionable drawing-room in which he appeared, overcharged with exotic bibelots and modern water colors, Renaissance bronzes, and Chinese lacquers; reflected the conversation which one heard in that atmosphere of conflicting currents. Religion, as Renan interpreted it for the Paris drawing-rooms, is not far removed from sentimentality; as with Chateaubriand it becomes a matter of epicurean thrills. We must not, however, overemphasize the dilettante and the epicure in Renan's nature. He had a firm faith in the future of science, and his historical skepticism is too often confused with moral skepticism. The intelligence with which he revived dead Eastern races, his penetration in the study of Christian origins, his energetic belief in the necessity of mobility of mind, all create for him an important place in the intellectual development of his age. He was a great artist, possessing a style of stately periods, marked at times by daring paradoxes and by subtle irony, delicate in shades and variety of tones, almost always romantic. Firm, energetic, active, sentimental, Renan was at once the product of his Celtic forbears and his German philosophers: "in all the force and beauty of the expression, a good man."*

CLAUDE BERNARD

Claude Bernard n'ignorait pas que les problèmes qu'il soulevait touchaient aux plus graves questions de l'ordre philosophique. Il n'en fut jamais ému. Il ne croyait pas qu'il fût permis au savant de s'occuper des conséquences qui peuvent sortir de ses recherches. Il était, à cet égard, d'une impassibilité absolue. Peu lui importait qu'on l'appelât de tel ou tel nom de secte. Il n'était d'aucune secte. Il cherchait la vérité, et voilà tout. Les héros de l'esprit humain sont ceux qui savent ainsi ignorer pour que l'avenir sache. Tous n'ont pas ce courage. Il est difficile de s'abstenir dans des questions où c'est éminemment de nous qu'il s'agit. Ignorer si l'univers a un but idéal, ou si, fils du hasard, il va au hasard, sans qu'une conscience aimante le suive dans son évolution; ignorer si, à l'origine, quelque chose fut mis en lui, et si, à la fin, un soir plus consolant lui est réservé; ignorer si nos instincts profonds de justice sont un leurre ou la dictée impérieuse d'une vérité qui s'impose, on est excusable de ne pas s'y résigner. Il est des sujets où l'on aime mieux dérai-

* Jules Lemaître.

sonner que de se taire. Vérité ou chimère, le rêve de l'infini nous attirera toujours, et, comme ce héros d'un conte celtique qui, ayant vu en songe une beauté ravissante, court le monde toute sa vie pour la trouver, l'homme qui un moment s'est assis pour réfléchir sur sa destinée porte au cœur une flèche qu'il ne s'arrache plus. En pareille matière, la puérilité même des efforts est touchante. Il ne faut pas demander de logique aux solutions que l'homme imagine pour se rendre quelque raison du sort étrange qui lui est échu. Invinciblement porté à croire à la justice et jeté dans un monde qui est et sera toujours l'injustice même, ayant besoin de l'éternité pour ses revendications et brusquement arrêté par le fossé de la mort, que voulez-vous qu'il fasse? Il se révolte contre le cercueil, il rend la chair à l'os décharné, la vie au cerveau plein de pourriture, la lumière à l'œil éteint; il imagine des sophismes dont il rirait chez un enfant, pour ne pas avouer que la nature a pu pousser l'ironie jusqu'à lui imposer le fardeau du devoir sans compensation.

Si parfois, à ces confins extrêmes où toutes nos pensées tournent à l'éblouissement, la philosophie de notre illustre confrère parut un peu contradictoire, ce n'est pas moi qui l'en blâmerai. J'estime qu'il est des sujets sur lesquels il est bon de se contredire; car aucune vue partielle n'en saurait épuiser les intimes replis. Les vérités de la conscience sont des phares à feux changeants. A certaines heures, ces vérités paraissent évidentes; puis on s'étonne qu'on ait pu y croire. Ce sont choses que l'on aperçoit furtivement, et qu'on ne peut plus revoir telles qu'on les a entrevues. Vingt fois l'humanité les a niées et affirmées; vingt fois l'humanité les niera et les affirmera encore. La vraie religion de l'âme est-elle ébranlée par ces alternatives? Non, Messieurs. Elle réside dans un empyrée où le mouvement de tous les autres cercles ne saurait l'atteindre. Le monde roulera durant l'éternité sans que la sphère du réel et la sphère de l'idéal se touchent. La plus grande faute que puissent commettre la philosophie et la religion est de faire dépendre leurs vérités de telle ou telle théorie scientifique et historique; car les théories passent, et les vérités nécessaires doivent rester.

L'objet de la religion n'est pas de nous donner des leçons de
physiologie, de géologie, de chronologie; qu'elle n'affirme rien
en ces matières, et elle ne sera pas blessée. Qu'elle n'attache
pas son sort à ce qui peut périr. La réalité dépasse toujours les
idées qu'on s'en fait; toutes nos imaginations sont basses auprès
de ce qui est. De même que la science, en détruisant un monde
matériel enfantin, nous a rendu un monde mille fois plus beau,
de même la disparition de quelques rêves ne fera que donner
au monde idéal plus de sublimité. Pour moi, j'ai une confiance
invincible en la bonté de la pensée qui a fait l'univers. « Enfants! disons-nous des hommes antiques, enfants! qui n'avaient
point d'yeux pour voir ce que nous voyons! »—« Enfants! dira
de nous l'avenir, qui pleuraient sur la ruine d'un *millénium*
chimérique et ne voyaient pas le soleil de la vérité nouvelle
blanchir derrière eux les sommets de l'horizon! »

Vous résolvez ces graves problèmes, Messieurs, par la tolé-
rance, par votre bonne confraternité, en vous aimant, en vous
estimant. Vous ne vous effrayez pas de luttes qui sont aussi
vieilles que le monde, de contradictions qui dureront autant que
la pensée, d'erreurs même qui sont la condition de la vérité.
Votre philosophie est indulgente et optimiste, parce qu'elle est
fondée sur une connaissance étendue de l'esprit humain. Ce
désintéressement qu'un observateur superficiel se croit en droit
de nier dans les choses humaines, vous savez le voir, vous à qui
l'étude de la société apprend la justice et la modération. Ne
trouvez-vous pas, Messieurs, que les hommes sont très sévères
les uns pour les autres? On s'anathématise, on se traite de haut
en bas, quand souvent, de part et d'autre, c'est l'honnêteté qui
insulte l'honnêteté, la vérité qui injurie la vérité. Oh! le bon
être que l'homme! Comme il a travaillé! Quelle somme de
dévouement il a dépensée pour le vrai, pour le bien! Et quand
on pense que ces sacrifices à un Dieu inconnu, il les a faits,
pauvre, souffrant, jeté sur la terre comme un orphelin, à peine
sûr du lendemain, ah! je ne peux souffrir qu'on l'insulte, cet
être de douleur, qui, entre le gémissement de la naissance et
celui de l'agonie, trouve moyen de créer l'art, la science, la

vertu. Qu'importent les malentendus aux yeux de la vérité éternelle? Le culte le plus pur de la Divinité se cache parfois derrière d'apparentes négations; le plus parfait idéaliste est souvent celui qui croit devoir à une certaine franchise de se dire matérialiste. Combien de saints sous l'apparence d'irréligion! Combien, parmi ceux qui nient l'immortalité, mériteraient une belle déception! La raison triomphe de la mort, et travailler pour elle, c'est travailler pour l'éternité. Toute perdue qu'elle est dans le chœur des millions d'êtres qui chantent l'hymne éternel, chaque voix a compté et comptera toujours. La joie, la gaieté que donnent ces pensées est un signe qu'elles ne sont pas vaines. Elles ont l'éclat; elles rajeunissent; elles prêtent au talent, le créent et l'appellent. Vous qui jugez des choses par l'étincelle qui en jaillit, par la qualité des phrases qu'elles provoquent, vous avez, après tout, un bon moyen de discernement. Le talent qu'inspire une doctrine est, à beaucoup d'égards, la mesure de sa vérité. Ce n'est pas sans raison qu'on ne peut être grand poète qu'avec l'idéalisme, grand artiste qu'avec la foi et l'amour, bon écrivain qu'avec la logique, éloquent orateur qu'avec la passion du bien et de la liberté.

PRIÈRE SUR L'ACROPOLE

O noblesse! ô beauté simple et vraie! déesse dont le culte signifie raison et sagesse, toi dont le temple est une leçon éternelle de conscience et de sincérité, j'arrive tard au seuil de tes mystères; j'apporte à ton autel beaucoup de remords. Pour te trouver, il m'a fallu des recherches infinies. L'initiation que tu conférais à l'Athénien naissant par un sourire, je l'ai conquise à force de réflexions, au prix de longs efforts.

Je suis né, déesse aux yeux bleus, de parents barbares, chez les Cimmériens[1] bons et vertueux qui habitent au bord d'une mer sombre, hérissée de rochers, toujours battue par les orages. On y connaît à peine le soleil; les fleurs sont les mousses marines, les algues et les coquillages coloriés qu'on trouve au fond des baies solitaires. Les nuages y paraissent sans couleur, et la joie même y est un peu triste ; mais des fontaines d'eau froide y sortent du rocher, et les yeux des jeunes filles y sont comme ces vertes fontaines où, sur des fonds d'herbes ondulées, se mire le ciel.

Mes pères, aussi loin que nous pouvons remonter, étaient voués aux navigations lointaines, dans des mers que tes Argonautes ne connurent pas. J'entendis, quand j'étais jeune, les chansons des voyages polaires ; je fus bercé au souvenir des glaces flottantes, des mers brumeuses semblables à du lait, des îles peuplées d'oiseaux qui chantent à leurs heures et qui, prenant leur volée tous ensemble, obscurcissent le ciel.

Des prêtres d'un culte étranger, venu des Syriens de Palestine, prirent soin de m'élever. Ces prêtres étaient sages et saints. Ils m'apprirent les longues histoires de Cronos, qui a créé le monde, et de son fils, qui a, dit-on, accompli un voyage sur la terre. Leurs temples sont trois fois hauts comme le tien, ô Eurhythmie,[2] et semblables à des forêts ; seulement ils ne sont pas solides ; ils tombent en ruine au bout de cinq ou six cents ans ; ce sont des fantaisies de barbares, qui s'imaginent qu'on peut faire quelque chose de bien en dehors des règles que tu as tracées à tes inspirés, ô Raison. Mais ces temples me plaisaient ; je n'avais pas étudié ton art divin ; j'y trouvais Dieu. On y chantait des cantiques dont je me souviens encore : « Salut, étoile de la mer,... reine de ceux qui gémissent en cette vallée de larmes, » ou bien : « Rose mystique, Tour d'ivoire, Maison d'or, Étoile du matin... » Tiens, déesse, quand je me rappelle ces chants, mon cœur se fond, je deviens presque apostat. Pardonne-moi ce ridicule ; tu ne peux te figurer le charme que les magiciens barbares ont mis dans ces vers, et combien il m'en coûte de suivre la raison toute nue.

Et puis si tu savais combien il est devenu difficile de te servir ! Toute noblesse a disparu. Les Scythes ont conquis le monde. Il n'y a plus de république d'hommes libres ; il n'y a plus que des rois issus d'un sang lourd, des majestés dont tu sourirais. De pesants Hyperboréens[3] appellent légers ceux qui te servent... Une *pambéotie*[4] redoutable, une ligue de toutes les sottises, étend sur le monde un couvercle de plomb, sous lequel on étouffe. Même ceux qui t'honorent, qu'ils doivent te faire pitié! Te souviens-tu de ce Calédonien[5] qui, il y a cinquante ans, brisa ton temple à coups de marteau pour l'emporter à Thulé? Ainsi font-ils tous... J'ai écrit, selon quelques-unes des règles que tu aimes, ô Théonoé,[6] la vie du jeune dieu que je servis dans mon enfance; ils me traitent comme un Évhémère;[7] ils m'écrivent pour me demander quel but je me suis proposé; ils n'estiment que ce qui sert à faire fructifier leurs tables de trapézites.[8] Et pourquoi écrit-on la vie des dieux, ô ciel! si ce n'est pour faire aimer le divin qui fut en eux, et pour montrer que ce divin vit encore et vivra éternellement au cœur de l'humanité?

Te rappelles-tu ce jour, sous l'archontat de Dionysodore, où un laid petit Juif, parlant le grec des Syriens, vint ici, parcourut tes parvis sans te comprendre, lut tes inscriptions tout de travers et crut trouver dans ton enceinte un autel dédié à un dieu qui serait *le Dieu inconnu.*[9] Eh bien, ce petit Juif l'a emporté; pendant mille ans, on t'a traitée d'idole, ô Vérité; pendant mille ans, le monde a été un désert où ne germait aucune fleur. Durant ce temps, tu te taisais, ô Salpinx,[10] clairon de la pensée. Déesse de l'ordre, image de la stabilité céleste, on était coupable pour t'aimer, et, aujourd'hui qu'à force de consciencieux travail nous avons réussi à nous rapprocher de toi, on nous accuse d'avoir commis un crime contre l'esprit humain en rompant des chaînes dont se passait Platon.

Toi seule es jeune, ô Cora;[11] toi seule es pure, ô Vierge; toi seule es saine, ô Hygie; toi seule es forte, ô Victoire. Les cités, tu les gardes, ô Promachos;[12] tu as ce qu'il faut de Mars, ô Aréa; la paix est ton but, ô Pacifique. Législatrice, source des constitutions justes; Démocratie, toi dont le dogme fondamental est que tout bien vient du peuple, et que, partout où il n'y a pas de peuple pour nourrir et inspirer le génie, il n'y a rien, apprends-nous à extraire le diamant des foules impures. Providence de Jupiter, ouvrière divine, mère de toute industrie, protectrice du travail, ô Erganè,[13] toi qui fais la noblesse du

travailleur civilisé et le mets si fort au-dessus du Scythe paresseux; Sagesse, toi que Zeus enfanta après s'être replié sur lui-
même, après avoir respiré profondément; toi qui habites dans
ton père, entièrement unie à son essence; toi qui es sa compagne
et sa conscience; Énergie de Zeus, étincelle qui allumes et entretiens le feu chez les héros et les hommes de génie, fais de
nous des spiritualistes accomplis. Le jour où les Athéniens et
les Rhodiens luttèrent pour le sacrifice, tu choisis d'habiter
chez les Athéniens, comme plus sages. Ton père cependant fit
descendre Plutus dans un nuage d'or sur la cité des Rhodiens,
parce qu'ils avaient aussi rendu hommage à sa fille. Les
Rhodiens furent riches; mais les Athéniens eurent de l'esprit,
c'est-à-dire la vraie joie, l'éternelle gaieté, la divine enfance
du cœur.

Le monde ne sera sauvé qu'en revenant à toi, en répudiant
ses attaches barbares. Courons, venons en troupe. Quel beau
jour que celui où toutes les villes qui ont pris des débris de ton
temple, Venise, Paris, Londres, Copenhague, répareront leurs
larcins, formeront des théories sacrées pour rapporter les débris
qu'elles possèdent, en disant: « Pardonne-nous, déesse! c'était
pour les sauver des mauvais génies de la nuit, » et rebâtiront tes
murs au son de la flûte, pour expier le crime de l'infâme
Lysandre! [14] Puis ils iront à Sparte maudire le sol où fut cette
maîtresse d'erreurs sombres, et l'insulter parce qu'elle n'est plus.

Ferme en toi, je résisterai à mes fatales conseillères; à mon
scepticisme, qui me fait douter du peuple; à mon inquiétude
d'esprit, qui, quand le vrai est trouvé, me le fait chercher encore;
à ma fantaisie, qui après que la raison a prononcé, m'empêche
de me tenir en repos. O Archégète, [15] idéal que l'homme de génie
incarne en ses chefs-d'œuvre, j'aime mieux être le dernier dans
ta maison que le premier ailleurs. Oui, je m'attacherai au
stylobate de ton temple; j'oublierai toute discipline hormis la
tienne, je me ferai stylite sur tes colonnes, ma cellule sera sur
ton architrave. Chose plus difficile! pour toi, je me ferai, si je
peux, intolérant, partial. Je n'aimerai que toi. Je vais apprendre ta langue, désapprendre le reste. Je serai injuste pour

ce qui ne te touche pas; je me ferai le serviteur du dernier de tes fils. Les habitants actuels de la terre que tu donnas à Érechthée,[16] je les exalterai, je les flatterai. J'essayerai d'aimer jusqu'à leurs défauts; je me persuaderai, ô Hippia, qu'ils descendent des cavaliers qui célèbrent là-haut, sur le marbre de ta frise, leur fête éternelle. J'arracherai de mon cœur toute fibre qui n'est pas raison et art pur. Je cesserai d'aimer mes maladies, de me complaire en ma fièvre. Soutiens mon ferme propos, ô Salutaire; aide-moi, ô toi qui sauves!

Que de difficultés, en effet, je prévois! que d'habitudes d'esprit j'aurai à changer! que de souvenirs charmants je devrai arracher de mon cœur! J'essayerai; mais je ne suis pas sûr de moi. Tard je t'ai connue, beauté parfaite. J'aurai des retours, des faiblesses. Une philosophie, perverse sans doute, m'a porté à croire que le bien et le mal, le plaisir et la douleur, le beau et le laid, la raison et la folie se transforment les uns dans les autres par des nuances aussi indiscernables que celles du cou de la colombe. Ne rien aimer, ne rien haïr absolument, devient alors une sagesse. Si une société, si une philosophie, si une religion eût possédé la vérité absolue, cette société, cette philosophie, cette religion aurait vaincu les autres et vivrait seule à l'heure qu'il est. Tous ceux qui, jusqu'ici, ont cru avoir raison se sont trompés, nous le voyons clairement. Pouvons-nous sans folle outrecuidance croire que l'avenir ne nous jugera pas comme nous jugeons le passé? Voilà les blasphèmes que me suggère mon esprit profondément gâté. Une littérature qui, comme la tienne, serait saine de tout point n'exciterait plus maintenant que l'ennui.

Tu souris de ma naïveté. Oui, l'ennui... Nous sommes corrompus: qu'y faire? J'irai plus loin, déesse orthodoxe, je te dirai la dépravation intime de mon cœur. Raison et bon sens ne suffisent pas. Il y a de la poésie dans le Strymon glacé et dans l'ivresse du Thrace.[17] Il viendra des siècles où tes disciples passeront pour les disciples de l'ennui. Le monde est plus grand que tu ne crois. Si tu avais vu les neiges du pôle et les mystères du ciel austral, ton front, ô déesse toujours calme, ne serait pas si serein; ta tête, plus large, embrasserait divers genres de beauté.

Tu es vraie, pure, parfaite; ton marbre n'a point de tache; mais le temple d'Hagia-Sophia,[18] qui est à Byzance, produit aussi un effet divin avec ses briques et son plâtras. Il est l'image de la voûte du ciel. Il croulera; mais, si ta cella[19] devait être assez large pour contenir une foule, elle croulerait aussi.

Un immense fleuve d'oubli nous entraîne dans un gouffre sans nom. O abîme, tu es le Dieu unique. Les larmes de tous les peuples sont de vraies larmes; les rêves de tous les sages renferment une part de vérité. Tout n'est ici-bas que symbole et que songe. Les dieux passent comme les hommes, et il ne serait pas bon qu'ils fussent éternels. La foi qu'on a eue ne doit jamais être une chaîne. On est quitte envers elle quand on l'a soigneusement roulée dans le linceul de pourpre où dorment les dieux morts.

LECONTE DE LISLE

1818–1894

Leconte de Lisle, the uncontested leader of the Parnassians, was singularly lacking in any appeal to the bourgeois mind, of which M. Homais is a classic representative, for no poet consciously fashioned a greater gulf between the tastes of the public and those of the artist than this disciple of "beauty for the sake of beauty."

"Verses of precise splendor, an imperturbable serenity, this is what strikes us first in M. Leconte de Lisle," writes Jules Lemaître ; and he points out how this poet viewed the unconquerable enormity of the forces of nature and man's impotence in their presence, how he rebelled against *bourgeoisisme*, fashioning his art into an unemotional contemplation of splendid vistas and a search for sheer beauty.

Leconte de Lisle was born on the island of Réunion, in the Indian Ocean. The odor of tropical fruits and the vivid colors of jungle flowers, trampled under foot by tawny beasts, are the frequent and pregnant souvenirs of this colonial boyhood. He came as a young man to Paris, where private tutoring and admirable translations from the Greek supplied him with slender funds. Later the government appointed him assistant librarian of the senate, and in his modest rooms on the Boulevard Saint-Michel he received his Parnassian disciples. One of them, a mere youth at the time, recalled later on the floor of the French Academy those inspiring days when Leconte de Lisle, "from time to time letting his large monocle drop with an incommensurable disdain," received his poets. "I love still to visit that remote quarter of the city," declared Maurice Barrès ; "to call back the sensations I felt those Saturday evenings when I was twenty, and used to join a group which was presided over by a mask of Michelangelo's *Moses*."

In 1852, while all Paris read *Uncle Tom's Cabin*, while the Prince-

President was opening railroads in the provinces and the newspapers were shouting that a renascence of "useful, moral, and social art" was at hand, Leconte de Lisle published his first volume of poetry, *Poèmes antiques*, in whose polished lines there was an utter disdain for the problems of modern civilization. These poems were followed ten years later by his *Poèmes barbares*. In 1884, three years before he succeeded Victor Hugo to the Academy, appeared his *Poèmes tragiques*; his *Derniers Poèmes* were published in 1895, a year after their author's death.

Brunetière has pointed out in one of his lectures three qualities in the poetry of Leconte de Lisle:

> No one has better understood—not even Flaubert—or better or more faithfully observed than he the doctrine of impersonality in art; no one has conceived in a more profound or fresher manner the alliance between science and poetry, in a manner more conformable or more adequate to the essence of both; and no one has better shown by means of lovelier verse or verse that, because of its intimate and secret quality, is better appreciated, the power of form and the mysterious virtue of rime, rhythm and word.

Leconte de Lisle is *impersonal*; that is to say, the poet's personality in all its sensitiveness, with all the intimate details of his life, is carefully concealed; or perhaps in some cases—in such a lovely poem as *Les Roses d'Ispahan* for example—his emotion is only discreetly revealed. No better expression of his disgust for sentimental lyricism can be found than in the celebrated sonnet *Les Montreurs*, where the proud poet proclaims to the Homais of the world,

> Je ne livrerai pas ma vie à tes huées.

"The personal theme," he declares in the preface to the *Poèmes antiques*, "and its repeated variations have exhausted our attention." His poetic ideal then will be rather that of the naturalist, whose duty it is to copy what he sees and as he sees it. He will reproduce the splendors of nature in verse with exactitude and precision. His India or Persia, his white-bellied tiger or giant condor, his Ganges or northern fiords, will all be the products of erudition but will be transformed by poetry into works of art. The artist has come under the overwhelming power of *science*. "Art and science," he writes, "so long separated in consequence of the divergent efforts of human intelligence, should henceforth tend to become closely allied or even fused one in the other. One has been the primitive revelation of the ideal as contained in external nature; the other, a careful study and an enlightening exposition of it." He will picture man as a link in the chain of evolution, differing from his inferior brothers, the beasts, only in degree. In the instincts and appetites and passions of these lower animals, so rudimentarily developed, he will show us all our own spiritual faculties: the murderous dream of the jaguar; the wild and bitter freedom of the albatross in his Antarctic clime; the haunting nostalgia of the plodding elephants.

This scientific and unemotional approach to poetry has led Leconte de Lisle to reflective and systematic pessimism.

> Nous sommes trop petits pour l'ensemble des choses,

wrote one of his contemporaries.* Man is no more the master of his own actions than the slinking cats of the jungle. With a soul that found little pleasure in contemporary society, a man of erudition who had studied distant lands and distant philosophies, who was disgusted with the lack of beauty, the injustice, and the deceptive visions of modern civilization, he shudders and cries out against

> La honte de penser et l'horreur d'être un homme!

He looks merely for oblivion, utter annihilation, as an end to all life:

> ... la nature est vide et le soleil consume:
> Rien n'est vivant ici, rien n'est triste ou joyeux.

With tragic eloquence he feels the chill wind of death blowing upon mortals in their final struggle:

> Encore une torture, encore un battement.
> Puis rien. La fosse s'ouvre, un peu de chair y tombe;
> Et l'herbe de l'oubli...

The most that can be attained is nothingness, Nirvana.

To Leconte de Lisle the supreme object of poetry is the realization of beauty, the strictest of the Parnassian creeds. His ideal is exemplified in his poetic study of Hypatia the beautiful pagan, torn to death by a Christian rabble,

> Le souffle de Platon et le corps d'Aphrodite.

We have lost in this modern world the "Parian road," and it is the poet's mission to recover it. To strive for this, poetry must be made an intellectual luxury, something as difficult as it is perfect; something like the perfection that was found among the Greeks. Their poetry was essentially plastic, sculptural in form; and this plasticity Leconte de Lisle attempts to attain in such a poem as *Hèraklès au taureau*, where

*Louis Ménard.

carefully chosen words express contours, and the whole effect is that of
a lovely bas-relief.

As a leader of poets and a master Parnassian himself, Leconte de
Lisle represents to the highest degree the traits of that school, with his
doctrine of utter impersonality, with his comprehension of the bond between science and poetry, and, finally, with his love of expressive and
beautiful forms. "Almost all of those poets have said perfectly what
they had to say," writes Gustave Lanson. Perhaps none of them has
more nearly approached perfection than this colonial.

HYPATIE

Au déclin des grandeurs qui dominent la terre,
Quand les cultes divins, sous les siècles ployés,
Reprenant de l'oubli le sentier solitaire,
Regardent s'écrouler leurs autels foudroyés ;

Quand du chêne d'Hellas la feuille vagabonde
Des parvis désertés efface le chemin,
Et qu'au delà des mers, où l'ombre épaisse abonde,
Vers un jeune soleil flotte l'esprit humain ;

Toujours des Dieux vaincus embrassant la fortune,
Un grand cœur les défend du sort injurieux :
L'aube des jours nouveaux le blesse et l'importune,
Il suit à l'horizon l'astre de ses aïeux.

Pour un destin meilleur qu'un autre siècle naisse
Et d'un monde épuisé s'éloigne sans remords :
Fidèle au songe heureux où fleurit sa jeunesse,
Il entend tressaillir la poussière des morts.

Les sages, les héros se lèvent pleins de vie !
Les poètes en chœur murmurent leurs beaux noms ;
Et l'Olympe idéal, qu'un chant sacré convie,
Sur l'ivoire s'assied dans les blancs Parthénons.

O vierge, qui, d'un pan de ta robe pieuse,
Couvris la tombe auguste où s'endormaient tes Dieux,
De leur culte éclipsé prêtresse harmonieuse,
Chaste et dernier rayon détaché de leurs cieux!

Je t'aime et te salue, ô vierge magnanime!
Quand l'orage ébranla le monde paternel,
Tu suivis dans l'exil cet Œdipe sublime,[1]
Et tu l'enveloppas d'un amour éternel.

Debout, dans ta pâleur, sous les sacrés portiques
Que des peuples ingrats abandonnait l'essaim,
Pythonisse enchaînée aux trépieds prophétiques,[2]
Les Immortels trahis palpitaient dans ton sein.

Tu les voyais passer dans la nue enflammée!
De science et d'amour ils t'abreuvaient encor;
Et la terre écoutait, de ton rêve charmée,
Chanter l'abeille attique entre tes lèvres d'or.

Comme un jeune lotos croissant sous l'œil des sages,
Fleur de leur éloquence et de leur équité,
Tu faisais, sur la nuit moins sombre des vieux âges,
Resplendir ton génie à travers ta beauté!

Le grave enseignement des vertus éternelles
S'épanchait de ta lèvre au fond des cœurs charmés;
Et les Galiléens qui te rêvaient des ailes
Oubliaient leur Dieu mort pour tes Dieux bien aimés.

Mais le siècle emportait ces âmes insoumises
Qu'un lien trop fragile enchaînait à tes pas;
Et tu les voyais fuir vers les terres promises;
Mais toi, qui savais tout, tu ne les suivis pas!

Que t'importait, ô vierge, un semblable délire ?
Ne possédais-tu pas cet idéal cherché ?
Va ! dans ces cœurs troublés tes regards savaient lire,
Et les Dieux bienveillants ne t'avaient rien caché.

O sage enfant, si pure entre tes sœurs mortelles !
O noble front, sans tache entre les fronts sacrés !
Quelle âme avait chanté sur des lèvres plus belles,
Et brûlé plus limpide en des yeux inspirés ?

Sans effleurer jamais ta robe immaculée,
Les souillures du siècle ont respecté tes mains :
Tu marchais, l'œil tourné vers la Vie étoilée,
Ignorante des maux et des crimes humains.

Le vil Galiléen t'a frappée et maudite,
Mais tu tombas plus grande !   Et maintenant, hélas !
Le souffle de Platon et le corps d'Aphrodite
Sont partis à jamais pour les beaux cieux d'Hellas !

Dors, ô blanche victime, en notre âme profonde,
Dans ton linceul de vierge et ceinte de lotos ;
Dors ! l'impure laideur est la reine du monde,
Et nous avons perdu le chemin de Paros.

Les Dieux sont en poussière et la terre est muette :
Rien ne parlera plus dans ton ciel déserté.
Dors ! mais, vivante en lui, chante au cœur du poète
L'hymne mélodieux de la sainte Beauté !

Elle seule survit, immuable, éternelle.
La mort peut disperser les univers tremblants,
Mais la Beauté flamboie, et tout renaît en elle,
Et les mondes encor roulent sous ses pieds blancs !

HÈRAKLÈS AU TAUREAU

Le soleil déclinait vers l'écume des flots,
Et les grasses brebis revenaient aux enclos ;
Et les vaches suivaient, semblables aux nuées
Qui roulent sans relâche, à la file entraînées,
Lorsque le vent d'automne, au travers du ciel noir,
Les chasse à grands coups d'aile, et qu'elles vont pleuvoir.
Derrière les brebis, toutes lourdes de laine,
Telles s'amoncelaient les vaches dans la plaine.
La campagne n'était qu'un seul mugissement,
Et les grands chiens d'Élis[3] aboyaient bruyamment.
Puis succédaient trois cents taureaux aux larges cuisses,
Puis deux cents au poil rouge, inquiets des génisses,
Puis douze, les plus beaux et parfaitement blancs,
Qui de leurs fouets velus rafraîchissaient leurs flancs,
Hauts de taille, vêtus de force et de courage,
Et paissant d'habitude au meilleur pâturage.
Plus noble encor, plus fier, plus brave, plus grand qu'eux,
En avant, isolé comme un chef belliqueux,
Phaétôn[4] les guidait, lui, l'orgueil de l'étable,
Que les anciens bouviers disaient à Zeus semblable,
Quand le Dieu triomphant, ceint d'écume et de fleurs,
Nageait dans la mer glauque avec Europe[5] en pleurs.
Or, dardant ses yeux prompts sur la peau léonine
Dont Hèraklès couvrait son épaule divine,
Irritable, il voulut heurter d'un brusque choc
Contre cet étranger son front dur comme un roc.
Mais, ferme sur ses pieds, tel qu'une antique borne,
Le héros d'une main le saisit par la corne,
Et, sans rompre d'un pas, il lui ploya le col,
Meurtrissant ses naseaux furieux dans le sol.
Et les bergers en foule, autour du fils d'Alkmène,
Stupéfaits, admiraient sa vigueur surhumaine,
Tandis que, blancs dompteurs de ce soudain péril,
De grands muscles roidis gonflaient son bras viril.

MIDI

Midi, roi des étés, épandu sur la plaine,
Tombe en nappes d'argent des hauteurs du ciel bleu.
Tout se tait. L'air flamboie et brûle sans haleine;
La terre est assoupie en sa robe de feu.

L'étendue est immense, et les champs n'ont point d'ombre,
Et la source est tarie où buvaient les troupeaux;
La lointaine forêt, dont la lisière est sombre,
Dort là-bas, immobile, en un pesant repos.

Seuls, les grands blés mûris, tels qu'une mer dorée,
Se déroulent au loin, dédaigneux du sommeil;
Pacifiques enfants de la terre sacrée,
Ils épuisent sans peur la coupe du soleil.

Parfois, comme un soupir de leur âme brûlante,
Du sein des épis lourds qui murmurent entre eux,
Une ondulation majestueuse et lente
S'éveille, et va mourir à l'horizon poudreux.

Non loin, quelques bœufs blancs, couchés parmi les herbes,
Bavent avec lenteur sur leurs fanons épais,
Et suivent de leurs yeux languissants et superbes
Le songe intérieur qu'ils n'achèvent jamais.

Homme, si, le cœur plein de joie ou d'amertume,
Tu passais vers midi dans les champs radieux,
Fuis! la nature est vide et le soleil consume:
Rien n'est vivant ici, rien n'est triste ou joyeux.

Mais si, désabusé des larmes et du rire,
Altéré de l'oubli de ce monde agité,
Tu veux, ne sachant plus pardonner ou maudire,
Goûter une suprême et morne volupté,

Viens! Le soleil te parle en paroles sublimes;
Dans sa flamme implacable absorbe-toi sans fin;
Et retourne à pas lents vers les cités infimes,
Le cœur trempé sept fois dans le néant divin.

LA RAVINE SAINT–GILLES

La gorge est pleine d'ombre où, sous les bambous grêles,
Le soleil au zénith n'a jamais resplendi,
Où les filtrations des sources naturelles
S'unissent au silence enflammé de midi.

De la lave durcie aux fissures moussues,
Au travers des lichens l'eau tombe en ruisselant,
S'y perd, et, se creusant de soudaines issues,
Germe et circule au fond parmi le gravier blanc.

Un bassin aux reflets d'un bleu noir y repose,
Morne et glacé, tandis que, le long des blocs lourds,
La liane en treillis suspend sa cloche rose,
Entre d'épais gazons aux touffes de velours.

Sur les rebords saillants où le cactus éclate,
Errant des vétivers aux aloès fleuris,
Le cardinal, vêtu de sa plume écarlate,
En leurs nids cotonneux trouble les colibris.

Les martins au bec jaune et les vertes perruches,
Du haut des pics aigus, regardent l'eau dormir;
Et, dans un rayon vif, autour des noires ruches,
On entend un vol d'or tournoyer et frémir.

Soufflant leur vapeur chaude au-dessus des arbustes,
Suspendus au sentier d'herbe rude entravé,
Des bœufs de Tamatave,[6] indolents et robustes,
Hument l'air du ravin que l'eau vive a lavé;

Et les grands papillons aux ailes magnifiques,
La rose sauterelle, en ses bonds familiers,
Sur leur bosse calleuse et leurs reins pacifiques
Sans peur du fouet velu se posent par milliers.

A la pente du roc que la flamme pénètre,
Le lézard souple et long s'enivre de sommeil,
Et, par instants, saisi d'un frisson de bien-être,
Il agite son dos d'émeraude au soleil.

Sous les réduits de mousse où les cailles replètes
De la chaude savane évitent les ardeurs,
Glissant sur le velours de leurs pattes discrètes,
L'œil mi-clos de désir, rampent les chats rôdeurs.

Et quelque Noir, assis sur un quartier de lave,
Gardien des bœufs épars paissant l'herbage amer,
Un haillon rouge aux reins, fredonne un air saklave,[7]
Et songe à la grande Ile en regardant la mer.

Ainsi, sur les deux bords de la gorge profonde,
Rayonne, chante et rêve, en un même moment,
Toute forme vivante et qui fourmille au monde ;
Mais formes, sons, couleurs, s'arrêtent brusquement.

Plus bas, tout est muet et noir au sein du gouffre,
Depuis que la montagne, en émergeant des flots,
Rugissante, et par jets de granit et de soufre,
Se figea dans le ciel et connut le repos.

A peine une échappée, étincelante et bleue,
Laisse-t-elle entrevoir, en un pan du ciel pur,
Vers Rodrigue[8] ou Ceylan le vol des paille-en-queue,
Comme un flocon de neige égaré dans l'azur.

Hors ce point lumineux qui sur l'onde palpite,
La ravine s'endort dans l'immobile nuit ;
Et quand un roc miné d'en haut s'y précipite,
Il n'éveille pas même un écho de son bruit.

Pour qui sait pénétrer, Nature, dans tes voies,
L'illusion t'enserre et ta surface ment :
Au fond de tes fureurs, comme au fond de tes joies,
Ta force est sans ivresse et sans emportement.

Tel, parmi les sanglots, les rires et les haines,
Heureux qui porte en soi, d'indifférence empli,
Un impassible cœur sourd aux rumeurs humaines,
Un gouffre inviolé de silence et d'oubli !

La vie a beau frémir autour de ce cœur morne,
Muet comme un ascète absorbé par son Dieu ;
Tout roule sans écho dans son ombre sans borne,
Et rien n'y luit du ciel, hormis un trait de feu.

Mais ce peu de lumière à ce néant fidèle,
C'est le reflet perdu des espaces meilleurs !
C'est ton rapide éclair, Espérance éternelle,
Qui l'éveille en sa tombe et le convie ailleurs !

LES ÉLÉPHANTS

Le sable rouge est comme une mer sans limite,
Et qui flambe, muette, affaissée en son lit.
Une ondulation immobile remplit
L'horizon aux vapeurs de cuivre où l'homme habite.

Nulle vie et nul bruit. Tous les lions repus
Dorment au fond de l'antre éloigné de cent lieues,
Et la girafe boit dans les fontaines bleues,
Là-bas, sous les dattiers des panthères connus.

Pas un oiseau ne passe en fouettant de son aile
L'air épais, où circule un immense soleil.
Parfois quelque boa, chauffé dans son sommeil,
Fait onduler son dos dont l'écaille étincelle.

Tel l'espace enflammé brûle sous les cieux clairs.
Mais, tandis que tout dort aux mornes solitudes,
Les éléphants rugueux, voyageurs lents et rudes,
Vont au pays natal à travers les déserts.

D'un point de l'horizon, comme des masses brunes,
Ils viennent, soulevant la poussière, et l'on voit,
Pour ne point dévier du chemin le plus droit,
Sous leur pied large et sûr crouler au loin les dunes.

Celui qui tient la tête est un vieux chef. Son corps
Est gercé comme un tronc que le temps ronge et mine ;
Sa tête est comme un roc, et l'arc de son échine
Se voûte puissamment à ses moindres efforts.

Sans ralentir jamais et sans hâter sa marche,
Il guide au but certain ses compagnons poudreux ;
Et, creusant par derrière un sillon sablonneux,
Les pèlerins massifs suivent leur patriarche.

L'oreille en éventail, la trompe entre les dents,
Ils cheminent, l'œil clos. Leur ventre bat et fume,
Et leur sueur dans l'air embrasé monte en brume ;
Et bourdonnent autour mille insectes ardents.

Mais qu'importent la soif et la mouche vorace,
Et le soleil cuisant leur dos noir et plissé ?
Ils rêvent en marchant du pays délaissé,
Des forêts de figuiers où s'abrita leur race.

Ils reverront le fleuve échappé des grands monts,
Où nage en mugissant l'hippopotame énorme,
Où, blanchis par la lune et projetant leur forme,
Ils descendaient pour boire en écrasant les joncs.

Aussi, pleins de courage et de lenteur, ils passent
Comme une ligne noire, au sable illimité;
Et le désert reprend son immobilité
Quand les lourds voyageurs à l'horizon s'effacent.

LE RÊVE DU JAGUAR

Sous les noirs acajous, les lianes en fleur,
Dans l'air lourd, immobile et saturé de mouches,
Pendent, et, s'enroulant en bas parmi les souches,
Bercent le perroquet splendide et querelleur,
L'araignée au dos jaune et les singes farouches.
C'est là que le tueur de bœufs et de chevaux,
Le long des vieux troncs morts à l'écorce moussue,
Sinistre et fatigué, revient à pas égaux.
Il va, frottant ses reins musculeux qu'il bossue;
Et, du mufle béant par la soif alourdi,
Un souffle rauque et bref, d'une brusque secousse,
Trouble les grands lézards, chauds des feux de midi,
Dont la fuite étincelle à travers l'herbe rousse.
En un creux du bois sombre interdit au soleil
Il s'affaisse, allongé sur quelque roche plate;
D'un large coup de langue il se lustre la patte;
Il cligne ses yeux d'or hébétés de sommeil;
Et, dans l'illusion de ses forces inertes,
Faisant mouvoir sa queue et frissonner ses flancs,
Il rêve qu'au milieu des plantations vertes,
Il enfonce d'un bond ses ongles ruisselants
Dans la chair des taureaux effarés et beuglants.

LES MONTREURS

Tel qu'un morne animal, meurtri, plein de poussière,
La chaîne au cou, hurlant au chaud soleil d'été,
Promène qui voudra son cœur ensanglanté
Sur ton pavé cynique, ô plèbe carnassière !

Pour mettre un feu stérile en ton œil hébété,
Pour mendier ton rire ou ta pitié grossière,
Déchire qui voudra la robe de lumière
De la pudeur divine et de la volupté.

Dans mon orgueil muet, dans ma tombe sans gloire,
Dussé-je m'engloutir pour l'éternité noire,
Je ne te vendrai pas mon ivresse ou mon mal,

Je ne livrerai pas ma vie à tes huées,
Je ne danserai pas sur ton tréteau banal
Avec tes histrions et tes prostituées.

LES ROSES D'ISPAHAN

Les roses d'Ispahan dans leur gaîne de mousse,
Les jasmins de Mossoul, les fleurs de l'oranger
Ont un parfum moins frais, ont une odeur moins douce,
O blanche Leïlah ! que ton souffle léger.

Ta lèvre est de corail, et ton rire léger
Sonne mieux que l'eau vive et d'une voix plus douce,
Mieux que le vent joyeux qui berce l'oranger,
Mieux que l'oiseau qui chante au bord du nid de mousse.

Mais la subtile odeur des roses dans leur mousse,
La brise qui se joue autour de l'oranger
Et l'eau vive qui flue avec sa plainte douce
Ont un charme plus sûr que ton amour léger !

O Leïlah! depuis que de leur vol léger
Tous les baisers ont fui de ta lèvre si douce,
Il n'est plus de parfum dans le pâle oranger,
Ni de céleste arome aux roses dans leur mousse.

L'oiseau, sur le duvet humide et sur la mousse,
Ne chante plus parmi la rose et l'oranger;
L'eau vive des jardins n'a plus de chanson douce,
L'aube ne dore plus le ciel pur et léger.

Oh! que ton jeune amour, ce papillon léger,
Revienne vers mon cœur d'une aile prompte et douce,
Et qu'il parfume encor les fleurs de l'oranger,
Les roses d'Ispahan dans leur gaîne de mousse!

L'ALBATROS

Dans l'immense largeur du Capricorne au Pôle
Le vent beugle, rugit, siffle, râle et miaule,
Et bondit à travers l'Atlantique tout blanc
De bave furieuse. Il se rue, éraflant
L'eau blême qu'il pourchasse et dissipe en buées;
Il mord, déchire, arrache et tranche les nuées
Par tronçons convulsifs où saigne un brusque éclair;
Il saisit, enveloppe et culbute dans l'air
Un tournoiement confus d'aigres cris et de plumes
Qu'il secoue et qu'il traîne aux crêtes des écumes,
Et, martelant le front massif des cachalots,
Mêle à ses hurlements leurs monstrueux sanglots.
Seul, le Roi de l'éspace et des mers sans rivages
Vole contre l'assaut des rafales sauvages.
D'un trait puissant et sûr, sans hâte ni retard,
L'œil dardé par delà le livide brouillard,
De ses ailes de fer rigidement tendues
Il fend le tourbillon des rauques étendues,
Et, tranquille au milieu de l'épouvantement,
Vient, passe, et disparaît majestueusement.

A UN POÈTE MORT

Toi dont les yeux erraient, altérés de lumière,
De la couleur divine au contour immortel
Et de la chair vivante à la splendeur du ciel,
Dors en paix dans la nuit qui scelle ta paupière.

Voir, entendre, sentir ? Vent, fumée et poussière.
Aimer ? La coupe d'or ne contient que du fiel.
Comme un Dieu plein d'ennui qui déserte l'autel,
Rentre et disperse-toi dans l'immense matière.

Sur ton muet sépulcre et tes os consumés
Qu'un autre verse ou non les pleurs accoutumés,
Que ton siècle banal t'oublie ou te renomme ;

Moi, je t'envie, au fond du tombeau calme et noir,
D'être affranchi de vivre et de ne plus savoir
La honte de penser et l'horreur d'être un homme !

LA MAYA

Maya ! Maya ! torrent des mobiles chimères,
Tu fais jaillir du cœur de l'homme universel
Les brèves voluptés et les haines amères,
Le monde obscur des sens et la splendeur du ciel ;
Mais qu'est-ce que le cœur des hommes éphémères,
O Maya ! sinon toi, le mirage immortel ?
Les siècles écoulés, les minutes prochaines,
S'abîment dans ton ombre, en un même moment,
Avec nos cris, nos pleurs et le sang de nos veines :
Éclair, rêve sinistre, éternité qui ment,
La Vie antique est faite inépuisablement
Du tourbillon sans fin des apparences vaines.

SULLY-PRUDHOMME

1839–1907

Aus meinen grossen Schmerzen
Mach' ich die kleinen Lieder.
HEINE

René-François-Armand Prudhomme, known in literature as Sully-Prudhomme, chose science as his career and was prepared to enter the Polytechnic School when his studies were interrupted by a serious affection of the eyes. He then turned from the classroom to find employment in the great Schneider factories at Le Creusot. Later he studied law, and at the same time devoted himself with passionate enthusiasm to philosophy. He fell in love; and when the girl to whom he was devoted married another, his profound grief and disillusionment made him a poet. His first volume of *Lieder,* called quite simply *Stances et poèmes,* appeared in 1865. Among them the famous *Vase brisé* contained the best expression of his *blessure fine et profonde* and captivated the public. These poems were followed successively by *Les Épreuves* in 1866 and *Les Solitudes* in 1869. *Les Vaines Tendresses,* dated 1875, are filled with disenchantment and melancholy and bear the stamp of the hardships of his military duty during the war. In 1878 appeared a long philosophical poem called *La Justice,* followed in 1888 by *Le Bonheur.* This, in spite of its semididactic quality and its outlines of philosophic systems and scientific discoveries, is the poem in which Sully-Prudhomme best attained that admirable fusion of discreet, meditative sadness and profound brotherly love. He was elected to the Academy in 1881 and was further honored, in 1901, by the Nobel prize for literature.

"Love of poetry," writes a recent historian of literature, "faith in the value of poetic expression, reconciled in Sully-Prudhomme two poets: the delicate successor of a self-revealing Musset, and the philosophic and scientific spirit, ambitious to become the French Lucretius, to give some unquestioned *foundation to philosophy.*"* Sully-Prudhomme finds that the poet has a larger duty to fulfill than to be swayed by his emotions alone; that he must utilize his feelings for much graver problems—the problems of human destiny. Accordingly he interested himself in the

*Lalou, *Histoire de la littérature contemporaine.*

future of humanity, in nature and the soul, and these questions he proposed to introduce into his verse. Delicately sensitive as an early romanticist and wounded in love, he nevertheless conceived the poet's duty as something higher than mere sentimental confession. Before he came into poetry, science and philosophy had attracted him. With wistful pessimism he incorporates science and philosophy into his verse. "We are dealing with a poet of talent," wrote Sainte-Beuve after the first volume of Sully-Prudhomme's verse had appeared, "who says *no* neither to science, philosophy, industry, passion, sensibility, color, melody, liberty, nor modern civilization." Philosophy and modern industry; Spinoza and the sooty chimneys of Le Creusot; emotion and reflection constantly blended,—all these elements find their way into his sonnets. "It seems to me that in the whole realm of thought there is nothing so exalted or so profound but that the poet has the mission to interest the heart in it." So he expresses himself in the preface to *La Justice*. He sympathizes with the oppressed, and he has faith in humanity; he believes that the poet's mission is to guide man toward light and justice, that art will aid him to reach out for freedom and happiness.

He is the poet of *la vie interne*, offering different solutions of age-old problems. His interest in positive sciences, his attention to technique, especially in the sonnet form, which he so frequently employs, mark him a true disciple of Leconte de Lisle; yet he differs widely from his Parnassian brothers. Their ideal is not mine, he declares, having in mind no doubt how little in common his spontaneous emotion and his doctrine of brotherly love have with the concise, objective splendor of that school.

The beauty of Sully-Prudhomme's verses lies in their restrained and reflective emotion and in his skillful choice of simile and metaphor. Poems such as *Les Yeux* and *Un Rendez-vous*, tinged with delicate melancholy and composed of subtle and penetrating figures, cannot be surpassed in lyric beauty. This poet-philosopher of *la vie interne*, this engineer-poet of action, has also sounded the depths of intense emotion with sadness, simplicity, and sincerity. *Jamais la poésie n'a plus pensé et jamais elle n'a été plus tendre.**

LE VASE BRISÉ

Le vase où meurt cette verveine
D'un coup d'éventail fut fêlé;
Le coup dut effleurer à peine:
Aucun bruit ne l'a révélé.

*Lemaître, *Les Contemporains*, Vol. I.

Mais la légère meurtrissure,
Mordant le cristal chaque jour,
D'une marche invisible et sûre
En a fait lentement le tour.

Son eau fraîche a fui goutte à goutte,
Le suc des fleurs s'est épuisé;
Personne encore ne s'en doute;
N'y touchez pas, il est brisé.

Souvent aussi la main qu'on aime,
Effleurant le cœur, le meurtrit;
Puis le cœur se fend de lui-même,
La fleur de son amour périt;

Toujours intact aux yeux du monde,
Il sent croître et pleurer tout bas
Sa blessure fine et profonde;
Il est brisé, n'y touchez pas.

LES YEUX

Bleus ou noirs, tous aimés, tous beaux,
Des yeux sans nombre ont vu l'aurore;
Ils dorment au fond des tombeaux,
Et le soleil se lève encore.

Les nuits, plus douces que les jours,
Ont enchanté des yeux sans nombre;
Les étoiles brillent toujours,
Et les yeux se sont remplis d'ombre.

Oh! qu'ils aient perdu le regard,
Non, non, cela n'est pas possible!
Ils se sont tournés quelque part
Vers ce qu'on nomme l'invisible;

Et comme les astres penchants
Nous quittent, mais au ciel demeurent,
Les prunelles ont leurs couchants,
Mais il n'est pas vrai qu'elles meurent.

Bleus ou noirs, tous aimés, tous beaux,
Ouverts à quelque immense aurore,
De l'autre côté des tombeaux
Les yeux qu'on ferme voient encore.

LE LONG DU QUAI

Le long du quai les grands vaisseaux,
Que la houle incline en silence,
Ne prennent pas garde aux berceaux
Que la main des femmes balance.

Mais viendra le jour des adieux ;
Car il faut que les femmes pleurent,
Et que les hommes curieux
Tentent les horizons qui leurrent.

Et ce jour-là les grands vaisseaux,
Fuyant le port qui diminue,
Sentent leur masse retenue
Par l'âme des lointains berceaux.

LES DANAÏDES

Toutes, portant l'amphore, une main sur la hanche,
Théano, Callidie, Amymone, Agavé,
Esclaves d'un labeur sans cesse inachevé,
Courent du puits à l'urne où l'eau vaine s'épanche.

Hélas ! le grès rugueux meurtrit l'épaule blanche,
Et le bras faible est las du fardeau soulevé :
« Monstre, que nous avons nuit et jour abreuvé,
O gouffre, que nous veut ta soif que rien n'étanche ? »

Elles tombent, le vide épouvante leurs cœurs;
Mais la plus jeune alors, moins triste que ses sœurs,
Chante, et leur rend la force et la persévérance.

Tels sont l'œuvre et le sort de nos illusions:
Elles tombent toujours, et la jeune Espérance
Leur dit toujours: « Mes sœurs, si nous recommencions! »

UN SONGE

Le laboureur m'a dit en songe: « Fais ton pain,
Je ne te nourris plus, gratte la terre et sème. »
Le tisserand m'a dit: « Fais tes habits toi-même. »
Et le maçon m'a dit: « Prends la truelle en main. »

Et seul, abandonné de tout le genre humain
Dont je traînais partout l'implacable anathème,
Quand j'implorais du ciel une pitié suprême,
Je trouvais des lions debout sur mon chemin.

J'ouvris les yeux, doutant si l'aube était réelle:
De hardis compagnons sifflaient sur leur échelle,
Les métiers bourdonnaient, les champs étaient semés.

Je connus mon bonheur et qu'au monde où nous sommes
Nul ne peut se vanter de se passer des hommes;
Et depuis ce jour-là je les ai tous aimés.

L'AUTOMNE

L'azur n'est plus égal comme un rideau sans pli.
La feuille, à tout moment, tressaille, vole et tombe;
Au bois, dans les sentiers où le taillis surplombe,
Les taches de soleil, plus larges, ont pâli.

Mais l'œuvre de la sève est partout accompli :
La grappe autour du cep se colore et se bombe,
Dans le verger la branche au poids des fruits succombe,
Et l'été meurt, content de son devoir rempli.

Dans l'été de ta vie enrichis-en l'automne,
O mortel, sois docile à l'exemple que donne,
Depuis des milliers d'ans, la terre au genre humain ;

Vois : le front, lisse hier, n'est déjà plus sans rides,
Et les cheveux épais seront rares demain :
Fuis la honte et l'horreur de vieillir les mains vides.

UN RENDEZ–VOUS

Dans ce nid furtif où nous sommes,
O ma chère âme, seuls tous deux,
Qu'il est bon d'oublier les hommes,
　　Si près d'eux !

Pour ralentir l'heure fuyante,
Pour la goûter, il ne faut pas
Une félicité bruyante ;
　　Parlons bas.

Craignons de la hâter d'un geste,
D'un mot, d'un souffle seulement,
D'en perdre, tant elle est céleste,
　　Un moment.

Afin de la sentir bien nôtre,
Afin de la bien ménager,
Serrons-nous tout près l'un de l'autre
　　Sans bouger ;

Sans même lever la paupière :
Imitons le chaste repos
De ces vieux châtelains de pierre
    Aux yeux clos,

Dont les corps sur les mausolées,
Immobiles et tout vêtus,
Loin de leurs âmes envolées
    Se sont tus ;

Dans une alliance plus haute
Que les terrestres unions,
Gravement comme eux, côte à côte,
    Sommeillons.

Car nous n'en sommes plus aux fièvres
D'un jeune amour qui peut finir ;
Nos cœurs n'ont plus besoin des lèvres
    Pour s'unir,

Ni des paroles solennelles
Pour changer leur culte en devoir,
Ni du mirage des prunelles
    Pour se voir.

Ne me fais plus jurer que j'aime,
Ne me fais plus dire comment ;
Goûtons la félicité même
    Sans serment.

Savourons, dans ce que nous disent
Silencieusement nos pleurs,
Les tendresses qui divinisent
    Les douleurs !

Chère, en cette ineffable trêve
Le désir enchanté s'endort ;
On rêve à l'amour comme on rêve
        A la mort.

On croit sentir la fin du monde ;
L'univers semble chavirer
D'une chute douce et profonde,
        Et sombrer...

L'âme de ses fardeaux s'allège
Par la fuite immense de tout ;
La mémoire comme une neige
        Se dissout.

Toute la vie ardente et triste
Semble anéantie alentour,
Plus rien pour nous, plus rien n'existe
        Que l'amour.

Aimons en paix : il fait nuit noire,
La lueur blême du flambeau
Expire... Nous pouvons nous croire
        Au tombeau.

Laissons-nous dans les mers funèbres,
Comme après le dernier soupir,
Abîmer, et par leurs ténèbres
        Assoupir...

Nous sommes sous la terre ensemble
Depuis très longtemps, n'est-ce pas ?
Écoute en haut le sol qui tremble
        Sous les pas.

Regarde au loin comme un vol sombre
De corbeaux, vers le nord chassé,
Disparaître les nuits sans nombre
Du passé,

Et comme une immense nuée
De cigognes (mais sans retours!)
Fuir la blancheur diminuée
Des vieux jours...

Hors de la sphère ensoleillée
Dont nous subîmes les rigueurs,
Quelle étrange et douce veillée
Font nos cœurs?

Je ne sais plus quelle aventure
Nous a jadis éteint les yeux,
Depuis quand notre extase dure,
En quels cieux.

Les choses de la vie ancienne
Ont fui ma mémoire à jamais,
Mais du plus loin qu'il me souvienne
Je t'aimais...

Par quel bienfaiteur fut dressée
Cette couche? et par quel hymen
Fut pour toujours ta main laissée
Dans ma main?

Mais qu'importe! O mon amoureuse,
Dormons dans nos légers linceuls,
Pour l'éternité bienheureuse
Enfin seuls!

AUX POÈTES FUTURS

Poètes à venir, qui saurez tant de choses,
Et les direz sans doute en un verbe plus beau,
Portant plus loin que nous un plus large flambeau
Sur les suprêmes fins et les premières causes ;

Quand vos vers sacreront des pensers grandioses,
Depuis longtemps déjà nous serons au tombeau ;
Rien ne vivra de nous qu'un terne et froid lambeau
De notre œuvre enfouie avec nos lèvres closes.

Songez que nous chantions les fleurs et les amours
Dans un âge plein d'ombre, au mortel bruit des armes,
Pour des cœurs anxieux que ce bruit rendait sourds ;

Lors plaignez nos chansons, où tremblaient tant d'alarmes,
Vous qui, mieux écoutés, ferez en d'heureux jours
Sur de plus hauts objets des poèmes sans larmes.

PAUL VERLAINE

1844–1896

> O vous tous, ma peine est profonde:
> Priez pour le pauvre Gaspard.
>
> *Sagesse*

Paul Verlaine was born in the army post at Metz, the son of an officer in the engineering corps. His father, however, exercised only a slight influence over the boy's development, and it was to his mother's devotion that Verlaine owed most of the comfort which he derived from life. With tenderness and sympathetic understanding she watched over his boyhood; she helped him when he was in trouble; she went to meet him when he came from prison. After a desultory education he obtained employment as a government clerk in Paris, where he began to cultivate acquaintances in the literary world. Already, however, in frequenting cafés, he showed his fatal tendency to overindulgence in alcoholic stimulants.

At twenty-two Verlaine published his first volume of verse, *Poèmes saturniens*. These stanzas reveal for the most part a distinct Parnassian inspiration, but already the presence of a new note is felt. There is a suggestive and musical quality about certain of them which is distinctly original. Such, for example, in the melting music of the *Chanson d'automne*, is the effect of autumn sadness suggested to the absinthe-troubled brain of the poet by the muted strings of a violin. Parnassian influence is again marked in his *Fêtes galantes*, eighteenth-century evocations, with all the pose and powder of Watteau: clumps of box and marble fountains under white moonlight; Pierrot and Scaramouche; silken doublets and brocaded gowns; guitars and the soft tinkle of mandolins.

When Verlaine's next volume of poetry appeared he was engaged to be married. The sincerity of this new experience differentiates these verses from his other work, and *La Bonne Chanson* is made up mostly of short and simple love poems in which the poet candidly promises to live a better life.

> Je veux marcher droit et calme dans la Vie,

he exclaims; and he sings of

> . . . la chère nuit d'août
> Où son aveu bas et lent me fit roi.

In October of 1871 Arthur Rimbaud entered Verlaine's life. Rimbaud was an uncouth boy of seventeen who came to Paris from the north of France with some of the best of his remarkable symbolist verse already written. This precocious youth, whose literary career was already at an end before he was twenty years old, was seeking to create a new poetic manner. His *colored plates*, as he called his poems, using the phrase in English, were attempts to translate sensations—perfumes, colors, and sounds—into verse. His most famous sonnet, *Voyelles*, will perhaps reveal something of his extraordinary purpose:

A noir, E blanc, I rouge, U vert, O bleu, voyelles,
Je dirai quelque jour vos naissances latentes.
A, noir corset velu des mouches éclatantes
Qui bombillent autour des puanteurs cruelles,

Golfes d'ambre; E, candeur des vapeurs et des tentes,
Lance des glaciers fiers, rois blancs, frissons d'ombelles;
I, pourpres, sang craché, rire des lèvres belles
Dans la colère ou les ivresses pénitentes;

U, cycles, vibrements divins des mers virides,
Paix des pâtis semés d'animaux, paix des rides
Que l'alchimie imprime aux grands fronts studieux;

O, suprême Clairon plein de strideurs étranges,
Silences traversés des Mondes et des Anges:
—O l'Oméga, rayon violet de Ses Yeux!

In July, 1872, Verlaine left Paris in company with Rimbaud, abandoning his wife and family. *On m'a cassé ma vie*, he wrote later, referring to the sinister influence which this eccentric boy had upon him. The fact remains that his whole conception of poetry was modified by Rimbaud, and that his most remarkable verse was the outcome of that unfortunate association. The poets went first to Belgium, thence to London. It was in London that Verlaine wrote his *Romances sans paroles*. In this volume, as the title suggests, words count for little, whereas the melody is all-important. The poet has now definitely escaped from the Parnassian doctrine of form: verse must be musical above all else, and, as he so beautifully demonstrated later in his *Art poétique*, this musical harmony may be heightened by the use of an uneven rhythm and the suggestion of the vague—*la nuance*—mingled with the clear.

Verlaine's wretched days in London were punctuated by drunken quarrels with Rimbaud, usually followed by hysterical hours of repentance:

O bruit doux de la pluie
Par terre et sur les toits!
Pour un cœur qui s'ennuie
O le chant de la pluie!

. . . . .

O triste, triste était mon âme
A cause, à cause d'une femme.

The culmination of their association was reached a short while later when the two poets, who had temporarily separated, rejoined one another in Brussels. One day in a fit of rage Verlaine shot Rimbaud, wounding him slightly in the wrist. For this mad act he was sentenced to two years of solitary confinement in the prison at Mons. Behind iron bars, tortured by loneliness and fear, the poet's emotional nature gave way completely. He found comfort and solace in the ministrations of the prison chaplain, becoming a repentant and devoted Christian. This conversion we are forced to believe was sincere. When the penitent came from prison he was thirty-one years old, and he found himself rejected by decent society. The result of this harrowing and degrading experience was his most finished composition, a volume of poems called *Sagesse*, in which his naïve Catholic faith is expressed with the utter simplicity of a child. Jules Lemaître, who appreciates Verlaine deeply, suggests Catherine of Siena and Saint Theresa in the same breath with the sonnets from *Sagesse*:

Think you that a saint has ever spoken to God more beautifully than Paul Verlaine? In my opinion, this is perhaps the first time that French poetry has truly expressed the *love of God*.*

The love of God is told with words so simple, so human, that in the whole realm of literature it is difficult to find a more spiritual expression. Verlaine's petitions and confessions call to our minds the ballad which poor François Villon wrote for his mother, or the mystic poetry of Pascal.

Mon Dieu m'a dit: mon fils, il faut m'aimer.

. . . . .

Vous connaissez tout cela, tout cela,
Et que je suis plus pauvre que personne,
Vous connaissez tout cela, tout cela.

Mais ce que j'ai, mon Dieu, je vous le donne.

. . . . .

—Pauvre âme, c'est cela!

*For Lemaître's treatment of Verlaine and symbolism see pages 287–290.

The outcast returned to Paris with his verse unsold. The poets, one by one, deserted or ignored him, save a small group of younger men, among whom were the future leaders of the symbolist movement. Verlaine's work now grew increasingly more uneven as he again became the victim of absinthe, and his broken health took him to the doors of charity hospitals. Of this later poetry the best collections are *Jadis et naguère, Amour, Parallèlement,* and *Bonheur.* But his precious legacy had already been penned: verse freed from eloquent rhetoric and marked by an extreme simplicity of language, responding to every emotional mood; above all else, verse which had abandoned itself to music—songs without words.

In his latter days Verlaine frequented the cafés of the Latin Quarter, where he might recite verse or weep. Vance Thompson, in his *French Portraits,* has left us a striking picture of the battered old man at that epoch, with his broken nose and great bald head, draggled beard, flat ears, and deep-set dreamy eyes—gentle eyes, "like those of the penitent thief turned toward Him on the middle cross"—reciting his poems, "splendid as golden coins." He died quite wretchedly in January of 1896; and all literary Paris, heaping lilacs and white orchids upon his bier, rendered homage to this poet with the heart of a child—*ce pauvre et glorieux poète, qui, pareil au feuillage, a plus souvent gémi que chanté!**

APRÈS TROIS ANS

Ayant poussé la porte étroite qui chancelle,
Je me suis promené dans le petit jardin
Qu'éclairait doucement le soleil du matin,
Pailletant chaque fleur d'une humide étincelle.

Rien n'a changé. J'ai tout revu : l'humble tonnelle
De vigne folle avec les chaises de rotin...
Le jet d'eau fait toujours son murmure argentin
Et le vieux tremble sa plainte sempiternelle.

Les roses comme avant palpitent, comme avant,
Les grands lis orgueilleux se balancent au vent.
Chaque alouette qui va et vient m'est connue.

*François Coppée.

Même j'ai retrouvé debout la Velléda[1]
Dont le plâtre s'écaille au bout de l'avenue,
—Grêle, parmi l'odeur fade du réséda.

CHANSON D'AUTOMNE

Les sanglots longs
Des violons
   De l'automne
Blessent mon cœur
D'une langueur
   Monotone.

Tout suffocant
Et blême, quand
   Sonne l'heure,
Je me souviens
Des jours anciens
   Et je pleure.

Et je m'en vais
Au vent mauvais
   Qui m'emporte
Deçà, delà,
Pareil à la
   Feuille morte.

MANDOLINE

Les donneurs de sérénades
Et les belles écouteuses
Échangent des propos fades
Sous les ramures chanteuses.

C'est Tircis et c'est Aminte,
Et c'est l'éternel Clitandre,

Et c'est Damis qui pour mainte
Cruelle fait maint vers tendre.

Leurs courtes vestes de soie,
Leurs longues robes à queues,
Leur élégance, leur joie
Et leur molles ombres bleues

Tourbillonnent dans l'extase
D'une lune rose et grise,
Et la mandoline jase
Parmi les frissons de brise.

A CLYMÈNE

Mystiques barcarolles,
Romances sans paroles,
Chère, puisque tes yeux,
  Couleur des cieux,

Puisque ta voix, étrange
Vision qui dérange
Et trouble l'horizon
  De ma raison,

Puisque l'arome insigne
De ta pâleur de cygne
Et puisque la candeur
  De ton odeur,

Ah! puisque tout ton être,
Musique qui pénètre,
Nimbes d'anges défunts,
  Tons et parfums,

A sur d'almes cadences
En ces correspondances
Induit mon cœur subtil,
  Ainsi soit-il!

LA LUNE BLANCHE...

La lune blanche
Luit dans les bois;
De chaque branche
Part une voix
Sous la ramée...

O bien-aimée.

L'étang reflète,
Profond miroir,
La silhouette
Du saule noir
Où le vent pleure...

Rêvons: c'est l'heure.

Un vaste et tendre
Apaisement
Semble descendre
Du firmament
Que l'astre irise...

C'est l'heure exquise.

IL PLEURE DANS MON CŒUR...

Il pleut doucement sur la ville.
ARTHUR RIMBAUD

Il pleure dans mon cœur
Comme il pleut sur la ville.
Quelle est cette langueur
Qui pénètre mon cœur?

O bruit doux de la pluie
Par terre et sur les toits!
Pour un cœur qui s'ennuie
O le chant de la pluie!

Il pleure sans raison
Dans ce cœur qui s'écœure.
Quoi ! nulle trahison ?
Ce deuii est sans raison.

C'est bien la pire peine
De ne savoir pourquoi,
Sans amour et sans haine,
Mon cœur a tant de peine.

CHEVAUX DE BOIS

Par Saint Gille,
Viens-nous-en,
Mon agile
Alezan.
V. Hugo

Tournez, tournez, bons chevaux de bois,
Tournez cent tours, tournez mille tours,
Tournez souvent et tournez toujours,
Tournez, tournez au son des hautbois.

Le gros soldat, la plus grosse bonne
Sont sur vos dos comme dans leur chambre,
Car, en ce jour, au bois de la Cambre,
Les maîtres sont tous deux en personne.

Tournez, tournez, chevaux de leur cœur,
Tandis qu'autour de tous vos tournois
Clignote l'œil du filou sournois,
Tournez autour du piston vainqueur.

C'est ravissant comme ça vous soûle,
D'aller ainsi dans ce cirque bête !
Bien dans le ventre et mal dans la tête,
Du mal en masse et du bien en foule.

Tournez, tournez, sans qu'il soit besoin
D'user jamais de nuls éperons,
Pour commander à vos galops ronds,
Tournez, tournez, sans espoir de foin.

Et dépêchez, chevaux de leur âme,
Déjà, voici que la nuit qui tombe
Va réunir pigeon et colombe,
Loin de la foire et loin de madame.

Tournez, tournez! le ciel en velours
D'astres en or se vêt lentement,
Voici partir l'amante et l'amant.
Tournez au son joyeux des tambours.

Champ de foire de Saint-Gilles, août 1872

BEAUTÉ DES FEMMES...

Beauté des femmes, leur faiblesse, et ces mains pâles
Qui font souvent le bien et peuvent tout le mal.
Et ces yeux, où plus rien ne reste d'animal
Que juste assez pour dire: « assez » aux fureurs mâles.

Et toujours, maternelle endormeuse des râles,
Même quand elle ment, cette voix! Matinal
Appel, ou chant bien doux à vêpres, ou frais signal,
Ou beau sanglot qui va mourir au pli des châles!...

Hommes durs! Vie atroce et laide d'ici-bas!
Ah! que du moins, loin des baisers et des combats,
Quelque chose demeure un peu sur la montagne,

Quelque chose du cœur enfantin et subtil,
Bonté, respect! Car qu'est-ce qui nous accompagne,
Et vraiment, quand la mort viendra, que reste-t-il?

JE SUIS VENU, CALME ORPHELIN...

Je suis venu, calme orphelin,
Riche de mes seuls yeux tranquilles
Vers les hommes des grandes villes.
Ils ne m'ont pas trouvé malin.

A vingt ans un trouble nouveau
Sous le nom d'amoureuses flammes
M'a fait trouver belles les femmes :
Elles ne m'ont pas trouvé beau.

Bien que sans patrie et sans roi
Et très brave ne l'étant guère,
J'ai voulu mourir à la guerre :
La mort n'a pas voulu de moi.

Suis-je né trop tôt ou trop tard ?
Qu'est-ce que je fais en ce monde ?
O vous tous, ma peine est profonde :
Priez pour le pauvre Gaspard !

LE CIEL EST, PAR-DESSUS LE TOIT...

Le ciel est, par-dessus le toit,
        Si bleu, si calme !
Un arbre, par-dessus le toit,
        Berce sa palme.

La cloche dans le ciel qu'on voit,
        Doucement tinte.
Un oiseau sur l'arbre qu'on voit
        Chante sa plainte.

Mon Dieu, mon Dieu, la vie est là,
        Simple et tranquille.
Cette paisible rumeur-là
        Vient de la ville.

—Qu'as-tu fait, ô toi que voilà,
Pleurant sans cesse.
Dis, qu'as-tu fait, toi que voilà,
De ta jeunesse?

VOUS VOILÀ, VOUS VOILÀ, PAUVRES BONNES PENSÉES...

Vous voilà, vous voilà, pauvres bonnes pensées!
L'espoir qu'il faut, regret des grâces dépensées,
Douceur de cœur avec sévérité d'esprit,
Et cette vigilance, et le calme prescrit,
Et toutes!—Mais encor lentes, bien éveillées,
Bien d'aplomb, mais encor timides, débrouillées
A peine du lourd rêve et de la tiède nuit,
C'est à qui de vous va plus gauche, l'une suit
L'autre, et toutes ont peur du vaste clair de lune.
« Telles, quand des brebis sortent d'un clos. C'est une,
Puis deux, puis trois. Le reste est là, les yeux baissés,
La tête à terre, et l'air des plus embarrassés,
Faisant ce que fait leur chef de file: il s'arrête,
Elles s'arrêtent tour à tour, posant leur tête
Sur son dos, simplement et sans savoir pourquoi. »[2]
Votre pasteur, ô mes brebis, ce n'est pas moi,
C'est un meilleur, un bien meilleur, qui sait les causes,
Lui qui vous tint longtemps et si longtemps là closes,
Mais qui vous délivra de sa main au temps vrai.
Suivez-le. Sa houlette est bonne.
                            Et je serai,
Sous sa voix toujours douce à votre ennui qui bêle,
Je serai, moi, par vos chemins, son chien fidèle.

ART POÉTIQUE

De la musique avant toute chose,
Et pour cela préfère l'Impair
Plus vague et plus soluble dans l'air,
Sans rien en lui qui pèse ou qui pose.

Il faut aussi que tu n'ailles point
Choisir tes mots sans quelque méprise:
Rien de plus cher que la chanson grise
Où l'Indécis au Précis se joint.

C'est des beaux yeux derrière des voiles,
C'est le grand jour tremblant de midi,
C'est par un ciel d'automne attiédi,
Le bleu fouillis des claires étoiles!

Car nous voulons la Nuance encor,
Pas la Couleur, rien que la nuance!
Oh! la nuance seule fiance
Le rêve au rêve et la flûte au cor!

Fuis du plus loin la Pointe assassine,
L'Esprit cruel et le Rire impur,
Qui font pleurer les yeux de l'Azur,
Et tout cet ail de basse cuisine!

Prends l'éloquence et tords-lui son cou!
Tu feras bien, en train d'énergie,
De rendre un peu la Rime assagie,
Si l'on n'y veille, elle ira jusqu'où?

Oh! qui dira les torts de la Rime?
Quel enfant sourd ou quel nègre fou
Nous a forgé ce bijou d'un sou,
Qui sonne creux et faux sous la lime?

De la musique encore et toujours !
Que ton vers soit la chose envolée
Qu'on sent qui fuit d'une âme en allée
Vers d'autres cieux à d'autres amours.

Que ton vers soit la bonne aventure
Éparse au vent crispé du matin,
Qui va fleurant la menthe et le thym...
Et tout le reste est littérature.

PARABOLES

Soyez béni, Seigneur, qui m'avez fait chrétien
Dans ces temps de féroce ignorance et de haine ;
Mais donnez-moi la force et l'audace sereine
De vous être à toujours fidèle comme un chien.

De vous être l'agneau destiné qui suit bien
Sa mère et ne sait faire au pâtre aucune peine,
Sentant qu'il doit sa vie encore, après sa laine,
Au maître, quand il veut utiliser ce bien,

Le poisson, pour servir au Fils de monogramme,
L'ânon obscur qu'un jour en triomphe il monta,
Et, dans ma chair, les porcs qu'à l'abîme il jeta.[3]

Car l'animal, meilleur que l'homme et que la femme,
En ces temps de révolte et de duplicité,
Fait son humble devoir avec simplicité.

JOSÉ MARIA DE HEREDIA

1842–1905

> Toi, je t'aime, parce que tu portes un
> nom héroïque et sonore et que tu fais des
> vers qui se recourbent comme des lambre-
> quins héraldiques.   GAUTIER

No poet was more Parnassian than Heredia; no poet of the Parnassian tradition ever strove more obediently to reproduce beauty with formal exactitude.

He was born along Santiago bay, a Cuban with the blood of famous conquistadores in his veins. One of his ancestors whose heraldic shield bore "a city, argent, and a palm-tree, or," had sailed to the New World and had helped to found the city of Cartagena, "another Carthage in a land of dreams." Through the insistence of his mother, a Frenchwoman of Normandy, Heredia was brought to France to be educated. At Paris he attended lectures at the École de Droit and the École des Chartes, and began to frequent literary circles. He came under the dignified poetic influence of Leconte de Lisle, himself of exotic birth, and quickly developed a taste for the sobriety and perfection of form which mark the work of this master.

Heredia's one volume of poetry, *Les Trophées*, was published in 1893. His favorite form is the sonnet. *Un sonnet sans défaut vaut seul un long poème*, Boileau formulized in the golden days of classicism. Heredia's purpose was to write a sort of *Légende des siècles*, condensing into the rigorous sonnet form the *spoils* of succeeding epochs of civilization ; the ambition of an epic poet. "His vision was to enclose a world of images in a few absolutely perfect verses, to fill tiny and beautifully chased cups with the dreams of a god," writes Lemaître, recording his impressions of *Les Trophées*. Heredia possesses to a remarkable degree the art of condensation. A whole civilization is called into being by an antique vase or a few lines from Ronsard, a Renaissance binding in vellum, or a Samurai in lacquered armor. Yet the poet has none the less succeeded admirably—Brunetière among others has pointed this out—in enlarging the horizon of his vision, in giving a vast sweep to his clear-cut and constricted picture by means of his last tercet or his last line. The desertion of Antony's fleet on the Egyptian coast is magnified for us when the Imperator sees in the eyes of Cleopatra

> Toute une mer immense où fuyaient des galères.

Andromeda's rescue by Perseus sweeps us swiftly from black cliffs and storm-tossed waves into the dazzling brightness of the heavens:

> Mais Pégase irrité par le fouet de la lame,
> A l'appel du Héros s'enlevant d'un seul bond,
> Bat le ciel ébloui de ses ailes de flamme.

The vision of his Spanish forbears aboard their white caravels, awaiting "epic morrows" and watching

> . . . dans un ciel ignoré
> Du fond de l'Océan des étoiles nouvelles,

attains the height of the power of evocation.

Heredia's sovereign skill consists in the perfect beauty of his execution, always more important to his mind than the idea which sustains the poem. He works like an embosser, or a painter on stained glass, striving to fix movement into a certain attitude, to attain plasticity. Maurice Barrès, eulogizing his predecessor before the French Academy, has given us perhaps the best expression of Heredia's poetic method. He tells how this careful craftsman would spend days in meditation, turning over his subject in his mind; how, after it was chosen, an image or a single trait would suggest itself, then a verse or two; how the poet would pace the floor, repeating his lines, testing the sound of them; how, finally, the picture would slowly evolve:

Each of these little poems which he has constructed and colored with so much care resembles a milestone erected at the halting-places along humanity's road. Their triumphal succession marks the route of our civilization. . . .

I can catch in their rhythm that Doric accent which the Greeks reserved for the education of their youth whom they hoped to make into heroes. . . .

He was ambitious that his little poems might be strung with the sonnets of Ronsard and Du Bellay, with the fables of La Fontaine and the elegies of Chénier, on that thread of pearls which we hand down from father to son. I firmly believe that this dream of his will be consummated.

LES TROPHÉES

L'OUBLI

Le temple est en ruine au haut du promontoire.
Et la Mort a mêlé, dans ce fauve terrain,
Les Déesses de marbre et les Héros d'airain
Dont l'herbe solitaire ensevelit la gloire.

Seul, parfois, un bouvier menant ses buffles boire,
De sa conque où soupire un antique refrain
Emplissant le ciel calme et l'horizon marin,
Sur l'azur infini dresse sa forme noire.

La Terre maternelle et douce aux anciens Dieux
Fait à chaque printemps, vainement éloquente,
Au chapiteau brisé verdir une autre acanthe ;

Mais l'Homme indifférent au rêve des aïeux
Écoute sans frémir, du fond des nuits sereines,
La Mer qui se lamente en pleurant les Sirènes.

ANDROMÈDE AU MONSTRE

La Vierge Céphéenne, hélas ! encor vivante,
Liée, échevelée, au roc des noirs îlots,
Se lamente en tordant avec de vains sanglots
Sa chair royale où court un frisson d'épouvante.

L'Océan monstrueux que la tempête évente
Crache à ses pieds glacés l'âcre bave des flots,
Et partout elle voit, à travers ses cils clos,
Bâiller la gueule glauque, innombrable et mouvante.

Tel qu'un éclat de foudre en un ciel sans éclair,
Tout à coup, retentit un hennissement clair.
Ses yeux s'ouvrent. L'horreur les emplit, et l'extase ;

Car elle a vu, d'un vol vertigineux et sûr,
Se cabrant sous le poids du fils de Zeus, Pégase
Allonger sur la mer sa grande ombre d'azur.

PERSÉE ET ANDROMÈDE

Au milieu de l'écume arrêtant son essor,
Le Cavalier vainqueur du monstre et de Méduse,
Ruisselant d'une bave horrible où le sang fuse,
Emporte entre ses bras la vierge aux cheveux d'or.

Sur l'étalon divin, frère de Chrysaor,
Qui piaffe dans la mer et hennit et refuse,
Il a posé l'Amante éperdue et confuse
Qui lui rit et l'étreint et qui sanglote encor.

Il l'embrasse. La houle enveloppe leur groupe.
Elle, d'un faible effort, ramène sur la croupe
Ses beaux pieds qu'en fuyant baise un flot vagabond ;

Mais Pégase irrité par le fouet de la lame,
A l'appel du Héros s'enlevant d'un seul bond,
Bat le ciel ébloui de ses ailes de flamme.

LE RAVISSEMENT D'ANDROMÈDE

D'un vol silencieux, le grand Cheval ailé
Soufflant de ses naseaux élargis l'air qui fume,
Les emporte avec un frémissement de plume
A travers la nuit bleue et l'éther étoilé.

Ils vont. L'Afrique plonge au gouffre flagellé,
Puis l'Asie... un désert... le Liban ceint de brume...
Et voici qu'apparaît, toute blanche d'écume,
La mer mystérieuse où vint sombrer Hellé.[1]

Et le vent gonfle ainsi que deux immenses voiles
Les ailes qui, volant d'étoiles en étoiles,
Aux amants enlacés font un tiède berceau ;

Tandis que, l'œil au ciel où palpite leur ombre,
Ils voient, irradiant du Bélier au Verseau,
Leurs Constellations poindre dans l'azur sombre.

LE CYDNUS

Sous l'azur triomphal, au soleil qui flamboie,
La trirème d'argent blanchit le fleuve noir
Et son sillage y laisse un parfum d'encensoir
Avec des sons de flûte et des frissons de soie.

A la proue éclatante où l'épervier s'éploie,
Hors de son dais royal se penchant pour mieux voir,
Cléopâtre debout en la splendeur du soir
Semble un grand oiseau d'or qui guette au loin sa proie.

Voici Tarse, où l'attend le guerrier désarmé ;
Et la brune Lagide[2] ouvre dans l'air charmé
Ses bras d'ambre où la pourpre a mis des reflets roses ;

Et ses yeux n'ont pas vu, présage de son sort,
Auprès d'elle, effeuillant sur l'eau sombre des roses,
Les deux Enfants divins, le Désir et la Mort.

SOIR DE BATAILLE

Le choc avait été très rude. Les tribuns
Et les centurions, ralliant les cohortes,
Humaient encor dans l'air où vibraient leurs voix fortes
La chaleur du carnage et ses âcres parfums.

D'un œil morne, comptant leurs compagnons défunts,
Les soldats regardaient, comme des feuilles mortes,
Au loin, tourbillonner les archers de Phraortes;
Et la sueur coulait de leurs visages bruns.

C'est alors qu'apparut, tout hérissé de flèches,
Rouge du flux vermeil de ses blessures fraîches,
Sous la pourpre flottante et l'airain rutilant,

Au fracas des buccins qui sonnaient leur fanfare,
Superbe, maîtrisant son cheval qui s'effare,
Sur le ciel enflammé, l'Imperator sanglant.

ANTOINE ET CLÉOPATRE

Tous deux ils regardaient, de la haute terrasse,
L'Égypte s'endormir sous un ciel étouffant
Et le Fleuve, à travers le Delta noir qu'il fend,
Vers Bubaste ou Saïs rouler son onde grasse.

Et le Romain sentait sous sa lourde cuirasse,
Soldat captif berçant le sommeil d'un enfant,
Ployer et défaillir sur son cœur triomphant
Le corps voluptueux que son étreinte embrasse.

Tournant sa tête pâle entre ses cheveux bruns
Vers celui qu'enivraient d'invincibles parfums,
Elle tendit sa bouche et ses prunelles claires;

Et sur elle courbé, l'ardent Imperator
Vit dans ses larges yeux étoilés de points d'or
Toute une mer immense où fuyaient des galères.

LE HUCHIER DE NAZARETH

Le bon maître huchier, pour finir un dressoir,
Courbé sur l'établi depuis l'aurore ahane,
Maniant tour à tour le rabot, le bédane
Et la râpe grinçante ou le dur polissoir.

Aussi, non sans plaisir, a-t-il vu, vers le soir,
S'allonger jusqu'au seuil l'ombre du grand platane
Où madame la Vierge et sa mère sainte Anne
Et Monseigneur Jésus près de lui vont s'asseoir.

L'air est brûlant et pas une feuille ne bouge ;
Et saint Joseph, très las, a laissé choir la gouge
En s'essuyant le front au coin du tablier ;

Mais l'Apprenti divin qu'une gloire enveloppe
Fait toujours, dans le fond obscur de l'atelier,
Voler des copeaux d'or au fil de sa varlope.

LA BELLE VIOLE

A vous trouppe légère
Qui d'aile passagère
Par le monde volez...
JOACHIM DU BELLAY

Accoudée au balcon d'où l'on voit le chemin
Qui va des bords de Loire aux rives d'Italie,
Sous un pâle rameau d'olive son front plie.
La violette en fleur se fanera demain.

La viole que frôle encor sa frêle main
Charme sa solitude et sa mélancolie,
Et son rêve s'envole à celui qui l'oublie
En foulant la poussière où gît l'orgueil Romain.

De celle qu'il nommait sa douceur Angevine,
Sur la corde vibrante erre l'âme divine
Quand l'angoisse d'amour étreint son cœur troublé;

Et sa voix livre aux vents qui l'emportent loin d'elle,
Et le caresseront peut-être, l'infidèle,
Cette chanson qu'il fit pour un vanneur de blé.

LA DOGARESSE

Le palais est de marbre où, le long des portiques,
Conversent des seigneurs que peignit Titien,
Et les colliers massifs au poids du marc ancien
Rehaussent la splendeur des rouges dalmatiques.

Ils regardent au fond des lagunes antiques,
De leurs yeux où reluit l'orgueil patricien,
Sous le pavillon clair du ciel vénitien
Étinceler l'azur des mers Adriatiques.

Et tandis que l'essaim brillant des Cavaliers
Traîne la pourpre et l'or par les blancs escaliers
Joyeusement baignés d'une lumière bleue,

Indolente et superbe, une Dame, à l'écart,
Se tournant à demi dans un flot de brocart,
Sourit au négrillon qui lui porte la queue.

LES CONQUÉRANTS

Comme un vol de gerfauts hors du charnier natal,
Fatigués de porter leurs misères hautaines,
De Palos de Moguer,[3] routiers et capitaines
Partaient, ivres d'un rêve héroïque et brutal.

Ils allaient conquérir le fabuleux métal
Que Cipango mûrit dans ses mines lointaines,
Et les vents alizés inclinaient leurs antennes
Aux bords mystérieux du monde Occidental.

Chaque soir, espérant des lendemains épiques,
L'azur phosphorescent de la mer des Tropiques
Enchantait leur sommeil d'un mirage doré;

Ou penchés à l'avant des blanches caravelles,
Ils regardaient monter en un ciel ignoré
Du fond de l'Océan des étoiles nouvelles.

LE SAMOURAÏ

C'était un homme â deux sabres.

D'un doigt distrait frôlant la sonore bîva,[4]
A travers les bambous tressés en fine latte,
Elle a vu, par la plage éblouissante et plate,
S'avancer le vainqueur que son amour rêva.

C'est lui. Sabres au flanc, l'éventail haut, il va.
La cordelière rouge et le gland écarlate
Coupent l'armure sombre, et, sur l'épaule, éclate
Le blason de Hizen ou de Tokungawa.[5]

Ce beau guerrier vêtu de lames et de plaques,
Sous le bronze, la soie et les brillantes laques,
Semble un crustacé noir, gigantesque et vermeil.

Il l'a vue. Il sourit dans la barbe du masque,
Et son pas plus hâtif fait reluire au soleil
Les deux antennes d'or qui tremblent à son casque.

STÉPHANE MALLARMÉ

1842–1898

Le singulier, le compliqué, l'exquis
Stéphane Mallarmé, petit, au geste calme
et sacerdotal, rêvant à de la poésie qui
serait de la musique.   FRANÇOIS COPPÉE

De la musique avant toute chose, had sung the author of *Jadis et naguère.* While Paul Verlaine was sinking into inglorious bohemianism on the left bank of the Seine, across the river, in the Rue de Rome, a new poet—elegant in manners and highly cultured—received the disciples of symbolism every Tuesday in his discreetly-lighted drawing-room, "whose shadowy corners had the aspect of a temple or an oratory."* Stéphane Mallarmé, because of his own verse and more especially because of his personal charm, became during the last years of the century the prince of French poets, and was hailed as the master of symbolism. He was a professor of English who in days gone by had frequently dined at Hugo's in company with his intimate friend, the painter Manet. On those occasions the old exile from Guernsey would call him *son cher poète impressioniste,* and with a true Napoleonic gesture pinch his ear. He was known to a chosen few as the author of a peculiarly haunting and sensuous poem of blurred summer landscape called *L'Après-midi d'un faune,* later interpreted musically by Debussy ; and for a startlingly beautiful translation of Poe's *Raven,* which had been illustrated by Manet. To the wide reading public, however, Mallarmé's poems, scattered through various reviews, were little known. It was only in 1884 that the hero of Huysman's novel *A Rebours,* praising his verse, introduced this symbolist to a larger audience—"this poet who, in an age of universal suffrage and lucre, lived aloof from the common world of literary interests, sheltered from the vulgarity of contemporary society by his disdain, delighting in intellectual surprises." Nearly a decade later interest in Mallarmé's work became sufficiently keen to justify the publication of his fugitive verse, the volume entitled *Vers et prose.*

*Bernard Lazare, *Figures contemporaines.*

The chief concern for Mallarmé is musical expression and the suggestive power of words, although he denounces *la prétention d'enfermer en l'expression la matière des objets.* Among his earlier poems *Les Fenêtres* and *Brise marine* suggest Baudelaire unmistakably. Like the author of *Les Fleurs du mal,* he seeks poetic refuge in symbolic associations of sounds—*correspondances*; like him also, he seeks certain artificial poetic combinations which will take him far from the realm of prose. But Mallarmé does more than merely skirt the *forêt des symboles* suggested in Baudelaire's famous poem, and an irritating obscurity is often the result. "Name an object," he writes, "and you suppress three-fourths of the poetic enjoyment, which consists in the pleasure of divining little by little; suggest it, that is the dream." While Mallarmé, in common with the other symbolists, stimulates and cajoles by suggesting a process of divination to take the place of immediate cognition, his status among his fellows is peculiarly marked by the endeavor to attain a musical effect through sheer beauty of words, even though these verbal harmonies are frequently an enigma for vulgar ears. In later life his poems, especially the sonnets, show an utter disregard for syntax and style; and a recent critic has pictured the poet, grown complicated and glacial, "dreaming with half-closed eyes of all that might create æsthetic charm for a tiny corner of Parisian civilization."* Remy de Gourmont writes, in an excellent study:

His poetry does not represent a vast human treasure displayed before an astonished world; it expresses no commonplace or clever ideas which might easily galvanize the attention of a work-a-day people; it is personal, closed like those flowers which fear the sun; it has only the fragrance of evening; it unfolds its intimate meaning only to a cordial or a sympathetic mind. His excessive modesty is covered with too many veils, it is true; but there is much delicacy in this anxiety to escape the eyes and hands of popularity. To escape,—but where? Mallarmé took refuge in obscurity as in a cloister; he put the wall of a cell between himself and the intelligence of other men; he wished to live alone with his pride. . . . His work is the most marvellous dream-romance which has yet been offered to men wearied of so many dull and useless truths: a poetry filled with doubts, of shifting shades and ambiguous perfumes.†

*Henri Clouard, "La Tradition du lyrisme moderne," in *La Revue hebdomadaire*, March 10, 1923.
† *La Culture des idées.*

APPARITION

La lune s'attristait. Des séraphins en pleurs
Rêvant, l'archet aux doigts, dans le calme des fleurs
Vaporeuses, tiraient de mourantes violes
De blancs sanglots glissant sur l'azur des corolles
—C'était le jour béni de ton premier baiser.
Ma songerie aimant à me martyriser
S'enivrait savamment du parfum de tristesse
Que même sans regret et sans déboire laisse
La cueillaison d'un Rêve au cœur qui l'a cueilli.
J'errais donc, l'œil rivé sur le pavé vieilli,
Quand, avec du soleil aux cheveux, dans la rue
Et dans le soir, tu m'es en riant apparue
Et j'ai cru voir la fée au chapeau de clarté
Qui jadis sur mes beaux sommeils d'enfant gâté
Passait, laissant toujours de ses mains mal fermées
Neiger de blancs bouquets d'étoiles parfumées.

LES FENÊTRES

Las du triste hôpital, et de l'encens fétide
Qui monte en la blancheur banale des rideaux
Vers le grand crucifix ennuyé du mur vide,
Le moribond sournois y redresse un vieux dos,

Se traîne et va, moins pour chauffer sa pourriture
Que pour voir du soleil sur les pierres, coller
Les poils blancs et les os de la maigre figure
Aux fenêtres qu'un beau rayon clair veut hâler,

Et la bouche, fiévreuse et d'azur bleu vorace,
Telle, jeune, elle alla respirer son trésor,
Une peau virginale et de jadis! encrasse
D'un long baiser amer les tièdes carreaux d'or.

Ivre, il vit, oubliant l'horreur des saintes huiles,
Les tisanes, l'horloge et le lit infligé,
La toux ; et quand le soir saigne parmi les tuiles,
Son œil, à l'horizon de lumière gorgé,

Voit des galères d'or, belles comme des cygnes,
Sur un fleuve de pourpre et de parfums dormir
En berçant l'éclair fauve et riche de leurs lignes
Dans un grand nonchaloir chargé de souvenir !

Ainsi, pris du dégoût de l'homme à l'âme dure
Vautré dans le bonheur, où ses seuls appétits
Mangent, et qui s'entête à chercher cette ordure
Pour l'offrir à la femme allaitant ses petits,

Je fuis et je m'accroche à toutes les croisées
D'où l'on tourne l'épaule à la vie, et, béni,
Dans leur verre, lavé d'éternelles rosées,
Que dore le matin chaste de l'Infini

Je me mire et me vois ange ! et je meurs, et j'aime
—Que la vitre soit l'art, soit la mysticité—
A renaître, portant mon rêve en diadème,
Au ciel antérieur où fleurit la Beauté !

Mais, hélas ! Ici-bas est maître : sa hantise
Vient m'écœurer parfois jusqu'en cet abri sûr,
Et le vomissement impur de la Bêtise
Me force à me boucher le nez devant l'azur.

Est-il moyen, ô Moi qui connais l'amertume,
D'enfoncer le cristal par le monstre insulté
Et de m'enfuir, avec mes deux ailes sans plume
—Au risque de tomber pendant l'éternité ?

SOUPIR

Mon âme vers ton front où rêve, ô calme sœur,
Un automne jonché de taches de rousseur
Et vers le ciel errant de ton œil angélique
Monte, comme dans un jardin mélancolique,
Fidèle, un blanc jet d'eau soupire vers l'Azur!
—Vers l'Azur attendri d'Octobre pâle et pur
Qui mire aux grands bassins sa langueur infinie
Et laisse, sur l'eau morte où la fauve agonie
Des feuilles erre au vent et creuse un froid sillon,
Se traîner le soleil jaune d'un long rayon.

BRISE MARINE

La chair est triste, hélas! et j'ai lu tous les livres.
Fuir! là-bas fuir! Je sens que des oiseaux sont ivres
D'être parmi l'écume inconnue et les cieux!
Rien, ni les vieux jardins reflétés par les yeux
Ne retiendra ce cœur qui dans la mer se trempe,
O nuits! ni la clarté déserte de ma lampe
Sur le vide papier que la blancheur défend
Et ni la jeune femme allaitant son enfant.
Je partirai! Steamer balançant ta mâture,
Lève l'ancre pour une exotique nature!
Un Ennui, désolé par les cruels espoirs,
Croit encore à l'adieu suprême des mouchoirs!
Et, peut-être, les mâts, invitant les orages,
Sont-ils de ceux qu'un vent penche sur les naufrages
Perdus, sans mâts, sans mâts ni fertiles îlots...
Mais, ô mon cœur, entends le chant des matelots!

LE PITRE CHÂTIÉ

Yeux, lacs avec ma simple ivresse de renaître
Autre que l'histrion qui du geste évoquais
Comme plume la suie ignoble des quinquets,
J'ai troué dans le mur de toile une fenêtre.

De ma jambe et des bras limpide nageur traître,
A bonds multipliés, reniant le mauvais
Hamlet ! c'est comme si dans l'onde j'innovais
Mille sépulcres pour y vierge disparaître.

Hilare or de cymbale à des poings irrité,
Tout à coup le soleil frappe la nudité
Qui pure s'exhala de ma fraîcheur de nacre,

Rance nuit de la peau quand sur moi vous passiez,
Ne sachant pas, ingrat ! que c'était tout mon sacre,
Ce fard noyé dans l'eau perfide des glaciers.

FERDINAND BRUNETIÈRE

1849–1907

> La *littérature* est quelque chose de plus
> qu'un divertissement de mandarins.
>
> BRUNETIÈRE

Since the time of Taine the greatest French critic is Ferdinand Brunetière. His work covers a vast field.* In his treatment of the Middle Ages he was unsympathetic, and he had no great appreciation of the nineteenth century. "He was possibly the only great man of letters of the nineteenth century," writes a recent critic, "for whom Rousseau had never lived, nor Rousseau's eldest son, Chateaubriand, who did not have in his blood a single drop of their delicious poisons."† Brunetière had his preferences ; he also had his antipathies. His adverse criticism aroused intense antagonism and gained for him a host of bitter enemies: Zola and the naturalistic school; the disciples of Hugo and the late romanticists; the Baudelairians, the dilettantes, and the impressionists. He was accused of dogmatism, narrow tastes, and exclusiveness ; but with it all, his enemies were compelled to grant him at least one sterling virtue, that of fearlessness. Anatole France, who had every reason to defend himself against Brunetière's fierce onslaught on impressionism, at the same time wrote: "Monsieur Brunetière is a warrior critic of rare intrepidity. In polemic he is of the school of Napoleon and the great captains who know that victory comes only from taking the offensive, and that allowing an attack means already a half-defeat." His first polemic—*Le Roman naturaliste*—was launched in 1883, at the very height of naturalism ; this virulent condemnation of the school because of its intellectual sterility and its exploitation of man's lower instincts literally demolished Zola. He directed another broadside against im-

---

* Le Roman naturaliste, 1883 ; *Histoire et littérature* (3 vols.), 1884–1886 ; *Questions et nouvelles questions de critique*, 1890 ; *Études critiques sur la littérature française*, 1880–1899 ; *L'Évolution des genres dans l'histoire de la littérature française*, 1890 ; *Les Époques du théâtre français*, 1892 ; *L'Évolution de la poésie lyrique en France au XIXᵉ siècle*, 1894 ; *Discours de combat*, 1900 ; *Histoire de la littérature française classique* (unfinished at the time of his death), 1904 ff. ; *Honoré de Balzac*, 1906.

† Babbitt, *The Masters of Modern French Criticism.*

pressionistic criticism, against Anatole France's *soul adventures amongst masterpieces,* and against Lemaître's case of nerves and sensibility.*
But in spite of attacks on contemporaries and his great love and respect for classicism, Brunetière reveals a certain amount of modernity in his appreciation of the broader realism of Daudet, George Eliot, and the Russians, and especially so in his Darwinian theory of evolution as applied to literature.

There is an evolution of literary *genres*—the epic, the novel, comedy, or lyric poetry—just as there is an evolution of animal species. For Taine's analogies to the natural history of Geoffroy Saint-Hilaire and Cuvier, Brunetière proposes to substitute a criticism of literature founded upon the natural history of Darwin and Haeckel. Just as there are families in the animal world which are differentiated the one from the other, which develop, reach a point of perfection or maturity, disintegrate, and die; just as from their disintegration other families are born,—so in the world of art there is an uninterrupted development of forms of art and a series of transformations, an evolution from the simple toward the complex. Literary ideas, like nature, are elaborated throughout the centuries. Literature ceases to be Taine's shell of the oyster, but is something detached from author and epoch, living its own independent life. This system which makes living creatures out of literary *genres* has provoked much opposition, and despite the general fruitfulness of his evolutionary theory Brunetière is too preoccupied with his scheme, too eager in demanding a universal application for it.

Brunetière considers it the duty of a good critic not only to *classify,* but also to *judge.* In estimating the æsthetic value of a work of literature he finds that there are higher criteria than individual tastes or personal preferences. Unfortunately he has insisted with too much thoroughness upon the importance of "judging," and frequently, as his great adversary Lemaître has remarked, in his haste to judge he forgets to enjoy.

Like the great lawgiver of the classical age whom he admires,—like Boileau,—Brunetière is a sturdy dogmatist, devoted to the cult of reason and to those universal qualities of realism which make up the true worth of a work of art. Both were relentless critics of their contemporaries and were opposed to all excess. Brunetière was firm in his belief that the function of a critic was to assist in the production of a literature, to uphold tradition, and to check charlatanism. "Literature," he liked to repeat, "is something more than a diversion for mandarins!" He was above all a critic with convictions, who, in an age of impressionistic

*See pages 273-279.

prose and symbolist verse, strove almost ascetically to lead his bewildered contemporaries back to the durable ideals and the universal beauties of a golden age.

L'ÉVOLUTION DES GENRES DANS L'HISTOIRE DE LA LITTÉRATURE

Messieurs,

Je me propose d'étudier avec vous, cette année, l'*Évolution des genres dans l'histoire de la littérature*; et, comme ce titre est un peu long, mais comme il risque surtout de vous paraître d'abord obscur, je m'empresse de vous l'expliquer.

Vous savez tous, au moins en gros, ce que c'est que le mot et que l'idée d'*Évolution*; la fortune qu'ils ont faite; et ce qu'on en peut dire: que, depuis une vingtaine d'années, ils ont envahi, l'une après l'autre, pour les transformer ou les renouveler, toutes les provinces de l'érudition et de la science. *Évolution des êtres, Évolution de la philosophie, Évolution de la morale, Évolution de la famille, Évolution du mariage,* que sais-je encore? il n'est plus aujourd'hui partout question que d'évolution. Or, s'il est toujours bon de se défier un peu des nouveautés, et d'attendre—surtout pour les faire entrer dans l'enseignement—qu'elles aient, selon le mot expressif de Malebranche, de la barbe au menton, nous pouvons être certains qu'après vingt-cinq ou trente ans maintenant écoulés la doctrine de l'évolution doit avoir eu quelque chose en elle qui justifiait sa fortune. Il est possible qu'elle ne soit pas l'expression de la vérité tout entière; et c'est même probable. J'accorde encore que demain, peut-être, elle soit dépossédée de sa popularité d'un moment par une autre doctrine ou une autre hypothèse;— quoique dans le fond je n'en croie rien. Mais, en attendant, puisqu'elle règne, je ne vois pas l'avantage qu'il y aurait à feindre d'en ignorer l'existence; et, puisque nous savons ce que l'histoire naturelle générale, ce que l'histoire, ce que la philosophie en ont déjà tiré de profit, je voudrais examiner si l'histoire littéraire et la critique ne pourraient pas aussi l'utiliser à leur tour.

Voilà tout mon dessein. Quelques exemples vous le feront d'ailleurs mieux entendre, si nous considérons dans l'histoire de l'art, ou dans celle de la littérature, les grandes lignes de l'histoire d'un genre, ou celles de l'évolution de l'art même.

Théoriquement, à l'origine même de l'art de peindre, au moins dans l'histoire de la peinture moderne, on peut placer la *Peinture religieuse*, telle que l'ont conçue, par exemple, les Cimabue et les Giotto en Italie, ou, en Flandre, les Van Eyck et les Memling.[1] Pour les uns et pour les autres, avant d'exister pour elle-même, ou pour le charme des yeux, avant presque d'être un art, la peinture est une œuvre pieuse, un moyen d'édification, une manière d'enseigner, à la foule qui s'assemble dans les églises, les grandes vérités de la religion ou les légendes de l'hagiographie ; une façon aussi, pour le peintre lui-même, de *mériter*, et de faire, en quelque sorte, avec son métier, son salut.

Cependant, comme les séductions de la ligne et de la couleur sont trop fortes, et trop vives, pour ne pas être bientôt perçues, senties, aimées en elles-mêmes, la *Peinture mythologique* ne tarde pas à se détacher de la *Peinture religieuse*, qui ne cesse pas d'exister, ni même d'occuper encore le premier rang, mais qui déjà ne règne plus seule ; dont le pouvoir unique se divise ; et qui partage avec un autre genre l'empire, les honneurs et la popularité. Vous savez que le peintre de *la Cène* ou de *la Vierge aux rochers* est aussi celui de la *Léda*.[2] Celui de *la Madone de Saint-Sixte* est aussi le peintre des fresques de la Farnésine ;[3] et les admirables *Vénus* du Titien ne sont égalées ou surpassées que par ses *Visitations* ou ses *Assomptions*.

Comment la *Peinture mythologique* est-elle à son tour devenue la *Peinture d'histoire*? On en pourrait donner plus d'une raison, si l'on le voulait ;—et si c'en était présentement le temps. Mais, sans entrer dans cette recherche, il nous suffit qu'en fait les choses se soient passées de la sorte et, qu'à la représentation des scènes de l'Olympe païen, on ait vu succéder, en Flandre comme en Italie, celle des grands événements de l'histoire. Encore un peu mêlés ensemble dans l'École florentine, les deux genres se séparent et se distinguent dans l'École vénitienne.

Maintenant, ils vont vivre chacun de sa vie personnelle. Et, comme si la beauté n'était plus capable à elle seule de remplir et de satisfaire les yeux, on veut désormais qu'à son prestige propre elle joigne celui d'avoir existé, d'avoir été réelle, d'avoir enfin un état civil et un nom dans l'histoire.

La *Peinture de portraits* se détache ainsi de la *Peinture d'histoire* ; elle s'y fait du moins son domaine, elle s'y taille son royaume ; et même, vous savez que dans certaines écoles, comme la Hollandaise, avec Franz Hals ou Rembrandt, par exemple, elle devient elle seule presque toute l'histoire. La *Leçon d'anatomie* ou la *Ronde de nuit* ne sont qu'une réunion de portraits ; et tant d'autres portraits analogues, dispersés dans les musées d'Europe ou dans les collections particulières, si nous les avions là, sous les yeux, dans leur suite, vous savez qu'ils composeraient l'histoire même de la Hollande.

Mais, avec le portrait, et surtout dès qu'il y en a plusieurs sur une toile, c'est l'anecdote et la particularité qui s'introduisent dans la peinture. En effet, ce n'est plus assez qu'un portrait soit ressemblant, ou vivant ; on veut qu'il agisse, pour ainsi dire ; et qu'avec les traits de l'original il en rappelle les occupations, les habitudes, les entours,—la page héroïque ou mémorable de sa biographie. D'un autre côté, si les scènes de la vie quotidienne, si les objets inanimés eux-mêmes ne laissent pas d'avoir leur physionomie, leur individualité, on peut donc en faire aussi le portrait. Et c'est ainsi que la *Peinture de genre* peut être conçue comme s'étant dégagée d'abord et détachée de la *Peinture de portraits* pour vivre à son tour d'une vie indépendante, et se créer insensiblement à elle-même des règles, des lois, ce que les jurisconsultes appellent un statut personnel.

Faisons enfin un dernier pas : coupons les objets inanimés des communications qu'ils entretiennent avec nous ; représentons-les-nous—tels que nous les voyons sans doute, puisque nous ne saurions faire autrement,—mais cessons d'avoir égard à l'usage que nous en tirons ; traitons-les enfin comme s'ils existaient en eux-mêmes et pour eux-mêmes : c'est la *Peinture d'animaux*, c'est la *Peinture de paysage*, c'est la *Peinture de nature morte*...

Nous avons parcouru le cycle, et en quelque sorte épuisé les combinaisons possibles : toute peinture est *Religieuse*, ou *Mythologique*, ou *Historique*, ou *Iconique*, ou *de Genre*, ou *de Paysage*, ou *de Nature morte* ;—et chacune de ces formes successives, que l'on peut combiner toutes ensemble, nous est apparue, à son origine, comme un démembrement, et, dans son développement, comme une extension de la précédente.

Prenons un autre exemple, un exemple plus particulier, plus précis, plus démonstratif, et plus éloquent par cela même : soit l'histoire ou la succession des formes du roman français.

Il s'offre à nous d'abord sous la forme de l'*Épopée* ou de la *Chanson de geste* : *Roland, Aliscans, Renaud de Montauban* ;[4] et sous cette forme, vous le savez, c'est presque de l'histoire. Aussi bien, chez nous comme en Grèce, l'histoire, sous la forme des *Mémoires* ou des *Chroniques*, semble-t-elle s'être dégagée de la *Chanson de geste*.

Mais, d'un autre côté, à mesure qu'elle s'allégeait de sa substance historique, et pour en remplir le vide, l'épopée donnait à la légende ou au rêve une part plus considérable d'elle-même ; c'est l'époque des *Romans de la Table-Ronde* : *Parsifal, Tristan et Yseult*,[5] etc. ; dont l'intérêt n'est déjà plus d'entretenir le culte des souvenirs, mais de chatouiller la curiosité. C'est ce que l'on voit d'ailleurs encore plus clairement dans ces *Amadis*,[6] qui succèdent aux *Romans de la Table-Ronde*, et qui ne sont déjà plus des *Épopées*, à vrai dire, mais ce que nous pouvons appeler des *Romans d'aventures*. L'invraisemblance en fait la principale beauté. On les écrit pour donner à la liberté de l'imagination une pleine carrière ; et c'est pour sortir par eux de la réalité, c'est pour courir en pensée les grandes aventures, c'est pour chevaucher avec eux l'hippogriffe et la Chimère qu'on les lit.

Les *Amadis* sont du xvi⁰ siècle : un autre genre les remplace avec le xvii⁰ siècle naissant, dont on peut prendre l'*Astrée* pour modèle ou pour type, ou peut-être, et plus justement, les romans de Gomberville, de la Calprenède, de Mˡˡᵉ de Scudéri : *Polexandre, Cassandre, Cyrus* et *Clélie*.[7]

Appelons-les des *Romans épiques* : ils le sont à la fois par leur longueur, par la manière dont les épisodes y sont rattachés au récit principal, par le caractère également invraisemblable et héroïque des aventures qui s'y passent, par la qualité souveraine ou princière des personnages qui en sont le support, par la fluidité continue du style, par le ton d'emphase qui le rehausse ou qui l'anime. Mais ils sont autre chose aussi. *Polexandre* est un roman « maritime et géographique »... Dans son *Cyrus* ou dans sa *Clélie*, sous ces grands noms qu'elle emprunte à l'histoire, Mlle de Scudéri ne se cache point—elle s'en cache si peu qu'au contraire elle s'en vante elle-même—d'avoir représenté « au vif » les personnes, raconté les histoires, et consigné l'expression des sentiments de ses contemporains. Qu'est-ce que cela, sinon le *Roman de mœurs* qui commence à poindre ? je veux dire ce genre de romans dont l'intérêt n'est plus dans l'invraisemblance des aventures ou dans l'*irréalité* des personnes, mais au contraire dans leur ressemblance avec la vie contemporaine.

Aussi, ne tardons-nous pas à voir *la Princesse de Clèves* succéder au *Grand Cyrus* ; *Gil Blas, Manon Lescaut, Marianne* à *la Princesse de Clèves* ;[8] et le *Roman de mœurs générales* ; et le *Roman de mœurs intimes* ; et le *Roman de mœurs exotiques*...

Il s'agit donc de savoir quel est le rapport de ces formes entre elles et les noms que l'on doit donner aux causes encore inconnues qui semblent les avoir comme dégagées successivement les unes des autres. N'y a-t-il là qu'un pur hasard, une succession toute fortuite ? Si les circonstances l'eussent voulu, la *Peinture de genre* aurait-elle pu précéder la *Peinture religieuse* ; ou, pareillement, dans l'autre cas, le *Roman de mœurs* aurait-il pu précéder l'*Épopée* ? Mais si ce n'est ni hasard, ni succession fortuite, comment les formes se sont-elles succédé ? ou peut-être engendrées dans l'histoire ? Le lien qui les unit est-il chronologique ou généalogique ? je veux dire : le fait de leur succession est-il l'œuvre des circonstances, des conditions du dehors ? ou au contraire y a-t-il génération dans le vrai sens du mot ? C'est la première question que nous essayerons de résoudre.

En second lieu, et quand nous connaîtrons le rapport chronologique ou généalogique de ces formes entre elles, quel en est,
quels en sont, si je puis ainsi dire, les rapports esthétiques? La
Peinture religieuse, pour avoir paru la première, est-elle de
soi nécessairement supérieure à la *Peinture de paysage*, par
exemple? et pour quelles raisons? Ou, si c'est le contraire, en
quoi dirons-nous que consiste la supériorité de la seconde? Ou
encore, et si chacune d'elles peut se vanter de qualités que
l'autre n'a pas eues, peut-on dire, et en s'appuyant de quels
principes, qu'il y ait eu, de l'une à l'autre forme, acquisition,
enrichissement, progrès, ou au contraire décadence, appauvrisse-
ment, diminution pour l'art? Ce sera notre seconde question.

Enfin, et après les rapports généalogiques ou esthétiques de
ces formes entre elles, quels en sont, s'il y en a, les rapports
scientifiques? c'est-à-dire, y a-t-il des Lois qui gouvernent cette
succession; et, ces Lois, d'où les peut-on tirer? comment et par
quels moyens pouvons-nous les déterminer? Ou, en d'autres
termes encore, trouvons-nous ici quelque chose d'analogue à
cette « différenciation progressive » qui, dans la nature vivante,
fait passer la matière de l'homogène à l'hétérogène, et sortir
constamment, si j'ose ainsi parler, le contraire du semblable?
Ce sera notre troisième question,—dont je pense que vous voyez
assez l'analogie avec le problème général de l'évolution. Il nous
reste à dire, cette question et les autres, les moyens que nous
prendrons, sinon pour les résoudre, au moins pour les traiter.

LA CRITIQUE IMPRESSIONNISTE

Lorsque l'on fait soi-même profession ou métier de critique,
s'il est toujours facile,—et tentant quelquefois,—d'opposer son
opinion à celle de ses confrères, de louer le roman qu'ils con-
damnent, de blâmer l'écrivain qu'ils admirent, il l'est déjà moins
de se donner les airs de les juger eux-mêmes, et d'affecter ainsi
sur eux je ne sais quelle espèce de supériorité. Cela sent, comme
l'on dit, son pédant de collège. Mais ce qui est bien plus difficile
encore, ce que l'on craint à bonne enseigne qui ne paraisse un

peu outrecuidant, c'est de leur reprocher qu'ils entendent mal
leur science ou leur art parce qu'ils l'entendent autrement que
nous; c'est d'oser le leur dire; et c'est enfin de prétendre que
leur manière de penser se soumette ou se convertisse à la nôtre...
Il y faut cependant venir: d'abord, pour ne pas être dupe,—ce
qui est la chose du monde qu'on nous pardonne le moins, dans ce
siècle d'américanisme;—et puis parce que, dans ces sortes de
querelles, comme on le verra tout à l'heure, les questions de
personnes recouvrent des questions de principes. Née avant
nous, et destinée à nous survivre, il y a longtemps qu'en effet
la critique serait morte, si elle n'avait un objet, un rôle, une
fonction, extérieurs ou supérieurs à l'idée que s'en font M.
Anatole France, M. Jules Lemaître, M. Paul Desjardins, quelques autres encore que je pourrais citer;—et moi-même.

Ai-je besoin de dire ici que je fais le plus grand cas de
M. Anatole France, de sa manière aimable, ironique et fuyante,
où de si subtiles pensées s'enveloppent de si jolis voiles, avec
tant d'élégance, de nonchalance, et au besoin de négligence?
Je n'en fais guère moins de M. Jules Lemaître; et, avec « tout
Paris », je m'amuse, ainsi qu'il convient, de ses doctes gamine-
ries, où tant de naïveté, d'ingénuité même, s'allie toujours à
tant d'esprit et quelquefois de bon sens. Nul d'ailleurs n'écrit
mieux que lui, d'un style plus vif, plus souple et plus inattendu:
il joue avec les mots, il en fait ce qu'il veut, il en jongle... Et
j'estime aussi M. Paul Desjardins, pour son inquiétude, pour
sa bonne volonté, pour la préoccupation qu'il a d'être agréable
à ceux qu'il aime, pour la tristesse émue avec laquelle il leur dit
les choses les plus déplaisantes. Mais, avec tout leur talent, si
j'ai peur qu'ils ne réussissent à diriger la critique dans une voie
fâcheuse, et si j'en vois de grands inconvénients, pourquoi ne
les signalerais-je pas? Je les aime beaucoup tous les trois, mais
je préfère encore la critique; et je ne pense pas qu'ils s'en
fâchent, mais le lecteur m'en approuvera.

M. Paul Desjardins le redisait hier même, à l'occasion de
M. Taine; et M. Jules Lemaître l'a dit vingt fois pour une;
mais c'est peut-être M. Anatole France, dans un article sur

M. Jules Lemaître, qui a le plus énergiquement revendiqué pour
la critique le droit de n'être plus désormais que personnelle,
impressionniste, et, comme on dit, *subjective*. « Il n'y a pas
plus de critique objective qu'il n'y a d'art objectif, et tous ceux
qui se flattent de mettre autre chose qu'eux-mêmes dans leur
œuvre sont dupes de la plus fallacieuse philosophie. La vérité
est qu'on ne sort jamais de soi-même. C'est une de nos
plus grandes misères. Que ne donnerions-nous pas pour voir,
pendant une minute, le ciel et la terre avec l'œil à facettes d'une
mouche, ou pour comprendre la nature avec le cerveau rude et
simple d'un orang-outang? Mais cela nous est bien défendu.
Nous sommes enfermés dans notre personne comme dans une
prison perpétuelle. Ce que nous avons de mieux à faire, ce me
semble, c'est de reconnaître de bonne grâce cette affreuse condition et d'avouer que nous parlons de nous-mêmes, chaque fois
que nous n'avons pas la force de nous taire. »[9] On ne saurait
insinuer, en vérité, d'une façon plus habile, des choses plus
« fallacieuses » ; brouiller plus adroitement ensemble des idées
plus distinctes ; ni surtout affirmer avec plus d'assurance qu'il
n'y a rien d'assuré...

Que d'ailleurs cette manière d'entendre la critique ait de
grands avantages, je n'en disconviens pas. Elle souffre, ou
plutôt encore elle autorise toutes les complaisances et toutes
les contradictions. La « relativité » des impressions changeantes
explique tout et répond à tout. En ne nous donnant pas ses
opinions comme vraies, mais comme « siennes », la critique impressionniste se ménage le moyen d'en changer,—et l'on sait
qu'elle ne s'en fait point faute. Elle dispense, avec cela,
d'étudier les livres dont on parle et les sujets dont ils traitent,
ce qui est parfois un grand point de gagné. « Faut-il essayer de
vous rendre l'impression que j'ai éprouvée en lisant le deuxième
volume de l'*Histoire du peuple d'Israël*? nous demandait naguère M. Anatole France. Faut-il vous montrer l'état de mon
âme quand je songeais entre ces pages? »[10] Et, sans attendre
notre réponse,—car, après tout, nous autres, officiers du 199e
d'infanterie ou négociants de la rue du Sentier, je suppose, et

bonnes gens de Carpentras ou de Landerneau, pourquoi serions-nous si curieux de l'état de l'âme de M. France?—M. France nous raconte qu'aux temps de son enfance, il avait parmi ses joujoux « une arche de Noé, peinte en rouge, avec tous les animaux par couple, et Noé et ses enfants faits au tour ». Si le procédé est ingénieux, on voit qu'il est surtout commode! Grâce à son « arche de Noé », M. Anatole France n'a pas eu besoin seulement de lire l'*Histoire du peuple d'Israël*; il a songé *entre* les pages du livre; et, comme il est M. France, il n'en a pas moins très agréablement parlé.

C'est un peu moins agréablement, s'il faut être sincère, mais c'est de la même manière que M. Paul Desjardins nous parlait l'autre jour du cinquième volume des *Origines de la France contemporaine*. Il disait que M. Taine a vu Bonaparte et la Révolution avec les yeux de M. Taine, et il ajoutait, ou du moins il donnait à entendre que ses yeux à lui, Desjardins, n'étant pas ceux de M. Taine, il se représentait une autre Révolution et un autre Bonaparte. Mais quel Bonaparte et quelle Révolution? Il n'avait garde de nous le dire; et, au fait, pourquoi nous l'eût-il dit, puisque toutes les « Révolution » et tous les « Bonaparte » sont également légitimes, je veux dire également vrais? Ne serait-il pas plaisant, si M. Paul Desjardins a une opinion sur Bonaparte ou sur la Révolution, que les travaux de M. Taine prétendissent l'obliger d'en changer? Mais si par hasard il n'en avait pas, exigerons-nous qu'avant de parler de M. Taine et de son livre, il s'en fasse une? Autre avantage encore de la critique impressionniste: elle nous dispense de conclure. *Quot capita, tot sensus*, comme disait le rudiment: puisque nous ne saurions jamais nous dégager de nous-mêmes, à quoi bon y tâcher? quoi de plus inutile et de plus fatigant? de plus fatigant, si ce n'est pas sans doute une petite affaire que de se former sur la Révolution une opinion raisonnée; de plus inutile, puisqu'enfin M. Paul Desjardins, M. Jules Lemaître et M. Anatole France le pensent, et qu'en vain nous déguiserons-nous, nous n'exprimerons jamais que nos « préférences personnelles ».

Mais je voudrais qu'ils ne se fussent pas contentés de le

penser et de le dire, je voudrais qu'ils eussent essayé de le prouver; et c'est ce qu'ils ont oublié de faire. Des métaphores ne sont pas des raisons. Assurément, si nous avions « l'œil à facettes de la mouche », ou le « cerveau rude et simple de l'orang-outang », notre vision du monde serait autre, elle serait surtout moins complexe et moins contradictoire: il ne paraît pas prouvé qu'elle fût aussi différente qu'on a l'air de le poser en principe, et nous savons, par exemple, que, chez beaucoup d'animaux, les sensations de forme et de couleur sont assez analogues aux nôtres. Mais ce qui est encore plus certain, c'est que nous ne sommes ni des « mouches », ni des « orang-outangs »; nous sommes hommes; et nous le sommes surtout par le pouvoir que nous avons de sortir de nous-mêmes pour nous chercher, nous retrouver, et nous reconnaître chez les autres. Impressionniste ou subjective, lorsqu'elle emprunte à la métaphysique des arguments dont elle ne prend seulement pas la peine de mesurer la portée, la critique ne fait pas attention que la valeur de ces arguments est purement métaphysique... Laissons donc là les « mouches » ou les « orang-outangs »: nous n'en avons que faire; et on ne les met que pour brouiller. Ce qui est fallacieux, disons-le à notre tour, c'est d'abuser des mots pour donner le change sur le fond des choses. La duperie, s'il faut qu'il y en ait une, c'est de croire et d'enseigner que nous ne pouvons pas sortir de nous-mêmes, quand au contraire la vie ne s'emploie qu'à cela. Et la raison sans doute en paraîtra assez forte, si l'on se rend compte qu'il n'y aurait autrement ni société, ni langage, ni littérature, ni art.

On demande, il est vrai, d'où vient alors la difficulté de s'entendre? et comment il se fait qu'en matière d'art ou de littérature, les opinions soient si diverses? Car il semble au moins qu'elles le soient; et, pour ne rien dire de nos contemporains,—qu'il est convenu que nous ne voyons pas d'assez loin, ni d'assez haut,—combien de jugements, combien divers, depuis trois ou quatre cents ans, les hommes n'ont-ils point portés sur un Corneille ou sur un Shakspeare! sur un Cervantes ou sur un Rabelais! sur un Raphaël ou sur un Michel-Ange!...

Il n'est pas vrai que les opinions soient si diverses, ni les divisions si profondes. « Entre mandarins vraiment lettrés,— c'est une phrase de M. Jules Lemaître,—il est établi que tels écrivains, quels que soient d'ailleurs leurs défauts ou leurs manies, *existent*, comme l'on dit, et valent la peine d'être regardés de près. » Voilà toujours un premier point : Racine existe, Voltaire aussi, j'entends l'auteur de *Zaïre*, d'*Alzire* ou de *Tancrède* ; Campistron n'existe pas, ni l'abbé Leblanc, ni M. de Jouy.[11] En voici un second : c'est qu'il y a des degrés entre Campistron et Voltaire ; c'est qu'il y en a d'autres entre *Zaïre* et *Bajazet* ;[12] c'est qu'il y en a partout, et qu'il n'est personne qui n'en tombe d'accord... Et, à ces deux points, enfin, j'en ajoute un troisième : « défauts » ou « manies », ce sont les mêmes choses que les uns aimeront dans Balzac ou dans Hugo, que les autres y aimeront moins, que les autres y critiqueront, mais que tous ils y reconnaîtront. Même lorsqu'il s'agit d'un écrivain contemporain, voyez plutôt ce que M. France dans *le Temps*, M. Lemaître dans la *Revue bleue*, M. Desjardins dans le *Journal des Débats*, ont dit de l'auteur du *Rêve* et de la *Bête humaine* ; toute la différence est dans ce qu'ils ont mêlé indûment d'eux-mêmes, de l'expression de leurs sympathies personnelles, à ce qu'ils ont cru devoir dire de M. Zola : il n'y a que les mots de changés.

Mais j'ai tort de dire « indûment ». Nous ne sommes pas capables de nous dépouiller si complètement de nous-mêmes qu'il ne se mêle rien, absolument rien, de notre personne dans nos jugements... Le jugement littéraire est un rapport complexe de trois termes inégaux. Dans une œuvre littéraire, poème, drame ou roman, nous y trouvons d'abord ce que nous y apportons de nous-mêmes, ce que nous y mettons de notre fond ; et, en ce sens, comme on l'a dit, nous en faisons la beauté. Les uns s'aiment mieux dans *Candide*, et d'autres se préfèrent dans *Paul et Virginie*. Nous y trouvons ensuite ce que leurs admirateurs ou leurs critiques y ont mis, ce que le temps, lui tout seul, en son cours insensible, y a comme ajouté de qualités ou de défauts, qui n'en étaient point pour les contemporains. Les contemporains n'ont pas vu dans *l'École des femmes* ou dans *Tartufe* ce que nous y voyons; et pour cause, car Molière n'y avait point songé... Mais ne faut-il pas enfin que nous re-trouvions dans *Tartufe* et dans *Candide* quelque chose aussi de ce que Molière et Voltaire y ont mis? Quels que nous soyons, pour provoquer en nous des impressions déterminées, ne faut-il pas qu'il y ait dans *Candide* ou dans *Tartufe* des qualités, qui les déterminent ou qui les provoquent? Et ces qualités, quelles qu'elles soient elles-mêmes, n'est-il pas vrai qu'elles ne se re-trouvent pas dans un roman du jeune Crébillon ou dans une comédie de Poisson ou de Montfleury?[13]

Il n'en faut pas davantage pour fonder la critique *objective*. Lorsque nous nous sommes rendu compte à nous-mêmes de la vraie nature de nos impressions, ce qui n'est pas toujours facile, et ce qui est toujours long; lorsque nous avons fait, ce qui est bien plus difficile encore, la part du préjugé, celle de l'éducation, celle du temps, celle de l'exemple ou de l'autorité dans nos impressions, il reste une œuvre, un homme, et une date. C'en est assez. On peut se proposer de déterminer cette date avec exactitude, et par là de préciser en quel temps, à quel moment de l'histoire d'une littérature, dans quel milieu social, parmi quelles préoccupations l'homme a vécu et l'œuvre a paru. On peut se proposer de dire quel fut cet homme, quelle espèce d'homme, triste ou gaie, basse ou noble, digne de haine ou d'admiration. Car les générations héritent, plus qu'elles ne le croient, de tout ce qui les a précédées: Nisard aimait à dire que ce qu'il y a en tout temps de plus vivant dans le présent, c'est le passé. Et l'on peut enfin se proposer, après l'avoir ainsi expliquée, de classer et de juger cette œuvre. C'est tout l'objet de la critique. Que voit-on là qui ne soit *objectif*? qui ne soit, ou qui ne puisse être indépendant des goûts personnels, des sympathies particulières de celui qui se propose d'expliquer, de classer, ou de juger? et si l'on ne le voit pas, ou qu'on ne puisse pas le dire, que reste-t-il des paradoxes insinuants de M. Anatole France, des paradoxes étincelants de M. Jules Lemaître, et des paradoxes chagrins de M. Paul Desjardins?

JULES LEMAITRE

1853–1914

> L'esprit critique est de sa nature facile,
> insinuant, mobile et compréhensif.
> SAINTE-BEUVE

Research into biography, environment, and heredity had been the basis of Sainte-Beuve's studies in criticism. This scientific approach had been developed further in the positivism of Taine, who found a work of literature the product of a race, an environment, and a certain moment. It remained for Brunetière, later, to see the danger of scientific impartiality and to preach that there were *good* as well as *bad* works ; that a critic's duty was to judge, as well as to classify. For Jules Lemaître scientific or dogmatic criticism is merely "the personal and decrepit work of one wretched man," the one as dangerous as the other ; and for him a critic's mission becomes quite simply the art of enjoying books and of enriching one's impressions through them. He is perhaps the most seductive critic who has ever written of his contemporaries ; certainly he is the most impressionistic, and therein lies both charm and danger.

Lemaître was born in a Touraine village and studied at the École Normale. He taught at Le Havre, Algiers, Besançon, and Grenoble, but renounced the professor's chair for a career of journalism. For years he wrote a column for the *Revue bleue*, and was later the dramatic critic for both the *Journal des débats* and the *Revue des deux mondes*. He was devoted to the second half of the nineteenth century, *si intelligente*, *si inquiète, si folle, so morose, si détraquée, si subtile*, and his estimates are collected into seven volumes called *Les Contemporains* which were published from 1885 to 1899.* His delightful lectures on Rousseau, Racine, Fénelon, and Chateaubriand have been published in separate volumes, and his dramatic criticism has been collected into ten volumes called *Impressions de théâtre*. In addition to this critical work, Lemaître is the author of a series of plays dealing with social and political problems, of which the most successful was a masterpiece called *Le Député Leveau*, produced in 1891.

* Volume VIII was published posthumously in 1918.

Criticism means to Jules Lemaître appreciation and interpretation. Personal enjoyment is its aim, and he is apt to write only of the authors whom he admires. When he admires them excessively—as, for example, in the case of Pierre Loti—his criticism verges on dilettantism. Usually, however, a remarkable good sense saves him from this pitfall. Always judging and never enjoying he finds to have been the besetting sin of Brunetière, and he would show us

... what an exquisite thing literary criticism may become, how it may equal in interest, sometimes surpass, the literary works which are under consideration. . . . The reader enjoys both the work criticized and its critic. He catches a reflection of the world in a mind, and a reflection of this mind in the mind of another. He perceives how a man who has seen and reproduced reality in a certain fashion is in his turn understood and translated by another man. As the artist creates his characters, so the critic in a certain sense creates and fashions the artist whom he is explaining. And the critic may in his turn be explained, fashioned, invented by another critic. Every man is a conscious mirror of the world and of other men.

In this sense has Lemaître fashioned his artists, mirrored his contemporaries. Some of them he exterminated in a few sentences:

Customarily I entertain my readers with literary subjects. I beg them to excuse me if I speak to them today of the novels of M. Georges Ohnet.

One at least he mortally offended by having emphasized his gayety:

This man passed through the most terrible moral crisis that a soul may experience. At the age of twenty, under conditions which made his decision peculiarly painful and dramatic, he had to choose between faith and science. . . . And he is gay! Because of a wound less secret (for he was perhaps only a rhetorician) Lamennais died in ultimate despair. . . . Not because he doubted, but merely because he feared to doubt, Pascal went mad. And M. Renan is gay!

Like Sainte-Beuve's stream, he wanders in and out among his contemporaries, stopping to call Anatole France *l'extrême fleur du génie latin,* or to liken the erudite philologist Gaston Paris in candor and intelligence to Anatole France's old bookworm Sylvestre Bonnard. He is constantly confidential and always personal. He has the gift of sparkling wit and a vivid, magnetic style. He saw the dangers of dogmatism and bewailed the mania for literary pigeonholes; he feared that literature tended "more and more to become a mysterious diversion for mandarins," whose severe judgments—as in the case of Brunetière, whom he particularly takes to task—he would like to see tempered with more indulgence, more frivolity, and even more depravity!

FERDINAND BRUNETIÈRE

M. Brunetière est fort savant; il a mieux qu'une teinture de toutes choses. Sur le xviie et le xviiie siècle, son érudition est imperturbable. Il est visible qu'il a lu tous les classiques, et tout entiers. Cela n'a l'air de rien: combien, même parmi les gens « du métier », en ont fait autant? Histoire, philosophie, romans, poésie, beaux-arts et de tous les pays, il sait tout; on dirait qu'il a tout vu et tout lu. Toujours on sent sous sa critique un fonds solide et étendu de connaissances multiples et précises, placées dans un bon ordre. Il a donc ce premier mérite, aussi rare que modeste, de connaître toujours parfaitement les choses sur lesquelles il écrit, et même les alentours.

M. Brunetière a l'esprit naturellement philosophique. Sa grande science des livres et de l'histoire, en lui permettant des comparaisons perpétuelles, a développé en lui cet esprit. Il n'est pas un livre qui ne lui en rappelle beaucoup d'autres, et bientôt une idée générale se dégage de ces rapprochements: l'œuvre n'est plus isolée, mais a son rang dans une série, liée à d'autres œuvres par quelque point particulier. Aussi ne verrez-vous presque jamais M. Brunetière s'enfermer dans un livre pour l'étudier en lui-même et le définir par son charme propre. Ce n'est pour lui qu'un point de départ ou un exemple à l'appui d'une théorie, une occasion d'écrire un chapître d'histoire littéraire ou d'agiter une question d'esthétique. Sa critique n'est jamais insignifiante ou simplement aimable. Elle ne nous laisse point nous complaire dans nos préférences irréfléchies; elle ouvre l'esprit, et, si elle irrite souvent, elle fait penser.

M. Brunetière est un doctrinaire. Ces études historiques et ces dissertations, il ne s'y livre point par simple curiosité, pour le seul plaisir de la recherche. Il aime juger. Il croit que les œuvres de l'esprit ont une valeur absolue et constante en dehors de ceux à qui elles sont soumises, lecteurs ou spectateurs; et cette valeur, il prétend la fixer avec précision. Il croit à une hiérarchie des plaisirs esthétiques. Ferme sur ses théories, jamais il n'hésite dans l'application, beaucoup plus sensible

d'ailleurs à la joie de comparer, de peser, de classer, qu'à celle
de goûter et de faire goûter même les livres qui lui sont les plus
chers, même les bibles sur lesquelles il a comme moulé ses
préceptes et auxquelles il rapporte tout. Or cette foi, cette assurance imposent : c'est une grande force. Et, d'autre part, l'unité
de la doctrine, l'habitude de tout juger (même quand on ne le
dit pas) d'après les mêmes principes ou d'après les mêmes
exemplaires de perfection, donne à la critique quelque chose de
majestueux, de solide et de rassurant...

J'ai largement loué M. Brunetière, et de grand cœur. Je puis
faire maintenant quelques modestes réserves d'une âme plus
tranquille...

Le xviie siècle lui plaît étrangement. Il a beau affecter avec
ses grands écrivains l'indépendance d'esprit qu'il porte partout
ailleurs ; ce n'est qu'une feinte. Au fond, il leur passe tout, car
il les aime ; il les trouve meilleurs que nous et plus originaux,
et il ne voudrait pas avouer, bien que sa sincérité l'y force
quelquefois, qu'on ait inventé quoi que ce soit depuis eux.
N'essayez pas de lui dire : « Ils sont plus parfaits que nous et
pensent mieux ; mais enfin nous sommes peut-être plus intel-
ligents, plus ouverts, plus nerveux, plus amusants par nos
défauts et notre inquiétude même. » Vous verrez de quel
mépris il vous traitera.

Cette foi absolue, qui communique tant de vie et de mouvement à sa critique, il la justifie, comme j'ai dit, par les meilleures
raisons du monde. J'essaye d'y entrer et je les comprends ;
mais—que voulez-vous ?—je ne les sens pas toujours.

Et, par exemple, je trouve assurément que Bossuet est un
très grand écrivain. Mais je ne saurais m'élever jusqu'à l'excès
d'admiration, de vénération, d'enthousiasme, où monte M.
Brunetière, qui fait de Bossuet « le plus grand nom de son
temps »[1] et, par suite, de toute la littérature française. Sincère-
ment, j'ai beau faire, j'ai toujours besoin d'un effort pour lire
Bossuet. Il est vrai que, dès que j'en ai lu quelques pages, je
sens bien qu'après tout il est, comme on dit aujourd'hui, « très

fort » ; mais il ne me fait presque pas plaisir, tandis que souvent,
ouvrant au hasard un livre d'aujourd'hui ou d'hier (je ne dis
pas n'importe lequel, ni le livre d'un grimaud ou d'un sous-
disciple), il m'arrive de frémir d'aise, d'être pénétré de plaisir
jusqu'aux moelles,—tant j'aime cette littérature de la seconde
moitié du xixᵉ siècle, si intelligente, si inquiète, si folle, si
morose, si détraquée, si subtile,—tant je l'aime jusque dans ses
affectations, ses ridicules, ses outrances, dont je sens le germe
en moi et que je fais miens tour à tour ! Et, pour parler à peu
près sérieusement, faisons les comptes. Si peut-être Corneille,
Racine, Bossuet n'ont point aujourd'hui d'équivalents, le grand
siècle avait-il l'équivalent de Lamartine, de Victor Hugo, de
Musset, de Michelet, de George Sand, de Sainte-Beuve, de
Flaubert, de M. Renan ? Et est-ce ma faute, à moi, si j'aime
mieux relire un chapitre de M. Renan qu'un sermon de Bossuet,
le *Nabab* que la *Princesse de Clèves* et telle comédie de Meilhac
et Halévy qu'une comédie même de Molière ? Rien ne prévaut
contre ces impressions plus fortes que tout, qui tiennent à la
nature même de l'esprit et au tempérament. Et c'est pourquoi
je ne trouve point à redire à celles de M. Brunetière. Seulement qu'il soit établi, encore une fois, que ses « principes » ne
sont aussi que des préférences personnelles.

Ces préférences, réduites en système, l'ont certainement
rendu, non pas injuste, mais chagrin, mais défiant à l'égard
d'une grande partie de la littérature contemporaine, quoiqu'il se
soit peut-être adouci depuis son premier article sur : le *Réalisme
en 1875* et qu'il ait été un jour presque clément à Flaubert et,
maintes fois, presque caressant pour M. Alphonse Daudet ;
mais, en somme, sa critique des contemporains est restée surtout
négative : il leur en veut plus de ce qui leur manque qu'il ne
leur sait gré de ce qu'ils ont. Cela m'afflige, et voici pourquoi.
Quelles sont les qualités dont l'absence rend une œuvre
damnable, quels que soient d'ailleurs ses autres mérites, aux
yeux de M. Brunetière ? C'est d'abord la clarté du dessein,
l'unité du plan, la correction de la forme, la décence (et j'avoue

que, si une œuvre peut valoir encore quelque chose sans ces qualités, elle vaut mieux quand elle les possède). Mais c'est aussi, nous l'avons vu, un certain optimisme, la sympathie pour l'homme exprimée directement, l'observation du « milieu intérieur » et, sous les déguisements de la mode, de l'éternel fond moral de l'humanité. Or, s'il est fâcheux que cela ne se trouve point dans certaines œuvres, je remarque que cela était peut-être plus facile à y mettre que ce que l'artiste y a mis; qu'un livre où se rencontrent toutes ces qualités peut être fort médiocre, qu'un livre où elles manquent peut être encore fort intéressant et séduisant; et j'en conclus que, s'il y a de certaines critiques qu'on a bien le droit ou même le devoir de formuler, on ne serait pas mal avisé de le faire modestement.

Je me souviens d'un vieil article de M. Étienne sur les *Contemplations* et d'une étude de M. Saint-René Taillandier sur la *Tentation de saint Antoine*,[2] qui, dans l'âge heureux où l'on manque de sagesse, m'avaient rempli de la plus furieuse indignation. M. Étienne reprochait d'un bout à l'autre à Victor Hugo son obscurité, sa déraison, son mauvais goût. M. Taillandier, examinant avec conscience la « sotie » de Flaubert, n'y trouvait point de clarté, point d'intelligence de l'histoire, point de bon sens, point de décence, point de sens moral, point d'idéal. Tous deux avaient raison; mais, comme j'étais très jeune, je me disais: « Hé! professeurs éminents que vous êtes, bon goût, bon sens, bon ordre, moralité, idéal, c'est ce que tout honnête lettré peut mettre dans un livre! Moi-même je l'y mettrais si je voulais! Mais la splendeur, la sonorité, le lyrisme débordant, la profusion d'images éclatantes des *Contemplations*; mais l'étrangeté et la perfection plastique de la *Tentation*, voilà ce dont Hugo et Flaubert étaient seuls capables! Il eût mieux valu qu'ils y joignissent le bon goût et le bon sens; mais, après tout, je n'attache pas un si haut prix à ce que je puis posséder ou acquérir tout comme un autre et, où il ne manque que ce que vous et moi aurions pu apporter, je ne suis pas tenté de réclamer si fort. Car ces qualités communes peuvent contribuer à la perfection d'une œuvre; mais, toutes seules, elles feraient pauvre figure, et, au contraire, une originalité puissante vaut encore beaucoup et emporte ou séduit, même sans elles. »

J'allais sans doute trop loin. Il y a des règles nécessaires dont la violation empêche une œuvre de valoir tout son prix (encore l'interprétation de ces règles peut-elle être plus ou moins rigoureuse). Mais j'avais peut-être raison d'admirer quand même les *Contemplations* et la *Tentation* et de croire que la vraie beauté d'un livre est quelque chose d'intime et de profond qui ne saurait être atteint par des manquements même aux règles de la rhétorique et des convenances; que l'écrivain vaut avant tout par une façon de voir, de sentir, d'écrire, qui soit bien à lui et qui le place au-dessus du commun—je ne dis pas n'importe comment ni par quelque singularité facile et apprise.

Mais il faut aimer pour bien comprendre et jusqu'au fond. Or il y a plusieurs écrivains de notre temps, même intéressants et rares, que M. Brunetière n'aime pas, et justement parce qu'il ne trouve pas chez eux ces indispensables qualités communes qu'exigeait M. Étienne de Victor Hugo et qui surabondent chez les grands écrivains du xviie siècle. En outre, il a, si j'ose dire, l'esprit trop philosophique, trop préoccupé de théories, pour se laisser prendre bonnement à d'autres livres que ceux sur lesquels il est d'avance pleinement renseigné et rassuré. Comme sa pente est de classer, et aussi de rattacher les auteurs les uns aux autres, d'expliquer la filiation des livres, de soulever des questions générales, ce souci le détourne de pénétrer autant qu'il le pourrait dans l'intelligence et dans le sentiment d'une œuvre nouvelle. Son premier mouvement est de la comparer aux « modèles » et, cependant qu'il se hâte de la juger, il oublie d'en jouir, de chercher quelle est enfin sa beauté particulière et si l'auteur, malgré les fautes et les partis pris, n'aurait point par hasard quelque originalité et quelque puissance, des impressions, une vue des choses qui lui appartienne et qui le distingue. Mais M. Brunetière n'entre que dans les âmes d'il y a deux cents ans: dans les nôtres, il ne daigne. Il avoue quelque part qu'il y a dans l'œuvre de M. Zola quelques centaines de pages qui sont belles: que ne parle-t-il un peu de celles-là? Mais il aime mieux déduire de combien de façons les autres sont mauvaises. Hé! oui, il y a dans M. Zola beaucoup de grossièretés inutiles, et ses romans ne sont peut-être pas aussi vrais qu'il le croit. Hé! non, ce n'est pas un psychologue aussi fin que La Rochefoucauld, ni un écrivain aussi sûr que Flaubert. Et après? Il n'y en a pas moins chez M. Zola une originalité singulière, quelque chose qui diffère de ce qu'on rencontre chez Balzac et chez Flaubert lui-même; et c'est cela qu'il serait utile de définir après l'avoir senti.

En résumé, M. Brunetière est un juge excellent des classiques parce qu'il les aime. Ailleurs, je serais souvent tenté de le récuser, ou du moins il me paraît qu'on peut comprendre tout autrement que lui, d'une manière à la fois plus équitable et plus prudente, la critique des contemporains....

Ce que j'aime dans le livre le plus manqué de Flaubert, c'est encore Flaubert. Ce qui me plaît dans l'article le plus sévère de M. Brunetière, c'est M. Brunetière. Je me garderai donc de lui souhaiter en finissant un peu d'indulgence, un peu de frivolité, un peu de dépravation: il n'aurait qu'à y perdre! Du moins il n'est pas absolument sûr qu'il y gagnerait, tandis que, tel qu'il est, et quoique je ne sente pas comme lui une fois sur dix, je n'ai aucune peine (on excusera la solennité de la formule) à saluer en lui un maître.

PAUL VERLAINE

Notre poésie a toujours trop ressemblé à de la belle prose. Ceux mêmes qui y ont mis le moins de raison en ont encore trop mis. Imaginez quelque chose d'aussi spontané, d'aussi gracieusement incohérent, d'aussi peu oratoire et discursif que certaines rondes enfantines et certaines chansons populaires, des séries d'impressions notées comme en rêve. Mais supposez en même temps que ces impressions soient très fines, très délicates et très poignantes, qu'elles soient celles d'un poète un peu malade, qui a beaucoup exercé ses sens et qui vit à l'ordinaire dans un état d'excitation nerveuse. Bref, une poésie sans pensée, à la fois primitive et subtile, qui n'exprime point

des suites d'idées liées entre elles (comme fait la poésie classique), ni le monde physique dans la rigueur de ses contours
(comme fait la poésie parnassienne), mais des états d'esprit où
nous ne nous distinguons pas bien des choses, où les sensations
sont si étroitement unies aux sentiments, où ceux-ci naissent si
rapidement et si naturellement de celles-là qu'il nous suffit de
noter nos sensations au hasard et comme elles se présentent
pour exprimer par là même les émotions qu'elles éveillent successivement dans notre âme...

Comprenez-vous?... Moi non plus. Il faut être ivre pour
comprendre. Si vous l'êtes jamais, vous remarquerez ceci. Le
monde sensible (toute la rue si vous êtes à Paris, le ciel et les
arbres si vous êtes à la campagne) vous entre, si je puis dire, dans
les yeux. Le monde sensible cesse de vous être extérieur. Vous
perdez subitement le pouvoir de l'« objectiver », de le tenir en
dehors de vous. Vous éprouvez réellement qu'un paysage n'est,
comme on l'a dit, qu'un état de conscience. Dès lors il vous
semble que vous n'avez qu'à dire vos perceptions pour traduire
du même coup vos sentiments, que vous n'avez plus besoin de
préciser le rapport entre la cause et l'effet, entre le signe et la
chose signifiée, puisque les deux se confondent pour vous...
Encore une fois, comprenez-vous? Moi je comprends de moins
en moins; je ne sais plus, j'en arrive au balbutiement. Je
conçois seulement que la poésie que j'essaye de définir serait
celle d'un solitaire, d'un névropathe et presque d'un fou, qui
serait néanmoins un grand poète. Et cette poésie se jouerait
sur les confins de la raison et de la démence.

Quant à l'homme de cette poésie, je veux que ce soit un être
exceptionnel et bizarre. Je veux qu'il soit, moralement et
socialement, à part des autres hommes. Je me le figure presque
illettré. Peut-être a-t-il fait de vagues humanités; mais il ne
s'en est pas souvenu. Il connaît peu les Grecs, les Latins et les
classiques français: il ne se rattache pas à une tradition. Il
ignore souvent le sens étymologique des mots et les significa-
tions précises qu'ils ont eues dans le cours des âges; les mots
sont donc pour lui des signes plus souples, plus malléables qu'ils

ne nous paraissent, à nous. Il a une tête étrange, le profil de
Socrate, un front démesuré, un crâne bossué comme un bassin
de cuivre mince. Il n'est point civilisé; il ignore les codes et la
morale reçue. On a vu dans le cénacle parnassien sa face de
faune cornu, fils intact de la nature mystérieuse. Il s'enivrait,
avec les autres, de la musique des mots, mais de leur musique
seulement; et il est resté un étranger parmi ces Latins sensés
et lucides...

Un jour, il disparaît. Qu'est-il devenu? Je vais jusqu'au
bout de ma fantaisie. Je veux qu'il ait été publiquement rejeté
hors de la société régulière. Je veux le voir derrière les barreaux
d'une geôle, comme François Villon, non pour s'être fait, par
amour de la libre vie, complice des voleurs et des malandrins,
mais plutôt pour une erreur de sensibilité, pour avoir mal
gouverné son corps et, si vous voulez, pour avoir vengé, d'un
coup de couteau involontaire et donné comme en songe, un
amour réprouvé par les lois et coutumes de l'Occident moderne.
Mais, socialement avili, il reste candide. Il se repent avec
simplicité, comme il a péché—et d'un repentir catholique, fait
de terreur et de tendresse, sans raisonnement, sans orgueil de
pensée: il demeure, dans sa conversion, comme dans sa faute,
un être purement sensitif...

Puis une femme, peut-être, a eu pitié de lui, et il s'est laissé
conduire comme un petit enfant. Il reparaît, mais continue de
vivre à l'écart. Nul ne l'a jamais vu ni sur le boulevard, ni au
théâtre, ni dans un salon. Il est quelque part, à un bout de
Paris, dans l'arrière-boutique d'un marchand de vin, où il boit
du vin bleu. Il est aussi loin de nous que s'il n'était qu'un satyre
innocent dans les grands bois. Quand il est malade ou à bout
de ressources, quelque médecin, qu'il a connu interne autrefois,
le fait entrer à l'hôpital; il s'y attarde, il y écrit des vers; des
chansons bizarres et tristes bruissent pour lui dans les plis des
froids rideaux de calicot blanc. Il n'est point déclassé: il n'est
pas classé du tout. Son cas est rare et singulier. Il trouve
moyen de vivre dans une société civilisée comme il vivrait en
pleine nature. Les hommes ne sont point pour lui des individus

avec qui il entretient des relations de devoir et d'intérêt, mais des formes qui se meuvent et qui passent. Il est le rêveur. Il a gardé une âme aussi neuve que celle d'Adam ouvrant les yeux à la lumière. La réalité a toujours pour lui le décousu et l'inexpliqué d'un songe...

Il a bien pu subir un instant l'influence de quelques poètes contemporains; mais ils n'ont servi qu'à éveiller en lui et à lui révéler l'extrême et douloureuse sensibilité, qui est son tout. Au fond, il est sans maître. La langue, il la pétrit à sa guise, non point, comme les grands écrivains, parce qu'il la sait, mais, comme les enfants, parce qu'il l'ignore. Il donne ingénument aux mots des sens inexacts. Et ainsi il passe auprès de quelques jeunes hommes pour un abstracteur de quintessence, pour l'artiste le plus délicat et le plus savant d'une fin de littérature. Mais il ne passe pour tel que parce qu'il est un barbare, un sauvage, un enfant... Seulement cet enfant a une musique dans l'âme, et, à certains jours, il entend des voix que nul avant lui n'avait entendues...

PIERRE LOTI

1850–1923

Des âmes de passage pour qui le voyage
est une façon naturelle de respirer et de
sentir. PAUL BOURGET

One winter's night in 1903, while the cruiser *Vautour* plowed through a stiff gale, an obscure ensign stood watching his commander pace the swaying bridge.

Loti for two hours has been humming the same melody through closed lips. As I listen, I recognize it in spite of that other song — stronger and more genial — the song of the wind tearing through stays and steel shrouds. Loti is humming a bit of Lalo — *Le Roi d'Ys*,

Vainement, ma bien-aimée...

I am consumed with curiosity, though at first I am very patient. To starboard land appears. I rush to the compass. "North thirty-five, east..." Shouting my orders, I hurry down to the chart and scribble the corrected bearing. When I return Loti is still humming.

"Captain, Cape Sigiau lies north, forty-seven east of us..."

"Ah," replies Loti placidly. He comes to look for himself, however, makes a mental calculation, corrects the course. "Swing ten degrees east..." Then, when I have repeated the order to the wheel, I venture, "Captain, are you particularly fond of Lalo?" His eyes show surprise.

"Lalo? Why?"

"Well, *Le Roi d'Ys*?" He does not understand me. I explain. "I merely noticed that for some little time you have been humming *Vainement, ma bien-aimée...*"

He bursts into laughter. "It is very possible! I assure you, I was not aware of it. No; in fact I do not particularly like Lalo... You know my two passions: Chopin, Franck..." He is silent, and I think to myself: He hummed *Le Roi d'Ys* for two hours without being aware of it. He was thinking of something else. Of something else. Of what, I wonder?...*

*Claude Farrère, "Pierre Loti, capitaine de frégate," in *La Revue critique des idées et des livres*, July 25, 1923. See also Monsieur Farrère's splendid tribute to his older friend and brother officer, "Ma Dernière Visite à Pierre Loti," in *La Revue des deux mondes*, July 1, 1923.

Music and the sea were, in fact, Pierre Loti's two great passions. Before he was fifteen he had tasted the joys of Beethoven and Chopin —César Franck and Lalo came later ; before he was thirty he had tasted the salt of a half-dozen seas and had filled his first diaries with the music of wind and wave and exotic ports.

His real name was Julien Viaud. He was born in the dull gray city of Rochefort, and the first memories of this timid, reserved, effeminate boy were of the Atlantic Ocean. Even in his childhood he was restless for the sea ; and after he had served an apprenticeship in Brest and made his cruises as midshipman, he entered upon the career of naval officer.

A sea-dog with a poet's gift of expression. He is no realist ; he has no gift of psychology ; he can express no deep religious feeling, nor will he moralize. Above all else he is an artist. He is a poet and an impressionist, remarkably sensitive to the most infinitesimal emotions. His novels betray no well-defined plots, but are merely the poetized diaries of a sailor, filled with exotic souvenirs of strange harbors and stranger heroines—love romances, all ending unhappily. They are a succession of scenes in remote lands, artless idylls of friendships and passions doomed to be fragile and fleeting, woven into a lovely picture. *Aziyadé* ; *Le Mariage de Loti*; *Le Roman d'un spahi*; *Madame Chrysanthème*; *Matelot*; *Ramuntcho*,—they take us to the four corners of the globe. And in each Loti has succeeded in catching and reproducing the soul of the country: Turkey or Tahiti, Senegal, Japan, French Indo-China, or the Basque provinces. Though Loti's vocabulary is modest and restrained,— he has no superabundance of picturesque adjectives,—he has an artist's ability to evoke, whether it be the Golden Horn by night or Nagasaki by noon or the blossoming broom of the Breton coast.

In 1883 *Mon Frère Yves* appeared, followed three years later by *Pêcheur d'Islande*, both tales of Breton lads on far-away seas and in home ports. *Mon Frère Yves* tells quite simply the story of a sailor who forms a deep affection for an older officer ; it tells of the daily routine aboard a man-of-war and of the coarse yet homely life of sailors, of their childlike joys and fears, of the vague homesickness which attacks their dreamy Breton natures, and of the fiery temptations which seize them in that Atlantic arsenal, Brest. *Pêcheur d'Islande* is written in much the same mood, picturing the idyllic loves of Yann the Iceland fisherman for a Breton girl and for the sea. He has had his bride for six days, when he sails away into sinister northern waters, never to return.

Il ne revint jamais.

Une nuit d'août, là-bas au large de la sombre Islande, au milieu d'un grand bruit de fureur, avaient été célébrées ses noces avec la mer.

Et à ses noces, ils y étaient tous, ceux qu'il avait conviés jadis. Tous, excepté Sylvestre, qui, lui, s'en était allé dormir dans des jardins enchantés,— très loin, de l'autre côté de la Terre.

Loti's romances are filled with the color, the beauty, the dread, and the fatality of the sea. His brother Yves, from the maintopsail in southern waters, watching the flying-fish and the dorados, or Yann in the great fogs of the north ; enchanted moonlight on the Bosporus or the giant winter swells off Cape Horn,—numberless evocations of the ocean. Paul Bourget has written somewhere of certain souls of passage for whom a voyage is a natural fashion of breathing and feeling. Loti was of this number, yet his romances are filled with a vague unrest, a personal confession of ennui ; they are impregnated with it as with the salt spray, tempered always by exoticism as a kind of lulling opiate. Loti, the wanderer, forever putting out to sea, finds that happiness is only a transitory thing, like those brief and poignant idylls with a delicate Madame Chrysanthemum or a voluptuous Aziyadé. Until finally he grows weary, weary of men and of himself ; and as Pierre the sea-rover sits by the cradle of little Pierre—Yves's son—he looks wistfully into the future, but his glance is the glance of a sailor who is not at peace with his soul ; the glance of the Protestant from the lowlands of Saintonge who has become estranged from his faith and sees before him the vagueness of an oriental Nirvana:

Et après?... Petit Pierre grandira, courra les mers, et nous, mon frère, nous passerons, et tout ce que nous avons aimé avec nous,—nos vieilles mères d'abord,—puis tout et nous-mêmes, les vieilles mères des chaumières bretonnes comme celles des villes, et la vieille Bretagne aussi, et tout, et toutes les choses de ce monde!

In 1906 Pierre Loti espoused the cause of the Turkish women in his *Désenchantées,* with Stamboul again in the glittering foreground of his novel. Later, when Turkey was beset on all sides by enemies, he defended the country which as a youth he had learned to love, in *La Turquie agonisante.* In 1914 Commander Viaud, although he had been for some years retired from the navy, begged to be reinstated so that he might serve once more under French colors as well as age and health would permit. His war experiences served as stimulus for *La Hyène enragée* and *L'Horreur allemande,* two forceful documents directed against the traditional foe. In 1920, finally, he completed his cycle of wistful romantic confessions, begun so many years before with his *Roman d'un enfant,* and gave to the public his delightful *Prime Jeunesse.*

On June 16, 1923, Pierre Loti put out to sea for the last time. On that day his body was borne from the old home in Rochefort out to the wind-swept Ile d'Oléron for burial. The sailor was at last home from the sea.

STAMBOUL

Il y avait réception chez Izeddin-Ali-effendi, au fond de Stamboul: la fumée des parfums, la fumée du tembaki,[1] le tambour de basque aux paillettes de cuivre, et des voix d'hommes chantant comme en rêve les bizarres mélodies de l'Orient.

Ces soirées qui m'avaient paru d'abord d'une étrangeté barbare, peu à peu m'étaient devenues familières, et chez moi, plus tard, avaient lieu des réceptions semblables où l'on s'enivrait au bruit du tambour, avec des parfums et de la fumée.

On arrive le soir aux réceptions d'Izeddin-Ali-effendi, pour ne repartir qu'au grand jour. Les distances sont grandes à Stamboul par une nuit de neige, et Izeddin entend très largement l'hospitalité.

La maison d'Izeddin-Ali, vieille et caduque au dehors, renferme dans ses murailles noires les mystérieuses magnificences du luxe oriental. Izeddin-Ali professe d'ailleurs le culte exclusif de tout ce qui est *eski*,[2] de tout ce qui rappelle les temps regrettés du passé, de tout ce qui est marqué au sceau d'autrefois.

On frappe à la porte, lourde et ferrée; deux petites esclaves circassiennes viennent sans bruit vous ouvrir.

On éteint sa lanterne, on se déchausse, opérations très bourgeoises voulues par les usages de la Turquie. Le *chez soi*, en Orient, n'est jamais souillé de la boue du dehors; on la laisse à la porte, et les tapis précieux que le petit-fils a reçus de l'aïeul, ne sont foulés que par des babouches ou des pieds nus.

Ces deux esclaves ont huit ans; elles sont à vendre et elles le savent. Leurs faces épanouies sont régulières et charmantes; des fleurs sont plantées dans leurs cheveux de bébé, relevés très haut sur le sommet de la tête. Avec respect elles vous prennent la main et la touchent doucement de leur front.

On monte de vieux escaliers sombres, couverts de somptueux tapis de Perse; le haremlike[3] s'entr'ouvre doucement et des yeux de femmes vous observent, par l'entre-bâillement d'une porte incrustée de nacre.

Dans une grande pièce où les tapis sont si épais qu'on croirait marcher sur le dos d'un mouton de Kachemyre, cinq ou six jeunes hommes sont assis, les jambes croisées, dans des attitudes de nonchalance heureuse, et de tranquille rêverie. Un grand vase, de cuivre ciselé, rempli de braise, fait à cet appartement une atmosphère tiède, un tant soit peu lourde qui porte au sommeil. Des bougies sont suspendues par grappes au plafond de chêne sculpté; elles sont enfermées dans des tulipes d'opale, qui ne laissent filtrer qu'une lumière rose, discrète et voilée.

Les chaises, comme les femmes, sont inconnues dans ces soirées turques. Rien que des divans très bas, couverts de riches soies d'Asie; des coussins de brocart, de satin et d'or, des plateaux d'argent, où reposent de longs chibouks de jasmin; de petits meubles à huit pans, supportant des narguilhés que terminent de grosses boules d'ambre incrustées d'or.

Tout le monde n'est pas admis chez Izeddin-Ali, et ceux qui sont là sont choisis; non pas de ces fils de pacha, traînés sur les boulevards de Paris, gommeux et abêtis, mais tous enfants de la *vieille Turquie* élevés dans les Yalis dorés,[4] à l'abri du vent égalitaire empesté de fumée de houille qui souffle d'Occident. L'œil ne rencontre dans ces groupes que de sympathiques figures, au regard plein de flamme et de jeunesse.

Ces hommes qui, dans le jour, circulaient en costume européen, ont repris le soir, dans leur inviolable intérieur la chemise de soie et le long cafetan en cachemire doublé de fourrure. Le paletot gris n'était qu'un déguisement passager et sans grâce, qui seyait mal à leurs organisations asiatiques.

...La fumée odorante décrit dans la tiède atmosphère des courbes changeantes et compliquées; on cause à voix basse, de la guerre souvent, d'Ignatief[5] et des inquiétants «Moscov», des destinées fatales que Allah prépare au khalife et à l'islam. Les toutes petites tasses de café d'Arabie ont été plusieurs fois remplies et vidées; les femmes du harem, qui rêvent de se montrer, entr'ouvrent la porte pour passer et reprendre elles-mêmes les plateaux d'argent. On aperçoit le bout de leurs doigts, un œil quelquefois, ou un bras retiré furtivement; c'est tout, et, à la cinquième heure turque (dix heures), la porte du haremlike est close, les belles ne paraissent plus.

Le vin blanc d'Ismidt[6] que le Koran n'a pas interdit est servi dans un verre unique, où, suivant l'usage, chacun boit à son tour.

On en boit si peu, qu'une jeune fille en demanderait davantage, et que ce vin est tout à fait étranger à ce qui va suivre.

Peu à peu, cependant, la tête devient plus lourde, et les idées plus incertaines se confondent en un rêve indécis.

Izeddin-Ali et Suleïman prennent en main des tambours de basque, et chantent d'une voix de somnambule de vieux airs venus d'Asie. On voit plus vaguement la fumée qui monte, les regards qui s'éteignent, les nacres qui brillent, la richesse du logis. Et tout doucement arrive l'ivresse, l'oubli désiré de toutes les choses humaines!

Les domestiques apportent les yatags,[7] où chacun s'étend et s'endort...

...Le matin est rendu; le jour se faufile à travers les treillages de frêne, les stores peints et les rideaux de soie.

Les hôtes d'Izeddin-Ali s'en vont faire leur toilette, chacun dans un cabinet de marbre blanc, à l'aide de serviettes si brodées et dorées qu'en Angleterre on oserait à peine s'en servir.

Ils fument une cigarette, réunis autour du brasero de cuivre, et se disent adieu.

Le réveil est maussade. On s'imagine avoir été visité par quelque rêve des *Mille et une Nuits*, quand on se retrouve le matin, pataugeant dans la boue de Stamboul, dans l'activité des rues et des bazars.

LA VIEILLE BRETAGNE

C'est le dernier jour, le dernier soir. Yves, petit Pierre et moi, nous allons à la chaumière des vieux Keremenen, pour ma visite d'adieu à la grand'mère Marianne.

Elle habite seule, maintenant, sous son toit plein de mousse, sous les grands chênes étendus en voûte. Pierre Kerbras et Anne, qui se sont mariés au printemps, font bâtir dans le village une vraie maison, en granit, pareille à celle d'Yves. Tous les enfants sont partis.

Pauvre chaumière où s'agitaient si joyeusement, le jour du baptême, les belles coiffes et les collerettes blanches! Déjà passé, tout cela; à présent, elle est vide et silencieuse. Nous nous asseyons sur les vieux bancs de chêne, nous accoudant sur la table où nous avions fait le grand repas joyeux. La grand'-mère est sur un escabeau, filant à sa quenouille, la tête basse; son air déjà devenu caduc et égaré.

Bien que le soleil ne soit pas encore très bas, ici il fait noir.

Autour de nous, rien que des choses d'autrefois, pauvres et primitives. Des chapelets très grossiers sont suspendus aux pierres brutes, au granit des murs; dans les coins perdus d'ombre, on aperçoit les cosses de chêne amassées pour l'hiver, et de vieux ustensiles de ménage, noircis et poudreux, aux formes anciennes et naïves.

Jamais nous n'avions si bien senti combien tout cela est passé et loin de nous.

C'est la vieille Bretagne d'autrefois, bientôt morte.

Par la cheminée filtre la lumière du ciel, des tons verts tombent d'en haut sur les pierres de l'âtre, et par la porte ouverte on aperçoit le sentier breton, avec un rayon du soleil couchant dans les chèvrefeuilles et les fougères.

Nous devenons rêveurs, Yves et moi, dans cette visite que nous sommes venus faire au logis des grands-parents.

D'ailleurs, la grand'mère Marianne ne parle que le breton. De temps en temps, Yves lui adresse la parole dans cette langue du passé; elle répond, sourit, l'air heureux de nous regarder; mais la conversation tombe vite et le silence revient...

Tristesse vague du soir, rêverie des temps lointains dans ce vieux logis qui bientôt s'affaissera au bord du chemin, qui tombera en ruine comme ses vieux hôtes et qu'on ne re-lèvera plus.

Petit Pierre est là avec nous. Il affectionne beaucoup, lui, cette chaumière, et cette vieille grand'mère, qui le gâte avec adoration. Il aime surtout la petite corbeille de chêne, œuvre d'un autre siècle, dans laquelle on l'avait mis quand il est né. Il est plus long que son berceau maintenant et s'en sert, assis dedans, comme d'une balançoire, promenant autour de lui ses yeux noirs éveillés. Et voilà maintenant la grand'mère, tout courbée, près de lui, l'échine arrondie sous sa collerette à fraise, qui le berce elle-même pour l'amuser. Elle le berce en chantant, et lui, de temps en temps, lance au milieu de ces notes grêles l'éclat de son rire d'enfant.

Boudoul galaïchen! boudoul galaïch du![8]

Chante, pauvre vieille, de ta voix cassée qui tremble, chante la berceuse antique, l'air qui vient de loin dans la nuit des générations mortes et que tes petits-enfants ne sauront plus.

Boudoul, boudoul! galaïchen, galaïch du!

On s'attend à voir par la grande cheminée, avec la lueur qui descend d'en haut, des nains et des fées descendre.

Au dehors, le soleil dore toujours les branches des chênes, les chèvrefeuilles et les fougères.

Au dedans, dans la chaumière isolée, tout est mystérieux et noir.

Boudoul, boudoul! galaïchen, galaïch du!

Berce encore ton petit-fils, vieille femme en fraise blanche. Bientôt ce sera fini des chansons bretonnes et aussi des vieux Bretons.

Maintenant, petit Pierre joint ses mains pour faire sa prière du soir.

Mot pour mot, d'une voix très douce qui a beaucoup l'accent de Toulven, il répète en nous regardant tout ce que sa grand'-mère sait de français:

—Mon Dieu, ma bonne sainte Vierge, ma bonne sainte Anne,

je vous prie pour mon père, pour ma mère, pour mon parrain, pour mes grands-parents, pour ma petite sœur Yvonne...

—Pour mon oncle Goulven, qui est bien loin sur la mer, ajoute Yves d'une voix grave.

Et encore plus recueilli :

—Pour ma grand'mère de Plouherzel.

—Pour ma grand'mère de Plouherzel, répète petit Pierre.

Et puis il attend autre chose pour répéter encore, gardant toujours ses mains jointes.

Mais Yves a presque des larmes à ce souvenir poignant, qui lui revient tout à coup de sa mère, de sa chaumière, à lui, de son village de Plouherzel, que son fils connaîtra à peine et que lui ne reverra peut-être plus. Ainsi est la vie pour les enfants de la côte, pour les marins : ils s'en vont, les lois de leur métier de mer les séparent de parents chéris qui savent à peine leur écrire et qu'ensuite ils ne revoient plus.

Je regarde Yves, et, comme nous nous comprenons sans nous parler, je pressens très bien ce à quoi il va penser.

Aujourd'hui il est heureux au delà de son rêve, beaucoup de choses sombres sont éloignées et vaincues, et pourtant, et après ? Le voilà tout à coup plongé dans je ne sais quel songe de passé et d'avenir, mélancolie étrange, et après ?

Boudoul galaïchen! boudoul galaïch du!

chante la vieille femme, le dos courbé sous sa fraise blanche.

Et après ?... Petit Pierre seul est en train de rire. Il tourne de côté et d'autre sa tête vive, bronzée et vigoureuse ; la gaîté, la flamme de la vie toute neuve sont encore dans ses grands yeux noirs.

Et après ?... Tout est sombre dans la chaumière abandonnée ; on dirait que les objets causent entre eux avec mystère du passé ; la nuit va descendre autour de nous sur les grands bois.

Et après ?... Petit Pierre grandira, courra les mers, et nous, mon frère, nous passerons, et tout ce que nous avons aimé avec nous,—nos vieilles mères d'abord,—puis tout et nous-mêmes, les vieilles mères des chaumières bretonnes comme celles des villes, et la vieille Bretagne aussi, et tout, et toutes les choses de ce monde!

Boudoul galaïchen! boudoul galaïch du!

La nuit tombe, et une tristesse inattendue, profonde, nous prend au cœur... Pourtant, aujourd'hui nous sommes heureux.

NAGASAKI

I

Au petit jour naissant, nous aperçûmes le Japon.

Juste à l'heure prévue, il apparut, encore lointain, en un point précis de cette mer qui, pendant tant de jours, avait été l'étendue vide.

Ce ne fut d'abord qu'une série de petits sommets roses (l'archipel avancé des Fukaï, au soleil levant). Mais derrière, tout le long de l'horizon, on vit bientôt comme une lourdeur en l'air, comme un voile pesant sur les eaux: c'était cela, le vrai Japon, et peu à peu, dans cette sorte de grande nuée confuse, se découpèrent des silhouettes tout à fait opaques qui étaient les montagnes de Nagasaki.

Nous avions vent debout, une brise fraîche qui augmentait toujours, comme si ce pays eût soufflé de toutes ses forces contre nous pour nous éloigner de lui.—La mer, les cordages, le navire, étaient agités et bruissants.

II

Vers trois heures du soir, toutes ces choses lointaines s'étaient rapprochées, rapprochées jusqu'à nous surplomber de leurs masses rocheuses ou de leurs fouillis de verdure.

Et nous entrions maintenant dans une espèce de couloir ombreux, entre deux rangées de très hautes montagnes, qui se succédaient avec une bizarrerie symétrique—comme les « portants » d'un décor tout en profondeur, extrêmement beau, mais pas assez naturel.—On eût dit que ce Japon s'ouvrait devant

nous, en une déchirure enchantée, pour nous laisser pénétrer
dans son cœur même.

Au bout de cette baie longue et étrange, il devait y avoir
Nagasaki qu'on ne voyait pas encore. Tout était admirablement vert. La grande brise du large, brusquement tombée,
avait fait place au calme ; l'air, devenu très chaud, se remplissait de parfums de fleurs. Et, dans cette vallée, il se faisait une
étonnante musique de cigales ; elles se répondaient d'une rive
à l'autre ; toutes ces montagnes résonnaient de leurs bruissements innombrables ; tout ce pays rendait comme une inces-
sante vibration de cristal. Nous frôlions au passage des
peuplades de grandes jonques, qui glissaient tout doucement,
poussées par des brises imperceptibles ; sur l'eau à peine froissée,
on ne les entendait pas marcher ; leurs voiles blanches, tendues
sur des vergues horizontales, retombaient mollement, drapées
à mille plis comme des stores ; leurs poupes compliquées se
relevaient en château, comme celles des nefs du moyen âge. Au
milieu du vert intense de ces murailles de montagnes, elles
avaient une blancheur neigeuse.

Quel pays de verdure et d'ombre, ce Japon, quel Éden
inattendu !...

Dehors, en pleine mer, il devait faire encore grand jour ; mais
ici, dans l'encaissement de cette vallée, on avait déjà une impression de soir ; au-dessous des sommets très éclairés, les
bases, toutes les parties plus touffues avoisinant les eaux, étaient
dans une pénombre de crépuscule. Ces jonques qui passaient,
si blanches sur le fond sombre des feuillages, étaient manœu-
vrées sans bruit, merveilleusement, par de petits hommes jaunes,
tout nus avec de longs cheveux peignés en bandeaux de femme.
—A mesure qu'on s'enfonçait dans le couloir vert, les senteurs
devenaient plus pénétrantes et le tintement monotone des
cigales s'enflait comme un crescendo d'orchestre. En haut, dans
la découpure lumineuse du ciel entre les montagnes, planaient
des espèces de gerfauts qui faisaient : « Han ! Han ! Han ! »
avec un son profond de voix humaine ; leurs cris détonnaient là
tristement, prolongés par l'écho.

Toute cette nature exubérante et fraîche portait en elle-
même une étrangeté japonaise; cela résidait dans je ne sais quoi
de bizarre qu'avaient les cimes des montagnes et, si l'on peut
dire, dans l'invraisemblance de certaines choses trop jolies. Des
arbres s'arrangeaient en bouquets, avec la même grâce précieuse
que sur les plateaux de laque. De grands rochers surgissaient
tout debout, dans des poses exagérées, à côté de mamelons aux
formes douces, couverts de pelouses tendres: des éléments disparates de paysage se trouvaient rapprochés, comme dans les
sites artificiels.

...Et, en regardant bien, on apercevait çà et là, le plus souvent
bâtie en porte-à-faux au-dessus d'un abîme, quelque vieille
petite pagode mystérieuse, à demi cachée dans le fouillis des
arbres suspendus: cela surtout jetait dès l'abord, aux nouveaux
arrivants comme nous, la note lointaine et donnait le sentiment
que, dans cette contrée, les Esprits, les Dieux des bois, les symboles antiques chargés de veiller sur les campagnes, étaient
inconnus et incompréhensibles...

Quand Nagasaki parut, ce fut une déception pour nos yeux:
au pied des vertes montagnes surplombantes, c'était une ville
tout à fait quelconque. En avant, un pêle-mêle de navires
portant tous les pavillons du monde, des paquebots comme
ailleurs, des fumées noires et, sur les quais, des usines; en fait
de choses banales déjà vues partout, rien n'y manquait.

Il viendra un temps où la terre sera bien ennuyeuse à habiter,
quand on l'aura rendue pareille d'un bout à l'autre, et qu'on ne
pourra même plus essayer de voyager pour se distraire un peu...

Nous fîmes, vers six heures, un mouillage très bruyant, au
milieu d'un tas de navires qui étaient là, et tout aussitôt nous
fûmes envahis.

Envahis par un Japon mercantile, empressé, comique, qui
nous arrivait à pleine barque, à pleine jonque, comme une marée
montante: des bonshommes et des bonnes femmes entrant en
longue file ininterrompue, sans cris, sans contestations, sans

bruit, chacun avec une révérence si souriante qu'on n'osait pas se fâcher et qu'à la fin, par effet réflexe, on souriait soi-même, on saluait aussi. Sur leur dos ils apportaient tous des petits paniers, des petites caisses, des récipients de toutes les formes, inventés de la manière la plus ingénieuse pour s'emboîter, pour se contenir les uns les autres et puis se multiplier ensuite jusqu'à l'encombrement, jusqu'à l'infini ; il en sortait des choses inattendues, inimaginables ; des paravents, des souliers, du savon, des lanternes ; des boutons de manchettes, des cigales en vie chantant dans des petites cages ; de la bijouterie, et des souris blanches apprivoisées sachant faire tourner des petits moulins en carton ; des photographies obscènes ; des soupes et des ragoûts, dans des écuelles, tout chauds, tout prêts à être servis par portions à l'équipage ;—et des porcelaines, des légions de potiches, de théières, de tasses, de petits pots et d'assiettes... En un tour de main, tout cela, déballé, étalé par terre avec une prestesse prodigieuse et un certain art d'arrangement ; chaque vendeur accroupi à la singe, les mains touchant les pieds, derrière son bibelot—et toujours souriant, toujours cassé en deux par les plus gracieuses révérences. Et le pont du navire, sous ces amas de choses multicolores, ressemblant tout à coup à un immense bazar. Et les matelots, très amusés, très en gaîté, piétinant dans les tas, prenant le menton des marchandes, achetant de tout, semant à plaisir leurs piastres blanches...

Mais, mon Dieu, que tout ce monde était laid, mesquin, grotesque !...

A la nuit tombante, le pont de notre navire se vida comme par enchantement ; ayant en un tour de main refermé leurs boîtes, replié leurs paravents à coulisses, leurs éventails à ressorts ; ayant fait à chacun de nous la révérence très humble, les petits bonshommes et les petites bonnes femmes s'en allèrent.

Et à mesure que la nuit descendait, confondant les choses dans de l'obscurité bleuâtre, ce Japon où nous étions redevenait peu à peu, peu à peu, un pays d'enchantements et de féerie. Les grandes montagnes, toutes noires à présent, se dédoublaient par la base dans l'eau immobile qui nous portait, se reflétaient avec leurs découpures renversées, donnant l'illusion de précipices effroyables au-dessus desquels nous aurions été suspendus;—et les étoiles, renversées aussi, faisaient dans le fond du gouffre imaginaire comme un semis de petites taches de phosphore.

Puis tout ce Nagasaki s'illuminait à profusion, se couvrait de lanternes à l'infini; le moindre faubourg s'éclairait, le moindre village; la plus infime cabane, qui était juchée là-haut dans les arbres et que, dans le jour, on n'avait même pas vue, jetait sa petite lueur de ver luisant. Bientôt il y en eut, des lumières, il y en eut partout; de tous les côtés de la baie, du haut en bas des montagnes, des myriades de feux brillaient dans le noir, donnant l'impression d'une capitale immense, étagée autour de nous en un vertigineux amphithéâtre. Et en dessous, tant l'eau était tranquille, une autre ville, aussi illuminée, descendait au fond de l'abîme. La nuit était tiède, pure, délicieuse; l'air rempli d'une odeur de fleurs que les montagnes nous envoyaient. Des sons de guitares, venant des « maisons de thé » ou des mauvais lieux nocturnes, semblaient, dans l'éloignement, être des musiques suaves. Et ce chant des cigales,—qui est au Japon un des bruits éternels de la vie, auquel nous ne devions plus prendre garde quelques jours plus tard tant il est ici le fond même de tous les bruits terrestres,—on l'entendait, sonore, incessant, doucement monotone comme la chute d'une cascade de cristal...

MAURICE BARRÈS

1862–1923

A travers la grande forêt sombre, un chant
vosgien se lève, mêlé d'Alsace et de Lorraine. *Au Service de l'Allemagne*

Maurice Barrès was born in 1862 at Charmes-sur-Moselle. He was
a Lorrainer and a patriot. As a boy he had seen French troops retreating in wretched confusion along the Marne; he had seen his old grandfather, a former captain of Napoleon's Guard, torn from family and
soil and borne away as a hostage by the enemy. Memories such as these
caused Wagner and Nietzsche to fade from his mind and served to
strengthen his slowly developing feeling of nationalism into an absorb-
ing passion.

Barrès's early works of fiction—*Sous l'œil des barbares, Un Homme
libre,* and *Le Jardin de Bérénice*—can scarcely be called novels; they
are rather psychological studies, done in a decadent, romantic style—
spiritual memoirs, their author calls them. "We have had the historical
novel," he writes, "and the novel of Parisian manners; why should not
a generation disgusted with much, perhaps with everything except the
play of ideas, try its hand at the metaphysical novel?" In the works
which he wrote in response to this idea Barrès exposes a surprising doctrine which has been commonly called the cult of the Ego. The hero of
these novels is a wealthy young man of melancholy temper and an
egoist. Through skepticism he has lost his faith in religion. He believes
that a life devoted to self-culture will be the only life worth living, and
to obtain a fuller intellectual development he withdraws to a sort of
ivory tower in Lorraine. By a system of self-analysis in exalted moods
he is able to shut out the barbarians;* he surrounds himself with
luxuries, reads the *Imitation of Christ,* and communes with egoists who

---

* Barbarians—they are all those people whom Flaubert indignantly called
bourgeois and Heinrich Heine called philistines—creatures not of the same
moral race as the refined artist, who none the less constitute the society in
which this artist must develop.— BOURGET, *Essais de psychologie contemporaine*

range from Sainte-Beuve to the cosmopolite Marie Bashkirtseff, familiarly called "Notre-Dame du Sleeping-car." These vague and subtle novels are executed with extreme artistic finish. Here and there we meet lovely descriptions of the author's own Lorraine country,—*la terre lorraine que je n'ai jamais servie*,—and in *Un Homme libre* there are frequent evocations of Italy, especially of the forlorn and vanished beauty of Venice. The city of Veronese furnishes him in fact with a perverse and Baudelairian sense of artistic corruption which at times is unwholesome. The picturesqueness of lovely decay seems to have haunted the mind of Barrès the traveller. In many of his finest pages—in *Du sang, de la volupté et de la mort*, in his *Amori et dolori sacrum*, and in his *Voyage de Sparte*—Toledo or Cordova, Sparta or Ravenna, or the gardens of Lombardy are very like the rose or magnolia to this seeker after sensations, flowers which offer their most intoxicating perfume and their most vivid coloration when death has already begun its decomposition.

The author of *Un Homme libre* did not tarry too long, however, amidst contemplative epicureanism, for he was swept very soon into the arena of political activity. When he was only twenty-seven he became a candidate for parliament and was elected deputy for Nancy, allied to the forces of that romantic figure, General Boulanger. The egoist was launched upon a new career, with a yearning to serve, to adapt his inner self to the world of action. In *L'Ennemi des lois* he studies through his anarchistic hero, André Malterre, the organization of society, seeking some moral rather than material reform. In 1897 he published the first volume of his Novels of National Energy, his first plea for nationalism. *Les Déracinés* tells the story of seven uprooted Lorrainers, young men of intelligence and ambition, who have quit their native soil to seek their fortune in Paris. The transplanting results in a series of tragic failures. "Every living being," writes this disciple of Taine, "is born of a race, a soil, an atmosphere, and genius displays itself only insomuch as it is closely linked with its soil and its dead." In this powerful novel Barrès preaches the religion of the native soil and a loyal acceptance of the heritage which is transmitted through soil consecrated by the dead who lie in it. *Les Déracinés* was followed by *L'Appel au soldat*, a bold account of Boulangism, written ten years after its collapse. Boulanger's plan takes its place in Barrès's program as a significant incident in a series of efforts by which a nation disfigured by foreign intrigue sought to find her true greatness. The novel is filled with hero-worship for that fallen idol and patriot of revenge who, though animated by a passion for glory, none the less placed party interests below those of France.

Leurs Figures, written in 1903, completes the trilogy of Novels of National Energy; it is almost entirely political in its nature, dealing principally with the Panama scandal. These three novels furnish us with a splendid and vigorous picture of political and intellectual Paris of the *fin de siècle*.

In 1906 Maurice Barrès was made a deputy for Paris and was elected to the French Academy. Some time later, while defending his political views, he is quoted as having said: "In politics I have been profoundly interested in one thing alone: the recovery of Metz and Strasbourg. Everything else has been subordinated to this one aim." In fact, Barrès had taken up in all seriousness the great problem of the annexed provinces, and begins now his energetic plea for the defense of those eastern bastions of French culture, for the recovery of those valleys of the Moselle in which the superiority of the French mind had made itself manifest for centuries past. The barbarians are no longer of the intellectual order; they are now of the political order—the ever-menacing German race against whose shocks France must be fortified. The problem of Alsace-Lorraine is studied in two masterpieces of fiction: first, from the point of view of a young Alsatian who is forced to serve in the German army—*Au Service de l'Allemagne*; and later from the point of view of a Lorraine girl, *Colette Baudoche*, who is loved by a generoushearted German student. Friedrich Asmus seeks a happy solution of the question in a fusion of the two races; but Colette, speaking courageously for her sisters, refuses his hand. *Colette Baudoche* is a short novel of surprising beauty and of classical simplicity and is utterly free from sentimentality.

During the war Barrès did a great patriotic service. Day after day and month after month he wrote articles for *L'Écho de Paris*. These have been collected into ten large volumes—a marvelous collection of the most human of documents, for his articles convey to us the spirit, the courage, and the ardent patriotism of scores of unknown soldiers, of every creed, from every section of France, united at last by blood.

The ink of his latest task was still fresh in December of 1923, when his death was announced to the world. The East had always a singular attraction for him; and his *Enquête aux pays du Levant* is a continuation of his patriotic work for France, describing as it does with minute care the work of French missions and schools in far-away lands, maintaining French culture and the spiritual power of France.

UNE VISITE DE TAINE

M. Taine, sur la fin de sa vie, avait coutume
chaque jour de visiter un arbre au square des
Invalides et de l'admirer.
Conversations de Paul Bourget

Rœmerspacher entendit qu'on frappait à sa porte,—la troisième à gauche, au deuxième étage de l'hôtel Cujas,—et, du fond de son unique chambre, sans bouger, il cria:

—Entrez!

Un inconnu, presque un vieillard, plutôt petit, d'aspect grave et simple, apparut, examina d'un coup d'œil cette installation d'étudiant, le lit avec des vêtements épars, l'étroite table de toilette, les livres nombreux, tout un ensemble joyeux et sympathique.

—Vous êtes bien monsieur Rœmerspacher? dit-il. Je suis monsieur Taine.

Évidemment l'illustre philosophe, intéressé par le travail de cet écrivain ignoré, avait passé aux bureaux du journal; et de là, cédant à sa bienveillance, à la curiosité, il était venu jusqu'à l'hôtel garni où le jeune garçon s'enivrait de travail.

Et maintenant, M. Taine est assis auprès de Rœmerspacher, il l'examine, il lui applique ces mêmes regards, cette même intelligence, cette méthode aussi, qui ont été ses instruments pour contempler tant d'œuvres d'art, tant de figures historiques, tant de civilisations.

Le philosophe avait alors cinquante-six ans. Enveloppé d'un pardessus de fourrure grise, avec ses lunettes, sa barbe grisonnante, il semblait un personnage du vieux temps, un alchimiste hollandais. Ses cheveux étaient collés, serrés sur sa tête, sans une ondulation. Sa figure creuse et sans teint avait des tons de bois. Il portait sa barbe à peu près comme Alfred de Musset qu'il avait tant aimé, et sa bouche eût été aisément sensuelle. Le nez était busqué, la voûte du front belle, les tempes bien renflées, encore que serrées aux approches du front, et l'arcade sourcilière nette, vive, arrêtée finement. Du fond de ces douces cavernes, le regard venait à la fois impatient et réservé, retardé par le savoir, semblait-il, et pressé par la curiosité. Et ce caractère, avec la lenteur des gestes, contribuait beaucoup à la dignité d'un ensemble qui aurait pu paraître un peu chétif et universitaire dans certains détails, car M. Taine, par exemple, portait cette après-midi une étroite cravate noire, en satin, comme celle que l'on met le soir.

Le jeune carabin démêla très vite que ces yeux gris de M. Taine, remarquables de douceur, de lumière et de profondeur, étaient inégaux et voyaient un peu de travers ; exactement, il était bigle. Ce regard singulier, avec quelque chose de retourné en dedans, pas très net, un peu brouillé, vraiment d'un homme qui voit des abstractions et qui doit se réveiller pour saisir la réalité, contribuait à lui donner, quand il causait idées, un air de surveiller sa pensée et non son interlocuteur, et ce défaut devenait une espèce de beauté morale.

—Ma santé est un peu mauvaise, dit M. Taine, que vieillissait déjà le diabète, dont il devait mourir dix ans plus tard. Je suis obligé de me promener tous les jours au moins une heure : voulez-vous m'accompagner ? nous causerons en marchant.

Sa voix était très prenante : une voix comme teintée d'accent étranger, qui prononçait les finales *euse* comme les Lorrains exactement.

Ils descendirent la rue Monsieur-le-Prince, trop agitée, puis gagnèrent la rue de Babylone et des quartiers paisibles. Le vieillard demanda au jeune homme :

—Avez-vous des ressources ?

Et, sur une réponse satisfaisante :

—Je suis content ; voilà le point qui m'inquiétait, vous ayant lu et vous trouvant, à ma grande surprise, si jeune. Je vous crois propre aux spéculations intellectuelles : or, je tiens comme un grave danger, pour l'individu et pour la société, la contradiction qu'il y a trop souvent entre un développement cérébral qui nécessite des loisirs, des dépenses, car la grande culture est fort coûteuse, et une condition qui oblige à des besognes... Quels sont vos projets ?

Rœmerspacher expliqua que, tout en menant convenablement

sa médecine, il suivait les conférences d'histoire à l'École des Hautes Études.

—Vous n'avez pas encore trouvé votre voie. Ne hâtez pas vos décisions. Prêtez-vous à la vérité qui, peu à peu et d'elle-même, se créera en votre conscience... Pourtant, donnez-vous une méthode, une discipline. Rien n'est plus dangereux que de laisser vaguer son esprit... Comment vivez-vous? Avez-vous un petit cercle? des idées communes avec des jeunes gens?

Rœmerspacher parla de Sturel et de ses camarades qui seraient journalistes, avocats, médecins.

—Êtes-vous enthousiasmé par une idée? Voudriez-vous faire triompher une conviction philosophique?

—Sans doute, dit Rœmerspacher assez froidement, il y a des maîtres que nous admirons...

—Enfin, poursuivit M. Taine, quelles sont les idées philosophiques et politiques des jeunes gens?

Et, comme l'autre hésitait, il ajouta:

—Voyez-vous qu'ils aient un principe directeur, ou qu'ils se préoccupent plus spécialement de quelque problème?... Nous, par exemple, à votre âge, dans nos causeries indéfinies, nous revenions toujours sur les mêmes points.

—Je sais, dit le jeune homme, ce sont des problèmes fameux: la grande crise de M. Renan à Saint-Sulpice, et son adhésion à la science; votre protestation contre la philosophie spiritualiste, quand vous réhabilitiez le sensualisme de Condillac... D'une façon plus générale, la grande affaire pour votre génération aura été le passage de l'absolu au relatif...[1] Permettez-moi de vous le dire, monsieur, c'est une étape franchie, et nous sommes sur le point de ne plus comprendre l'angoisse de nos aînés accomplissant cette évolution. Ce n'est pas que nous voulions restaurer des liens que vous avez coupés, mais enfin nous ne pouvons pas plus être matérialistes que spiritualistes. Qu'est-ce que la matière?... Il faut vous dire que nous avions pour professeur de philosophie un kantien: il nous a exposé avec une force admirable la critique de toute certitude. Dès lors, comment parler des propriétés de la substance universelle?

ses qualités ne sont rien de plus que des états de notre sensibilité ; nous ne connaissons en soi ni les corps, ni les esprits, mais seulement nos rapports avec les mouvements d'une réalité inconnue et à jamais inconnaissable. Le matérialisme est devenu pour nous une doctrine absolument incompréhensible. Ce n'est plus qu'une conception de la vie dont les parlementaires de toutes nuances et leurs journalistes sont les représentants.

Avec tout cela, Rœmerspacher n'aboutissait pas à une profession de foi décidée. Eh bien ! M. Taine parut goûter que le jeune homme n'improvisât pas quelque belle réponse de circonstance.—Il y a dans notre pays de nombreux esprits qui veulent qu'à tout problème posé on fournisse une solution nette. Grâce à notre éducation littéraire ou, plus exactement, oratoire, nous préférons aux indications délicates d'une pensée qui tâtonne la rotondité d'un beau discours. Mais préciser une question et la laisser en suspens, n'est-ce pas en marquer excellemment l'état ?—Rœmerspacher, qui a si bien défini l'œuvre de ses aînés : « Ils passèrent de l'absolu au relatif », appartient à une génération établie dans le relatif et qui constate pourtant la difficulté de se passer d'un absolu moral. Cet instinct, dont le jeune homme ne prend peut-être pas une conscience claire, se marque par sa répugnance au matérialisme amoral.

Un Taine aurait le droit de s'étonner que ce jeune homme ne distingue pas une éthique dans les méthodes scientifiques qui ont commandé la vie de Renan, de Littré[2] et la sienne propre. Mais cet insatiable curieux de l'esprit humain n'est pas homme à laisser dévier sa petite enquête. Est-il spectacle plus émouvant que de suivre, à vingt-cinq années de distance et chez un être d'élite, l'activité, la force des idées que jadis on a recueillies, élaborées et qui, sans jamais tomber dans le néant, toujours se transformeront ?...

Tout en marchant, le philosophe avait le plus souvent tenu la tête baissée, puis soudain il la relevait pour fixer le ciel. Son regard presque jamais n'allait à hauteur de Rœmerspacher ; évidemment, il suivait exclusivement les idées émises sans les vérifier sur la physionomie de son jeune interlocuteur. Il cau-

sait avec une espèce plutôt qu'avec un individu. Tout au moins,
était-il tombé sur un excellent spécimen. Rœmerspacher est
en voie d'acquérir par ses études la conception rationnelle du
monde qui nous est imposée dans l'état actuel des sciences;
mais il révèle autre chose que les besoins logiques de son
jugement: les besoins moraux de ses sentiments.

Les réflexions qu'en fit M. Taine l'amenèrent à poser une série
de questions plus personnelles et minutieuses: de quel endroit
était Rœmerspacher? s'il avait des parents? s'ils habitaient
Nomeny depuis longtemps? si l'on peut travailler à la Faculté
de Nancy?

—En 1864, lui disait-il, j'ai admiré le bel aspect opulent et
paisible de cette ville. Une pareille cité mériterait de devenir
un centre. Mieux que d'aucune ville française, pensais-je alors,
on pourrait en faire un Heidelberg. Toutefois, il est bien possible que la concentration des choses de l'esprit à Paris vous ait
forcé de venir chercher ici la grande culture.

Il se fit répéter plusieurs fois que le jeune homme, après deux
années, vivait encore presque exclusivement avec les Lorrains.

—Ainsi vous avez une sorte de famille, sinon une parenté,
des compatriotes, un clan. Les idées sont abstraites; on ne s'y
élève que par un effort: quelque belles qu'elles soient, elles ne
suffisent pas au cœur. Ce sera une chose admirable si, grâce à
ces compatriotes, vous pouvez introduire dans votre vie la notion
de sociabilité. La qualité de galant homme n'est pas, comme
on est disposé à le croire, un raffinement de gentilhomme, une
élégance à l'usage des privilégiés: elle importe à la moralité
générale. Que chacun agisse selon ce qui convient dans son
ordre. Respectons chez les autres la dignité humaine et comprenons qu'elle varie pour une part importante selon les milieux,
les professions, les circonstances. Voilà ce que sait l'homme
sociable, et c'est aussi ce que nous enseigne l'observation de la
nature. Si vous formez un groupement, vous serez amené à
considérer et à écouter tantôt celui-ci et tantôt celui-là, selon
les intérêts que vous examinerez: car ce ne sont pas les mêmes
hommes qui sont les plus capables en tout.

Ce point de vue est si nouveau que le jeune homme ne sait pas s'y placer. M. Taine, au hasard d'une conversation, vient d'aborder de biais un ensemble de notions qui forment sa philosophie pratique, la philosophie gœthienne. Il n'en est pas qui contredise plus fortement Kant.[3] Rœmerspacher a reproduit et souligné, dans son article, les arguments par lesquels l'historien condamne toute tentative de refondre les sociétés au nom de la raison pure ; et maintenant l'illustre auteur des *Origines* lui dévoile brièvement ses conclusions, lui indique comment la meilleure école, le laboratoire social, c'est le groupement, l'association libre... La thèse pourra prendre d'étranges prolongements en Rœmerspacher : un principe, quand on le fait admettre à quelqu'un sans l'accompagner des documents, des cas particuliers qui le justifient et le limitent, entraîne des conséquences variées suivant la constitution mentale de ceux qui l'interprètent et l'appliquent.

Ainsi M. Taine s'abstient de compliments. Et Rœmerspacher est assez délicat pour sentir que ce maître, en voulant bien venir jusqu'à sa chambre, puis, en le pressant de questions, lui donne le plus précieux des témoignages. Mais où le jeune homme fut ému, c'est quand le philosophe parla de soi-même :

—Jusqu'au bout, disait-il, j'espère pouvoir travailler.

Ce beau mot, vivant et fort, « travailler », prononcé avec simplicité, prenait dans cette bouche un son grave qui fascina le jeune homme. Un être qui pressent la mort, s'il nous disait : « J'espère, jusqu'au bout, marcher, voir la lumière, entendre la voix des miens », déjà nous émouvrait par ce mélange de faiblesse, de résignation, mais ceci : « Jusqu'au bout j'espère pouvoir travailler ! » Quelle superbe expression de l'unité d'une vie composée toute pour qu'un homme se consacre à la vérité ! Et soudain, relié à cet étranger par un sentiment saint, oui, par un lien religieux, Rœmerspacher sentit dans toutes ses veines un sang chaud que lui envoyait le cœur de ce vieillard.

Voilà donc qu'un jeune garçon qui, de Kant, croyait ne pouvoir utiliser que la dialectique destructive, brusquement, par un très simple accident de la vie, sent jaillir de sa conscience l'acte de foi nécessaire aux opérations élevées de l'esprit. Il dépasse le point de vue rationnel qui, dans l'étude des hauts problèmes, nous fournit seulement des probabilités; il affirme le vrai, le bien, le beau, comme les aliments qui lui sont nécessaires et vers lesquels aspirent les curiosités de sa raison et les effusions de son cœur. A cette âme de bonne volonté, il faudrait seulement qu'on proposât une formule religieuse acceptable.

Ils étaient arrivés devant le square des Invalides; M. Taine s'arrêta, mit ses lunettes et, de son honnête parapluie, il indiquait au jeune homme un arbre assez vigoureux, un platane, exactement celui qui se trouve dans la pelouse à la hauteur du trentième barreau de la grille compté depuis l'esplanade. Oui, de son parapluie mal roulé de bourgeois négligent, il désignait le bel être luisant de pluie, inondé de lumière par les destins alternés d'une dernière journée d'avril.

—Combien je l'aime, cet arbre! Voyez le grain serré de son tronc, ses nœuds vigoureux! Je ne me lasse pas de l'admirer et de le comprendre. Pendant les mois que je passe à Paris, puisqu'il me faut un but de promenade, c'est lui que j'ai adopté. Par tous les temps, chaque jour, je le visite. Il sera l'ami et le conseiller de mes dernières années... Il me parle de tout ce que j'ai aimé: les roches pyrénéennes, les chênes d'Italie, les peintres vénitiens. Il m'eût réconcilié avec la vie, si les hommes n'ajoutaient pas aux dures nécessités de leur condition tant d'allégresse dans la méchanceté.

« Sentez-vous sa biographie? Je la distingue dans son ensemble puissant et dans chacun de ses détails qui s'engendrent. Cet arbre est l'image expressive d'une belle existence. Il ignore l'immobilité. Sa jeune force créatrice dès le début lui fixait sa destinée, et sans cesse elle se meut en lui. Puis-je dire que c'est sa force propre? Non pas; c'est l'éternelle unité, l'éternelle énigme qui se manifeste dans chaque forme. Ce fut d'abord sous le sol, dans la douce humidité, dans la nuit souterraine, que le germe devint digne de la lumière. Et la lumière alors

a permis que la frêle tige se développât, se fortifiât d'états en
états. Il n'était pas besoin qu'un maître du dehors intervînt.
Le platane allégrement étageait ses membres, élançait ses
branches, disposait ses feuilles d'année en année jusqu'à sa
perfection. Voyez, qu'il est d'une santé pure ! Nulle prévalence
de son tronc, de ses branches, de ses feuilles ; il est une fédération
bruissante. Lui-même il est sa loi, et il l'épanouit... Quelle
bonne leçon de rhétorique, et non seulement de l'art du lettré,
mais aussi quel guide pour penser ! Lui, le bel objet, ne nous
fait pas voir une symétrie à la française, mais la logique d'une
âme vivante et ses engendrements. Au terme d'une vie où j'ai
tant aimé la logique, il me marque ce que j'eus peut-être de
systématique et qui n'exprimait pas toujours ma décision
propre, mais une influence extérieure. En éthique surtout je
le tiens pour mon maître. Regardez-le bien. Il a eu ses em-
pêchements, lui aussi ; voyez comme il était gêné par les ombres
des bâtiments : il a fui vers la droite, s'est orienté vers la liberté,
il a développé fortement ses branches en éventail sur l'avenue.
Cette masse puissante de verdure obéit à une raison secrète, à
la plus sublime philosophie, qui est l'acceptation des nécessités
de la vie. Sans se renier, sans s'abandonner, il a tiré des conditions fournies par le réalité le meilleur parti, le plus utile.
Depuis les plus grandes branches jusqu'aux plus petites radi-
celles, tout entier il a opéré le même mouvement... Et maintenant, cet arbre qui, chaque jour avec confiance, accroissait le
trésor de ses énergies, il va disparaître parce qu'il a atteint sa
perfection. L'activité de la nature, sans cesser de soutenir
l'espèce, ne veut pas en faire davantage pour cet individu.
Mon beau platane aura vécu. Sa destinée est ainsi bornée par
les mêmes lois qui, ayant assuré sa naissance, amèneront sa
mort. Il n'est pas né en un jour, il ne disparaîtra pas non plus
en un instant... Déjà en moi des parties se défont et bientôt je
m'évanouirai ; ma génération m'accompagnera, et puis un peu
plus tard viendra votre tour et celui de vos camarades... »

LE 2 NOVEMBRE EN LORRAINE

La colline isolée de Sion-Vaudémont, haute environ de deux cents mètres, se voit de tous les monticules dans un rayon de vingt lieues. Elle a la forme d'un fer à cheval; sur son extrémité méridionale, elle porte le château démantelé des comtes de Vaudémont, d'où sortit la maison de Lorraine qui règne aujourd'hui en Autriche, et, sur sa pointe septentrionale, le couvent et l'église de Sion. C'est ainsi qu'elle élève au-dessus de l'antique grenier lorrain la double tradition religieuse et militaire que chacun de nous entretient dans sa conscience.

Elle fut le centre de notre nationalité. On y vient toujours en pèlerinage. Elle survit au duché de Lorraine,—qu'elle a longuement précédé, puisque les Romains y trouvèrent un dieu indigène. Elle est le point de continuité de notre région.

La plaine agricole, autour de ce sommet, a été négligée de la grande civilisation: ses cultures immuables disciplinent depuis des siècles ses habitants, et sur cette terre antique, l'énergie des autochtones n'a enregistré que les grandes commotions historiques. Tout s'est passé régulièrement. C'est ici un vieil être héritier de lui-même.

Nul lieu plus favorable pour que nous recevions, dans le recueillement, la pensée profonde de la Lorraine. Mais, à donner comme le fruit d'une seule journée ce qu'une longue suite de méditations a gravé dans notre cœur, je rendrais mal intelligible une discipline que j'ai acquise lentement. Nous irons d'autres fois de Sion à Vaudémont, du couvent à la forteresse, par les hauteurs, en marchant sur les ruines romaines. Je ne sais pas au monde une plus belle promenade. Aujourd'hui c'est déjà l'hiver, le sol est détrempé, le grand vent mal commode: ne quittons point le plateau de l'église et la douce allée des tilleuls dont l'ombrage enchante mes étés.

Voici la Lorraine et son ciel: le grand ciel tourmenté de novembre, la vaste plaine avec ses bosselures et cent villages pleins de méfiance. O mon pays, ils disent que tes formes sont mesquines! Je te connais chargé de poésie. Je vois sur ton vaste camp des armes qui reposent. Elles attendent qu'un bras fort les vienne ressaisir.

Je ne m'embarrasse point de savoir ce que vaut un tel paysage pour un amateur étranger. Si le vent de l'extrême automne ramassait par millions les feuilles multicolores de nos forêts pour les emporter à la mer, et quand même il voilerait de leur beau nuage le soleil, le sein de la mer—car elle ignore nos montagnes—n'en aurait pas une palpitation plus forte; mais un verger lorrain, admiré en juillet, que novembre dépouille, c'est assez pour que fermente en nous toute la série de nos aïeux.

Devant ces terres magnifiquement peignées des sillons de la charrue, devant cette multitude de petits champs bombés comme des cuirasses, je prononce pieusement le *Salve, magna parens frugum...* « Salut, terre féconde, mère des hommes... »[4]

Quelle solitude pourtant! et, comment dire? hostile. En 1698, le Père Vincent, « religieux du Tiers-Ordre en la comté de Vaudémont en Lorraine »,[5] louait Sion d'être une solitude, tout autant que je fais deux siècles après lui; mais il ajoutait qu'à l'encontre de tant de « solitudes affreuses », on trouve en celle-ci « ce qu'il faut pour *satisfaire l'esprit et la vue...* Il n'y a que Marie qui l'occupe et quelques religieux dédiés à son service qui, dans ce séjour charmant, éloignés du tumulte du monde, goûtent la douceur d'une vie tranquille et écoutent l'Époux de leurs âmes qui leur parle cœur à cœur ». Ce qu'aujourd'hui nous entendons sur la haute terrasse n'est point pour nous « satisfaire l'esprit ». Vézelise, qui ne se connaît plus comme notre capitale, se cache dans un pli du terrain. Les châteaux d'Étreval, de Frenelle-la-Grande, d'Ormes, de Mazerot, de Germiny, de Thélod, de Frolois-Puligny sont déchus, et les Beauvau ne veulent plus animer Haroué. La brasserie de Tantonville, où Pasteur conduisit ses études sur les ferments, appelle mon attention, mais le grand souvenir qu'elle évoque n'est pas proprement lorrain. Nulle part, semble-t-il, cette plaine ne garde conscience de sa destinée. Elle ne sait même point que l'on s'efforce, par un exercice continu, d'acquérir la possession plénière des richesses morales encloses dans ses cimetières.

Cette indéniable tristesse du paysage de Sion, quelques-uns l'attribuent aux ravins secrets qui ne laissent apercevoir aucune eau sur l'horizon. Et puis ici les maisons ne s'égaillent jamais confiantes dans la verdure qu'elles varieraient. Cette dispersion fait l'aspect joyeux de la riche plaine d'Alsace. Mais au comté de Vaudémont chaque village se ramasse contre l'hiver, contre l'envahisseur. Tant de fois le flot étranger nous recouvrit, sembla nous submerger! Tout fut ruiné, épuisé, hormis la patience de cette bonne terre.

Elle est infiniment morcelée. Ses parcelles composent une multitude de dessins géométriques. Tantôt étendus côte à côte, tantôt placés en étoile, ce sont une série de petits tapis de tous les verts, de tous les roux, plus longs que larges : des tapis de prière. Humble prière que chaque famille murmure depuis des siècles : « Donnez-nous aujourd'hui notre pain quotidien. »

Les visiteurs qui voudraient plus de pittoresque disent que, devant cette immense marqueterie, ils croient avoir sous les yeux, plutôt que la nature franche, une sorte de cadastre. Mais le cadastre, quel livre excellent! Mon ami Frédéric Amouretti employa longtemps ses loisirs à lire le Bottin des départements.[6] On le moquait, mais ce sage avait sa méthode et, par le Bottin, il mettait en mouvement les personnages qui vivent dans nos villes. Dans cette interminable lecture, il s'est rendu compte du riche mécanisme de la vie française. Voyage-t-il? En traversant une ville, il sait ses mœurs, ses travaux, ses délassements et même les noms de certains habitants, des principaux industriels. Il croit avoir tiré de ce livre mal fait plus d'informations que de tous les ouvrages spéciaux. Eh bien! si nous disposons notre esprit à lire notre paysage natal comme un cadastre, si nous nous renseignons, si nous suivons, de ci, de là, le morcellement des propriétés, leurs évaluations successives, leurs mutations, voilà de grands enseignements pour comprendre notre formation.

La motte de terre, qui paraît sans âme, est pleine du passé,

et son témoignage ébranle les cordes de l'imagination. Plus
que tout au monde, j'ai cru aimer le musée du Trocadéro,[7] les
marais d'Aiguesmortes, de Ravenne et de Venise, les paysages
de Tolède et de Sparte, mais à toutes ces fameuses désolations
je préfère maintenant le modeste cimetière lorrain où, devant
moi, s'étale ma conscience profonde.

Cette colline, les légions l'assaillirent quand César les menait
à la conquête du Xaintois,[8] déjà riche en blé et en guerriers. Puis
elle protégea la civilisation romaine, quatre siècles environ,
contre les flots barbares de Germanie. Quelles divinités ado-
raient les propriétaires gallo-romains et les esclaves ruraux sur
le sommet de Sion! Qu'est-ce que cet étrange Mercure marié à
la mystérieuse Rosmerte?[9] A quel Wodan succédaient-ils de
qui le nom demeure dans Vaudémont? Le christianisme ex-
propria les idoles impures au profit de la vierge Marie. Les
hommes de tous ces villages, de ce Saxon, de ce Chaouilley, de
ce Praye, tels que je les vois, et ni plus ni moins marqués pour
être des héros, partirent à pied pour la première Croisade avec
leur comte de Vaudémont qui chevauchait... Par la suite nous
avons trop compté sur nous-mêmes; nous frappions à tour de
rôle sur les Allemands et sur les Français, mais, ayant été les
plus faibles, nous acceptâmes de nous joindre à la grande
famille française... Du haut de Sion, je vois monter de Vézelise
une horde de pillards: c'est 1793, et des idées venues de Paris
habillent cette jacquerie... Maintenant nous formons les régiments de fer que la France oppose à la Germanie. C'est ainsi
que les gens de ce paysage, qui faisaient déjà la bataille, pour
le compte de l'empire romain, contre les barbares de l'Est, sont
de nouveau les grands bastions orientaux de la civilisation
latine. Au sud-est, voici la ligne des ballons vosgiens que les
vicissitudes de la guerre attribuent aujourd'hui pour limites à
la France; à l'ouest, voici les forts de Toul. Les Français, qui
détruisirent les forteresses de Montfort et de la Mothe,[10] n'ont
pas changé notre destinée militaire. Comme furent nos pères,
nous sommes des guetteurs. Qu'est-ce que la pensée maîtresse
de cette région? Une suite de redoutes doublant la ligne du

Rhin. Ce fut la destinée constante de notre Lorraine de se sacrifier pour que le germanisme, déjà filtré par nos voisins d'Alsace, ne dénaturât point la civilisation latine.

Aujourd'hui encore, les grands jours de pèlerinage, quand l'antique plateau rassemble une foule dont je connais les nuances et les puissances politiques, je distingue éternellement vivants les éléments de toutes ces grandes choses. Hélas! je mesure aussi de quelles énergies ces activités privèrent mon antique Xaintois...

On dit que la Vierge de Sion guérit les peines morales. Je puis en porter témoignage. Jamais je n'ai gravi la colline solitaire sans y trouver l'apaisement. Je comprenais mon pays et ma race, je voyais mon poste véritable, le but de mes efforts, ma prédestination. Jamais je ne rêvai là-haut sans que la Lorraine éternelle gonflât mon âme que je croyais abattue. Novembre, toutefois, demeure l'instant parfait d'une préparation qui dure toute l'année.

UNE SOIRÉE SUR L'EUROTAS

> Quelques débris informes, pour la plupart romains, désignent seuls l'emplacement de Sparte.
> LES GUIDES

J'avais une lettre pour un juge du tribunal de Sparte. Je le priai de me conduire au Platanistas.[11] Il fut perplexe et désira en conférer avec un pharmacien de la grande place. Nous tînmes conseil dans la boutique. Je leur lus ce que dit Joanne.[12]

—En longeant l'Eurotas, si nous laissons à gauche des terrains marécageux et, à droite, le village de Psychiko, nous franchirons un canal qui forme, avec l'Eurotas et la Magoulitza, une sorte d'île triangulaire: c'est, messieurs, votre antique Platanistas.

Cependant que je les instruisais, mon hôte, debout sur une chaise, cherchait parmi ses bocaux une crème vanillée rose:

—La plus nouvelle liqueur de Paris, disait-il en remplissant trois verres.

Je le priai de me remettre quelques cachets de quinine, dont il m'avoua que toute la population se nourrissait.

Ces deux aimables Spartiates se préparaient à visiter l'Exposition de Paris. Tout en me conduisant au Platanistas, mon Joanne à la main, le magistrat me disait sa joie patriotique de voir bientôt la Vénus de Milo. Sous l'action de la crème vanillée, je crus pouvoir lui dire que nous avions aussi nos Vénus nationales, qui n'étaient pas manchotes et qu'il rencontrerait aux Folies-Bergère. Nous devînmes trois amis. Par-dessus trente canaux d'irrigation, à travers des demi-marécages, au milieu d'arbousiers et de plantes grasses, qu'ils appellent sphuro, nous descendîmes dans l'immense lit de gravier où le faible Eurotas dessine ses méandres.

Moitié s'excusant, moitié s'enorgueillissant, mes compagnons me répétaient avec le dur accent grec:

—La voilà, cette fameuse Sparte.

Puis ils vantaient les restaurants de Paris. Je leur fis voir sur l'autre rive de hauts escarpements de sable rouge.

—C'est là, messieurs, que se trouvait le tombeau de votre Ménélas.

Je cassai parmi les roseaux quelques branches de laurier-rose, mais je ne vis nager aucun cygne sur l'Eurotas. Depuis des siècles, l'événement a justifié le présage de mort que leur voix rauque avait chanté. Sur la prairie où jadis les vierges de Sparte frottées d'huile luttaient nues avec les garçons, une pauvre petite fille molestait un cochon rétif. C'est ici que les compagnes d'Hélène lui tressèrent une couronne de lis bleus quand elle fut prête à passer dans le lit de Ménélas.

Je fis quelques cents pas sur la route de Gythéion.[13] Les malheurs, les désespoirs, toutes les fatalités endormies sur ces vastes champs de mûriers et de maïs assaillent le passant qui leur est un terrain favorable. J'accompagnais le beau Pâris quand il emporte son amante vers l'île de Cranaos, où leur premier lit est dressé par le plaisir éphémère. C'est par une telle soirée, qui succédait à la plus lourde chaleur, qu'Hélène, pour son infortune et sa gloire, consentit à son instinct. Sur ce chemin de la mer, où déjà me rejoignaient les grandes ombres du Taygète,[14] je voyais fuir le dernier roi de Sparte, Cléomène...[15] Cléomène descend au galop les hauteurs de Sellasie où la phalange macédonienne vient d'enfoncer la suprême armée spartiate; il s'appuie quelques minutes contre la colonne d'un temple, puis, sans vouloir manger ni boire, prend la route de Gythéion et de la mer, comme avaient fait Hélène et Pâris. Ces deux amants furtifs et ce vaincu ouvrent et closent les fastes de Lacédémone.

Nous revînmes dans un café de Sparte, et mon juge interrogea ses compagnons de manille pour savoir où se trouvait la tombe de Léonidas.[16] Bien que ce fût l'heure du brouet, ils me conduisirent en troupe derrière une haie, dans une sorte de jardin, et me dirent:

—C'est là.

On ne trouve rien d'authentique sur les monticules onduleux de Sparte. Qu'est devenue la stèle, près du tombeau de Léonidas, où les enfants épelaient les noms des Trois cents morts aux Thermopyles? Et cette Vénus de Cèdre, assise, la tête voilée et les pieds enchaînés, symbole des vertus domestiques? Et la Diane dérobée en Tauride par Iphigénie, devant laquelle on fouettait les éphèbes?...[17] Mais peut-être les pierres de mémoire élargissent-elles en tombant le culte qu'elles commémoraient. La plaine tout entière devient un monument aux héros. Ce soir, l'horizon, l'histoire et ma chétive pensée font un accord inoubliable. Le soleil a disparu derrière le Taygète, les splendeurs sensibles s'éteignent et cèdent à la fièvre, que je m'enivre encore de la vallée de Sparte.

C'est possible qu'en tous lieux la nature révèle un Dieu, mais je ne puis entendre son hymne que sur la tombe des grands hommes.

ANATOLE FRANCE

1844–1924

—Tout ce que l'on voudra! mais d'abord
Anatole France a maintenu la langue française.   BARRÈS

"He has preserved the French language," Barrès declared. "And style, and good taste, and French *esprit*," added Charles Maurras. "I am sure that he opens his Montaigne, his La Bruyère, his Ronsard more frequently than he does Karl Marx." Nationalists, upholders of the principles of throne and altar, both Maurras and Barrès opposed the radical, Anatole France; but the incomparable stylist who wrote *Thaïs* and *Le Génie latin* stirred in them only a feeling of intellectual justice and artistic delight. "Words are ideas," this master of the French language was wont to declare; "the only thing that counts is style." And with such precepts as these to guide him, Anatole France has achieved for himself the title of one of the greatest masters of prose that have ever lived.

He was born before the Revolution of 1848; while the Second Empire restored the imperial eagles this schoolboy was growing to maturity; after Sedan, when the French people rejected the Count de Chambord for Thiers and Marshal MacMahon, he started leisurely on his career of letters; he saw two wars with the German race; he eulogized many friends at their graves, receiving as it were, like the invincible Antæus, new strength from this contact with his mother, Earth. And he died on October 12, 1924, an old man of eighty, the dean of French letters, the most acclaimed figure in the literary world.

"It does not seem to me possible," he wrote in *Le Livre de mon ami,* "that one could have altogether common wits if one were brought up along the quays of Paris, facing the Louvre and the Tuileries, near the Mazarin Palace, before the glorious river Seine, which flows between the towers and turrets and spires of old Paris." It was on this spot under the shadow of the Institute, that in 1844 Jacques-Anatole Thibault was born. His father was a book-lover and a bookseller; thus the boy grew up in an atmosphere of old prints and old books, eighteenth-century

323

etchings, and rare bindings. Later he frequented Parnassian society, where he developed a love for plastic beauty and an enthusiasm for Greek paganism. His verse—every young man of that generation began by writing verse—reveals this. *Les Poèmes dorés* are dedicated to Leconte de Lisle ; and his *Noces corinthiennes,* suggestive of the *Poèmes antiques* of his Parnassian master, paint those declining days when, according to his view of history, Christian asceticism was stifling grace and beauty:

> Moi, j'ai mis sur ton sein de pâles violettes,
> Et je t'ai peinte, Hellas, alors qu'un Dieu jaloux,
> Arrachant de ton front les saintes bandelettes,
> Sur le parvis rompu brisa tes blancs genoux.

When he was thirty-two Anatole France was appointed a librarian of the senate, and five years later, in 1881, his first novel appeared, *Le Crime de Sylvestre Bonnard.* The story of this crime is one of the most delicately wrought narratives in the whole world of fiction, a common-place little story which tells how an unpractical and absent-minded old scholar and bookworm, a student of medieval archæology, breaks five or six clauses in the French law to "elope" with Clémentine's granddaughter, who is unhappy in boarding-school—for Sylvestre Bonnard had had his romance in days long since past, and Clémentine had married another ; how he puts aside precious volumes from his library, his *cité des livres,* which he intends to sell in order to secure Jeanne a dowry, and how he steals back one by one those beloved books, which he cannot bear to lose. There are delicious pictures of Paris, *cette ville qui pense tant, qui m'a appris à penser, et qui m'invite sans cesse à penser* ; there is delicate irony and gentle wit, a charm of style, and sheer beauty of words, all of which make *Le Crime de Sylvestre Bonnard* a work memorable in the whole history of fiction.

Anatole France promised us for a long time his autobiography. In 1885, in *Le Livre de mon ami,* he gave us the first of a series of reminiscences, presenting his boyhood as the adventures of little Pierre Nozière. Like the hero of a famous novel by the Reverend Laurence Sterne, if not a long while coming into the world, Anatole France—fortunately for us—passed through a rather desultory childhood. In his seventy-ninth year he published the latest volume of what he insisted were the souvenirs of a man with a capricious memory, *La Vie en fleur,* and in them Pierre Nozière is still a lad in school.* These reminiscences will now never be completed.

* Besides the volumes already mentioned, dealing with this same boy hero, he published *Pierre Nozière* and *Le Petit Pierre.*

In 1890 appeared *Thaïs*, with its seductive Alexandrine setting, a novel of marvelous finish telling of a courtesan whose soul was saved at a great cost by a holy man who, in turn, was tempted and destroyed. With its epicurean Greeks and ascetic Christians, its reek of incense and unmistakable flavor of corruption and dangerous Pyrrhonism, the novel is in fact a "spiritual *chassé-croisé*,"* upheld by a mass of erudition, yet artistically perfect. Two years later there appeared a volume of tales called *L'Étui de nacre*, containing the lovely medieval legend of *Le Jongleur de Notre-Dame* and the famous story called *Le Procurateur de Judée*, which tells how Pontius Pilate, when he had grown old and gouty and went to take the waters at Baiæ, had forgotten a certain victim of the Roman law named Jesus of Nazareth. These tales were followed by *La Rôtisserie de la Reine Pédauque* and *Les Opinions de Jérôme Coignard*, fantastic eighteenth-century novels in archaic settings, filled with erudition, humor, absurdities, irreverence, satire, and lewdness, and containing the famous Rabelaisian figure of Jérôme Coignard, drunkard and humanist. *Le Lys rouge* (1894) is Anatole France's only sentimental novel, a novel of passion in a beautiful Florentine setting, with the whimsical figure of the poet Choulette, modeled unmistakably from Verlaine, wandering in and out among its pages. The next year there appeared a volume of meditations, *Le Jardin d'Épicure* — ironical thoughts on miracles or convents, on love or death or the origins of the alphabet, intellectually pessimistic and epicurean; also another volume of tales, *Le Puits de Sainte-Claire*, all legends of the Italian renaissance.

Anatole France's four volumes of literary criticism, composed of articles which he had written for *Le Temps*, were published from 1888 to 1892 under the title of *La Vie littéraire*, and were severely branded by Brunetière as being the very flower of impressionism. In these charming sketches, from which judicial criticism is singularly absent, we see Anatole France firmly imprisoned within his own delightful personality, narrating, as he says, the adventures of his own soul among masterpieces, appreciative and unconventional. There is no such thing, he declares, as an objective criticism, any more than there is an objective art; so in reviewing *La Grande Encyclopédie* through the letter A he simply discusses astronomy; he reviews Renan's *History of the People of Israel*,† forgets Renan, and talks of his childhood and a toy Noah's ark; he weaves a sad little picture of Japanese mousmees under the guise of criticizing Pierre Loti, and Zola's *Rêve* beneath his terrible pen (he heads his article *Monsieur Zola's Purity*) becomes a nightmare.

*Lalou, *Histoire de la littérature française contemporaine*.
†See pages 350–353.

326 ANTHOLOGY OF FRENCH PROSE AND POETRY

In 1897 Anatole France succeeded Ferdinand de Lesseps, the engineer of the Suez Canal, to the French Academy. The Dreyfus affair was at that moment agitating the country. There followed from his pen four novels, collected under the title of *L'Histoire contemporaine,** in which more than passing echoes of this memorable and unfortunate scandal are heard. In these loosely-threaded strings of fiction the refined and elegant æsthete, now past middle age, the aristocrat of delicate irony, merges into an active socialist, aligning himself with Zola and Clémenceau against army and Church and mob spirit in defense of a defenseless Jewish officer, or more broadly speaking, in defense of individual conscience against orthodoxy and tradition. *L'Histoire contemporaine* forms the chapters of a rambling yet terrific arraignment of clericalism and militarism, of prejudices and conventions. It introduces to the reader the fascinating figure of Monsieur Bergeret, professor in a provincial university, academic in dress and habits, a kindly and unconventional old skeptic who does not hesitate to call a spade a spade and Joan of Arc a military mascot, to attack nationalism or compulsory military service. Echoes of the Dreyfus case are again heard in his famous tale of the pushcart vendor, *Crainquebille,* and they break forth in *L'Ile des pingouins* in 1908, his most bitter satire. This latter novel, which is obscure for those who are not thoroughly conversant with French politics, tells of follies and crimes, of royalist agitations and corruption in high places, of anti-Catholic and anti-Semitic hatred. For his satirical purpose the author weaves a Gulliver-like story of Saint Maël blessing and baptizing the penguins, thinking them men. Of his later novels, *Les Dieux ont soif* is a bloody story of the Terror; *La Révolte des anges,* an anarchistic and licentious fantasy of angels become men — both of them a far cry from the restraint and the tenderness and the finished form of *Sylvestre Bonnard.*

On the eve of the World War we find Anatole France grown cynical and discouraged. He had discovered no solution to the great question of man's salvation in religion; nature offered him no Wordsworthian consolation; society itself presented an eternal picture of avarice and cruelty. Rising from the midst of this world's vanity, however, stands one very real fact which is ennobling and satisfying: human suffering, to which man owes "all that is good in him, all that gives value to life," which is the source of pity and courage and all the virtues. And it is well to keep in mind the fact that this hedonist with his "tender scorn for men," this epicurean who became skeptic and socialist, this delightful

L'Orme du mail, Le Mannequin d'osier, L'Anneau d'améthyste, Monsieur Bergeret à Paris.

maker of fantastic tales whose elegant home on the Avenue du Bois-de-Boulogne frequently intimidated his Red and radical guests, was after all a man of very genuine seriousness: serious in his doctrine of pity and brotherly love; serious in his skepticism. "All the greatest minds of our race have been skeptics," he is related to have exclaimed one day when taken to task for having written a life of Saint Joan of Arc; "all of those minds which I venerate with fear and trembling. . . . Skeptics have dreams of a very beautiful sort of humanity, and they are saddened to see men so different from what they ought to be. And their habitual irony is merely the expression of their discouragement. They laugh, but their gayety always masks an intense bitterness of heart. They laugh in order not to weep. . . . If the judges of Joan of Arc, instead of being religious fanatics, had been skeptical philosophers, they would surely not have burned her to death."*

LE LIVRE DE MON AMI

TEUTOBOCHUS

Il ne me paraît pas possible qu'on puisse avoir l'esprit tout à fait commun, si l'on fut élevé sur les quais de Paris, en face du Louvre et des Tuileries, près du palais Mazarin,[1] devant la glorieuse rivière de Seine, qui coule entre les tours, les tourelles et les flèches du vieux Paris. Là, de la rue Guénégaud à la rue du Bac, les boutiques des libraires, des antiquaires et des marchands d'estampes étalent à profusion les plus belles formes de l'art et les plus curieux témoignages du passé. Chaque vitrine est, dans sa grâce bizarre et son pêle-mêle amusant, une séduction pour les yeux et pour l'esprit. Le passant qui sait voir en emporte toujours quelque idée, comme l'oiseau s'envole avec une paille pour son nid.

Puisqu'il y a là des arbres avec des livres, et que des femmes y passent, c'est le plus beau lieu du monde.

Au temps de mon enfance, bien plus encore qu'à présent, ce marché de la curiosité était abondamment fourni de meubles anciens, d'estampes anciennes, de vieux tableaux et de vieux

*Paul Gsell, *Les Matinées de la Villa Saïd.*

livres, de crédences sculptées, de potiches à fleurs, d'émaux, de
faïences décorées, d'orfrois, d'étoffes brochées, de tapisseries à
personnages, de livres à figures et d'éditions princeps reliées en
maroquin. Ces aimables choses s'offraient à des amateurs délicats et savants auxquels les agents de change et les actrices ne
les disputaient point encore. Elles étaient déjà familières à
Fontanet et à moi, quand nous avions encore des grands cols
brodés, des culottes courtes et les mollets nus.

Fontanet demeurait au coin de la rue Bonaparte, où son père
avait son cabinet d'avocat. L'appartement de mes parents
touchait à une des ailes de l'hôtel de Chimay. Nous étions, Fontanet et moi, voisins et amis. En allant ensemble, les jours de
congé, jouer aux Tuileries, nous passions par ce docte quai Voltaire, et, là, cheminant, un cerceau à la main et une balle dans
la poche, nous regardions aux boutiques tout comme les vieux
messieurs, et nous nous faisions à notre façon des idées sur toutes
ces choses étranges, venues du passé, du mystérieux passé.

Eh oui! nous flânions, nous bouquinions, nous examinions
des images.

Cela nous intéressait beaucoup. Mais Fontanet, je dois le
dire, n'avait pas comme moi le respect de toutes les vieilleries.
Il riait des antiques plats à barbe et des saints évêques dont le
nez était cassé. Fontanet était dès lors l'homme de progrès que
vous avez entendu à la tribune de la Chambre. Ses irrévérences
me faisaient frémir. Je n'aimais point qu'il appelât têtes de
pipe les portraits bizarres des ancêtres. J'étais conservateur. Il
m'en est resté quelque chose, et toute ma philosophie m'a laissé
l'ami des vieux arbres et des curés de campagne.

Je me distinguais encore de Fontanet par un penchant à admirer ce que je ne comprenais pas. J'adorais les grimoires; et
tout, ou peu s'en faut, m'était grimoire. Fontanet, au contraire,
ne prenait plaisir à examiner un objet qu'autant qu'il en con-
cevait l'usage. Il disait: « Tu vois, il y a une charnière, cela
s'ouvre. Il y a une vis, cela se démonte. » Fontanet était un
esprit juste. Je dois ajouter qu'il était capable d'enthousiasme
en regardant des tableaux de batailles. Le *Passage de la Bérézina*

lui donnait de l'émotion. La boutique de l'armurier nous intéressait l'un et l'autre. Quand nous voyions, au milieu des lances, des targes, des cuirasses et des rondaches, M. Petit-Prêtre, revêtu d'un tablier de serge verte, s'en aller, boitant comme Vulcain, prendre au fond de l'atelier une antique épée qu'il posait ensuite sur son établi et qu'il serrait dans un étau de fer pour nettoyer la lame et réparer la poignée, nous avions la certitude d'assister à un grand spectacle ; M. Petit-Prêtre nous apparaissait haut de cent coudées. Nous restions muets, collés à la vitre. Les yeux noirs de Fontanet brillaient et toute sa petite figure brune et fine s'animait.

Le soir, ce souvenir nous exaltait beaucoup, et mille projets enthousiastes germaient dans nos têtes.

Fontanet me dit une fois :

—Si, avec du carton et le papier couleur d'argent qui enveloppe le chocolat, nous faisions des armes semblables à celles de Petit-Prêtre !...

L'idée était belle. Mais nous ne parvînmes pas à la réaliser convenablement. Je fis un casque, que Fontanet prit pour un bonnet de magicien.

Alors je dis :

—Si nous fondions un musée !...

Excellente pensée ! Mais nous n'avions pour le moment à mettre dans ce musée qu'un demi-cent de billes et une douzaine de toupies.

C'est à ce coup que Fontanet eut une troisième conception. Il s'écria :

—Composons une *Histoire de France,* avec tous les détails, en cinquante volumes.

Cette proposition m'enchanta, et je l'accueillis avec des battements de mains et des cris de joie. Nous convînmes que nous commencerions le lendemain matin, malgré une page du *De Viris* [2] que nous avions à apprendre.

—Tous les détails ! répéta Fontanet. Il faut mettre tous les détails !

C'est bien ainsi que je l'entendais. Tous les détails !

On nous envoya coucher. Mais je restai bien un quart d'heure dans mon lit sans dormir, tant j'étais agité par la pensée sublime d'une *Histoire de France* en cinquante volumes, avec tous les détails.

Nous la commençâmes, cette histoire. Je ne sais, ma foi, plus pourquoi nous la commençâmes par le roi Teutobochus.[3] Mais telle était l'exigence de notre plan. Notre premier chapitre nous mit en présence du roi Teutobochus, qui était haut de trente pieds, comme on put s'en assurer en mesurant ses ossements retrouvés par hasard. Dès le premier pas, affronter un tel géant! La rencontre était terrible. Fontanet lui-même en fut étonné.

—Il faut sauter par-dessus Teutobochus, me dit-il.

Je n'osai point.

L'*Histoire de France* en cinquante volumes s'arrêta à Teutobochus.

Que de fois, hélas! j'ai recommencé dans ma vie cette aventure du livre et du géant! Que de fois, sur le point de commencer une grande œuvre ou de conduire une vaste entreprise, je fus arrêté net par un Teutobochus nommé vulgairement sort, hasard, nécessité! J'ai pris le parti de remercier et de bénir tous ces Teutobochus qui, me barrant les chemins hasardeux de la gloire, m'ont laissé à mes deux fidèles gardiennes, l'obscurité et la médiocrité. Elles me sont douces toutes deux et m'aiment. Il faut bien que je le leur rende!

Quant à Fontanet, mon subtil ami Fontanet, avocat, conseiller général, administrateur de diverses compagnies, député, c'est merveille de le voir se jouer et courir entre les jambes de tous les Teutobochus de la vie publique, contre lesquels, à sa place, je me serais mille fois cassé le nez.

LE LIVRE DE MON AMI
LA FORÊT DE MYRTES

I

J'avais été un enfant très intelligent, mais, vers dix-sept ans, je devins stupide. Ma timidité était telle alors, que je ne pouvais ni saluer ni m'asseoir en compagnie, sans que la sueur me mouillât le front. La présence des femmes me jetait dans une sorte d'effarement. J'observais à la lettre ce précepte de l'*Imitation de Jésus-Christ*,[4] qu'on m'avait appris dans je ne sais quelle basse classe et que j'avais retenu parce que les vers, qui sont de Corneille, m'en avaient semblé bizarres :

> Fuis avec un grand soin la pratique des femmes ;
> Ton ennemi par là peut savoir ton défaut.
> Recommande en commun aux bontés du Très-Haut
> Celles dont les vertus embellissent les âmes,
> Et, sans en voir jamais qu'avec un prompt adieu,
> Aime-les toutes, mais en Dieu.

Je suivais le conseil du vieux moine mystique ; mais, si je le suivais, c'était bien malgré moi. J'aurais voulu voir les femmes avec un adieu moins prompt.

Parmi les amies de ma mère, il en était une auprès de laquelle j'aurais particulièrement aimé me tenir et causer longtemps. C'était la veuve d'un pianiste mort jeune et célèbre, Adolphe Gance. Elle se nommait Alice. Je n'avais jamais bien vu ni ses cheveux, ni ses yeux, ni ses dents... Comment bien voir ce qui flotte, brille, étincelle, éblouit ? mais elle me semblait plus belle que le rêve et d'un éclat surnaturel. Ma mère avait coutume de dire qu'à les détailler les traits de madame Gance n'avaient rien d'extraordinaire. Chaque fois que ma mère exprimait ce sentiment, mon père secouait la tête avec incrédulité. C'est qu'il faisait sans doute comme moi, cet excellent père : il ne détaillait pas les traits de madame Gance. Et, quel qu'en fût le détail, l'ensemble en était charmant. N'en croyez point maman ; je vous assure que madame Gance était belle. Madame Gance m'attirait : la beauté est une douce chose ; madame Gance me faisait peur : la beauté est une chose terrible.

Un soir que mon père recevait quelques personnes, madame Gance entra dans le salon avec un air de bonté qui m'encouragea un peu. Elle prenait quelquefois, au milieu des hommes, l'air d'une promeneuse qui jette à manger aux petits oiseaux. Puis, tout à coup, elle affectait une attitude hautaine ; son visage se glaçait et elle agitait son éventail avec une lenteur maussade. Je ne m'expliquais pas cela. Je me l'explique aujourd'hui parfaitement : madame Gance était coquette, voilà tout.

Je vous disais donc qu'en entrant dans le salon ce soir-là, elle jeta à tout le monde et même au plus humble, qui était moi, quelque miette de son sourire. Je ne la quittai point du regard et je crus surprendre dans ses beaux yeux une expression de tristesse ; j'en fus bouleversé. C'est que, voyez-vous, j'étais une bonne créature. On la pria de jouer au piano. Elle joua un nocturne de Chopin : je n'ai jamais rien entendu de si beau. Je croyais sentir les doigts mêmes d'Alice, ses doigts longs et blancs, dont elle venait d'ôter les bagues, effleurer mes oreilles d'une céleste caresse.

Quand elle eut fini, j'allai d'instinct et sans y penser la ramener à sa place et m'asseoir auprès d'elle. En sentant les parfums de son sein, je fermai les yeux. Elle me demanda si j'aimais la musique ; sa voix me donna le frisson. Je rouvris les yeux et je vis qu'elle me regardait ; ce regard me perdit.

—Oui, monsieur, répondis-je dans mon trouble...

Puisque la terre ne s'entr'ouvrit pas en ce moment pour m'engloutir, c'est que la nature est indifférente aux vœux les plus ardents des hommes.

Je passai la nuit dans ma chambre à m'appeler idiot et brute et à me donner des coups de poing par le visage. Le matin, après avoir longuement réfléchi, je ne me réconciliai pas avec moi-même. Je me disais : « Vouloir exprimer à une femme qu'elle est belle, qu'elle est trop belle et qu'elle sait tirer du piano des soupirs, des sanglots et des larmes véritables, et ne pouvoir lui

dire que ces deux mots : *Oui, monsieur,* c'est être dénué plus que
de raison du don d'exprimer sa pensée. Pierre Nozière, tu es un
infirme, va te cacher ! »

Hélas ! je ne pouvais pas même me cacher tout à fait. Il me
fallait paraître en classe, à table, en promenade. Je cachais mes
bras, mes jambes, mon cou, comme je pouvais. On me voyait
encore et j'étais bien malheureux. Avec mes camarades, j'avais
au moins la ressource de donner et de recevoir des coups de
poing ; c'est une attitude, cela. Mais avec les amies de ma
mère, j'étais pitoyable. J'éprouvais la bonté de ce précepte de
l'Imitation :

> Fuis avec un grand soin la pratique des femmes.

—Quel conseil salutaire, me disais-je. Si j'avais fui madame
Gance dans cette soirée funeste où, jouant un nocturne avec tant
de poésie, elle fit passer dans l'air de voluptueux frissons ; si je
l'avais fuie alors, elle ne m'aurait pas dit : « Aimez-vous la musique ? » et je ne lui aurais pas répondu : « Oui, monsieur ».

Ces deux mots : « Oui, monsieur », me tintaient sans cesse aux
oreilles. Le souvenir m'en était toujours présent ou plutôt, par
un horrible phénomène de conscience, il me semblait que, le
temps s'étant subitement arrêté, je restais indéfiniment à
l'instant où venait d'être articulée cette parole irréparable :
« Oui, monsieur ». Ce n'était pas un remords qui me torturait.
Le remords est doux auprès de ce que je ressentais. Je demeurai
dans une sombre mélancolie pendant six semaines, au bout desquelles mes parents eux-mêmes s'aperçurent que j'étais imbécile.

Ce qui complétait mon imbécillité, c'est que j'avais autant
d'audace dans l'esprit que de timidité dans les manières. D'ordinaire, l'intelligence des jeunes gens est rude. La mienne était
inflexible. Je croyais posséder la vérité. J'étais violent et
révolutionnaire, quand j'étais seul.

Seul, quel gaillard, quel luron je faisais ! J'ai bien changé depuis lors. Maintenant, je n'ai pas trop peur de mes contemporains. Je me mets autant que possible à ma place entre ceux
qui ont plus d'esprit que moi et ceux qui en ont moins, et je

compte sur l'intelligence des premiers. Par contre, je ne suis plus trop rassuré en face de moi-même... Mais je vous conte une histoire de ma dix-septième année. Vous concevez qu'alors cette timidité et cette audace mêlées faisaient de moi un être tout à fait absurde.

Six mois après l'affreuse aventure que je vous ai dite, et ma rhétorique étant terminée avec quelque honneur, mon père m'envoya passer les vacances au grand air. Il me recommanda à un de ses plus humbles et de ses plus dignes confrères, à un vieux médecin de campagne, lequel pratiquait à Saint-Patrice.

C'est là que j'allai. Saint-Patrice est un petit village de la côte normande qui s'adosse à une forêt et qui descend doucement vers une plage de sable, resserrée entre deux falaises. Cette plage était alors sauvage et déserte. La mer, que je voyais pour la première fois, et les bois, dont le calme était si doux, me causèrent d'abord une sorte de ravissement. Le vague des eaux et des feuillages était en harmonie avec le vague de mon âme. Je courais à cheval dans la forêt; je me roulais à demi nu sur la grève, plein du désir de quelque chose d'inconnu que je devinais partout et que je ne trouvais nulle part.

Seul tout le jour, je pleurais sans cause; il m'arrivait quelquefois de sentir tout à coup mon cœur se gonfler si fort, que je croyais mourir. Enfin, j'éprouvais un grand trouble; mais est-il en ce monde un calme qui vaille l'inquiétude que je sentais? Non. J'en atteste les bois dont les branches cinglaient mon visage; j'en atteste la falaise où j'allais voir le soleil descendre dans la mer, rien ne vaut le mal dont j'étais alors tourmenté, rien ne vaut les premiers rêves des hommes! Si le désir embellit toutes les choses sur lesquelles il se pose, le désir de l'inconnu embellit l'univers.

J'ai toujours eu, avec assez de finesse, d'étranges naïvetés. J'aurais peut-être ignoré pendant bien des jours encore la cause de mon trouble et de mes vagues désirs. Mais un poète me la révéla.

J'avais pris aux poètes, dès le collège, un goût que j'ai heureusement gardé. A dix-sept ans j'adorais Virgile et je le com-

prenais presque aussi bien que si mes professeurs ne me l'avaient
pas expliqué. En vacances, j'avais toujours un Virgile dans ma
poche. C'était un méchant petit Virgile anglais de Bliss[5]; je
l'ai encore. Je le garde aussi précieusement qu'il m'est possible
de garder quelque chose; des fleurs desséchées s'en échappent à
chaque fois que je l'ouvre. Les plus anciennes de ces fleurs
viennent de ce bois de Saint-Patrice où j'étais si heureux et si
malheureux à dix-sept ans.

Or, un jour que je passais seul à l'orée de ce bois, respirant
avec délices l'odeur des foins coupés, tandis que le vent qui soufflait de la mer mettait du sel sur mes lèvres, j'éprouvai un invincible sentiment de lassitude, je m'assis à terre et regardai
longtemps les nuages du ciel.

Puis, par habitude, j'ouvris mon Virgile et je lus: *Hic, quos
durus amor...*

« Là, ceux qu'un impitoyable amour a fait périr en une langueur cruelle vont cachés dans des allées mystérieuses, et la forêt
de myrtes étend son ombrage alentour... »

« Et la forêt de myrtes étend son ombrage... » Oh! je la con-
naissais, cette forêt de myrtes; je l'avais en moi tout entière.
Mais je ne savais pas son nom. Virgile venait de me révéler la
cause de mon mal. Grâce à lui, je savais que j'aimais.

Mais je ne savais pas encore qui j'aimais. Cela me fut révélé
l'hiver suivant, quand je revis madame Gance. Vous êtes sans
doute plus perspicace que ne fus. Vous l'avez deviné, c'est
Alice que j'aimais. Admirez cette fatalité! J'aimais précisément la femme devant laquelle je m'étais couvert de ridicule et
qui devait penser de moi pis même que du mal. Il y avait de
quoi se désespérer. Mais alors le désespoir était hors d'usage;
pour s'en être trop servi, nos pères l'avaient usé. Je ne fis rien
de terrible ni de grand. Je ne m'allai point cacher sous les ar-
ceaux ruinés d'un vieux cloître, je ne promenai point ma mélancolie dans les déserts; je n'appelai point les aquilons. Je fus
seulement très malheureux et passai mon baccalauréat.

Mon bonheur même était cruel: c'était de voir et d'entendre
Alice et de penser: « Elle est la seule femme au monde que je

puisse aimer; je suis le seul homme qu'elle ne puisse souffrir. »
Quand elle déchiffrait au piano, je tournais les pages en
regardant les cheveux légers qui se jouaient sur son cou blanc.
Mais, pour ne pas m'exposer à lui dire encore une fois: « Oui,
monsieur », je fis vœu de ne plus lui adresser la parole. Des
changements survinrent bientôt dans ma vie et je perdis Alice
de vue sans avoir violé mon serment.

II

J'ai retrouvé madame Gance aux eaux, dans la montagne,
cet été. Un demi-siècle pèse aujourd'hui sur la beauté qui me
donna mes premiers troubles, et les plus délicieux. Mais cette
beauté ruinée a de la grâce encore. Je me relevai moi-même en
cheveux gris du vœu de mon adolescence:

—Bonjour, madame, dis-je à madame Gance.

Et, cette fois, hélas! l'émotion des jeunes années ne troubla
ni mon regard ni ma voix.

Elle me reconnut sans trop de peine. Nos souvenirs nous
unirent et nous nous aidâmes l'un l'autre à charmer par des causeries la vie banale de l'hôtel.

Bientôt des liens nouveaux se formèrent d'eux-mêmes entre
nous, et ces liens ne seront que trop solides: c'est la commu-
nauté des fatigues et des peines qui les forme. Nous causions
tous les matins, sur un banc vert, au soleil, de nos rhumatismes
et de nos deuils. C'était matière à longs propos. Pour nous
divertir, nous mélangions le passé au présent.

—Que vous fûtes belle, lui dis-je un jour, madame, et combien
admirée!

—Il est vrai, me répondit-elle en souriant. Je puis le dire,
maintenant que je suis une vieille femme; je plaisais. Ce souvenir me console de vieillir. J'ai été l'objet d'hommages assez flat-
teurs. Mais je vous surprendrais bien si je vous disais quel est,
de tous les hommages, celui qui m'a le plus touchée.

—Je suis curieux de le savoir.

—Eh bien, je vais vous le dire. Un soir (il y a bien longtemps), un petit collégien éprouva en me regardant un tel

trouble qu'il répondit : *Oui, monsieur !* à une question que je lui faisais. Il n'y a pas de marque d'admiration qui m'ait autant flattée et mieux contentée que ce « Oui, monsieur ! » et l'air dont il était dit.

LE PROCURATEUR DE JUDÉE

L. Ælius Lamia, né en Italie de parents illustres, n'avait pas encore quitté la robe prétexte,[6] quand il alla étudier la philosophie aux écoles d'Athènes. Il demeura ensuite à Rome et mena dans sa maison des Esquilies,[7] parmi de jeunes débauchés, une vie voluptueuse. Mais accusé d'entretenir des relations criminelles avec Lepida, femme de Sulpicius Quirinus, personnage consulaire, et reconnu coupable, il fut exilé par Tibère César. Il entrait alors dans sa vingt-quatrième année. Pendant dix-huit ans que dura son exil, il parcourut la Syrie, la Palestine, la Cappadoce, l'Arménie, et fit de longs séjours à Antioche, à Césarée, à Jérusalem.[8] Quand, après la mort de Tibère, Caïus fut élevé à l'empire,[9] Lamia obtint de rentrer dans la Ville. Il recouvra même une partie de ses biens. Ses misères l'avaient rendu sage.

Il évita tout commerce avec les femmes de condition libre, ne brigua point les emplois publics, se tint éloigné des honneurs et vécut caché dans sa maison des Esquilies. Mettant par écrit ce qu'il avait vu de remarquable en ses lointains voyages, il faisait, disait-il, de ses peines passées le divertissement des heures présentes. C'est au milieu de ces paisibles travaux et dans la méditation assidue des livres d'Épicure, qu'avec un peu de surprise et quelque chagrin il vit venir la vieillesse. En sa soixante-deuxième année, tourmenté d'un rhume assez incommode, il alla prendre les eaux de Baies.[10] Ce rivage, jadis cher aux alcyons, était alors fréquenté par les Romains riches et avides de plaisirs. Depuis une semaine, Lamia vivait seul et sans ami dans leur foule brillante, quand, un jour, après dîner, se sentant dispos, il lui prit fantaisie de gravir les collines qui, couverts de pampres comme des bacchantes, regardent les flots.

Ayant atteint le sommet, il s'assit au bord d'un sentier, sous un térébinthe, et laissa errer sa vue sur le beau paysage. A sa gauche s'étendaient livides et nus les champs Phlégréens jusqu'aux ruines de Cumes.[11] A sa droite le cap Misène enfonçait son éperon aigu dans la mer Tyrrhénienne. Sous ses pieds, vers l'occident, la riche Baies, suivant la courbe gracieuse du rivage, étalait ses jardins, ses villas peuplées de statues, ses portiques, ses terrasses de marbre, au bord de la mer bleue où se jouaient les dauphins. Devant lui, de l'autre côté du golfe, sur la côte de Campanie, dorée par le soleil déjà bas, brillaient les temples, que couronnaient au loin les lauriers du Pausilippe, et dans les profondeurs de l'horizon riait le Vésuve.[12]

Lamia tira d'un pli de sa toge un rouleau contenant le *Traité sur la nature*,[13] s'étendit à terre et commença de lire. Mais les cris d'un esclave l'avertirent de se lever pour laisser passage à une litière qui montait l'étroit sentier des vignes. Comme la litière s'approchait tout ouverte, Lamia vit, étendu sur les coussins, un vieillard d'une vaste corpulence qui, le front dans la main, regardait d'un œil sombre et fier. Son nez aquilin descendait sur ses lèvres, que pressaient un menton proéminent et des mâchoires puissantes.

Tout d'abord, Lamia fut certain de connaître ce visage. Il hésita un moment à le nommer. Puis soudain, s'élançant vers la litière dans un mouvement de surprise et de joie:

—Pontius Pilatus! s'écria-t-il, grâces aux dieux, il m'est donné de te revoir!

Le vieillard, faisant signe aux esclaves d'arrêter, fixa un regard attentif sur l'homme qui le saluait.

—Pontius, mon cher hôte, reprit celui-ci, vingt années ont assez blanchi mes cheveux et creusé mes joues pour que tu ne reconnaisses plus ton Ælius Lamia.

A ce nom, Pontius Pilatus descendit de litière aussi vivement que le permettaient la fatigue de son âge et la gravité de son allure. Et il embrassa deux fois Ælius Lamia.

—Certes, il m'est doux de te revoir, dit-il. Hélas! tu me rappelles les jours anciens, alors que j'étais procurateur de Judée, dans la province de Syrie. Voilà trente ans que je te vis pour la première fois. C'était à Césarée, où tu venais traîner les ennuis de l'exil. Je fus assez heureux pour les adoucir un peu, et, par amitié, Lamia, tu me suivis dans cette triste Jérusalem, ou les Juifs m'abreuvèrent d'amertume et de dégoût. Tu demeuras pendant plus de dix ans mon hôte et mon compagnon, et tous deux, parlant de la Ville, nous nous consolions ensemble, toi de tes infortunes, moi de mes grandeurs.

Lamia l'embrassa de nouveau.

—Tu ne dis pas tout, Pontius : tu ne rappelles point que tu usas en ma faveur de ton crédit auprès d'Hérode Antipas[14] et que tu m'ouvris ta bourse avec libéralité.

—N'en parlons point, répondit Pontius, puisque, dès ton retour à Rome, tu m'envoyas par un de tes affranchis une somme d'argent qui me payait avec usure.

—Pontius, je ne me crois pas quitte envers toi par une somme d'argent. Mais réponds-moi : les dieux ont-ils comblé tes désirs ? Jouis-tu de tout le bonheur que tu mérites ? Parle-moi de ta famille, de ta fortune, de ta santé.

—Retiré en Sicile, où je possède des terres, je cultive et je vends mon blé. Ma fille aînée, ma très chère Pontia, devenue veuve, vit chez moi et gouverne ma maison. J'ai gardé, grâces aux dieux, la vigueur de l'esprit ; ma mémoire n'est point affaiblie. Mais la vieillesse ne vient pas sans un long cortège de douleurs et d'infirmités. Je suis cruellement travaillé de la goutte. Et tu me vois à cette heure allant chercher par les champs Phlégréens un remède à mes maux. Cette terre brûlante, d'où, la nuit, s'échappent des flammes, exhale d'âcres vapeurs de soufre qui, dit-on, calment les douleurs et rendent la souplesse aux jointures des membres. Du moins les médecins l'assurent.

—Puisses-tu, Pontius, l'éprouver toi-même ! Mais, en dépit de la goutte et de ses brûlantes morsures, tu sembles à peine aussi âgé que moi, bien qu'en réalité tu sois mon aîné de dix ans. Certes, tu as conservé plus de vigueur que je n'en eus jamais, et je me réjouis de te retrouver si robuste. Pourquoi, très cher, as-tu renoncé avant l'âge aux charges publiques ? Pourquoi, au

sortir de ton gouvernement de Judée, as-tu vécu sur tes domaines
de Sicile dans un exil volontaire? Instruis-moi de tes actions à
partir du moment où j'ai cessé d'en être le témoin. Tu te préparais à réprimer une révolte des Samaritains lorsque je partis
pour la Cappadoce, où j'espérais tirer quelque profit de l'élève
des chevaux et des mulets. Je ne t'ai pas revu depuis lors.
Quel fut le succès de cette expédition? Instruis-moi, parle.
Tout ce qui te touche m'intéresse.

Pontius Pilatus secoua tristement la tête.

—Une naturelle sollicitude, dit-il, et le sentiment du devoir
m'ont porté à remplir les fonctions publiques non seulement
avec diligence, mais encore avec amour. Mais la haine m'a
poursuivi sans trêve. L'intrigue et la calomnie ont brisé ma vie
en pleine sève et séché les fruits qu'elle devait mûrir. Tu m'in-
terroges sur la révolte des Samaritains. Asseyons-nous sur ce
tertre. Je vais te répondre en peu de mots. Ces événements me
sont aussi présents que s'ils s'étaient accomplis hier.

« Un homme de la plèbe, puissant par la parole, comme il s'en
trouve beaucoup en Syrie, persuada aux Samaritains de s'assem-
bler en armes sur le mont Gazim,[15] qui passe en ce pays pour
un lieu saint, et il promit de découvrir à leurs yeux les vases
sacrés qu'un héros éponyme, ou plutôt un dieu indigète, nommé
Moïse, y avait cachés, aux temps antiques d'Évandre et d'Énée,
notre père.[16] Sur cette assurance, les Samaritains se révoltèrent.
Mais, averti à temps pour les prévenir, je fis occuper la montagne par des détachements d'infanterie et plaçai des cavaliers
pour en surveiller les abords.

« Ces mesures de prudence étaient urgentes. Déjà les rebelles
assiégeaient le bourg de Tyrathaba, situé au pied du Gazim.
Je les dispersai aisément et j'étouffai la révolte à peine formée.
Puis, pour faire un grand exemple avec peu de victimes, je livrai
au supplice les chefs de la sédition. Mais tu sais, Lamia, dans
quelle étroite dépendance me tenait le proconsul Vitellius qui,
gouvernant la Syrie, non pour Rome mais contre Rome, estimait
que les provinces de l'Empire se donnent comme des fermes
aux tétrarques. Les principaux d'entre les Samaritains vinrent

à ses pieds pleurer en haine de moi. A les entendre, rien n'était plus éloigné de leur pensée que de désobéir à César. J'étais un provocateur, et c'est pour résister à mes violences qu'ils s'étaient assemblés autour de Tyrathaba. Vitellius entendit leurs plaintes et, confiant les affaires de Judée à son ami Marcellus, il m'ordonna d'aller me justifier devant l'empereur. Le cœur gros de douleur et de ressentiment, je pris la mer. Quand j'abordai les côtes d'Italie, Tibère, usé par l'âge et l'empire, mourait subitement sur le cap Misène dont on voit d'ici la corne s'allonger dans la brume du soir. Je demandai justice à Caïus, son successeur, qui avait l'esprit naturellement vif et connaissait les affaires de Syrie. Mais admire avec moi, Lamia, l'injure de la fortune obstinée à ma perte. Caïus retenait alors près de lui, dans la Ville, le juif Agrippa, son compagnon, son ami d'enfance, qu'il chérissait plus que ses yeux. Or, Agrippa favorisait Vitellius parce que Vitellius était l'ennemi d'Antipas qu'Agrippa poursuivait de sa haine. L'empereur suivit le sentiment de son cher asiatique et refusa même de m'entendre. Il me fallut rester sous le coup d'une disgrâce imméritée. Dévorant mes larmes, nourri de fiel, je me retirai dans mes terres de Sicile, où je serais mort de douleur si ma douce Pontia n'était venue consoler son père. J'ai cultivé le blé et fait croître les plus gras épis de toute la province. Aujourd'hui ma vie est faite. L'avenir jugera entre Vitellius et moi.

—Pontius, répondit Lamia, je suis persuadé que tu as agi envers les Samaritains selon la droiture de ton esprit et dans le seul intérêt de Rome. Mais n'as-tu pas trop obéi dans cette occasion à ce courage impétueux qui t'entraînait toujours? Tu sais qu'en Judée, alors que, plus jeune que toi, je devais être plus ardent, il m'arriva souvent de te conseiller la clémence et la douceur.

—La douceur envers les Juifs! s'écria Pontius Pilatus. Bien qu'ayant vécu chez eux, tu connais mal ces ennemis du genre humain. Tout ensemble fiers et vils, unissant une lâcheté ignominieuse à une obstination invincible, ils lassent également l'amour et la haine. Mon esprit s'est formé, Lamia, sur les

maximes du divin Auguste.[17] Déjà, quand je fus nommé procurateur de Judée, la majesté de la paix romaine enveloppait la
terre. On ne voyait plus, comme au temps de nos discordes civiles, les proconsuls s'enrichir du sac des provinces. Je savais
mon devoir. J'étais attentif à n'user que de sagesse et de modération. Les dieux m'en sont témoins: je ne me suis opiniâtré
que dans la douceur. De quoi m'ont servi ces pensées bienveil-
lantes? Tu m'as vu, Lamia, quand, au début de mon gouvernement, éclata la première révolte. Est-il besoin de t'en rappeler
les circonstances? La garnison de Césarée était allée prendre
ses quartiers d'hiver à Jérusalem. Les légionnaires portaient
sur leurs enseignes les images de César. Cette vue offensa les
Hiérosolymites qui ne reconnaissaient point la divinité de l'empereur, comme si, puisqu'il faut obéir, il n'était pas plus hono-
rable d'obéir à un dieu qu'à un homme. Les prêtres de la nation
vinrent, devant mon tribunal, me prier avec une humilité hautaine de faire porter les enseignes hors de la ville sainte. Je m'y
refusai par respect pour la divinité de César et la majesté de
l'Empire. Alors la plèbe, se joignant aux sacerdotes, fit entendre autour du prétoire des supplications menaçantes. J'ordonnai aux soldats de former les piques en faisceaux devant la tour
Antonia[18] et d'aller, armés de baguettes, comme des licteurs,
disperser cette foule insolente. Mais, insensibles aux coups, les
Juifs m'adjuraient encore, et les plus obstinés, se couchant à
terre, tendaient la gorge et se laissaient mourir sous les verges.
Tu fus alors témoin de mon humiliation, Lamia. Sur l'ordre de
Vitellius, je dus renvoyer les enseignes à Césarée. Certes, cette
honte ne m'était pas due. A la face des dieux immortels, je jure
que je n'ai pas offensé une seule fois, dans mon gouvernement, la
justice et les lois. Mais je suis vieux. Mes ennemis et mes
délateurs sont morts. Je mourrai non vengé. Qui défendra ma
mémoire?

Il gémit et se tut. Lamia répondit:

—Il est sage de ne mettre ni crainte, ni espérance dans l'avenir incertain. Qu'importe ce que les hommes penseront de
nous? Nous n'avons de témoins et de juges que nous-mêmes.

Assure-toi, Pontius Pilatus, dans le témoignage que tu te rends de ta vertu. Contente-toi de ta propre estime et de celle de tes amis. Au reste, on ne gouverne pas les peuples par la seule douceur. Cette charité du genre humain que conseille la philosophie a peu de part aux actions des hommes publics.

—Laissons cela, dit Pontius. Les vapeurs de soufre qui s'exhalent des champs Phlégréens ont plus de force quand elles sortent de la terre encore échauffée par les rayons du soleil. Il faut que je me hâte. Adieu. Mais, puisque je retrouve un ami, je veux profiter de cette bonne fortune. Ælius Lamia, accorde-moi la faveur de venir souper demain chez moi. Ma maison est située sur le rivage de la mer, à l'extrémité de la ville, du côté de Misène. Tu la reconnaîtras facilement au portique où l'on voit une peinture représentant Orphée parmi les tigres et les lions qu'il charme des sons de sa lyre.

« A demain, Lamia, dit-il encore en remontant dans sa litière. Demain nous causerons de la Judée.

Le lendemain Lamia se rendit, à l'heure du souper, dans la maison de Pontius Pilatus. Deux lits seulement attendaient les convives. Servie sans faste, mais honorablement, la table supportait des plats d'argent dans lesquels étaient préparés des becfigues au miel, des grives, des huîtres du Lucrin et des lamproies de Sicile. Pontius et Lamia, tout en mangeant, s'interrogèrent l'un l'autre sur leurs maladies dont ils décrivirent longuement les symptômes, et ils se firent part mutuellement de divers remèdes qu'on leur avait recommandés. Puis, se félicitant d'être réunis à Baies, ils vantèrent à l'envi la beauté de ce rivage et la douceur du jour qu'on y respirait. Lamia célébra la grâce des courtisanes qui passaient sur la plage, chargées d'or et traînant des voiles brodés chez les barbares. Mais le vieux procurateur déplorait une ostentation qui, pour de vaines pierres et des toiles d'araignées tissues de main d'homme, faisaient passer l'argent romain chez des peuples étrangers et même chez des ennemis de l'Empire. Ils vinrent ensuite à parler des grands travaux accomplis dans la contrée, de ce pont prodigieux établi par

Caïus entre Putéoles et Baies et de ces canaux creusés par Auguste pour verser les eaux de la mer dans les lacs Averne et Lucrin.[19]

—Moi aussi, dit Pontius en soupirant, j'ai voulu entreprendre de grands travaux d'utilité publique. Quand je reçus, pour mon malheur, le gouvernement de la Judée, je traçai le plan d'un aqueduc de deux cents stades qui devait porter à Jérusalem des eaux abondantes et pures. Hauteur des niveaux, capacité des modules, obliquité des calices d'airain auxquels s'adaptent les tuyaux de distribution, j'avais tout étudié, et, sur l'avis des machinistes, tout résolu moi-même. Je préparais un règlement pour la police des eaux, afin qu'aucun particulier ne pût faire des prises illicites. Les architectes et les ouvriers étaient commandés. J'ordonnai qu'on commençât les travaux. Mais, loin de voir s'élever avec satisfaction cette voie qui, sur des arches puissantes, devait porter la santé avec l'eau dans leur ville, les Hiérosolymites poussèrent des hurlements lamentables. Assemblés en tumulte, criant au sacrilège et à l'impiété, ils se ruaient sur les ouvriers et dispersaient les pierres des fondations. Conçois-tu, Lamia, des barbares plus immondes? Pourtant Vitellius leur donna raison et je reçus l'ordre d'interrompre l'ouvrage.

—C'est une grande question, dit Lamia, de savoir si l'on doit faire le bonheur des hommes malgré eux.

Pontius Pilatus poursuivit sans l'entendre:

—Refuser un aqueduc, quelle folie! Mais tout ce qui vient des Romains est odieux aux Juifs. Nous sommes pour eux des êtres impurs et notre seule présence leur est une profanation. Tu sais qu'ils n'osaient entrer dans le prétoire de peur de se souiller et qu'il me fallait exercer la magistrature publique dans un tribunal en plein air, sur ce pavé de marbre où tu posas si souvent le pied.

« Ils nous craignent et nous méprisent. Pourtant Rome n'est-elle pas la mère et la tutrice des peuples qui tous, comme des enfants, reposent et sourient sur son sein vénérable? Nos aigles ont porté jusqu'aux bornes de l'univers la paix et la liberté. Ne voyant que des amis dans les vaincus, nous laissons, nous assurons aux peuples conquis leurs coutumes et leurs lois. N'est-ce point seulement depuis que Pompée l'a soumise que la Syrie, autrefois déchirée par une multitude de rois, a commencé de goûter le repos et les heures prospères? Et quand Rome pouvait vendre ses bienfaits à prix d'or, a-t-elle enlevé les trésors dont regorgent les temples barbares? A-t-elle dépouillé la déesse Mère à Pessinonte, Jupiter dans la Morimène et dans la Cilicie,[20] le dieu des Juifs à Jérusalem? Antioche, Palmyre, Apamée, tranquilles malgré leurs richesses, et ne craignant plus les Arabes du désert, élèvent des temples au Génie de Rome[21] et à la Divinité de César. Seuls, les Juifs nous haïssent et nous bravent. Il faut leur arracher le tribut, et ils refusent obstinément le service militaire.

—Les Juifs, répondit Lamia, sont très attachés à leurs coutumes antiques. Ils te soupçonnaient, sans raison, j'en conviens, de vouloir abolir leur loi et changer leurs mœurs. Souffre, Pontius, que je te dise que tu n'as pas toujours agi de sorte à dissiper leur malheureuse erreur. Tu te plaisais, malgré toi, à exciter leurs inquiétudes, et je t'ai vu plus d'une fois trahir devant eux le mépris que t'inspiraient leurs croyances et leurs cérémonies religieuses. Tu les vexais particulièrement en faisant garder par des légionnaires, dans la tour Antonia, les habits et les ornements sacerdotaux du grand-prêtre. Il faut reconnaître que, sans s'être élevés comme nous à la contemplation des choses divines, les Juifs célèbrent des mystères vénérables par leur antiquité.

Pontius Pilatus haussa les épaules:

—Ils n'ont point, dit-il, une exacte connaissance de la nature des dieux. Ils adorent Jupiter, mais sans lui donner de nom ni de figure. Ils ne le vénèrent pas même sous la forme d'une pierre, comme font certains peuples d'Asie. Ils ne savent rien d'Apollon, de Neptune, de Mars, de Pluton, ni d'aucune déesse. Toutefois, je crois qu'ils ont anciennement adoré Vénus. Car encore aujourd'hui les femmes présentent à l'autel des colombes pour victimes et tu sais comme moi que des marchands, établis sous les portiques du temple, vendent des couples de ces oiseaux pour le sacrifice. On m'avertit même, un jour, qu'un furieux venait de renverser avec leurs cages ces vendeurs d'offrandes. Les prêtres s'en plaignaient comme d'un sacrilège. Je crois que cet usage de sacrifier des tourterelles fut établi en l'honneur de Vénus. Pourquoi ris-tu, Lamia?

—Je ris, dit Lamia, d'une idée plaisante qui, je ne sais comment, m'a traversé la tête. Je songeais qu'un jour le Jupiter des Juifs pourrait bien venir à Rome et t'y poursuivre de sa haine. Pourquoi non? L'Asie et l'Afrique nous ont déjà donné un grand nombre de dieux. On a vu s'élever à Rome des temples en l'honneur d'Isis et de l'aboyant Anubis.[22] Nous rencontrons dans les carrefours et jusque dans les carrières la Bonne Déesse des Syriens,[23] portée sur un âne. Et ne sais-tu pas que, sous le principat de Tibère, un jeune chevalier se fit passer pour le Jupiter cornu des Égyptiens et obtint sous ce déguisement les faveurs d'une dame illustre, trop vertueuse pour rien refuser aux dieux? Crains, Pontius, que le Jupiter invisible des Juifs ne débarque un jour à Ostie!

A l'idée qu'un dieu pouvait venir de Judée, un rapide sourire glissa sur le visage sévère du procurateur. Puis il répondit gravement:

—Comment les Juifs imposeraient-ils leur loi sainte aux peuples du dehors, quand eux-mêmes se déchirent entre eux pour l'interprétation de cette loi? Divisés en vingt sectes rivales, tu les as vus, Lamia, sur les places publiques, leurs rouleaux à la main, s'injuriant les uns les autres et se tirant par la barbe. Tu les a vus, sur le stylobate du temple, déchirer en signe de désolation leurs robes crasseuses autour de quelque misérable en proie au délire prophétique. Ils ne conçoivent pas qu'on dispute en paix, avec une âme sereine, des choses divines qui, pourtant, sont couvertes de voiles et pleines d'incertitude. Car la nature des Immortels nous demeure cachée et nous ne pouvons la connaître. Je pense toutefois qu'il est sage de croire à la Providence des dieux. Mais les Juifs n'ont point de philosophie et ils ne souffrent pas la diversité des opinions. Au contraire, ils jugent dignes du dernier supplice ceux qui professent sur la divinité des sentiments contraires à leur loi. Et, comme depuis que le Génie de Rome est sur eux, les sentences capitales prononcées par leurs tribunaux ne peuvent être exécutées qu'avec la sanction du proconsul ou du procurateur, ils pressent à tout moment le magistrat romain de souscrire à leurs arrêts funestes; ils obsèdent le prétoire de leurs cris de mort. Cent fois je les ai vus, en foule, riches et pauvres, tous réconciliés autour de leurs prêtres, assiéger en furieux ma chaise d'ivoire et me tirer par les pans de ma toge, par les courroies de mes sandales, pour réclamer, pour exiger de moi la mort de quelque malheureux dont je ne pouvais discerner le crime et que j'estimais seulement aussi fou que ses accusateurs. Que dis-je, cent fois! C'était tous les jours, à toutes les heures. Et pourtant, je devais faire exécuter leur loi comme la nôtre, puisque Rome m'instituait non point le destructeur, mais l'appui de leurs coutumes, et que j'étais sur eux les verges et la hache. Dans les premiers temps, j'essayai de leur faire entendre raison; je tentais d'arracher leurs misérables victimes au supplice. Mais cette douceur les irritait davantage; ils réclamaient leur proie en battant de l'aile et du bec autour de moi comme des vautours. Leurs prêtres écrivaient à César que je violais leur loi, et leurs suppliques, appuyées par Vitellius, m'attiraient un blâme sévère. Que de fois, il me prit envie d'envoyer ensemble, comme disent les Grecs, aux corbeaux les accusés et les juges!

« Ne crois pas, Lamia, que je nourrisse des rancunes impuissantes et des colères séniles contre ce peuple qui a vaincu en moi Rome et la paix. Mais je prévois l'extrémité où ils nous réduiront tôt ou tard. Ne pouvant les gouverner, il faudra les détruire. N'en doute point: toujours insoumis, couvant la révolte dans leur âme échauffée, ils feront éclater un jour contre nous une fureur auprès de laquelle la colère des Numides et les menaces des Parthes[24] ne sont que des caprices d'enfant. Ils nourrissent dans l'ombre des espérances insensées et méditent follement notre ruine. En peut-il être autrement, tant qu'ils attendent, sur la foi d'un oracle, le prince de leur sang qui doit régner sur le monde? On ne viendra pas à bout de ce peuple.

Il faut qu'il ne soit plus. Il faut détruire Jérusalem de fond en comble. Peut-être, tout vieux que je suis, me sera-t-il donné de voir le jour où tomberont ses murailles, où la flamme dévorera ses maisons, où ses habitants seront passés au fil de l'épée, où l'on sèmera le sel sur la place où fut le Temple. Et ce jour-là je serai enfin justifié.

Lamia s'efforça de ramener l'entretien sur un ton plus doux.

—Pontius, dit-il, je m'explique sans peine et tes vieux ressentiments et tes pressentiments sinistres. Certes, ce que tu as connu du caractère des Juifs n'est pas à leur avantage. Mais moi, qui vivais à Jérusalem, en curieux, et qui me mêlais au peuple, j'ai pu découvrir chez ces hommes des vertus obscures, qui te furent cachées. J'ai connu des Juifs pleins de douceur, dont les mœurs simples et le cœur fidèle me rappelaient ce que nos poètes ont dit du vieillard d'Ébalie.[25] Et toi-même, Pontius, tu as vu expirer sous le bâton de tes légionnaires des hommes simples qui, sans dire leur nom, mouraient pour une cause qu'ils croyaient juste. De tels hommes ne méritent point nos mépris. Je parle ainsi, parce qu'il convient de garder en toutes choses la mesure et l'équité. Mais j'avoue n'avoir jamais éprouvé pour les Juifs une vive sympathie. Les Juives, au contraire, me plaisaient beaucoup. J'étais jeune alors, et les Syriennes me jetaient dans un grand trouble des sens. Leur lèvre rouge, leurs yeux humides et brillant dans l'ombre, leurs longs regards, me pénétraient jusqu'aux moelles.

Pontius entendit ces louanges avec impatience.

—Je n'étais pas homme à tomber dans les filets des Juives, dit-il, et puisque tu m'amènes à le dire, Lamia, je n'ai jamais approuvé ton incontinence. Si je ne t'ai pas assez marqué autrefois que je te tenais pour très coupable d'avoir séduit, à Rome, la femme d'un consulaire, c'est qu'alors tu expiais durement ta faute. Le mariage est sacré chez les patriciens; c'est une institution sur laquelle Rome s'appuie. Ce dont je te blâme surtout, Lamia, c'est de ne t'être pas marié selon la loi et de n'avoir pas donné des enfants à la République, comme tout bon citoyen doit le faire.

Mais l'exilé de Tibère n'écoutait plus le vieux magistrat. Ayant vidé sa coupe de Falerne, il souriait à quelque image invisible.

Après un moment de silence, il reprit d'une voix très basse, qui s'éleva peu à peu :

—Elles dansent avec tant de langueur, les femmes de Syrie! J'ai connu une Juive de Jérusalem qui, dans un bouge, à la lueur d'une petite lampe fumeuse, sur un méchant tapis, dansait en élevant ses bras pour choquer ses cymbales. Les reins cambrés, la tête renversée et comme entraînée par le poids de ses lourds cheveux roux, les yeux noyés de volupté, ardente et languissante, souple, elle aurait fait pâlir d'envie Cléopâtre elle-même. J'aimais ses danses barbares, son chant un peu rauque et pourtant si doux, son odeur d'encens, le demi-sommeil dans lequel elle semblait vivre. Je la suivais partout. Je me mêlais au monde vil de soldats, de bateleurs et de publicains dont elle était entourée. Elle disparut un jour, et je ne la revis plus. Je la cherchai longtemps dans les ruelles suspectes et dans les tavernes. On avait plus de peine à se déshabituer d'elle que du vin grec. Après quelques mois que je l'avais perdue, j'appris, par hasard, qu'elle s'était jointe à une petite troupe d'hommes et de femmes qui suivaient un jeune thaumaturge galiléen. Il se nommait Jésus; il était de Nazareth, et il fut mis en croix pour je ne sais quel crime. Pontius, te souvient-il de cet homme?

Pontius Pilatus fronça les sourcils et porta la main à son front comme quelqu'un qui cherche dans sa mémoire. Puis, après quelques instants de silence :

—Jésus? murmura-t-il, Jésus, de Nazareth? Je ne me rappelle pas.

LA VIE LITTÉRAIRE

HISTOIRE DU PEUPLE D'ISRAËL, PAR
M. ERNEST RENAN

Faut-il essayer de vous rendre l'impression que j'ai éprouvée en lisant ce deuxième volume de l'*Histoire d'Israël*? Faut-il vous montrer l'état de mon âme quand je songeais entre les pages? C'est un genre de critique pour lequel, vous le savez, je n'ai que trop de penchant. Presque toujours, quand j'ai dit ce que j'ai senti, je ne sais plus que dire et tout mon art est de griffonner sur les marges des livres. Un feuillet que je tourne est comme un flambeau qu'on m'apporte et autour duquel aussitôt vingt papillons sortis de ma tête se mettent à danser. Ces papillons sont des indiscrets, mais qu'y faire? Quand je les chasse, il en revient d'autres. Et c'est tout un chœur de petits êtres ailés qui, dorés et blonds comme le jour, ou bleus et sombres comme la nuit, tous frêles, tous légers, mais infatigables, voltigent à l'envi et semblent murmurer du battement de leurs ailes : « Nous sommes de petites Psychés ; ami, ne nous chasse pas d'un geste trop brusque. Un esprit immortel anime nos formes éphémères. Vois : nous cherchons Éros, Éros qu'on ne trouve jamais, Éros, le grand secret de la vie et de la mort. » Et, en définitive, c'est toujours quelqu'une de ces petites Psychés-là qui me fait mon article. Elle s'y prend, Dieu sait comment ! Mais, sans elle, je ferais pis encore.

En ce moment, alors que je lis, dans le beau livre de M. Renan, les règnes de David et de Salomon, le schisme des tribus, la victoire des prophètes, l'agonie et la mort du royaume d'Israël, alors qu'avec sa science de linguiste et d'archéologue, les souvenirs de ses voyages et surtout un sens divinateur des choses très anciennes, l'historien retrouve et me montre le pasteur nomade qui voit partout des Elohim[26] dans les mirages du désert et quelquefois lutte toute une nuit avec l'un de ces êtres mystérieux ; restitue le Temple de Salomon, son pylône de style égyptien, ses deux colonnes d'airain à chapiteaux de gerbes de lotus, ses *che-roubim* d'or monstrueux comme les sphinx de Memphis et comme les taureaux à face humaine de Khorsabad[27] ; suit enfin à travers les siècles l'évolution du sentiment religieux chez ce peuple singulier qui passa de l'adoration d'un dieu jaloux et féroce au culte de cette providence divine dont il a finalement imposé l'idéal au monde,—pendant toute cette lecture attachante et forte qui m'intéresse parce qu'elle est savante et qui m'enchante pour ce qu'elle contient d'art exquis, savez-vous ce que font mes bestioles aux ailes toujours agitées, mes petites Psychés anxieuses ? Elles me montrent ma vieille Bible en estampes, la Bible que ma mère m'avait donnée et qu'enfant je dévorais des yeux même avant de savoir lire.

C'était une bonne vieille Bible. Elle datait du commencement du xviie siècle ; les dessins étaient d'un artiste hollandais qui avait représenté le paradis terrestre sous l'aspect d'un paysage des environs d'Amsterdam. Les animaux qu'on y voyait, tous domestiques, donnaient l'idée d'une ferme et d'une basse-cour très bien tenues. C'étaient des bœufs, des moutons, des lapins et un beau cheval brabançon, bien tondu, bien pansé, tout prêt à être attelé au carrosse d'un bourgmestre. Je ne parle pas d'Ève, en qui éclatait la beauté flamande ; c'étaient là des trésors perdus. L'arche de Noé m'intéressait davantage. J'en vois encore la coque ample et ronde, surmontée d'une cabane en planches. O merveille de la tradition ! j'avais parmi mes joujoux une arche de Noé exactement semblable, peinte en rouge, avec tous les animaux par couple et Noé et ses enfants faits au tour. Ce m'était une grande preuve de la vérité des Écritures. *Teste David cum Sibylla.*[28] A dater de la tour de Babel, les personnages de ma Bible étaient richement habillés selon leur condition, les guerriers à l'exemple des Romains de la colonne Trajane, les princes avec des turbans, les femmes comme les femmes de Rubens, les bergers en façon de brigands et les anges à la mode de ceux des jésuites. Les tentes des soldats ressemblaient aux riches pavillons qu'on voit dans les tapisseries ; les palais étaient imités de ceux de la Renaissance, l'artiste n'ayant pas imaginé qu'on pût rien représenter de plus vieux en ce genre. Il y avait des nymphes de Jean Goujon [29] dans la fontaine où se baignait Bethsabé. C'est pourquoi ces images me donnaient l'idée d'une antiquité profonde. Je doutais que mon grand-père lui-même, bien qu'il eût été blessé à Waterloo, en souvenir de quoi il portait toujours un bouquet de violettes [30] à sa boutonnière, eût pu connaître la tour de Babel et les bains de Bethsabé. Oh! ma vieille Bible en figures, quelles délices j'éprouvais à la feuilleter le soir quand mes prunelles nageaient à demi déjà dans les ondes ravissantes du sommeil enfantin! Comme j'y voyais Dieu en barbe blanche! Ce qui est peut-être après tout la seule façon de le voir réellement. Comme je croyais en lui!

Je le trouvais, entre nous, un peu bizarre, violent et colère; mais je ne lui demandais pas compte de ses actions: j'étais habitué à voir les grandes personnes agir d'une façon incompréhensible. Et puis j'avais alors une philosophie: je croyais à l'infaillibilité universelle des hommes et des choses. J'étais persuadé que tout était raisonnable dans le monde et qu'une aussi vaste chose était conduite sérieusement. C'est une sagesse que j'ai laissée avec ma vieille Bible. Quels regrets n'en ai-je pas! Songez donc! Être soi-même tout petit et pouvoir atteindre le bout du monde après une bonne promenade! Croire qu'on a le secret de l'univers dans un vieux livre, sous la lampe, le soir, quand la chambre est chaude. N'être troublé par rien et pourtant rêver! car je rêvais alors et tous les personnages de ma vieille Bible venaient, dès que j'étais couché, défiler devant mon petit lit à galerie. Oui, les rois portant le sceptre et la couronne, les prophètes à longues barbes, drapés sous un éternel coup de vent, passaient dans mon sommeil avec une majesté mêlée de bonhomie. Après le défilé, ils s'allaient ranger d'eux-mêmes dans une boîte de joujoux de Nuremberg. C'est la première idée que je me suis faite de David et d'Isaïe.

Tous nous l'avons eue plus ou moins; tous nous avons feuilleté, autrefois, une vieille Bible en estampes. Tous nous nous sommes fait de l'origine du monde et des choses une idée simple, enfantine et naïve. Il y a quelque chose d'émouvant, ce me semble, à rapprocher cette idée puérile de la réalité telle que la science nous la fait toucher. A mesure que notre intelligence prend possession d'elle-même et de l'univers, le passé recule indéfiniment et nous reconnaissons qu'il nous est interdit d'atteindre aux commencements de l'homme et de la vie. Si avant que nous remontons les temps, des perspectives nouvelles, des profondeurs inattendues s'ouvrent sans cesse devant nous ; nous sentons qu'un abîme est au delà. Nous voyons le trou noir et l'effroi gagne les plus hardis. Ce berger nomade qu'on nous montre entouré, dans la nuit du désert, des ombres des Elohim, il était le fils d'une humanité déjà vieille et, pour ainsi dire, aussi éloignée que la nôtre du commun berceau. C'en est fait. L'homme moderne, lui aussi, a déchiré sa vieille Bible en estampes. Lui aussi, il a laissé au fond d'une boîte de Nuremberg les dix ou douze patriarches qui, en se donnant la main, formaient une chaîne qui allait jusqu'à la création. Ce n'est pas d'aujourd'hui, on le sait, que l'exégèse a trouvé le sens véritable de la Bible hébraïque. Les vieux textes sur lesquels reposait une croyance tant de fois séculaire subissent depuis cent ans, deux cents ans même, le libre examen de la science. Je suis incapable d'indiquer précisément la part qui revient à M. Renan dans la critique biblique. Mais ce qui lui appartient, j'en suis sûr, c'est l'art avec lequel il anime le passé lointain, c'est l'intelligence qu'il nous donne de l'antique Orient dont il connaît si bien le sol et les races, c'est son talent de peindre les paysages et les figures, c'est sa finesse à discerner, à défaut de certitudes, le probable et le possible, c'est enfin son don particulier de plaire, de charmer, de séduire. Ceux qui ont le bonheur de l'avoir entendu lui-même croient, en le lisant cette fois, l'entendre encore. C'est lui, son accent, son geste. En fermant le livre, je suis tenté de dire, comme les pèlerins d'Emmaüs : « Nous venons de le voir. Il était à cette table. »

PAUL BOURGET

1852–

Les étapes d'une conscience toujours en
marche.   BOURGET

On December 15, 1923, *Le Figaro* devoted two full pages to the literary jubilee of Monsieur Paul Bourget, whose first articles for the Paris reviews were half a century old on that date. Monsieur Bourget, who has now passed threescore and ten and has recently seen to their graves three of his distinguished contemporaries,—Loti and Barrès and Anatole France,—doubtless reads these tributes, many from fellow academicians, with mingled feelings of pride and sadness. Robert de Flers eulogizes Bourget the dramatist ; * Henri Duvernois pays his respects to the author of *Un Saint* and *Le Justicier* and countless other short stories— *comme les morceaux d'un miroir brisé, chaque nouvelle est un reflet de son œuvre* ; Pierre de Nolhac recalls Bourget's native Auvergne and Clermont, the city of his youth whose past has been strikingly revivified in two masterpieces, *Le Disciple* and *Le Démon de midi* ; and, finally, Henry Bordeaux gives us a picture of the Bourget of today, at Costebelle, which overlooks the warm Mediterranean and the rocks of Hyères, where with undiminished energy he continues his writing.

When Paul Bourget was a young man in his thirties, he published a series of distinguished essays under the title of *Essais de psychologie contemporaine*, which were followed shortly by a volume of *Nouveaux Essais.*† In these studies he proposes to sketch a moral portrait of his generation, which he will explain by a chosen group of pessimists. He gives us no portraits of men, no biographies, no analyses of books, but solely and simply the explanation of certain states of mind— *états d'âme* —from which he deduces certain main currents of contemporary thought and feeling. In these finely analytical essays the author has followed

*His better-known dramatic successes are *L'Émigré,* 1908; *La Barricade,* 1910; *Le Tribun,* 1911.

†In addition to this criticism, he has published two volumes of *Études et portraits,* 1888; *Pages de critique et de doctrine,* 1912; and *Nouvelles Pages de critique et de doctrine,* 1922.

very closely the deterministic formula of his master Taine: literature is a living psychology; yet it is notable that much of Taine's gravity and impersonality is absent from Monsieur Bourget's studies, for he has chosen for experimental psychology only those figures with whom he is in sympathy, so that his criticism becomes in its final analysis what Jules Lemaître has aptly called "the history of his own intellectual and moral development," and is, in other words, entirely subjective. The critic discovers that the *mal du siècle* which troubled the generation of 1830 has reappeared in his own age under a new form, and he studies the causes for this return to pessimism. The practical reason for this state of mind, he concludes, is the war with Prussia. To the conflict between science and the imagination he attributes the pessimism of Flaubert, Leconte de Lisle, and Taine; in Renan and the Goncourt brothers unhappiness is the result of dilettantism; Stendhal, whom he reverences as a god, and the Russian Turgenev, and the Swiss Amiel suffer from a disease which he calls cosmopolitanism; while Baudelaire's malady, like that of the social reformer Dumas, comes through his constant contact with the perversities of modern love. Monsieur Bourget, like Ibsen, feels that he is justified in exposing this pessimism without suggesting a cure. The cure will come later, when he passes from essays in experimental psychology to the novel.

After the naturalistic formula of Taine, Monsieur Bourget entitles his novels "studies in contemporary sensations." Besides its artistic value, he believes that the novel should have some documentary value; that it should be serious in tone and method, approaching science in its scope and aim. In the preface of *Le Démon de midi* he writes:

Once his imagination is launched the story-teller quickly forgets his point of departure and his point of arrival. He sees only his heroes and their character. A semi-delirium, like a hallucination, invades him. He has attempted the task of a doctor in social sciences, as Balzac said. He is merely the passionate witness of the dramas which he invents and in which he participates, as if they were really lived before his eyes by others. Strange disorders of personality which made this same Balzac say: "It is the dream of a man awakened." We do not relate our stories. They relate themselves, within us. . . . This sort of imaginative ardor is the feature which distinguishes the novel of strictly scientific observation. Someone has defined it as *possible history*.

The whole of Bourget's doctrine of the novelist's function is contained in these lines: to become what Balzac calls a doctor in social sciences; to work with the tools of an experimental psychologist, with always the shadow of Taine's determinism hovering over his pages.

His first success was *Cruelle Énigme*, dedicated to Henry James; and in other novels which followed in rapid succession Bourget continued his studies of the idle rich in a Parisian setting, all *passions d'amour*, with heroines whom someone has recently described as "complicated descendants of Emma Bovary." *Cruelle Énigme* is the picture of a decadent society. It heartlessly dissects a woman's soul and that of her lover, who in the last bitter line of the novel decides that life itself is a cruel enigma. In *André Cornélis*, which the author calls *une planche d'anatomie morale*, he presents a hero who, like Hamlet, has a father's murder to avenge, and who progresses but slowly from the tragedy of morbid introspection and self-analysis to the fulfillment of his duty. *Mensonges* tells how René Vinci, an ambitious youth who has been fed on the pages of the *Human Comedy*,—*cette Iliade dangereuse des plébéiens pauvres*,—is thrust into a brilliant Parisian society and disillusioned. The plots of some of these earlier novels seem at times woven for the delectation of ladies' maids and chauffeurs, with their effeminate *mises en scène*, their five-o'clock doses of passion in over-luxurious boudoirs or perfumed broughams; yet they all contain superb passages of moving and dramatic pathos, for Monsieur Bourget is a careful craftsman, and he knows how to build up a story after the solid realistic methods of his master Balzac, how to analyze with the psychological neatness of his master Stendhal.

In 1889 *Le Disciple* was completed. The novel is prefaced by a dedication to the youth of France in which the "sacred battalions of future years" are urged to practice those virtues which may save their country from the triumph of the flesh, from dilettantism and its lack of fixed moral life, from tragic introspection and futile cosmopolitanism, from that vision which his contemporaries have had of a world guided solely by blind material forces—from all the *mal du siècle* which followed in the wake of a disastrous war. The novel itself presents an interesting thesis. Adrien Sixte, a kindly and elderly philosopher of spotless character,—it is needless to say that the figure resembles Taine,—has distilled certain deterministic doctrines into the mind of a brilliant but erratic disciple. This disciple, Robert Greslou, is led to seduce a lovely girl merely to study the psychological effects of his experiment. How far are teachers responsible for dangerous doctrines which may be translated into criminal acts in the hands of young intellectuals? *Le Disciple*, which is built upon the strictly deterministic lines of Taine,— the very thing which the author now condemns,—is, in spite of its didactic nature and exaggerated thesis, a powerful novel filled with tense dramatic scenes. And Paul Bourget is finally brought to face the eternal question which has forever troubled the minds of men: What shall we do to be saved? In the closing years of the century, while Maurice Barrès attempted to reply with his cult of the ego, and the Russians with their cult of human pity, Monsieur Bourget found his own answer: it is salvation through faith, faith in Catholicism as a necessary and positive doctrine. As the broken old materialist Adrien Sixte sits by the deathbed of Robert Greslou a mystically beautiful phrase of Pascal vaguely floats through his consciousness: *Tu ne me chercherais pas si tu ne m'avais pas trouvé.* And he is led to the bitter realization of the limitations of human knowledge. So we find Bourget, the psychologist who dealt in soul-states which might be revolting to a moralist, himself emerging gradually into a moralist. He urges that a doctor, with all his skepticism, must seek some remedy to effect a cure. His remedy, like Balzac's, is Catholicism and Monarchy as the guiding principles of life. Throughout the Dreyfus scandal he aligned himself with Barrès and Brunetière squarely in the ranks of authority and tradition. Let us follow tradition, since any departure from it, as he attempts to prove in *L'Étape*, will bring ruin in its train. *L'Émigré*, published in 1906, depicts the pride of race at war with the bourgeois spirit and republicanism. For the last twenty years, in fact, the novelist has been seeking to adapt his old ideas somewhat to his new convictions. *Le Démon de midi*, written on the eve of a new war, is his best novel since *Le Disciple*. Its hero, who has passed his "midday" of life and is a stanch upholder of the Catholic faith, who fights with his pen the enemies of the Church, meets his "demon" in the guise of an unfortunate passion and is cruelly wounded in his encounter. In *La Geôle*, one of his latest pieces of fiction, he treats the question of heredity. A mania of suicide is the "jail," ultimately flooded by the light of the Christian faith which cures and heals.

Monsieur Bourget is a man of rare culture, acquainted with literature and with science. As a critic of life he has understood various complicated currents of his age. In spite of his didactic tendencies to subordinate a work of art to a scientific theory, his novels display the genuine gifts of a natural story-teller and command unflagging interest. In spite also of certain affectations of dandyism and modernity, he is a solid workman. His reactions against the dilettantism and irony of his contemporaries have been of positive value, and he has treated problems of passion and religion and heredity sanely and with great penetration.

PRÉFACE DU *DISCIPLE*

A Un Jeune Homme

C'est à toi que je veux dédier ce livre, jeune homme de mon pays, à toi que je connais si bien quoique je ne sache de toi ni ta ville natale, ni ton nom, ni tes parents, ni ta fortune, ni tes ambitions,—rien sinon que tu as plus de dix-huit ans et moins de vingt-cinq, et que tu vas cherchant dans nos volumes, à nous tes aînés, des réponses aux questions qui te tourmentent. Et des réponses ainsi rencontrées dans ces volumes, dépend un peu de ta vie morale, un peu de ton âme; et ta vie morale, c'est la vie morale de la France même,—ton âme, c'est son âme. Dans vingt ans d'ici, toi et tes frères vous aurez en main la fortune de cette vieille patrie, notre mère commune. Vous serez cette patrie elle-même. Qu'auras-tu recueilli, qu'aurez-vous recueilli dans nos ouvrages? Pensant à cela, il n'est pas d'honnête homme de lettres, si chétif soit-il, qui ne doive trembler de responsabilité...

Tu trouveras dans *Le Disciple* l'étude d'une de ces responsabilités-là. Puisses-tu y acquérir une preuve que l'ami qui t'écrit ces lignes possède, à défaut d'autre mérite, celui de croire profondément au sérieux de son art.—Puisses-tu trouver dans ces lignes mêmes la preuve qu'il pense à toi, anxieusement. Oui, il pense à toi, et cela depuis bien longtemps, depuis les jours où tu commençais d'apprendre à lire, alors que nous autres, qui marchons aujourd'hui vers notre quarantième année, nous griffonnions nos premiers vers et notre première page de prose au bruit du canon qui grondait sur Paris. Dans nos chambres d'étudiants on n'était pas gai à cette époque. Les plus âgés d'entre nous venaient de partir pour la guerre, et nous qui devions rester au collège, du fond de nos classes à demi désertes nous sentions peser sur nous le grand devoir du relèvement de la Patrie.

Nous t'évoquions souvent alors, dans cette fatale année 1871, ô jeune Français de maintenant,—nous tous qui voulions vouer notre effort aux Lettres. Mes amis et moi, nous répétions les beaux vers de Théodore de Banville:

Vous en qui je salue une nouvelle aurore,
        Vous tous qui m'aimerez,
Jeunes hommes des temps qui ne sont pas encore,
        O bataillons sacrés!

Cette aurore de demain, nous la voulions aussi rayonnante que notre aurore à nous était mélancolique et embrumée d'une vapeur de sang. Nous souhaitions mériter d'être aimés par vous, nos cadets nés de la veille, en vous laissant de quoi valoir mieux que nous ne valions nous-mêmes. Nous nous disions que notre œuvre à nous était de vous refaire, à vous, une France nouvelle, par notre action privée et publique, par nos actes et par nos paroles, par notre ferveur et par notre exemple, une France rachetée de la défaite, une France reconstruite dans sa vie extérieure et dans sa vie intérieure. Tout jeunes que nous fussions alors, nous savions, pour l'avoir appris dans nos maîtres, —et ce fut leur meilleur enseignement,—que les triomphes et les défaites du dehors traduisent les qualités et les insuffisances du dedans;—nous savions que la résurrection de l'Allemagne au début du siècle a été avant tout une *œuvre d'âme*, et nous nous rendions compte que l'Ame Française était bien la grande blessée de 1870, celle qu'il fallait aider, panser, guérir. Nous n'étions pas les seuls dans la généreuse naïveté de notre adolescence à comprendre que la crise morale était la grande crise de ce pays-ci, puisqu'en 1873, le plus vaillant de nos chefs de file, Alexandre Dumas, disait dans la préface de *La Femme de Claude*, s'adressant au Français de son âge comme je m'adresse à toi, mon frère plus jeune: « Prends garde, tu traverses des temps difficiles... Tu viens de payer cher, elles ne sont même pas encore toutes payées, tes fautes d'autrefois. Il ne s'agit plus d'être spirituel, léger, libertin, railleur, sceptique et folâtre: en voilà assez pour quelque temps au moins. Dieu, la nature, le travail, le mariage, l'amour, l'enfant, tout cela est sérieux, très sérieux, et se dresse devant toi. *Il faut que tout cela vive ou que tu meures.* »

De cette génération dont je suis, et que soulevait ce noble espoir de refaire la France, je ne peux pas dire qu'elle ait réussi, ni

même qu'elle ait été assez uniquement préoccupée de son œuvre.
Ce que je sais, c'est qu'elle a beaucoup travaillé,—oui, beaucoup. Sans trop de méthode, hélas! mais avec une application
continue et qui me touche quand je songe au peu qu'ont fait pour
elle les hommes au pouvoir,—combien nous avons tous été abandonnés à nous-mêmes, l'indifférence où nous ont tenus ceux qui
dirigeaient les affaires et à qui jamais l'idée n'est venue de nous
encourager, de nous appuyer, de nous diriger. Ah! la brave
classe moyenne, la solide et vaillante Bourgeoisie, que possède
encore la France! Qu'elle a fourni, depuis ces vingt ans, d'officiers laborieux, cette bourgeoisie, d'agents diplomatiques habiles
et tenaces, de professeurs excellents, d'artistes intègres! J'entends dire parfois: « Quelle vitalité dans ce pays. Il continue
d'aller, là où un autre mourrait... » Hé bien! s'il va, en effet,
depuis vingt ans, c'est d'abord par la bonne volonté de cette
jeune bourgeoisie qui a tout accepté pour servir le pays. Elle
a vu des maîtres d'un jour proscrire au nom de la liberté ses
plus chères croyances, des politiciens de hasard jouer du suffrage
universel comme d'un instrument de règne, et installer leur médiocrité menteuse dans les plus hautes places. Elle l'a subi, ce
suffrage universel, la plus monstrueuse et la plus inique des
tyrannies,—car la force du nombre est la plus brutale des forces,
n'ayant même pas pour elle l'audace et le talent. La jeune bourgeoisie s'est résignée à tout, elle a tout accepté pour avoir le
droit de faire la besogne nécessaire. Si nos soldats vont et viennent, si les puissances étrangères nous gardent leur respect, si
notre enseignement supérieur se développe, si nos arts et notre
littérature continuent d'affirmer le génie national, c'est à elle que
nous le devons. Elle n'a pas de victoire à son actif, cette génération des jeunes gens de la guerre, cela est vrai. Elle n'a pas su
établir une forme définitive de gouvernement, ni résoudre les
problèmes redoutables de la politique étrangère et du socia-
lisme. Pourtant, jeune homme de 1889, ne la méprise pas.
Sache rendre justice à tes aînés. Par eux la France a vécu!

Comment vivra-t-elle par toi, c'est la question qui tourmente
à l'heure actuelle tous ceux de ces aînés qui ont gardé la foi

dans le relèvement du pays. Tu n'as plus, toi, pour te souvenir, la vision des cavaliers prussiens galopant victorieux entre les
peupliers de la terre natale. Et de l'horrible guerre civile tu ne
connais guère que la ruine pittoresque de la Cour des Comptes,[1]
où les arbres poussent leur végétation luxuriante parmi les
pierres roussies qui prennent de poétiques allures de palais anciens, en attendant que cette trace aussi disparaisse. Nous
autres, nous n'avons jamais pu considérer que la paix de 71 eût
tout réglé pour toujours... Que je voudrais savoir si tu penses
comme nous? Que je voudrais être sûr que tu n'es pas prêt à
renoncer à ce qui fut le rêve secret, l'espérance consolatrice de
chacun de nous, même de ceux qui n'en ont jamais parlé? Mais
non, j'en suis sûr, et que tu te sens triste quand tu passes devant
l'Arc où *les autres* ont passé, même si c'est avec des amis, et par
les beaux soirs d'été. Tu quitterais tout gaiement pour aller *là-
bas*,—si, demain, il le fallait? J'en suis sûr encore. Mais ce
n'est pas assez de savoir mourir. Es-tu décidé à savoir vivre?
Lorsque tu le vois, cet Arc de triomphe, et que tu te souviens de
l'épopée de la Grande Armée, regrettes-tu de n'avoir pas dans
tes cheveux le souffle héroïque des conscrits d'alors? Quand
tu te souviens de 1830 et des luttes glorieuses du Romantisme,
éprouves-tu la nostalgie de n'avoir pas, comme ceux d'*Hernani*,
un grand drapeau littéraire à défendre? Sens-tu, quand tu rencontres un des maîtres d'aujourd'hui, un Dumas, un Taine, un
Leconte de Lisle, une émotion à penser que tu as là devant toi un
des dépositaires du génie de ta race? Quand tu lis des livres,
comme ceux que nous devons écrire quand il nous faut peindre
les coupables passions et leur martyre, souhaites-tu d'aimer
mieux que n'ont aimé les auteurs de ces livres? As-tu de l'Idéal,
enfin plus d'Idéal que nous,—de la foi, plus de foi que nous, de
l'espérance, plus d'espérance que nous? Si c'est *oui*, donne-moi
la main, et laisse-moi te dire: Merci.—Si c'est *non*?...

Si c'est *non*?...—Il y a deux types de jeunes gens que je vois
devant moi à l'heure présente, et qui sont devant toi aussi
comme deux formes de tentations, également redoutables et funestes.—L'un est cynique et volontiers jovial. Il a, dès vingt

ans, fait le décompte de la vie, et sa religion tient dans un seul mot : jouir,—qui se traduit par cet autre : réussir. Qu'il fasse de la politique ou des affaires, de la littérature ou de l'art, du sport ou de l'industrie, qu'il soit officier, diplomate, ou avocat, il n'a que lui-même pour dieu, pour principe et pour fin. Il a emprunté à la philosophie naturelle de ce temps la grande loi de la concurrence vitale, et il l'applique à l'œuvre de sa fortune avec une ardeur de positivisme qui fait de lui un barbare civilisé, la plus dangereuse des espèces. Alphonse Daudet, qui a su merveilleusement le voir et le définir, ce jeune homme moderne, l'a baptisé *struggle-for-lifer*,—et lui-même, ce personnage s'appelle volontiers « fin de siècle. » Il n'estime que le succès,—et dans le succès que l'argent. Il est convaincu, en lisant ce que j'écris ici, —car il me lit comme il lit toutes choses, ne fût-ce que pour être « dans le train »,—que je me moque du public en traçant ce portrait, et que moi-même je lui ressemble. Car il est si profondément nihiliste à sa manière, que l'Idéal lui paraît une comédie chez tout autre, comme il en serait, comme il en est une chez lui —quand il juge à propos, par exemple, de mentir au peuple pour avoir ses votes.—Ce jeune homme-là, c'est un monstre, n'est-ce pas ? Car c'est être un monstre que d'avoir vingt-cinq ans et, pour âme, une machine à calcul au service d'une machine à plaisir. Je le redoute moins cependant pour toi que cet autre qui a, lui, toutes les aristocraties des nerfs, toutes celles de l'esprit, et qui est un épicurien intellectuel et raffiné, comme le premier était un épicurien brutal et scientifique. Ce nihiliste délicat, comme il est effrayant à rencontrer et comme il abonde ! A vingt-cinq ans, il a fait le tour de toutes les idées. Son esprit critique, précocement éveillé, a compris les résultats derniers des plus subtiles philosophies de cet âge. Ne lui parle pas d'impiété, de matérialisme. Il sait que le mot *matière* n'a pas de sens précis, et il est d'autre part trop intelligent pour ne pas admettre que toutes les religions ont pu être légitimes à leur heure. Seulement, il n'a jamais cru, il ne croira jamais à aucune, pas plus qu'il ne croira jamais à quoi que ce soit, sinon au jeu amusé de son esprit qu'il a transformé en un outil de perversité élégante.

Le bien et le mal, la beauté et la laideur, les vices et les vertus lui paraissent des objets de simple curiosité. L'âme humaine tout entière est, pour lui, un mécanisme savant et dont le démontage l'intéresse comme un objet d'expérience. Pour lui, rien n'est vrai, rien n'est faux, rien n'est moral, rien n'est immoral. C'est un égoïste subtil et raffiné dont toute l'ambition, comme l'a dit un remarquable analyste, Maurice Barrès, dans son beau roman de l'*Homme libre,*—ce chef-d'œuvre d'ironie auquel il manque seulement une conclusion,—consiste à « adorer son moi », à le parer de sensations nouvelles. La vie religieuse de l'humanité ne lui est qu'un prétexte à ces sensations-là, comme la vie intellectuelle, comme la vie sentimentale. Sa corruption est autrement profonde que celle du jouisseur barbare ; elle est autrement compliquée, et le beau nom d'intellectualisme dont il la pare en dissimule la férocité froide, la sécheresse affreuse. Nous le connaissons trop bien, ce jeune homme-là ; nous avons tous failli l'être, nous que les paradoxes de maîtres trop éloquents ont trop charmés ; nous l'avons tous été un jour, une heure ; nous le sommes encore dans nos mauvais moments. Et si j'ai écrit ce livre, c'est pour te montrer, à toi qui ne l'es pas encore, enfant de vingt ans chez qui l'âme est en train de se faire, ce que cet égoïsme-là peut cacher de scélératesse au fond de lui.

Ne sois ni l'un ni l'autre de ces deux jeunes hommes, jeune Français d'aujourd'hui. Ne sois ni le positiviste brutal qui abuse du monde sensuel, ni le sophiste dédaigneux et précocement gâté qui abuse du monde intellectuel et sentimental. Que ni l'orgueil de la vie, ni celui de l'intelligence ne fassent de toi un cynique et un jongleur d'idées ! Dans ces temps de conscience troublée et de doctrines contradictoires, attache-toi, comme à la branche de salut, à la phrase du Christ : « Il faut juger l'arbre par ses fruits. » Il y a une réalité dont tu ne peux pas douter, car tu la possèdes, tu la sens, tu la vis à chaque minute, c'est ton âme. Parmi les idées qui t'assaillent, il en est qui rendent cette âme moins capable d'aimer, moins capable de vouloir. Tiens pour assuré que ces idées sont fausses par un point, si subtiles te semblent-elles, soutenues par les plus beaux noms, parées de la magie des plus beaux talents. Exalte et cultive en toi ces deux grandes vertus, ces deux énergies en dehors desquelles il n'y a que flétrissure présente et qu'agonie finale : l'Amour et la Volonté.— La Science d'aujourd'hui, la sincère, la modeste, reconnaît qu'au terme de son analyse s'étend le domaine de l'Inconnaissable. Le vieux Littré,[2] qui fut presque un saint, a magnifiquement parlé de cet océan de mystère qui bat notre rivage, que nous voyons devant nous, réel, et pour lequel nous n'avons ni barque ni voile. A ceux qui te diront que derrière cet océan de mystère il y a le vide, l'abîme du noir et de la mort, aie le courage de répondre : « Vous ne le savez pas... » Et puisque tu sais, puisque tu éprouves qu'une âme est en toi, travaille à ce que cette âme ne meure pas en toi avant toi-même.—La France a besoin que tu penses cela, et puisse ce livre t'aider à le penser.

CROQUIS ITALIENS

I

VILLES MORTES

Il y a une Italie nouvelle, toute vivante, allègre et moderne, qui monte en tramway, use du téléphone, multiplie les journaux, et ressemble à toutes les autres nations de notre Occident par les idées et par les mœurs. Elle a son image, cette Italie contemporaine,—en train de se faire une existence démocratique parmi ses cités anciennes,—dans ces coquets soldats qui passent, musique en tête, au front des vieux édifices et font l'exercice sous les voûtes des cloîtres devenus des casernes. Mais il reste encore, grâces en soit rendues au Dieu des rêveurs, il reste des traces de cette Italie morte dont la grandiose mélancolie fut si chère aux poètes de tous les temps. On peut la goûter, comme jadis, cette mélancolie, sur la place du *Campo santo* à Pise, au pied du dôme, devant ce coin d'horizon, fermé par un mur crénelé, par la clôture sans fenêtres du cimetière que dépassent quelques cyprès et par une façade de palais. L'herbe pousse entre les pavés, la Tour penchée s'incline comme si elle allait s'affaisser, la cathédrale et le baptistère bombent leur coupole; pas un bruit n'arrive dans cet endroit fait à souhait pour ceux qui aiment la beauté de la mort.—Mais à ceux-là il faut conseiller surtout le pèlerinage de Ravenne et la promenade dans la plaine immense qui sépare la ville de l'Adriatique lentement retirée... Pas un arbre, sinon les restes d'une noire forêt de pins sur l'horizon. Le sol tout uni est semé de marais où se reflète le ciel à perte de vue. Ravenne, le soir, découpe sur ce ciel, que le couchant fait rose, ses tours toutes rondes et ses dômes. C'est l'heure d'entrer dans une des basiliques byzantines situées hors des murs, quand le soleil tombant frappe à travers les fenêtres ceintrées l'or des mosaïques demeurées intactes. Les vierges aux yeux trop grands, aux gestes gauches, rayonnent alors d'un éclat surnaturel. Les voici telles qu'elles apparurent aux rêves vagues des soldats barbares du ve siècle. Sur les pavés, que l'humidité séculaire a verdis sinistrement, ils s'agenouillaient alors, et les figures ainsi évoquées le long de l'église s'animaient, pour leur cœur troublé, d'une vie fantastique. Rien n'a bougé depuis lors. L'autel est toujours au milieu de cette église, la crypte se creuse au-dessous du chœur. Seulement l'eau a peu à peu envahi cette crypte et le fond même de l'église... Qu'il est puissant sur l'imagination humaine, le charme de ce qui fut, et comme il se comprend que Byron ait aimé cette ville morte où a fini Dante,[3] ce paysage où se dresse le tombeau de Théodoric, ces basiliques où priaient les derniers empereurs Romains! Rome et Théodoric, Dante et Byron, quelles prodigieuses associations d'idées évoquent ces mots: toute la grandeur antique, toute l'invasion barbare, le songe mystérieux du moyen âge, la sombre tristesse de la négation moderne, quelle autre poussière au monde est glorieuse de cette gloire-là?

II

PAGANISME

Paganisme immortel, es-tu mort? On le dit.
Mais Pan tout bas s'en moque et la Sirène en rit.[4]

...Quel touriste irrévérencieux avait écrit ces deux vers du moqueur Sainte-Beuve,—l'oncle Beuve, comme l'appelait Baudelaire,—sur le registre de la sacristie de la cathédrale, à Sienne,
où se voient les fresques heureuses du Pinturicchio?[5] Je ne le
sais pas, mais à combien de reprises ces vers me sont revenus
dans la mémoire, à parcourir cette terre classique d'où les Dieux
anciens ne se sont jamais en allés tout à fait? Quand on visite
les églises les plus vénérées pour leur antiquité, il n'est pas rare
que le gardien vous dise en frappant de sa main un pilier de
marbre: « C'était une colonne d'un temple de Bacchus... »—ou
de Neptune, ou de Jupiter ou de quelqu'un d'autre parmi ces
souverains dépossédés de l'Olympe. Dans la pierre ainsi dé-
tournée de sa primitive destination, l'esprit de l'Olympien était
demeuré tapi, des siècles et des siècles, et lentement voici qu'il
s'est dégagé. Ah! ces divinités d'avant le Christ, sous la forme
desquelles s'incarnait le culte de la Joie et de la libre nature,
comme elles eurent vite fait de reprendre leur rang!... On les
voit reparaître humblement d'abord, puis triomphalement, dans
les peintures de la Renaissance. Le maigre, le triste crucifié des
primitifs peu à peu enfle ses muscles et se transforme en un ath-
lète qui s'assied au festin de Cana avec des fiertés de prince tranquille. La pure, l'immatérielle Madone devient une jeune
femme aux yeux sans pensée. Les saints et les saintes s'épa-
nouissent en un chœur de créatures comblées de force, et les instruments qu'émeuvent les doigts des anges debout sur les
nuages sont les mêmes que ceux dont le Giorgione[6] charge le
bras de ses seigneurs assis sur l'herbe auprès de leur maîtresse.
Que reste-t-il de la légende de douleur immense et de suprême
pitié qui fait le fond du Christianisme, dans ces toiles lumi-
neuses où la vigueur des muscles, la splendeur des étoffes, la pro-

fusion des pierreries, la volupté des paysages se confondent, comme en une symphonie de bonheur physique, et semblent convier l'homme à la fête enivrée du cœur et des sens? La faute en est à la grande nature, trop riche sous cet ardent soleil, trop comblée des magnificences de la vie. La faute en est à ces belles fleurs qui de chaque vallée et de chaque colline font au printemps un jardin de parfums. Elles grandissent, elles foisonnent, et comment penser devant elles à l'âpreté de la vie et à sa tristesse? A Florence, le matin, les marchands les disposent par touffes énormes sur les soubassements du sombre palais Strozzi qui, tout noir et clos, avec ses blocs de pierre, ses anneaux et ses ferrures, semble une citadelle en danger. Mais il y a tant de roses blanches, rosées et rouges, tant d'iris aux teintes violettes, tant de frêles œillets, de nobles lis, de narcisses délicats et de lilas lilas ou pâles, que ce coin sinistre devient un coin charmant et que cette forteresse prend des airs d'oasis. Les Dieux païens ont fait pour les églises chrétiennes de la Renaissance comme ces fleurs pour le noir palais Florentin.

HENRI DE RÉGNIER

1864–

Car la forme, l'odeur et la beauté des choses
Sont le seul souvenir dont on ne souffre pas.
RÉGNIER

Monsieur Henri de Régnier is the most distinguished poet of contemporary France. He was born at Honfleur in Normandy of an old and aristocratic family which counted among its members soldiers and courtiers—gentlemen of the king's household and officers of the king's Light Horse. As a young man he came to Paris to study law and to fit himself for a diplomatic career. Instead he discovered the Seine and the books along the quays, Sully-Prudhomme (his first literary friend), Mallarmé, and Heredia. He then began to write verse. In the early 90s he was collaborating for a new review, edited by that brilliant Franco-American Francis Vielé-Griffin, which was printing among its other novelties translations from Walt Whitman. About that time Henri de Régnier published his *Poèmes anciens et romanesques,* and shortly after *Tel qu'en songe.* In the former volume the young poet made his first use of free verse ; in the second we find him in full possession of his new method. In 1897 appeared *Les Jeux rustiques et divins,* verses of exquisite beauty. Here is to be found the poem called *Aréthuse,* perhaps the most finished product from Régnier's pen; here also, *Le Vase,* done in fluid free verse with an unmistakable flavor of Mallarmé about it ; here also the subtle and subjective *Odelettes* of his own invention. In 1897 also appeared *La Canne de jaspe,* prose tales of a haunting past, redolent of the odor of box and the freshness of roses. In 1900 Monsieur de Régnier published his first novel, *La Double Maîtresse,* and a new volume of verse, *Les Médailles d'argile.* The latter is dedicated to the memory of that glorious worker in medallions, André Chénier—verses in which the youth, the beauty, the rhythm, and the harmony of classic days are viewed in melancholy retrospect: days of fauns and dryads, of satyrs dancing under moonlight, of sirens' voices above sea waves. In 1902 appeared *La Cité des eaux,* containing dream pictures of Versailles with its park and fountains, its grandeur and lovely decay. The later collections, *La Sandale ailée* and *Le Miroir des heures,* are inferior to his earlier poetry, and in these volumes he returns somewhat to the sustained elegance and serenity of his Parnassian forbears.

In fiction Monsieur de Régnier is fond of lavish seventeenth-century and eighteenth-century settings for his tales ; he delights to lend the picturesque *beau langage* of past ages to modern spirits: *c'est la seule façon de faire revivre le passé, en l'opposant à nous.* The best of these tales of the past are *La Double Maîtresse, Les Amants singuliers, Le Bon Plaisir,* and *Les Rencontres de Monsieur Bréot.* Many of them are filled with licentiousness and irreverence and contain certain crudities of expression, but they are all written with a fund of good taste and with restraint and measure. His best stories of contemporary life are *La Peur de l'amour,* set in a tragic and sumptuous Venice ; the delightfully amusing *Vacances d'un jeune homme sage* ; and *Le Passé vivant.* Latterly he has published two excellent novels: *Romaine Mirmault* in 1914, and *La Pêcheresse* in 1920 ; and finally, in 1924, a volume of short stories, *Les Bonheurs perdus.*

Between 1885 and 1890 Parnassianism, with its sonnets and *villanelles* of exquisite workmanship, began to die, and a new poetry of symbols was born. The poets of this new school conformed to no traditional rules of æsthetics; they broke with rime and rhythm and demanded variety and amplitude for their measures. In place of Parnassian directness of expression and love of exactitude, they substituted a weightless veil of beautiful symbol, covering their little fragment of reality. While it is true that Monsieur de Régnier's first poetry marks the triumph of this later school, for he is the greatest craftsman of them all, it is more exact to say that his verse is rather the fusion of the former tradition with the freedom of expression of the symbolists. He has Heredia's love of antiquity and classic imagery, his roses and his cypresses; he has also the slow and grave music of Mallarmé; his images and his ideas are, as it were, "evolved in twilight on the skirt of a wood."* There are reminiscences of every school in his poetry, writes André Barre, the most thoroughgoing critic of symbolism, and he points to the fact that the two distinctive tendencies of his muse seem to be intellectual sensualism and a vein of preciosity:

He catches details, lays hold of fancies, sometimes in the abstract manner of Mallarmé, sometimes with the indolent gesture of Verlaine, sometimes with so diversified an art that it is almost impossible to define closely his personal manner. It cannot be defined. It recalls Vigny, Musset, Heredia and Rostand. It is like one of those fashionable extracts which are only a delightful mingling of fundamental perfumes. Régnier constructs his verse according to his fancy. Verse seems to him above all the musical modulation of a voice. It is made to be heard rather than to be read. The meter is of little importance. This is

*Jean de Gourmont, *Henri de Régnier et son œuvre.*

why the most dissimilar ones proceed side by side in perfect accord: now regular alexandrines, almost Parnassian; now free verse, verse that is carefully composed, moreover. Rime is no embarrassment, for it does not rule his poem. If it becomes restive, he replaces it by assonance.*

Monsieur de Régnier has undergone a complexity of influences. In his beautiful verse there are the Greek nudes of the Parnassians; there, the enchanted forests and the Wagnerian dream-cities of symbolic manner; there also, and above all, the musical modulation of a voice, a subtle harmony, and a rhythm which has been freed from old bonds, "confidential music of mouth to mouth, to be whispered inwardly, in solitude."†

INSCRIPTIONS POUR LES TREIZE PORTES DE LA VILLE

POUR LA PORTE DES GUERRIERS

Porte haute! ne crains point l'ombre, laisse ouvert
Ton battant d'airain dur et ton battant de fer.
On a jeté tes clefs au fond de la citerne.
Sois maudite à jamais si la peur te referme;
Et coupe, comme au fil d'un double couperet,
Le poing de toute main qui te refermerait.
Car, sous ta voûte sombre où résonnaient leurs pas,
Des hommes ont passé qui ne reculent pas,
Et la Victoire prompte et haletante encor
Marchait au milieu d'eux, nue en ses ailes d'or,
Et les guidait du geste calme de son glaive;
Et son ardent baiser en pourpre sur leur lèvre
Saignait, et les clairons aux roses de leurs bouches
Vibraient, rumeur de cuivre et d'abeilles farouches!
Ivre essaim de la guerre aux ruches des armures,
Allez cueillir la mort sur la fleur des chairs mûres,
Et si vous revenez vers la ville natale
Qu'on suive sur mon seuil au marbre de ses dalles,
Quand ils auront passé, Victoire, sous tes ailes,
La marque d'un sang clair à leurs rouges semelles!

*Le Symbolisme.   †Jean de Gourmont, Henri de Régnier et son œuvre.

POUR LA PORTE DES COMÉDIENNES

Le chariot s'arrête à l'angle de mon mur.
Le soir est beau, le ciel est bleu, les blés sont mûrs ;
La Nymphe tourne et danse autour de la fontaine ;
Le Faune rit ; l'Été mystérieux ramène
A son heure la troupe errante et le vieux char,
Et celles dont le jeu, par le masque et le fard,
Mime sur le tréteau où pose leur pied nu
La fable populaire ou le mythe ingénu
Et l'histoire divine, humaine et monstrueuse,
Qu'au miroir de la source, au fond des grottes creuses,
Avec leurs bonds, avec leurs cris, avec leurs rires,
La Dryade argentine et le jaune Satyre
Reprennent d'âge en âge à l'ombre des grands bois.
Venez ! l'heure est propice et la foule est sans voix,
Et l'attente sourit déjà dans les yeux clairs
Des enfants et des doux vieillards, et, à travers
Ma porte qui, pour vous, s'ouvrira toute grande,
Hospitalière et gaie et lourde de guirlandes,
Je vous vois qui venez, une rose à la main,
Avec vos manteaux clairs et vos visages peints,
Toutes, et souriant, avant d'entrer, chacune
Met le pied sur la borne et lace son cothurne.

POUR LA PORTE MORTUAIRE

Si tu meurs jeune avec l'aurore à ton chevet
Rose et grise et pareille à ce que tu rêvais
D'un destin nuancé de tristesse et de joie,
Sois heureux ! L'enfant blond et le vieillard qui ploie
Te suivront, pas à pas et la main dans la main,
Quand tu viendras dormir par l'éternel chemin
Dans la terre paisible et sous la blanche tombe
Où sur le marbre pur roucoule une colombe ;
Et, sous la porte haute où s'allonge en chantant

Le cortège fleuri qui fête le printemps
De la Mort apparue au seuil de tes années,
Le tiède vent d'avril aux couronnes fanées
Effeuillera les roses blanches, une à une.
Mais, si ta cendre illustre et mûre enfin pour l'urne
Doit reposer dans l'ombre et la paix et la gloire,
Si tu t'en vas tragique et hautain vers l'histoire
Dans l'éclair de ton glaive et l'écho de ton nom,
Vas-y par quelque soir en sang à l'horizon,
Grande Ombre! et, vers la nuit, par la porte d'ébène,
Passe, et que l'âpre vent d'un souffle rauque éteigne
Au poing nu des porteurs qu'il courbe sous les porches,
La lueur des flambeaux et la flamme des torches.

ODELETTE

Je n'ai rien
Que trois feuilles d'or et qu'un bâton
De hêtre, je n'ai rien
Qu'un peu de terre à mes talons,
Que l'odeur du soir en mes cheveux,
Que le reflet de la mer en mes yeux,
Car j'ai marché par les chemins
De la forêt et de la grève
Et j'ai coupé la branche au hêtre
Et cueilli en passant à l'automne qui dort
Le bouquet des trois feuilles d'or.

Accepte-les; elles sont jaunes et douces
Et veinées
De fils de pourpre;
Elles sentent la gloire et la mort,
Elles tremblèrent au noir vent des destinées;
Tiens-les un peu dans tes mains douces:
Elles sont légères, et pense
A celui qui frappa à ta porte,
Un soir,

Et qui s'est assis en silence
Et qui reprit en s'en allant
Son bâton noir
Et te laissa ces feuilles d'or,
Couleur de soleil et de mort...
Ouvre tes mains, ferme ta porte
Et laisse-les aller au vent
Qui les emporte !

LA CITÉ DES EAUX

Versailles, Cité des Eaux. MICHELET

LA FAÇADE

Glorieuse, monumentale et monotone,
La façade de pierre effrite au vent qui passe
Son chapiteau friable et sa guirlande lasse
En face du parc jaune où s'accoude l'Automne.

Au médaillon de marbre où Pallas la couronne,
La double lettre encor se croise et s'entrelace ;
A porter le balcon l'Hercule se harasse ;
La fleur de lys s'effeuille au temps qui la moissonne.

Le vieux Palais, miré dans ses bassins déserts,
Regarde s'accroupir en bronze noir et vert
La Solitude nue et le Passé dormant ;

Mais le soleil aux vitres d'or qu'il incendie
Y semble rallumer intérieurement
Le sursaut, chaque soir, de la Gloire engourdie.

LE BASSIN VERT

Son bronze qui fut chair l'érige en l'eau verdie,
Déesse d'autrefois triste d'être statue ;
La mousse peu à peu couvre l'épaule nue,
Et l'urne qui se tait pèse à la main roidie ;

L'onde qui s'engourdit mire avec perfidie
L'ombre que toute chose en elle est devenue,
Et son miroir fluide où s'allonge une nue
Imite inversement un ciel qu'il parodie.

Le gazon toujours vert ressemble au bassin glauque.
C'est le même carré de verdure équivoque
Dont le marbre ou le buis encadrent l'herbe ou l'eau.

Et dans l'eau smaragdine et l'herbe d'émeraude,
Regarde, tour à tour, errer en ors rivaux
La jaune feuille morte et le cyprin qui rôde.

LE PAVILLON

La corbeille, la panetière et le ruban
Nouant la double flûte à la houlette droite,
Le médaillon ovale où la moulure étroite
Encadre un profil gris dans le panneau plus blanc;

La pendule hâtive et l'horloge au pas lent
Où l'heure, tour à tour, se contrarie et boite;
Le miroir las qui semble une eau luisante et moite,
La porte entrebâillée et le rideau tremblant;

Quelqu'un qui est parti, quelqu'un qui va venir,
La Mémoire endormie avec le Souvenir,
Une approche qui tarde et date d'une absence,

Une fenêtre, sur l'odeur du buis amer,
Ouverte, et sur des roses d'où le vent balance
Le lustre de cristal au parquet de bois clair.

ÉLÉGIE

Je ne vous parlerai que lorsqu'en l'eau profonde
Votre visage pur se sera reflété
Et lorsque la fraîcheur fugitive de l'onde
Vous aura dit le peu que dure la beauté.

Il faudra que vos mains pour en être odorantes,
Aient cueilli le bouquet des heures et, tout bas,
Qu'en ayant respiré les âmes différentes
Vous soupiriez encore et ne souriiez pas ;

Il faudra que le bruit des divines abeilles
Qui volent dans l'air tiède et pèsent sur les fleurs
Ait longuement vibré au fond de vos oreilles
Son rustique murmure et sa chaude rumeur ;

Je ne vous parlerai que quand l'odeur des roses
Fera frémir un peu votre bras sur le mien
Et lorsque la douceur qu'épand le soir des choses
Sera entrée en vous avec l'ombre qui vient ;

Et vous ne saurez plus, tant l'heure sera tendre
Des baumes de la nuit et des senteurs du jour,
Si c'est le vent qui rôde ou la feuille qui tremble,
Ma voix ou votre voix ou la voix de l'Amour...

ÉPILOGUE

Une dernière fois reviens en mes pensées,
    O jeunesse aux yeux clairs,
Et, dans mes mains encor, pose tes mains glacées.
    Le soir parfume l'air.

Souviens-toi des matins où, tous deux, côte à côte,
    Notre ombre nous suivant,
Sur le sable fragile et parmi l'herbe haute
    Nous allions dans le vent.

Ce que je veux de toi, ce n'est pas, ô jeunesse,
    De me rendre les lieux
Où nous avons erré ensemble. Je te laisse
    Tes courses et tes jeux.

Je ne veux point de toi ces rires dont tu charmes
    Mon souvenir encor:
Je te laisse tes pas, tes détours et tes larmes,
    Ton âge d'aube et d'or,

Ton âme tour à tour voluptueuse ou sombre
    Et ton cœur incertain,
Et ce geste charmant dont tu joignais dans l'ombre
    La couple de tes mains.

Ce que je veux de toi, c'est ta jeune colère
    Qui te montait au front,
C'est le sang qui roulait en toi sa pourpre claire,
    Lorsque d'un vain talon,

Tu frappais à durs coups, frénétique et penchée,
    Le sol sec et ardent,
Comme pour qu'en jaillît quelque source cachée
    Que tu savais dedans;

C'est cela que je veux de toi, car je veux boire
    A pleine bouche, un jour,
L'eau souterraine encore à ta fontaine, ô gloire,
    Quand ce sera mon tour!

Et, si le temps ingrat m'accorde pour salaire
    L'opprobre meurtrier,
Je veux m'asseoir du moins à l'ombre que peut faire
    La branche du laurier.

FRANCIS JAMMES

1868-

> —Vous permettrez que je parle beau-
> coup de moi, dit Gérard.
> —Chacun de nous fait-il jamais rien
> d'autre! repartit Jammes.
>
> A. GIDE, *Isabelle*

My bed is set down between that grain of sand the Pyrenees and that drop
of water the Atlantic Ocean. I live at Orthez. My name is inscribed at the
town-hall and I am called Francis Jammes.

No poet has ever filled his notebooks with more intimate details of
daily life. And his life has been spent under the limpid skies of the Pyrenees, among tumbling green streams and rugged rocks, among a kindly
race of Béarn mountaineers with whom he smokes his daily pipe at the
Cercle, among dogs and donkeys, yellow primroses and marjoram, and
the little blue flower that Rousseau loved. His paternal grandfather was
a physician in the Antilles; his father was born in Guadeloupe; and,
mingled with the homely souvenirs of the country about Orthez, Francis
Jammes loves to recall this West Indian past.

Oh, Father of my Father, you were there before my soul was born, and
the dispatch-boats slipped by with the wind into the colonial night. . . . You
left Orthez as a doctor of medicine to make your fortune far away. . . . You
were ruined by earthquakes in that country where rain-water is caught in tubs
and drunk, heavy, unhealthy, bitter. . . . Your old letters are very sad and
grave. . . . They are in my chest of drawers, locked up.

He is constantly evoking Guadeloupe and Saint-Pierre-de-Martinique
in days of the late eighteenth-century émigrés—isles where the negresses
were all good Catholics, where one could catch a thrum of guitars in
the canebrake and the odor of spiced chocolate and camphor-wood and
big ships in the trade winds. The names which constantly recur in his
pages are Robinson Crusoe and Paul and Virginia; and blended with their
vivid exoticism the faded ink of Eugénie de Guérin's *Journal*, the faded
gallantry of Madame de Warens and her little *philosophe,* who was
"clever at copying music according to the rules." When he writes prose
he imagines sad stories of young girls with "rococo names,"—Clara
d'Ellébeuse, Almaïde d'Etremont, Pomme d'Anis,—with long ribbons
drooping from their romantic straw hats.

Like Jean-Jacques, he has formed a passion for the botanist's green box, and he wanders about the mountain side with his spaniel and his pipe, "round and black like the breast of a little negress." He knows the names of all the plants, of all the beasts; and the moving, breathing, odorous out-of-doors is intimately associated with his emotional life.

You would have the shadow of the hazels on your ear, then we would join our mouths and stop laughing, to tell our love which cannot be told; and I should find upon the red of your lips the taste of white grapes, of red roses, and of wasps.

His love for the dumb beasts is affirmed with touching simplicity on almost every page, especially his compassion for the donkeys. The Nazarene's donkey, and Sancho Panza's, and the she-donkeys "full like wine-skins, with their halting steps"—they are all there; and he prays that on some sunlit day, "when the countryside is dusty with a festival," he may enter Paradise with these gentle friends. He has written a story about La Fontaine's hare; this time the poor little animal meets Saint Francis, surrounded by his beasts and birds, along the road between Castétis and Balansun,—Pyrenean villages, to be sure,—and *Le Roman du lièvre* is told in a style so simple and direct, in phrases so artistically naïve, that one feels the revivifying breath of a new poetry. One or two pages of this story—the one which describes the doves' paradise, for example—will rank among the most exquisite in French prose.

Monsieur Francis Jammes, collector of plants and friend of the donkeys and the hares, has never strayed from his mountains to seek Parisian renown. When in 1892 an English friend and neighbor took his first verses north to the capital, they bore on their cover page the name of an obscure Orthez publisher. Mallarmé and Henri de Régnier read them and approved, and the latter poet introduced Jammes to the *Mercure de France*. Therein his first collection appeared: *De l'angelus de l'aube à l'angelus du soir*; *Le Deuil des primevères*, containing some of the most beautiful elegies ever written; *Le Triomphe de la vie*; *Clairières dans le ciel*. Jammes is a poet of nature who is "familiar with skies and stars, with animals, colors, streets, and things that are good, like cakes and tobacco and kisses and love."* He possesses none of the conventionality and affectation of latter-day Parnassians and symbolists. With the sentimental imagination of Rousseau and the exotic vision of Bernardin de Saint-Pierre he has revived nature in verses that are fresh, untrammeled, and simple like the water and the mists and the vine-tendrils of his Béarn hills.

* J. Laforgue.

LA MAISON SERAIT PLEINE DE ROSES...

La maison serait pleine de roses et de guêpes.
On y entendrait, l'après-midi, sonner les vêpres ;
et les raisins couleur de pierre transparente
sembleraient dormir au soleil sous l'ombre lente.
Comme je t'y aimerais ! Je te donne tout mon cœur
qui a vingt-quatre ans, et mon esprit moqueur,
mon orgueil et ma poésie de roses blanches ;
et pourtant je ne te connais pas, tu n'existes pas.
Je sais seulement que, si tu étais vivante,
et si tu étais comme moi au fond de la prairie,
nous nous baiserions, en riant sous les abeilles blondes,
près du ruisseau frais, sous les feuilles profondes.
On n'entendrait que la chaleur du soleil.
Tu aurais l'ombre des noisetiers sur ton oreille,
puis nous mêlerions nos bouches, cessant de rire,
pour dire notre amour que l'on ne peut pas dire ;
et je trouverais, sur le rouge de tes lèvres,
le goût des raisins blonds, des roses rouges et des guêpes.

QUAND VERRAI-JE LES ILES...

Quand verrai-je les îles où furent des parents ?
Le soir, devant la porte et devant l'océan
on fumait des cigares en habit bleu barbeau.
Une guitare de nègre ronflait, et l'eau
de pluie dormait dans les cuves de la cour.
L'océan était comme des bouquets en tulle
et le soir triste comme l'Été et une flûte.
On fumait des cigares noirs et leurs points rouges
s'allumaient comme ces oiseaux aux nids de mousse
dont parlent certains poètes de grand talent.
O Père de mon Père, tu étais là, devant
mon âme qui n'était pas née, et sous le vent
les avisos glissaient dans la nuit coloniale.

Quand tu pensais en fumant ton cigare,
et qu'un nègre jouait d'une triste guitare,
mon âme qui n'était pas née existait-elle?
Était-elle la guitare ou l'aile de l'aviso?
Était-elle le mouvement d'une tête d'oiseau
caché lors au fond des plantations,
ou le vol d'un insecte lourd dans la maison?

PRIÈRE POUR ALLER AU PARADIS AVEC LES ANES

Lorsqu'il faudra aller vers vous, ô mon Dieu, faites
que ce soit par un jour où la campagne en fête
poudroiera. Je désire, ainsi que je fis ici-bas,
choisir un chemin pour aller, comme il me plaira,
au Paradis, où sont en plein jour les étoiles.
Je prendrai mon bâton et sur la grande route
j'irai, et je dirai aux ânes, mes amis:
je suis Francis Jammes et je vais au Paradis,
car il n'y a pas d'enfer au pays du Bon Dieu.
Je leur dirai: Venez, doux amis du ciel bleu,
pauvres bêtes chéries qui, d'un brusque mouvement d'oreille,
chassez les mouches plates, les coups et les abeilles...
Que je vous apparaisse au milieu de ces bêtes
que j'aime tant parce qu'elles baissent la tête
doucement, et s'arrêtent en joignant leurs petits pieds
d'une façon bien douce et qui vous fait pitié.
J'arriverai suivi de leurs milliers d'oreilles,
suivi de ceux qui portèrent au flanc des corbeilles,
de ceux traînant des voitures de saltimbanques
ou des voitures de plumeaux et de fer-blanc,
de ceux qui ont au dos des bidons bossués,
des ânesses pleines comme des outres, aux pas cassés,
de ceux à qui l'on met de petits pantalons
à cause des plaies bleues et suintantes que font
les mouches entêtées qui s'y groupent en ronds.
Mon Dieu, faites qu'avec ces ânes je vous vienne.

Faites que, dans la paix, des anges nous conduisent
vers des ruisseaux touffus où tremblent des cerises
lisses comme la chair qui rit des jeunes filles,
et faites que, penché dans ce séjour des âmes,
sur vos divines eaux, je sois pareil aux ânes
qui mireront leur humble et douce pauvreté
à la limpidité de l'amour éternel.

ÉLÉGIE CINQUIÈME

Les anémones d'Octobre aux pelouses dorées
dorment. Des champignons, troués par les limaces,
sont gluants dans la boue où des sangliers passèrent.
Les sorbiers des oiseaux saignent aux roux des bois.
Par moments, c'est après la pluie, le bois remue
tout entier, et ça fait comme s'il repleuvait :
les feuilles ruissellent et font un crépitement dru.

C'est la douceur d'Octobre et la pipe allumée.
Un rouge-gorge chante au boueux soleil pâle.
Je viens d'entrer dans le gris très doux de ma chambre.
Aujourd'hui le souvenir de mes chagrins est moins amer.
Je me revois tout jeune, en Octobre, à quatre heures,
quand j'étais écolier. Sur mon dictionnaire
il y avait des dates qui étaient des baisers.

ÉLÉGIE DOUZIÈME

I

O grand vent qui soulèves la voile des vaisseaux
et les anémones à la lisière des forêts ;
vent qui as soulevé l'âme du grand René,
lorsqu'il criait des mots amers aux grandes eaux ;
vent qui faisais trembler la case de Virginie,
et qui désoles les cours d'Automne du Sacré-Cœur ;[1]
vent qui viens me parler à ma petite table :
je t'ai aimé toujours, que tu filtres le sable,

ou que tu envoies la pluie de droite à gauche, en face.
Berce-moi doucement. Sois pour mon pauvre cœur
l'ami que tu étais lorsque j'étais enfant.

Il y avait un grenier où j'allais souvent
t'écouter siffler sous les portes et par les fentes.
Et puis, je me mettais sur une caisse. De là,
je regardais la neige bleue de la montagne.
Mon cœur sautait. J'avais un petit tablier blanc.
Pleurer, mon Dieu?... Je ne sais plus... J'avais quatre ans.
Oh! La contrée natale... Qu'elle était transparente...

O vent, veux-tu, me dis,[2] que, gardien de chèvres,
je donne ton baiser à ma flûte légère,
assis comme un poète au milieu des fougères?
Veux-tu faire se pencher vers moi comme des roses
toutes les bouches de toutes les jeunes filles?
Dans quel pays mènes-tu mon rêve?... Dans quel pays?...
Des mules sont passées dans la neige d'aurore
qui portaient des vins noirs, du tabac et des filles.

II

O vent où se défont les Angelus légers,
ainsi que les pommiers fleuris dans les vergers;
qui argentes et fais remuer la pelouse;
qui fais sonner le pin et froisses l'arbousier;
qui gonfles le nuage et le traînes. O vent,
tu fais encore plus mon âme solitaire
quand je t'entends du fond de ma petite chambre.
Quand j'ai pleuré ou ri, ta voix m'accompagnait.
Lorsque je lis Jean-Jacques, c'est toi qui agites
dans les vieilles gravures les cimes forestières.
Je laisse aller mon âme. Je me dis: *Je médite,*
quand ma pensée se meurt à t'écouter parler.
C'est toi qui as conduit par l'océan verdâtre

mon aïeul s'en allant aux Antilles en fleurs.
Tu soufflais en tempête au sortir de la France.
La pluie, les grêlons rebondissants venaient battre
le hublot. Les cloisons craquaient. On avait peur.
Mais quand on approcha des heureuses Antilles,
ta voix sourde se tut et tu éclatas de rire
en voyant, anxieuses, attendant sur le môle,
ainsi que des mouettes, les cousines créoles.

Oh! Que je le revois, ce jour d'une autre vie.
Mon Dieu, y étais-je, dites, je vous en prie?
Oui, je revois l'aïeul des cousines suivi,
montant la grand'rue de Saint-Pierre-de-Martinique.
Vent, tu avais soufflé dans les corolles vives
des tabacs, et soulevais les douces mousselines
qui étaient les calices légers des cousines.

C'est pour ça, vent qui souffles, que tu es mon ami.
Je sais ce que tu sais. Je t'aime comme un frère.
Je souhaite ton bonheur d'errer dans les ormeaux.
Je sais que tes milliers de cœurs sont les oiseaux.
Je sais que je comprends le sens de tes paroles.
Je sais que les baisers des cousines créoles
sont passés avec toi aux roses du jardin,
parmi la rosée rose et bleue de ce matin.

MADAME DE WARENS

Madame de Warens, vous regardiez l'orage
plisser les arbres obscurs des tristes *Charmettes*,
ou bien vous jouiez aigrement de l'épinette,
ô femme de raison que sermonnait Jean-Jacques!

C'était un soir pareil, peut-être, à celui-ci...
Par le tonnerre noir le ciel était flétri...
Une odeur de rameaux coupés avant la pluie
s'élevait tristement des bordures de buis...

Et je revois, boudeur, dans son petit habit,
à vos genoux, l'enfant poète et philosophe...
Mais qu'avait-il?... Pourquoi pleurant aux couchants roses
regardait-il se balancer les nids de pies?

Oh! qu'il vous supplia, souvent, du fond de l'âme,
de mettre un frein aux dépenses exagérées
que vous faisiez avec cette légèreté
qui est, hélas, le fait de la plupart des femmes...

Mais vous, spirituelle, autant que douce et tendre,
vous lui disiez: Voyez! le petit philosophe!...
Ou bien le poursuiviez de quelque drogue rose
dont vous lui poudriez la perruque en riant.

Doux asiles! Douces années! Douces retraites!
Les sifflets d'aulne frais criaient parmi les hêtres...
Le chèvrefeuille jaune encadrait la fenêtre...
On recevait parfois la visite d'un prêtre...

Madame de Warens, vous aviez du goût
pour cet enfant à la figure un peu espiègle,
manquant de repartie, mais peu sot, et surtout
habile à copier la musique selon les règles.

Ah! que vous eussiez dû pleurer, femme inconstante,
lorsque, le délaissant, il dut s'en retourner,
seul, là-bas, avec son pauvre petit paquet
sur l'épaule, à travers les sapins des torrents...

LE PARADIS DES COLOMBES

Mais les plus délicieux abris étaient ceux qu'élurent les colombes. Elles se tenaient sur d'amers oliviers vacillants au crépuscule. Dans ce parc il y avait des jeunes filles qu'à cause de
leur grâce animale on avait laissées entrer, toutes les jeunes filles
soupirantes et pareilles à des chèvrefeuilles, toutes les jeunes
filles qui roucoulent avec toutes les colombes qui pleurent, de-

puis les colombes de Venise qui éventèrent l'ennui des doga-
resses, jusqu'aux colombes d'Ibérie qu'agaçaient du piment de
leurs lèvres des pêcheuses au teint d'orange et de tabac ; toutes
les colombes rêvées, toutes les colombes qui rêvent : celle qu'élevait Béatrix, et à qui Dante donnait un grain de blé ; et celle
qu'entendait dans la nuit Quittéria désenchantée ;[3] et celle qui
dut gémir au-dessus des épaules de Virginie lorsque, dans la
source nocturne, à l'ombre du cocotier, elle essayait en vain de
calmer ses brûlures aimables ;[4] et celle à qui l'adolescente qu'op-
presse le déclin d'Été, dans le verger où les pêches se meurent,
confie des messages passionnés afin qu'elle aille où la mène son
vol.

Et il y avait les colombes des vieux presbytères ensevelis sous
les roses : celles que, de sa main parfumée d'encens, nourrissait
Jocelyn en songeant à Laurence.[5] Et la colombe que l'on donne
à la petite fille qui va mourir ; et la colombe que l'on pose, en
certains pays, sur le front brûlant des malades ; et la colombe
aveugle qui gémit si tristement qu'elle attire vers les chasseurs
embusqués le vol de ses sœurs passagères ; et la plus douce colombe, qui console dans sa mansarde le vieux poète abandonné.

TUGGURTH

Souv. du 5 avril 1896.

Vers onze heures, le soleil inondait le marché. Des jarres vides
de goudron bâillaient sous l'azur insensé. Les dromadaires furieux
criaient. Nous buvions d'étranges boissons, nous mâchions
d'une espèce de résine. La lumière était de feu. Elle ternissait
les cœurs sanglants des piments, auprès des têtes de moutons et
des dattes sèches. Elle noircissait les caillots coagulés aux poils
poussiéreux des cuisses de chameaux tués pour la boucherie.

Vers cinq heures, tout s'adoucissait. Les cafés maures étaient
calmes. Au loin ronflait un tambour sourd. Un bêlement de
chèvre emplissait l'étendue mortelle.

Le soleil sombrait aux sables. Les chameaux tangueurs, aux
rognures bleues, et les ânes patients emportaient des feuilles
vers Temacin.[6]

C'étaient de mouvants parterres sur des morceaux de désert mouvant.

Partout, à cette époque pascale, les palmes semblaient pleurer de n'être plus foulées par un Dieu.

Les lamentations des muezzins, vers la Mecque, s'effeuillaient comme des roses taciturnes.

Je vis passer un marabout; il appuyait sa main droite à l'épaule d'un pâle adolescent. Sans doute, il lui expliquait la sagesse, et, dans la tombée du jour, je me sentis ému à pleurer.

Çà et là, sous un dernier poudroiement de soleil, luisaient des crânes d'hommes que l'on rasait.

Quelque chameau, semblable à quelque grand navire échoué, surgissait au coin d'une rue, près d'une porte, tendant son cou de limaçon géant vers le ciel bleu tendre et doré.

Les couloirs avaient le parfum des roses, parce que dans l'air immobile flottaient les nuages du kief et des tabacs aromatisés.

Des ossements étincelaient aux murs des vergers...

Une jeune négresse, belle comme la nuit, passait, un pompon vert au front; une autre négresse, revêtue d'un pagne bleu foncé, tenait un fuseau de laine blanche; un Soudanais se promenait; une branche verte pendait de sa chéchia sur sa figure.

Les caravanes agenouillées tressaillaient dans le crépuscule, chargées d'herbes violettes.

A mon approche, quelque dromadaire furieux se levait en renâclant du milieu de ses frères, sautait sur trois jambes, l'une ayant été reployée par les chameliers.

...Dans un café maure, la nuit venue, une femme, pourpre et or, dansa. Les bras levés, elle remuait les mains d'un mouvement si brusque et gracieux, que les poignets semblaient rouler sur des billes d'ivoire.

...Des chants nuptiaux s'élevèrent. On conduisait à leur nuit d'amour deux jeunes époux montés sur un âne. Des lanternes brillaient autour d'eux. Ils avaient l'air, l'un devant l'autre, dans leurs vêtements pâles, de grandes fleurs fatiguées.

NOTES

BALZAC

PAGE 4. *Le Passage de la Bérésina*. These pages are taken from a short novel called *Adieu*, which appeared in 1830. It tells the story of the tragic winter catastrophe which overtook the remnant of Napoleon's Grand Army retreating from Russia, when men were transformed into beasts through their brutal instincts of self-preservation, and of a lovely countess who went mad after witnessing these horrors. In November, 1812, the French army, in full retreat after the disastrous Moscow campaign, attempted the crossing of the river Berezina. The splendid work of General Éblé's pontoon engineers near Studzianka and of Marshal Victor, Duke of Belluna, commanding a portion of the rear guard, was responsible for the salvation of the few who escaped death.

PAGE 5. 1. *dolente . . . cité*, a translation of Dante's *città dolente*, the City of Pain, named Dis, which comprises the whole of nether hell.

PAGE 6. 2. *Louis, Prince of Wittgenstein*, Russian field marshal of Prussian extraction, distinguished himself at Leipzig in 1813 and in the French campaign of 1814.—3. *François, Count Fournier-Sarlovèze*, was made a divisional commander by Napoleon during the Russian campaign. —4. *Louis-Alexandre Berthier*, Prince of Wagram, an intimate of Napoleon, and his chief of staff during the retreat from Moscow. He was not a great commander, and was probably a suicide in 1815 after having abandoned his leader for Louis XVIII.

PAGE 8. 5. A figure in a quadrille, taking its name from Trénitz, a graceful dancer of the Directorate period.

PAGE 9. 6. 'Stomach.'

PAGE 14. 7. 'It's all up with us!'—8. 'I'll let you have my sword in the guts!'

PAGE 15. 9. 'We've used our rifles and our sabers right well, I'll say!'

PAGE 21. *La Pension Vauquer*. The opening pages of *Le Père Goriot*, an outstanding masterpiece of Parisian life published in 1834–1835 and dedicated to the scientist Geoffroy Saint-Hilaire. This novel relates the mental and physical degeneration of Old Man Goriot, and his devotion to his cruel and unfeeling daughters; it also tells of the rise to power

of an ambitious youth from the provinces, Eugène de Rastignac.—
10. *The Church of the Val-de-Grâce* was built in the seventeenth century
by Mansard after the model of Saint Peter's, Rome. The *Pantheon*,
built originally as the church of the patron saint of Paris, was under the
First Republic given the name "Panthéon" and dedicated to serve as the
burial-place for France's illustrious dead. The domes of these two build-
ings are prominent on the landscape of the left bank of the Seine.

PAGE 24. 11. A kind of gray marble streaked with white.

PAGE 25. 12. Oil lamps with circular wick and glass chimney, invented
in the late eighteenth century by a Genevese physicist named Argand.
During the Revolution the details of this lamp were perfected by a
Frenchman named Quinquet, who then usurped the name.—13. 'Speculative misery' of people who are forced to employ all sorts of schemes in
order not to starve.

PAGE 26. 14. *Georges Cadoudal*, often called simply *Georges*, Breton
royalist leader who in 1803 plotted with *General Charles Pichegru* to
assassinate the First Consul. They were betrayed by associates.

PAGE 28. 15. *La Bourbe*, a maternity hospital which took its name
from the filthy quarter in which it was situated. *La Salpêtrière*, under
Louis XIII a gunpowder factory; later, a home for aged women and a
hospital for the insane.

PAGE 30. 16. *Raton*, in La Fontaine's famous fable the name of a cat
associated with the monkey *Bertrand*. Bertrand dupes Raton into pull-
ing roasted chestnuts out of the fire; Bertrand eats them at once.

HUGO

PAGE 37. *L'Expiation*, dated Jersey, November 25–30. The whole
poem was probably written after the establishment of the Second Empire, in 1852. It is published in the collection of eloquent and lyric
satires called *Les Châtiments*. Two passages of considerable length have
been omitted: one, immediately following the description of Napoleon's
last days on St. Helena; the other, the concluding portion of Hugo's
satiric picture of the Second Empire.

PAGE 38. 1. The poet refers to the crossing of the Berezina, so vividly
described in Balzac's *Adieu*, and to the rout which followed. *Marshal
Ney*, whose devotion, patriotism, and abnegation cannot be overesti-
mated, proved himself a heroic leader during this tragedy, as well as
later at Waterloo.

PAGE 40. 2. Napoleon expected *Marshal Grouchy* to arrive with re-
inforcements; but Grouchy, badly informed or confused in his orders,

had already let a whole Prussian army pass him and cut his thirty-three thousand men off from Waterloo. *Blücher* effected a junction with the Duke of Wellington, thereby turning the tide of battle against the French.

PAGE 42. 3. After Waterloo, threatened on all sides by his enemies, Napoleon surrendered to the English and sought shelter aboard the man-of-war "Bellerophon." The English exiled him to the island of St. Helena in the south Atlantic. There he was the prisoner of Sir Hudson Lowe, the military governor.

PAGE 43. 4. The amours of Napoleon's second wife, Marie-Louise, Archduchess of Austria, and the pathetic destiny of their son, the Duke of Reichstadt, are vividly set forth in Rostand's poetic drama *L'Aiglon*. — 5. The body of Napoleon was transported to France in 1840 and laid to rest under the dome of the Invalides, the Old Soldiers' Home.

PAGE 45. 6. Napoleon III was the son of Louis Bonaparte, ex-king of Holland and brother of Napoleon I, and of Hortense Beauharnais, daughter of the Empress Josephine by her first husband.—7. At Belshazzar's feast the captive Daniel interpreted the mysterious handwriting upon the wall as follows: "God hath numbered thy kingdom, and finished it. Thou art weighed in the balances, and art found wanting. Thy kingdom is divided, and given to the Medes and Persians."—8. November 9, 1799, the date upon which Napoleon I overthrew the Directorate and assumed such power as First Consul that the rise to imperial heights was merely a step. To Hugo this suggests the nephew's coup d'état, which he finds a hideous parody of the grandeur of Napoleon I.

PAGE 46. *Chanson.* This poem, dated Jersey, August 5, 1853, is also from *Les Châtiments.*—9. The tower of the old chapel on Rozel Manor, Jersey.

Le Mendiant and the poem which follows, *Éclaircie*, are found in Hugo's finest collection of verse, *Les Contemplations.* The former is dated December, 1854; the latter, written from Marine Terrace, the Hugos' home in Jersey, is dated July 4, 1855.

PAGE 47. 10. *L'océan resplendit...* Sea and light—these are the two impressions which are developed in the poem. A proscript, a father who has lost his daughter, who has his hours of bitterness and doubt, sees from time to time a flashing rift in the clouds, an *éclaircie.* Notice the lack of logical plan, and how rapidly the poet will pass from a real vision to a philosophic thought.

PAGE 48. *Booz endormi* and the two poems which follow—*Bivar* and *Le Cimetière d'Eylau*—are found in *La Légende des siècles.* They illustrate the color and the character of three distinct ages: *Booz endormi*, a lovely paraphrase of the biblical story of Ruth and Boaz, is set, as the poet tells us, "dans des temps très anciens," about 1200 B.C.; *Bivar* relates an episode from the life of the Cid, the famous Spanish hero, in the eleventh century; *Le Cimetière d'Eylau* is a poetized incident from the Napoleonic wars.

PAGE 50. 11. "Jacob . . . dreamed, and behold a ladder set up on the earth, and the top of it reached to heaven: and behold the angels of God ascending and descending on it. And, behold, the Lord stood above it, and said, I am the Lord God of Abraham thy father, and the God of Isaac: the land whereon thou liest, to thee will I give it, and to thy seed." (Genesis xxviii, 12–13.)

Judith's dream is an invention of the poet, or it may possibly have been suggested by an episode from Friedrich Hebbel's tragedy *Judith* (published in 1841).

12. King David and Christ. A reminiscence of the Tree of Jesse, which has furnished the design for one of the glories in stained glass in the Cathedral of Chartres. In a part of his *Rhine Journey* written in 1838, Hugo describes one of the windows of the Cathedral of Cologne which displays a similar motive and was doubtless the inspiration for the lines in this poem.

PAGE 51. 13. *Gilgal,* name of several places in ancient Palestine; the most famous was near Jericho, in the tribe of Benjamin.—14. Hugo is indifferent to geographical accuracy: *Ur*, a city of ancient Chaldea. *Jerimadeth* is an invention of Hugo's, to supply a rime.

PAGE 52. *Bivar*, a former castle near Burgos, birthplace of Ruy Diaz de Bivar, the half-legendary epic hero of Spain, called the Cid Campeador, who lived during the second half of the eleventh century. The *Poema del Cid*, composed only a half-century after his death, and the *Romancero*, a collection of epic ballads, relate the adventures of this great warrior. The theme of filial love upon which this beautiful poem is built represents, however, the very personal expression of Victor Hugo's affection for the memory of his father, a former general in Napoleon's army and a count under the First Empire. On the manuscript, following the date, the words *mon doux anniversaire* are written, a further indication of the poet's subjective intention.—15. His traditional title, said to mean 'champion' and to refer to single combat; from *campear*, 'go on campaign,' 'fight pitched battle,' 'scout,' 'excel.' Later, after his victory over the Moors, Don Ruy Diaz acquired the epithet Cid, from the Arabic *seid*, 'chief.'—16. *Aviz* and *Cadaval* are towns north of Lisbon; *Algarve* is the southern province of Portugal.—17. The Cid's sword.

PAGE 53. 18. *Richomme*, from the Spanish *ricohome*, a nobleman of high rank; *servidumbre*, 'retinue.'

PAGE 54. *Le Cimetière d'Eylau.* The battle of Eylau was fought on February 8, 1807, in northwestern Prussia, near the Baltic. Napoleon, pursuing the Russian generalissimo *Bennigsen*, obliged him to offer battle near the town of Eylau. The attack was made in whirlwinds of snow by troops which were worn with fatigue and greatly outnumbered by the Russians and their Prussian allies. In the bloody butchery which ensued the Russian retreat could scarcely be counted as a victory for the French.

PAGE 55. 19. *Joseph Bara*, a fourteen-year-old hero who followed the Republican army and was shot down in 1793, patriotically shouting "Vive la République."

PAGE 56. 20. After the death of Hugo's daughter by drowning, the poet was singularly haunted by the sinister and lugubrious aspects of the sea.

PAGE 59. 21. *Du Harz le cor*, the music of the enemy's army. In his manuscript Hugo wrote first "Taunus"—but the troops from the Taunus were in Napoleon's service and far off to the rear; then "Tyrol"—but Tyrol was Austrian, and no Austrian troops were present; finally "Harz," for the Prussians might have had Harz troops or at least Harz music.

PAGE 62. 22. Hugo is especially skillful in bringing his poems to a dramatic close. Compare with this line the striking phrase which terminates *Bivar* or the lovely vision of the crescent moon in the last verses of *Booz endormi.*

Saison des semailles, le soir. This poem is taken from a rather inferior collection called *Chansons des rues et des bois*, dated 1865. It is perhaps the most perfect single poem which Hugo has done, and is a striking example of his visionary power.

GAUTIER

PAGE 65. *Émaux et camées.* "This title," writes Gautier, "indicates my design to treat in restricted form small subjects, some on gold or copper plate with the vivid colors of enamel, some with the gem-engraver's wheel on agate, carnelian, or onyx."

Symphonie en blanc majeur. A study in whites, in which Gautier tries to rival with words the colors of a painter. It would be interesting to compare Gautier's brilliant "symphony in white" with similar passages in the *Nature Studies* of Bernardin de Saint-Pierre, the first to introduce color into the monotonic prose of the eighteenth century.—1. 'Swan-maidens,' who could assume alternately the form of a swan and that of a woman, were familiar to Teutonic mythology and romantic legend.

PAGE 66. 2. A beautiful white marble which the Greeks used for their sculpture.

PAGE 68. 3. A figure from Balzac's novel of the same name. Séraphita-Séraphitus is an angelic creature of mysterious nature and dual sex loved simultaneously by a man and a woman. The scene is laid along the Norwegian fiords.

PAGE 69. 4. 'Metopes' are the square spaces between the triglyphs in the Doric frieze. Compare note 7, page 70. *The Parthenon* was the most perfect example of Doric in architecture.

PAGE 70. 5. Mussulmans who have made the pilgrimage to Mecca.— 6. 'Tarbooshes,' Turkish or Greek caps, red with blue tassels.— 7. The survival in Doric marble construction of the earlier wooden transverse beam-ends which rested upon the architrave ; now a part of the decoration of the frieze.— 8. *Baalbek*, in Syria, has ruins of a Roman temple built with gigantic stones.— 9. A palace built by the Knights of Saint John, who occupied Rhodes during the fourteenth and fifteenth centuries.— 10. A towering headdress worn by the kings of Egypt.

PAGE 71. 11. *Friedrich Rückert* (1788–1866), a distinguished German Orientalist and translator and a most accomplished versifier. The poem to which Gautier here refers is from his *Liebesfrühling* and begins :

> Flügel! Flügel, um zu fliegen
> Über Berg und Tal,
> Flügel, um mein Herz zu wiegen
> Auf des Morgens Strahl.

L'Art. The summation of Gautier's artistic belief. "These admirable verses," writes Henry James, "seem to us to be almost tinged with intellectual passion. It is a case of an æsthetic, an almost technical, conviction, glowing with a kind of moral fervor."

PAGE 72. 12. Carrara and Paros marbles, very hard and of exceedingly fine texture.

PAGE 73. *Vassili-Blajennoi de Moscou*. This passage occurs in Gautier's *Voyage en Russie* (1866). In his prose, as well as in his verse, the painter's eye, sensitive to color and to shape, is always alert. Vassili-Blajennoi, the Church of Saint Basil the Great, was built in the middle of the sixteenth century for Ivan IV the Terrible. The architecture combines Italian, Moorish, and Chinese styles with confounding strangeness of effect. There are many spires, and twelve bulbous domes of which no two are alike. The lavish color and weird shapes make of this edifice an exceedingly strange place of worship.— 13. Moscow was once contained within fortifications protected by nineteen towers. This fortress was called the Kreml, or *Kremlin*.— 14. A color which possibly took its name from the "Marie-Louises," conscripts of the Jeune Garde in 1813–1814. The infantry uniform of this regiment was blue.

PAGE 74. 15. A name given to the Russian peasants.

PAGE 75. 16. *Ivan IV* (1530-1584), the first to take the title of Czar of Muscovy, was a civilizer and conqueror, but showed a taint of insanity by his debaucheries in early youth and his frightful bloodthirstiness in middle age. He conquered the Volga basin by taking the Tartar city of *Kazan* in a six weeks' siege in 1552.—17. The like story is told of other great works; see for instance Jakob Wassermann's splendid *Witberg.*—18. Ornamented in relief by hammering the back to drive up the pattern.

PAGE 77. 19. A promontory extending into the Ægean Sea. The peninsula is covered with groups of monastic communities which are rich in Byzantine artistic treasures.

PAGE 78. 20. Insects which bore through wood, 'borers.'

FLAUBERT

PAGE 81. *Deux Paysages*, pages from Flaubert's *Notes de voyages*, written along the Nile, February 6, 1850.—1. Ancient capital of Egypt, fourteen miles south of Cairo, on the left bank of the Nile.—2. 'Cangia,' a light boat used for Nile travel.—3. 'Captain.'

PAGE 82. 4. "A name given at the mouth of the Seine to the soft-roed shad which are shipped to Paris." (Baudrillart, *Dictionnaire des pêches*, 1827.)

L'Arrivée des Bovary à Yonville, pages which contain a striking picture of Norman country life from *Madame Bovary*. Yonville is the Main Street of Normandy, just as M. Homais is its classic Mr. Babbitt.

PAGE 85. 5. *Robs dépuratifs*, 'blood purifiers' made from fruit juices; *médecine Raspail*, named for a well-known French scientist of the early nineteenth century who recommended camphor as an universal panacea to combat parasites, which he believed to be the cause of all diseases; *racahout des Arabes*, a preparation made from rice flour, sweetened and flavored, used as a beverage for invalids; *Darcet, Regnault*, distinguished French chemists of the early nineteenth century.

PAGE 90. 6. *Homais*, the shallow and pompous representataive of anti-clericalism, is the incarnation of Flaubert's contempt for the bourgeois. Homais swears by Socrates, Benjamin Franklin, and Béranger, who "did not believe in the gods of the State"; he professes the natural religion preached in Rousseau's *Savoy Vicar* and admires the revolutionary eloquence of 1789; he dabbles in Voltaire's deism, and discovers that Jonah in the whale's belly is contrary to the laws of science. On his shelf of books, along with the "philosophes" and the free-thinkers, are the romantic novels of Walter Scott and the cheap verse of the Abbé Delille. Homais is just a self-satisfied fool.

PAGE 96. 7. The Norman town where the Bovarys had lived before coming to Yonville.

PAGE 98. 8. Charles Bovary had once lanced an abscess for a Norman politician, the owner of Vaubyessard, and this gentleman had on one or two occasions noticed the doctor's pretty wife. An invitation to a ball at the château had followed, one of the memorable events in the humdrum life of Emma Bovary.

BAUDELAIRE

PAGE 101. *Les Fleurs du mal.* Some of the best of these poems were written as early as 1843. It was not until 1857, however, that Baudelaire was able to find a publisher for his collected verse.

Correspondances. This poem is perhaps the most important of Baudelaire's sonnets, for it foreshadows in a remarkable fashion the later doctrine of the symbolists. "The truly surprising thing," wrote the poet, "would be that sound could not suggest color, and color not convey the idea of melody, and that sound and color should be unfit to express ideas." It is interesting to note how Shelley's *Sensitive Plant*, composed years earlier, contains these same *correspondances*:

> And the hyacinth purple, and white, and blue,
> Which flung from its bells a sweet peal anew
> Of music so delicate, soft, and intense,
> It was felt like an odor within the sense.

PAGE 105. 1. *Éponine . . . Laïs.* A striking antithesis: Éponine, wife of a Gallic warrior, who shared with her husband exile, betrayal, and death, the type of devoted wife; Laïs, a Greek courtesan celebrated for her beauty, in her old age overfond of the wine-cup.

PAGE 107. 2. *Frascati* and *Tivoli* were two celebrated public dance-halls of the Latin Quarter which flourished about 1830; the former had been closed when Baudelaire wrote this poem. The 'Priestess of Thalia' refers to some faded and forgotten dancer who in her youth had frequented these places of amusement.

PAGE 108. *Hymne.* This poem was addressed in May, 1854, to Mme Sabatier, a remarkably charming hostess who presided over an artistic salon much frequented by Baudelaire.

PAGE 109. *La Mort des pauvres.* A striking contrast with the conception of death embodied in this sonnet is to be found in La Fontaine's beautiful poem *Death and the Woodcutter*.

PAGE 110. *Le Voyage*, a long poem published in 1859. Only the closing stanzas are given here.

TAINE

PAGE 113. *La Fontaine et la Champagne*, the opening pages of Taine's doctoral dissertation *La Fontaine et ses fables*, published in 1853.

PAGE 118. *La Critique appliquée à l'histoire*, pages from Taine's *Essai sur Tite-Live* (1856).

PAGE 120. 1. *Cato* the Elder, austere Roman soldier and statesman, devoted himself to agriculture when he was not engaged in military or political pursuits. He wrote a curious treatise on good husbandry called *De Re Rustica*.

PAGE 121. *L'Animal et sa coquille*. These pages are taken from the Introduction to Taine's *History of English Literature* (1863) and contain the germ of his famous theory of *race, milieu*, and *moment*.

PAGE 122. 2. A conventional and inexact phrase much employed in the seventeenth century to designate Old French. *Jacques Amyot* (1513–1593) possessed a vigorous style which was greatly admired by Montaigne, by Racine, and by Rousseau.—3. *Louis de Rouvroy, duc de Saint-Simon*, writer of famous Memoirs of the court of Louis XIV. *Pérelle*, seventeenth-century painter and engraver. *Lami*, famous watercolorist of the nineteenth century.

PAGE 123. 4. The *Meleager* (copied from a work of Scopas, 4th century B.C.) and the so-called *Theseus of the Parthenon* (about 430 B.C.) are nude male figures, one erect, armed with hunting-spear, the other reclining and musing.—5. The *Puranas* are sacred poems of Brahmanic India.

SAINTE-BEUVE

PAGE 127. *Le Vrai Réalisme*, pages from Sainte-Beuve's article on the Lenain brothers, painters of the seventeenth century, dated January 5, 1863, and reproduced in the *Nouveaux Lundis*, Vol. IV.

PAGE 128. *La Méthode critique de Taine*, pages from Sainte-Beuve's review of Taine's "History of English Literature," dated May 30, 1864, and reproduced in the *Nouveaux Lundis*, Vol. VIII.

PAGE 129. 1. *Lamennais*, a liberal theologian and apostle of the people, whose rupture with the Church occurred in 1834. His vigorous *Paroles d'un croyant* were characterized by the Pope as "small in size but immense in perversity."—2. *Hippocrates*, the most celebrated of ancient physicians (460–375 B.C.).—3. *Montesquieu*, a celebrated Gascon magistrate and philosophical historian of the eighteenth century. His theory of the influence of environment and climate on the character of men and nations is fully set forth in his great treatise on legislation, *L'Esprit des lois*.

EDMOND AND JULES DE GONCOURT

PAGE 135. *L'Entrée des champs*, pages from *Germinie Lacerteux*, the most celebrated product of the Goncourt brothers' collaboration, which appeared in 1865. Germinie is a servant girl whose nature is a singular and unfortunate blending of virtue and voluptuousness. To support her rascally lover, Jupillon, she robs a mistress to whom she is devoted, from which first step her degeneration steadily proceeds.—1. The former residence of Gabrielle d'Estrées, mistress of Henry IV. It was converted into a low public hall after 1845.

PAGE 137. 2. Along the Seine, six miles from Paris.—3. 'Masons,' many of whom came from the Limousin.

PAGE 138. 4. 'Macaroons,' given as prizes for hitting targets.

PAGE 139. *Charles Demailly*, a portrait taken from the novel of the same name. This is in great part an exceedingly exact analysis of the Goncourt brothers themselves.—5. The perceptive part of the brain, supposed to be the seat of the soul.

PAGE 141. *Les Frères Zemganno*. These are the closing chapters of the novel written by Edmond de Goncourt after the death of his younger brother. After weeks of scientific study and intense training, the circus clowns, Gianni and Nello, have perfected a very difficult acrobatic feat. Gianni leaps almost vertically from a carefully tempered springboard to the rim of a barrel suspended in midair, his body passing in its upward flight through the barrel. Nello, likewise shooting upward through the barrel, leaps to the shoulders of his brother. A wooden barrel, substituted by a jealous circus performer for the usual canvas one, brings about the tragedy. The responsibility which the older acrobat feels for Nello's accident, and the touching friendship which binds the two clowns into such a close partnership of brain and muscle, is of course a pathetic commentary on the relationship between the Goncourt brothers. —6. The flexible springboard which was used by the acrobats; perhaps from the Italian participial substantive *battuto*.

PAGE **144**. 7. 'Callus,' "the bony material thrown out around and between the two ends of a fractured bone during the process of healing" (*Sydenham Society's Lexicon*).

MAUPASSANT

PAGE **158**. 1. An important fort located on the highest hill outside of Paris.

PAGE **162**. *La Ficelle* (1883), one of Maupassant's finest stories. Note how carefully the author has built up his setting—Goderville, a small Norman town between Le Havre and Fécamp—and how admirably he has fitted his characters into the picture.

PAGE **163**. 2. Not here the lawyer's title, but a familiar substitute in country districts for *Monsieur*.

PAGE **164**. 3. 'Damp,' 'moldy.' A survival of the Old French still employed in Normandy.—4. Old form for *savoir*, still employed after *faire* in country districts.

PAGE **165**. 5. Norman dialect: *moi . . . ce portefeuille*.

PAGE **167**. 6. *Deuil* is here a survival of the Old French, used in the sense of *douleur*.

PAGE **168**. 7. A play on words impossible to render in English. In slang, *ficelle* means a 'trick,' a 'clever game.'

PAGE **169**. 8. Peasant's expression, doubtless for *se rongeait jusqu'au sang*.

DAUDET

PAGE **173**. *L'Arlésienne* was published in 1869 in Daudet's *Lettres de mon moulin*, and is one of his earliest stories. It was later dramatized by the author and produced with Bizet's music.—1. 'Farmhouse,' a localism.—2. "The *ménagers* about Arles form a distinct class: an aristocracy which marks the transition from peasant to bourgeois, possessing like any other class its pride of caste." (Mistral, *Mémoires et récits*.)

PAGE **174**. 3. A promenade which skirts the fortifications of the city. *Lice*, 'lists,' a field upon which tourneys were held.

PAGE **175**. 4. Patron saint's day; Provençal, *voto*.—5. A celebrated wine from the Châteauneuf-des-Papes at Avignon.

PAGE **177**. *Le Portefeuille de Bixiou* was published in *Lettres de mon moulin*, 1869. In this remarkable story Daudet has re-created a famous figure from the novels of Balzac—the bohemian caricaturist Bixiou, whose bitter personality is revealed in at least a half-dozen stories from the *Comédie humaine*.

PAGE **178.** 6. Bixiou's pronunciation for *supérieur*.— 7. Erckmann and Chatrian, in forty-two years of collaboration, wrote charming tales of Alsatian peasant life and of the Napoleonic Wars.

PAGE **179.** 8. *La Salette*, a hamlet in the department of the Isère where, in 1846, the Virgin is said to have made a miraculous appearance. The spring was believed by the peasants to be efficacious in curing diseases.

PAGE **181.** 9. Minister of Education from 1863 to 1867.—10. *Émile de Girardin* (1806–1881), the greatest French journalist of the nineteenth century.

PAGE **182.** *La Dernière Classe*, one of the finest patriotic stories ever written, appeared in *Les Contes du lundi* (1873).

PAGE **185**, note. *Frédéric Mistral*, a poet and friend of Daudet's, devoted his life and talents to the restoration of the Provençal language as a medium of literary expression.

ZOLA

PAGE **190.** *Une Noce parisienne*. These pages are taken from *L'Assommoir* (1877), Zola's most powerful novel, which relates the progressive degeneration of an honest workman named Coupeau and his wife Gervaise, victims of the grogshop.

PAGE **191.** 1. 'Hand-me-downs,' second-hand clothes.

PAGE **192.** 2. 'The Raft of the Medusa,' which was shown in 1821, is the work of Géricault, one of the first of the romanticists.— 3. A magnificent room decorated by Lebrun to glorify the Roi-Soleil. It contains the richest collection of enamels in Europe.— 4. During the hideous Massacre of St. Bartholomew in 1572, it is related, the king himself fired upon fleeing Protestants from one of the palace windows.

PAGE **193.** 5. Veronese's *Marriage at Cana*, painted in 1563. Christ changing water into wine. The setting is Italian Renaissance, and the figures, except for those of Christ and the Virgin, are portraits of eminent contemporaries: Francis I, Eleanor of Austria, Charles V, cardinals, Tintoretto, Titian, etc. "It builds up indefinitely from the marble pavement, with tier upon tier of people, clinging to columns and peering from balconies. One may count no less than two hundred and fifty heads. It has all the stir of a public banquet and everywhere the greatest richness of table accessories and costumes. The theme called for little religious emotion. The miracle itself is a convivial one. Yet Veronese has made this different from other feasts by a most complicated system of guiding lines which always lead the eye to the gentle face of the Christ in the centre" (Frank Jewett Mather).—6. 'Mona Lisa,' Leonardo da Vinci's portrait of the Neapolitan wife of Francesco del Giocondo, one of the most celebrated paintings in the world. "A symbol for all that is cultured, self-contained, sophisticated, civilized. Simple people instinctively dislike her, and are right. Subtle people adore her, and are also right" (Frank Jewett Mather).—7. Correggio's *Jupiter and Antiope*. In this canvas the figure of the Amazon Antiope has been described as appearing "not goddesslike but perturbingly feminine and desirable."—8. Portrait attributed to Leonardo da Vinci; possibly the work of an able pupil. The arrangement of the paintings in the Louvre has been somewhat changed since Zola's time.

PAGE 195. *La Grève de Germinal*, from the novel *Germinal* (1885), a somber tale of life in the coal mines of northern France. Although this is the story of vast multitudes of hungry, maddened strikers and a furious band of wretched women, the interest is concentrated about one or two families: the Levaques; the Maheus, and their abominable offspring; their boarder, Étienne, a socialist dreamer, son of Gervaise Coupeau, the alcoholic heroine of *L'Assommoir*; Jeanlin, a green-eyed degenerate boy.—9. The name of the mine.—10. Superintendents of the coal mines.

PAGE 197. 11. Groups of houses constructed by the company for its employees.

RENAN

PAGE 203. *Claude Bernard*. These pages are taken from Renan's "discours de réception," delivered before the French Academy, April 3, 1879. Claude Bernard (1813–1878), whom Renan succeeded in the Academy, was a famous physiologist. In 1854 the chair of experimental physiology was created for him at the Sorbonne. He was a member of the Academy of Sciences and professor of medicine at the Collège de France. In 1869 he was made a senator of the Empire. His famous *Introduction à l'étude de la médecine expérimentale* appeared in 1865, and therein he exposes the doctrine of determinism: that every phenomenon is directly traceable to a definite material condition. Claude Bernard is one of the great figures in the advance of medical science.

PAGE 206. *Prière sur l'Acropole*, pages of remarkably finished prose from Renan's *Souvenirs d'enfance et de jeunesse*, written in Athens in 1865. "When I saw the Acropolis," wrote Renan, "I had the revelation of the divine such as I had had the first time I felt the living presence of the Gospels, seeing the valley of the Jordan. . . . The hours which I spent on the sacred hill were hours of prayer."—1. *The Cimmerians* lived in a far-away western land untouched by the rays of the sun. Renan associates them with the Cymry, a branch of the Celts.

PAGE 207. 2. *Eurhythmia*, goddess of proportion.—3. *Hyperboreans*, a fabulous people who dwelt in a state of perfect happiness and a land of endless sunshine beyond Boreas, the north wind.—4. Literally, a League of All Bœotia; Greek tradition makes Bœotia the land of stupidity.

PAGE 208. 5. The friezes and metopes from the Parthenon were taken to England by Lord Elgin between 1801 and 1806.—6. *Théonoé*, 'Divine-minded.'—7. *Euhemerus*, "a Sicilian Greek who lived in the fourth century B.C. and wrote a treatise (now lost) entitled *A History of Things Sacred*, translated into Latin by Ennius. He tried to rationalize mythology and show that the gods of paganism were only superior men who had actually lived and been deified by the fear or admiration of their fellows. His proofs, however, were fantastic, and his History has been called a 'religious romance,' a phrase that has also been applied to Renan's *Vie de Jésus*" (Irving Babbitt).—8. From the Greek *trapezites*, 'banker.'—9. "Then Paul stood in the midst of Mars' hill, and said, Ye men of Athens, I perceive that in all things ye are too superstitious. For as I passed by, and beheld your devotions, I found an altar with this inscription, To AN UNKNOWN GOD. Whom therefore ye ignorantly worship, him I declare unto you" (Acts xvii, 22–23). It is known from other records that Athens had "altars to unknown gods." —10. *Salpinx*, 'trumpet,' supposedly invented by Athene.—11. *Kora*, 'maiden'; an epithet usually applied to Proserpine.—12. 'Champion,' 'Defender.'—13. 'Patron of the useful arts,' one of the most ancient epithets of Athene.

PAGE 209. 14. After the Peloponnesian War *Lysander* tore down the walls of Athens to the accompaniment of music.—15. 'Primal Leader.'

PAGE 210. 16. *Erechtheus*, son of Hephæstus, god of fire, was reared by Athene and became king of Athens. He built a temple of Athene upon the Acropolis.—17. Thrace was associated with the worship of Dionysus, god of wine.

PAGE 211. 18. The grand church built at Constantinople in the sixth century and dedicated to *Hagia Sophia*, that is, Holy Wisdom, is perhaps unsurpassed in the world for the richly colored beauty of its interior. It is now a mosque, known to us by mistranslation as "St. Sophia."— 19. 'Cella,' the central chamber of a Greek temple.

LECONTE DE LISLE

Page 215. *Hypatie*, and the two poems which follow, *Hèraklès au taureau* and *Midi*, are found in *Les Poèmes antiques* (1852). Hypatia, the virgin philosopher of Alexandria, celebrated for her beauty and her wisdom, was torn to pieces by a Christian rabble in 415. Her life and times are vividly reconstructed in Charles Kingsley's novel *Hypatia*. This poem exemplifies Leconte de Lisle's austere worship of beauty.

Page 216. 1. In consequence of his incestuous alliance with his mother, Œdipus blinded his own eyes and wandered forth from Thebes, accompanied by his daughter Antigone.—2. 'Pythoness,' priestess at Pytho (old name of Delphi) to whom Apollo gave oracular inspiration when she took her seat on the sacred tripod.

Page 218. 3. *Elis*, a district of southern Greece.—4. *Phaëthon*, 'the shining one,' an epithet usually applied to the son of Helios, the sun god.—5. *Europa*, daughter of King Agenor of Phœnicia, was carried off by Zeus, disguised as a bull, who swam with her out to sea and bore her away to Crete.

Page 220. *La Ravine Saint-Gilles*, *Les Eléphants*, *Le Rêve du jaguar*, and *Les Montreurs* are from *Les Poèmes barbares* (1862).

La Ravine Saint-Gilles, a memory of the poet's native island of Réunion, in the Indian Ocean.—6. A city and port on the east coast of Madagascar.

Page 221. 7. The *Sakalava* are the half-negro tribes of western Madagascar.—8. An island in the Indian Ocean, east from Réunion.

Page 225. *Les Montreurs*, one of Leconte de Lisle's most fervent utterances, a proud declaration of impersonality in literature and a repudiation of romanticism. The first quatrain, denouncing the poet who exhibits his heart to a "flesh-devouring multitude," seems to point directly to self-confessions such as those of Musset in *La Nuit de mai*, and his famous figure of the pelican tearing out its vitals to feed its young:

> Les plus désespérés sont les chants les plus beaux,
> Et j'en sais d'immortels qui sont de purs sanglots.

Les Roses d'Ispahan, *L'Albatros*, *A un poète mort*, and *La Maya* are from *Les Poèmes tragiques* (1884).

Page 227. *A un poète mort*, a sonnet addressed to Théophile Gautier. The concluding tercet is perhaps the bitterest expression of pessimism which has ever come from poet's lips.—*La Maya*, in Hindu philosophy, Illusion as a fundamental element of the world. This is the last poem of the last volume published during Leconte de Lisle's lifetime.

SULLY-PRUDHOMME

PAGE **229**. *Le Vase brisé*, *Les Yeux*, and *Le Long du quai* are from *Stances et poèmes* (1865).

PAGE **231**. *Les Danaïdes* and *Un Songe* are from *Les Épreuves* (1866). The fifty Danaïdes, who at the command of their father Danaüs slew their husbands on the wedding night, were condemned in Hades to work at filling with water a huge jar with holes in the bottom.

PAGE **232**. *L'Automne*, *Un Rendez-vous*, and *Aux Poètes futurs* are from *Les Vaines Tendresses* (1875).

VERLAINE

Après trois ans and *Chanson d'automne* are from *Poèmes saturniens* (1866); *Mandoline* and *A Clymène* are from *Fêtes galantes* (1869); *La Lune blanche...* is from *La Bonne Chanson* (1870); *Il pleure dans mon cœur...* and *Chevaux de bois* are from *Romances sans paroles* (1874); *Beauté des femmes...*, *Je suis venu, calme orphelin...*, *Le Ciel est, par-dessus le toit...*, and *Vous voilà...* are from *Sagesse* (1881); *Art poétique* is from *Jadis et naguère* (1885); *Paraboles* is from *Amour* (1888).

PAGE **242**. 1. *Veleda*, a prophetess who in the reign of Vespasian was regarded as a divine being by the nations in central Germany. Verlaine is doubtless reminded of the beautiful marble statue of Veleda in the Luxembourg Garden, the work of the sculptor Maindron.

Mandoline and the poem which follows, *A Clymène*, are impressions of the sentimental elegance and frivolity of the eighteenth century, when Watteau painted his *Embarking for the Island of Cythera*; when Tircis, Aminte, Clitandre, and Damis made love in the *commedie dell' arte*.

PAGE **245**. *Chevaux de bois*. The setting for this poem is the fair-grounds at Saint-Gilles, a suburb of Brussels.

PAGE **247**. *Je suis venu, calme orphelin...* The poem suggests, of course, Verlaine's own troubled life under the guise of outlining the mysterious destiny of one Kaspar Hauser, an obscure Nuremberg found-ling, thought by some to be the heir of a princely house.

PAGE **248**. 2. These lines are a very beautiful translation of Dante's *Purgatory*, Canto III, verses 79–84:

> Come le pecorelle escon del chiuso
> Ad una, a due, a tre, e l' altre stanno
> Timidette atterrando l' occhio e il muso;
> E ciò che fa la prima, e l' altre fanno,
> Addossandosi a lei s' ella s' arresta,
> Semplici e quete, e lo 'mperchè non sanno.

PAGE 249. *Art poétique.* Verlaine's most important poetic utterance, exemplifying at the same time his extraordinary sensitiveness to the music of words.

PAGE 250. 3. The fish is a symbol in Christian art for Christ. Its origin is said to be the initials of the Greek *Iesous Christos, Theou Uios, Soter*, which make the word *Ichthus* ('fish'). The 'ass's colt' is a reference to Christ's triumphal ride into Jerusalem; 'the swine,' to Christ's casting out the legion of unclean spirits which entered into a herd of swine.

HEREDIA

PAGE 253. *Les Trophées* were published in 1893. *L'Oubli* is the opening sonnet. Dedicated first to the memory of the poet's mother, these poems are then offered with dignity to Leconte de Lisle: "My surest title to any fame will be that I was once your devoted pupil."

Andromède au monstre and the two sonnets which follow, *Persée et Andromède* and *Le Ravissement d'Andromède*, form a trilogy which tell how Andromeda, daughter of the Ethiopian king Cepheus, was chained to a rock to be devoured by a sea-monster, an oracle having declared that only so could the country be freed from the monster's ravages; and how Perseus, the slayer of Medusa, came to rescue the royal maiden. *Pegasus* and *Chrysaor*, celebrated stallions, offspring of Medusa and Poseidon.

PAGE 254. 1. *Helle* fell from the back of the Ram with the Golden Fleece into the sea which was thereafter called the Sea of Helle (Hellespontus).

PAGE 255. *Le Cydnus, Soir de bataille,* and *Antoine et Cléopâtre*, a triptych which reproduces in magnificent verse the story of Antony and Cleopatra: how the "dusky Lagian" journeyed up the river Cydnus to Tarsus to meet her hero; his battle with the Parthians under Phraates—Phraortes, Heredia writes it; how finally the ardent Imperator, a willing captive along the Nile, sees reflected in his mistress's eyes the desertion of the fleet which was his last hope—bribed to desert, say historians, by Cleopatra.—2. 'Descendant of Lagus.' Lagus was the father of Ptolemy, founder of the Egyptian monarchy.

PAGE 257. *La Belle Viole.* A delicate reminiscence of the Renaissance poet Joachim Du Bellay, who was born on the banks of the Loire, in Anjou, and loved a lady named Olive. Invited by his celebrated relative the Cardinal to visit Rome, Du Bellay deserted his "Loyre gaulois" and his "doulceur Angevine" for Italy. The "song he made for one who winnows grain"—*D'un Vanneur de bled aux vents*—ranks among the loveliest of Renaissance poems:

A vous trouppe legere
Qui d'aele passagere
Par le monde volez,
Et d'un sifflant murmure
L'ombrageuse verdure
Doulcement esbranlez,

J'offre ces violettes,
Ces lis, et ces fleurettes,
Et ces roses ici,
Ces vermeillettes roses,
Tout freschement écloses,
Et ces œilletz aussi.

De vostre doulce halaine
Eventez ceste plaine,
Eventez ce sejour :
Ce pendant que j'ahanne
A mon blé que je vanne
A la chaleur du jour.

PAGE 258. 3. *Palos de la Frontera*, a port in southwestern Spain from which Columbus set sail on his first voyage. *Moguer* is a small town above Palos. Columbus had read the Book of Ser Marco Polo the Venetian concerning the Kingdoms and the Marvels of the East, and aimed at the discovery of *Zipangu* (Japan).

PAGE 259. *Le Samouraï.* 'Samurai,' the retainer of a feudal lord in old Japan. As a mark of nobility he wore two swords, a two-handed saber for fighting and a stubby short sword for suicide.—4. 'Biwa,' a musical instrument somewhat resembling a guitar.—5. *Hizen*, one of the four leading southern lordships. *Tokugawa*, an eastern family which ruled Japan from 1600 to 1867.

MALLARMÉ

PAGE 262. *Apparition* and the poems which follow are taken from *Vers et Prose*, a slender anthology of Mallarmé's work published in 1893, with a portrait of the author by James McNeill Whistler.

PAGE 265. *Le Pitre châtié*, one of Mallarmé's more complicated sonnets, wherein clarity of expression gives way to mere musical succession of words. The clown is the poet; his gestures are the words, which are frequently blurred as if by lampblack; the clown's cymbals are the poet's clashing phrases; his paint, the poet's talent. Just as each night the clown's paint smells rancid to him as he makes up his face, so the poet is never satisfied with his art, and his eyes have a vision of the ideal.

BRUNETIÈRE

PAGE 268. *L'Évolution des genres dans l'histoire de la littérature*, pages from Brunetière's opening lecture at the École Normale on the "Evolution of Criticism," delivered in November, 1889; an outline of his most important critical doctrine.

PAGE 269. 1. *Cimabue, Giotto*, Florentine painters of the close of the thirteenth century and the beginning of the fourteenth. *Van Eyck, Memling*, fifteenth-century Flemish painters.—2. *The Last Supper, The Virgin of the Rocks*, and *Leda* are works of Leonardo da Vinci.—3. The Villa Farnesina, Rome, has a "Triumph of Galatea" by Raphael and a series of pictures on the story of Cupid and Psyche from his designs.

PAGE 271. 4. *Chansons de geste*, famous epic poems: *The Song of Roland*, telling of Charlemagne's retreat from Spain and of Roland's last stand in the narrow pass of Roncevaux, is the finest of them all; the *Aliscans* relates the warlike adventures of William of Orange and his nephew Vivien; *Renaud of Montauban* tells how its hero sustains a long siege by the emperor Charlemagne in his stronghold, and later engages as a common mason in the building of the Cathedral of Cologne.— 5. *The Romances of the Round Table*: the legend of *Percival*, knight of the pure heart, in search of the Holy Grail; the tragic romance of *Tristan and Yseult the Blonde*, all Celtic stories transformed into tales of perfect chivalry.—6. A celebrated cycle of romances of chivalry connected with the Arthurian cycle. *Amadis of Gaul* is its hero.— 7. *Astrée* (1607–1627) is a celebrated prose pastoral by Honoré D'Urfé. Gomberville's *Polexandre*, La Calprenède's *Cassandre*, Mlle. de Scudéry's *Grand Cyrus* and *Clélie* were all heroic novels of adventure written about the middle of the seventeenth century.

PAGE 272. 8. *La Princesse de Clèves*, a masterpiece of psychological fiction, by Madame de La Fayette (1677). *Gil Blas*, Le Sage's novel of manners; *Manon Lescaut*, by the Abbé Prévost; and Marivaux's *Vie de Marianne*,—famous works of eighteenth-century fiction.

PAGE 273. *La Critique impressionniste*, dated January 1, 1891, pages from Brunetière's *Essais sur la littérature contemporaine*.

PAGE 275. 9. *La Vie littéraire*, Vol. II.—10. See pages 350–353.

PAGE 278. 11. *Campistron* (1656?–1723), *De Jouy* (1764–1846), minor dramatic authors; the *Abbé Leblanc* (1707–1781), poet of galanterie, maker of elegies.—12. A tragedy by Racine, 1672.

PAGE 279. 13. *Crébillon the younger* (1707–1777), a novelist with a great vogue in his day; *Poisson* (1633–1690) and *Montfleury* (1640–1685), minor comic authors who followed in the wake of Molière.

LEMAITRE

PAGE 282. *Ferdinand Brunetière.* This article is reprinted in the first volume of *Les Contemporains.*

PAGE 283. 1. *La Philosophie de Bossuet* appeared in Brunetière's *Études critiques,* Vol. V.

PAGE 285. 2. *Charles-Guillaume Étienne* (1777–1845), journalist and critic, bitter opponent of romanticism. *"Saint-René" Taillandier* (1817–1879), professor of oratory at the Sorbonne, who wrote many critical studies for the *Revue des deux mondes.*

PAGE 287. *Paul Verlaine.* These pages are reprinted in Vol. IV of *Les Contemporains.*

LOTI

PAGE 294. *Stamboul,* from *Aziyadé* (1879), Loti's first important novel.—1. Sweet Persian tobacco smoked through a water pipe.—2. 'Old.'

PAGE 295. 3. 'Haremlik,' the women's apartments.—4. Sumptuous summer residences of the officials and the aristocracy.—5. A Russian minister plenipotentiary at Constantinople whose restless activity to bring Christian nationalities under Russian influence culminated in the Russo-Turkish War of 1877–1878.

PAGE 296. 6. That the wine of Ismid (in Asia near Constantinople) should not be forbidden is surprising.—7. Large cushions for a sofa.

La Vieille Bretagne, the closing pages of *Mon frère Yves,* a novel which appeared in the *Revue des deux mondes* in 1883. Yves, the Breton sailor, with his little boy and his "brother" Loti, a naval officer for whom Yves has a great affection, pay a visit to the old grandmother on the lonely coast.

PAGE 298. 8. "These words have no meaning in the Breton language, no more than *mironton, mirontaine* have in old songs of France. They were probably made up by the old woman who sang them."—Loti's note.

PAGE 300. *Nagasaki,* the opening chapters of *Madame Chrysanthème,* a novel which appeared in *Le Figaro* in 1887.

BARRÈS

PAGE 308. *Une Visite de Taine,* from *Les Déracinés* (1897). *Rœmerspacher,* one of the seven "uprooted" Lorrainers who have come to Paris to make their fortunes and whose lives are a series of failures, is a *carabin,* a medical student, working under the domination of Taine's positivism. The philosopher's visit is the result of a critical article which the young Lorrainer had published on his master.

PAGE 310. 1. In 1843–1844 his studies in Semitic philology at the Seminary of Saint-Sulpice had convinced Renan that the Bible was not an inspired work; and during the spiritual breakdown which followed he abandoned his preparations for the priesthood. Taine, rejecting all spiritualistic philosophy, was a disciple of the absolute sensationalism of Condillac, viewing man solely as a product of sensations and instincts.

PAGE 311. 2. *Émile Littré* (1801–1881), a positivistic philosopher and one of the greatest philologists in modern times. He is especially famous for his Dictionary.

PAGE 313. 3. *Immanuel Kant* (1724–1804), a German reformer in philosophical studies. His master-work is the *Critique of Pure Reason*. *Goethe*, a realist and a non-speculative type of scientific observer, like Taine, had no interest in metaphysics or in Kantian abstractions.

PAGE 316. *Le 2 Novembre en Lorraine*, from *Amori et dolori sacrum* (1903), a series of sketches containing, among others, splendid pictures of a decadent Venice; but "the under side of my thought, my inexhaustible spring, is my Lorraine." The summit of Sion-Vaudémont, in the department of Meurthe-et-Moselle, since the tenth century a devotional and political center, to which Barrès, the patriotic Lorrainer and Catholic, makes a pilgrimage on All Souls' Day, furnishes the inspiration for these intensely nationalistic pages.

PAGE 317. 4. "Hail, O land of Saturn, mighty mother of harvests, mighty mother of men"—(Vergil, *Georgics*, ii, 173).—5. The First and Second Orders are the friars and the nuns; Tertiaries are men and women who, in affiliation to the Franciscans or less often to other friars, live under a modified form of the friars' rule, not cut off from all ordinary life.

PAGE 318. 6. *Frédéric Amouretti*, a Marseillais who died in 1903, was, like Barrès, an ardent regionalist, actively interested in the preservation of the Provençal language and literature. The great annual directory called *le Bottin* is divided into three parts: Paris, the departments, and the colonies.

PAGE 319. 7. The desolation of a vast museum of sculpture.—8. The ancient name for a district of Lorraine embracing a part of the departments of Meurthe-et-Moselle and the Vosges.—9. *Rosmerta* was a regional divinity, goddess of abundance, of fairs, and of markets. On the southern extremity of Vaudémont was a sanctuary consecrated to Rosmerta and to a god assimilated by the Romans with Jupiter.— 10. Former strongholds in Xaintois. Only vague traditions now exist concerning *Montfort*, which was probably destroyed toward the close

of the sixteenth century. *La Mothe,* a little fortress in the upper valley
of the Meuse, offered a serious resistance to Louis XIII in 1634 and
was destroyed by Mazarin some years later.

PAGE 320. *Une Soirée sur l'Eurotas,* from Barrès's *Voyage de Sparte*
(1905). Eurotas is the chief river in ancient Laconia.—11. "In the
southwestern region of the town, near the large ruins of a Roman bath,
lay, it is thought, the Dromos or race course, and the Platanistas or
Plane-tree Grove, surrounded by a moat and entered by two bridges,
where the boys, as a part of their education, fought very savage battles.
This grove is an excellent illustration of the dangers of claiming too
much for the influence on the mind of external forms. Plato held that
even the shapes of trees might influence the spirit of those who walked
among them, and Walter Pater, in his study of Lacedæmon, compresses
the idea into a definite application by describing the plane tree, the characteristic tree of Sparta, as 'a very tranquil and tranquilizing object,
regally spreading its level or gravely curved masses on the air.' Yet
within a circle of these tranquilizing objects Cicero, and later Lucian
and Pausanias, saw the Spartan boys fighting with incredible fury, kick-
ing, scratching, biting, and dying rather than confess themselves beaten"
(Allinson, *Greek Lands and Letters*).—12. *The Guide Joanne,* a popu-
lar guidebook. Barrès's guide in these pages, however, is neither the
Joanne nor the Spartan judge and his friend the druggist, but Pausanias's *Description of Greece.*

PAGE 321. 13. *Gythion,* a seaport south of Sparta.

PAGE 322. 14. Mount Taygetus.—15. *Cleomenes,* reigning from 236
to 222 B. C., engaged in a long war with the king of Macedonia, was de-
feated, and fled to Egypt, where he was a suicide.—16. *King Leonidas,*
with a handful of Spartan soldiers, advanced from the Pass of Ther-
mopylæ and attacked a whole Persian army. In the desperate battle
which ensued, the Spartans went to their death with a great show of
courage and patriotism.—17. The Cedarwood Venus was formerly in
an ancient temple near the theater, "the only temple I know that has
an upper story: the upper story is sacred to Morpho. Morpho is a
surname of Aphrodite: she is seated wearing a veil and with fetters on
her, meaning to symbolize by these bonds the fidelity of women to their
husbands" (Pausanias, *Description of Greece,* iii, 15). In Tauris was
a goddess whom the Greeks identified with Diana, to whom all strangers
were sacrificed. Iphigenia and Orestes brought her image to Attica.
It was worshipped at Sparta, and boys were scourged at her altar until
their blood was sprinkled over it.

ANATOLE FRANCE

PAGE 327. *Le Livre de mon ami*, a series of autobiographical sketches published in 1885.—1. A palace on the left bank of the Seine, constructed in the seventeenth century as the building of a college founded by Cardinal Mazarin ; today occupied by the five Academies comprising the Institute of France.

PAGE 329. 2. A first Latin text used by many generations of students.

PAGE 330. 3. A purely fanciful name.

PAGE 331. 4. A widely read religious treatise attributed to the German monk Thomas à Kempis.

PAGE 335. 5. An Oxford publisher of small editions of the classics about 1830.

PAGE 337. 6. 'Prætexta,' a garment worn by children.—7. 'Esquiliæ,' a quarter in Rome.—8. 'Antioch,' the magnificent capital of Syria. 'Cæsarea,' the residence of the Roman governors in Judea. 'Jerusalem,' capital of Judea.—9. 'Caligula,' a madman who was emperor from A.D. 37 to A.D. 41.—10. 'Baiæ,' a fashionable watering-place on the Bay of Naples.

PAGE 338. 11. *Cumæ*, the most ancient Greek colony in Italy, celebrated as the seat of the earliest sibyl.—12. *Cape Misenum*, a promontory south of Cumæ extending into the Tyrrhenian Sea. The vine slopes of *Posilipo* and the volcanic *Vesuvius* are prominent features of Campanian landscape.—13. The *De Rerum natura* of Lucretius.

PAGE 339. 14. *Herod Antipas*, tetrarch of Galilee. Pilate's friendly relations with him resulted from the case of Jesus (Luke xxiii, 12).

PAGE 340. 15. *Mount Gerizim*, the holy mountain of the Samaritans (John iv, 20).—16. *Evander*, son of Hermes, reputed founder of a colony at the foot of the Palatine Hill; *Æneas*, ancestral hero of Rome.

PAGE 342. 17. *Augustus Cæsar*, first Roman emperor.—18. A tower named in honor of Mark Antony, in which the Roman garrison of Jerusalem (one cohort) was quartered.

PAGE 344. 19. *Puteoli*, a seaport; *Lake Avernus* and *Lake Lucrinus*.

PAGE 345. 20. Commonly known as *Cybele*, officially *the Great Mother of the Gods*; her sanctuary was at *Pessinus* in Galatia. *Jupiter*, protector of Rome. *Morimene* and *Cilicia* are in Asia Minor.—21. "The Genius of the Roman people stood in the Forum, represented in the form of a bearded man crowned with a diadem, a cornucopia in his right hand, and a scepter in his left (Harper's *Dictionary of Classical Literature*).

PAGE 346. 22. *Isis*, Egyptian goddess of birth; *Anubis*, the god who escorted the dead, represented with the head of a jackal.—23. *Atargatis*, a goddess who combined characteristics of Juno, Venus, and Cybele.

PAGE 347. 24. The *Numidians* furnished a superb cavalry for the Carthaginian enemies of Rome; the *Parthians*, mail-clad archers, were deadly enemies of the Romans.

PAGE 348. 25. A reminiscence of Vergil's *Georgics*, Book IV: "For I remember how beneath the towered fortress of Œbalia . . . I saw an old man of Corycus who owned some few acres of waste land."

PAGE 350. Anatole France's review of Renan's *History of the People of Israel* is published in Vol. II of *La Vie littéraire*. These pages are a most striking example of impressionistic criticism.—26. Hebrew for 'gods'; also, despite its plural form, for the One God.

PAGE 351. 27. Near Nineveh, the remains of an Assyrian palace and town.—28. From the first stanza of the *Dies Iræ*, a medieval Latin hymn by Thomas of Celano:

> The day of wrath, that dreadful day,
> Shall the whole world in ashes lay,
> As David and the Sibyls say.

PAGE 352. 29. A typical sculptor of the French Renaissance.—30. The violet was the political emblem of the house of Bonaparte.

BOURGET

PAGE 358. *Préface du "Disciple,"* one of the most powerful documents of the later years of the century, dated June 5, 1889. Monsieur Bourget has always had the tendency to build his novel from its preface, which, frequently of some length, contains the germ of his thesis.

PAGE 361. 1. *The Court of Accounts*, or the Exchequer, situated along the quays of the Seine, was burned by the Communists during the violent and bloody days of the last week of May, 1871.

PAGE 364. 2. See note 2, page 311.

Croquis italiens, published in Bourget's *Études et portraits*, 1889. The author sees in Pisa and in Ravenna, both cities situated a few miles from the sea, remnants of a splendid civilization that is past; they are *villes mortes*, to be viewed in melancholy retrospect. Pisa, a wealthy republic, was once a power both on land and sea; Ravenna, with its glories of architecture, witnessed the declining days of the Roman Empire and the rise of Theodoric the Ostrogoth.

PAGE 365. 3. *Dante* died at Ravenna in 1321. *Byron*, under the charms of the Countess Guiccioli, lived there for eighteen months, 1820–1821.

PAGE 366. 4. Lines from an *Églogue napolitaine*, published anonymously in the *Revue des deux mondes*, September 15, 1839.—5. *Pintu-*

ricchio (1454–1513), a painter of the Umbrian school.— 6. *Giorgione* (1477–1510), last of the Venetian primitives and first of the men of the Renaissance.

RÉGNIER

PAGE 370. *Inscriptions pour les treize portes de la ville* (of which three alone are given) and *Odelette* are from *Les Jeux rustiques et divins* (1897).

The *Inscriptions* were published in the *Revue des deux mondes*, January 15, 1896. The stern editor, Brunetière, appended a note, calling upon the public to judge these poetic innovations, declaring that he himself did not altogether approve of them. Monsieur de Régnier, recalling, perhaps, that a similar note had accompanied *Les Fleurs du mal* in this same review, may have interpreted it in the light of a compliment. When the *Inscriptions* appeared in book form they were dedicated to Brunetière.

PAGE 373. *La Cité des eaux* appeared in 1902. M. Gabriel Mourey, in a recent tribute to Mallarmé, relates that one evening in the Rue de Rome the conversation passed to Versailles and to Henri de Régnier's glorification of the superb perspective from the steps of the palace, extending over the fountains, along walls of foliage, into seemingly infinite distance. Mallarmé, dreamy-eyed, with mysterious voice, is said to have remarked:

—Oui, c'est vrai... c'est vrai, l'on ne sait plus très bien ce qu'il peut y avoir, là-bas, à l'extrémité de l'allée sublime...

Then, after a long silence:

—Si, cependant, il y a... la France !

PAGE 375. The *Élégie*, and the *Épilogue* which follows, are from *La Cité des eaux*.

JAMMES

PAGE 379. *La Maison serait pleine de roses...* and *Quand verrai-je les îles...* are from a collection of poems called *De l'Angelus de l'aube à l'angelus du soir* (1898).

PAGE 380. *Prière pour aller au paradis avec les ânes* was first published in a collection called *Quatorze Prières* (1898).

PAGE 381. *Élégie cinquième* and *Élégie douzième* are from *Le Deuil des primevères* (1901).— 1. The melancholy return to the convent school in autumn.

Page 382. 2. The unusual inversion of an imperative which does not stand at the head of its phrase; possibly analogous to a more regular form such as occurs, for example, in the famous line of Musset:

Poète, prends ton luth et *me donne* un baiser.

Page 383. *Madame de Warens*, one of Jammes's finest poems, is also from *Le Deuil des primevères*. The curious romance woven about Les Charmettes, poetized in Rousseau's *Confessions*, is related again by Francis Jammes in prose: *Sur Jean-Jacques Rousseau et Madame de Warens aux Charmettes et à Chambéry*, published in *Le Roman du lièvre*.

Page 384. *Le Paradis des colombes* is from *Le Roman du lièvre*, dated 1902.

Page 385. 3. *Quiteria* is the heroine of one of the episodes from *Don Quixote*.—4. *Virginia*, bathing in a tropical brook, hears the mourning notes of the doves, as she dreams of Paul.—5. *Jocelyn*, the hero of Lamartine's poem, curé of a small village in the Alps, is haunted by the memory of *Laurence*, the girl whom he has formerly loved.

Tuggurth, from *Notes sur des oasis et sur Alger*, published in *Le Roman du lièvre*. Tugurt is a town in the Algerian Sahara, one hundred and twenty-seven miles south of Biskra.—6. An oasis and town twelve miles southeast of Tugurt.

INDEX OF AUTHORS